INVESTIGATION
Sciences et technologie
7

Auteur principal

Lionel Sandner

Auteurs

Nora Alexander

Mike Carlin

Glen Fatkin

Doug Herridge

Michael Lattner

Catherine Little

Jim Walsh

Sandy M. Wohl

Collaboration spéciale

Jay Ingram

Sandra Mirabelli

Consultant en technologie

Josef Martha

5757, RUE CYPIHOT, SAINT-LAURENT (QUÉBEC) H4S 1R3
TÉLÉPHONE: 514 334-2690   TÉLÉCOPIEUR: 514 334-4720
erpidlm@erpi.com

POUR L'ÉDITION FRANÇAISE

Directrice de l'édition
Diane Pageau

Traducteurs
Guy Bonin
Peggy Brenier

Réviseure linguistique
Marie Auclair

Chargée de projet
Geneviève Leblanc

Correcteur d'épreuves
Simon Tucker

Coordonnatrice aux réalisations graphiques
Sylvie Piotte

Édition électronique
Claude Bergeron

Cette ressource est disponible grâce à l'appui financier de Patrimoine canadien/Canadian Heritage, sous la gestion du ministère de l'Éducation de l'Ontario.

Investigation 7 Sciences et technologie, manuel de l'élève, édition française publiée par ERPI (ÉDITIONS DU RENOUVEAU PÉDAGOGIQUE INC.)
© 2009 PEARSON/ERPI

Traduction et adaptation autorisées de *Pearson Investigating Science and Technology 7*, Sandner, publié par Pearson Canada Inc.
© 2008 Pearson Canada Inc.

Dépôt légal — Bibliothèque et Archives nationales du Québec, 2009
Dépôt légal — Bibliothèque et Archives Canada, 2009

Imprimé au Canada   1234567890 FR 14 13 12 11 10 09
ISBN 978-2-7613-3017-6   11122 ABCD   StM12

 Par souci d'environnement, ce manuel est imprimé sur du papier contenant 10% de fibres recyclées postconsommation.

POUR L'ÉDITION ORIGINALE

Chargée de projet
Yvonne Van Ruskenveld (Edvantage Press)

Équipe éditoriale
Janis Barr, David Gargaro, Susan Girvan, Georgina Montgomery, Eileen Pyne-Rudzik, Ph. D., Rosemary Tanner

Rédacteurs
Erin Khelouiati, Ken Peck

Réviseure
Moira Calder

Correctrices d'épreuves
Maja Grip, Christine McPhee, Jennifer Hedges

Indexeur
Jennifer Hedges

Coordinatrices graphiques
Sharlene Ross, Shonelle Ramserran

Directrice artistique
Jane Schell

Concepteur graphique
Alex Li

Édition électronique
Carolyn E. Sebestyen

Illustrations
Kevin Cheng, David Cheung, Crowle Art Group, Jeff Dixon, Jane Whitney

Recherchistes photo
Nancy Cook, Rosie Gowsell, Alison Lloyd-Baker

Directeur, développement de produits
Reid McAlpine

Éditrice
Cecilia Chan

Directrice de la recherche et des communications
Deborah Nelson

Investigation 7 Sciences et technologie, Manuel de l'élève, French language edition, published by ERPI (ÉDITIONS DU RENOUVEAU PÉDAGOGIQUE INC.)
© 2009 PEARSON/ERPI

Authorized translation and adaptation from the English language edition, entitled *Pearson Investigating Science and Technology 7*, by Sandner, published by Pearson Canada Inc.
© 2008 Pearson Canada Inc.

Remerciements

Adaptation et révision scientifique

Pour l'édition française

L'Éditeur ERPI/PEARSON tient à remercier les enseignantes et les enseignants, ainsi que le spécialiste en littératie-numératie qui ont commenté la version française. Leurs commentaires judicieux ont été des plus appréciés et utiles à l'organisation du contenu pour les élèves francophones.

Consultantes et consultants

Catherine Bentivoglio
Académie de la Moraine
Conseil scolaire de district du Centre-Sud-Ouest

Kristy Landriault-Spence
Enseignante
École secondaire catholique Père-René-de-Galinée
Conseil scolaire de district catholique
Centre-Sud

Issam Massouh

Dominic P. Tremblay
Enseignant
École Marc-Garneau
Trenton

Pour l'édition originale anglaise

L'Éditeur Pearson Education tient à remercier les enseignantes et les enseignants ainsi que les élèves qui ont expérimenté ce manuel avant sa publication. Leurs commentaires judicieux ont été des plus appréciés.

Lisa Ackman
Renfrew County District School Board

Chris Atkinson
Catholic District School Board of Eastern Ontario

Ann-Marie Babineau
Ottawa-Carleton District School Board

Savita Balagopal
Peel District School Board

Vijaya Balchandani
Toronto District School Board

Swarnaly Banerjee-Modi
Peel District School Board

Janet Bartolini
Toronto District School Board

Martin Beswick
District School Board of Niagara

Shivani Bhagria
Peel District School Board

Marlene Bilkey
Peel District School Board

Daniel Birkenbergs
Dufferin-Peel Catholic District School Board

Marietta (Mars) Bloch
Directrice des services éducatifs du programme *Lets Talk Science*

Peter Bloch
Toronto District School Board

Jody Bonner-Vickers
Rainy River District School Board

Paul Bosacki
Thames Valley District School Board

Anne Bradley
Catholic District School Board of Eastern Ontario

Tracy Bridgen
Limestone District School Board

Helen Brown
Durham District School Board

Melissa Brownlow
Peel District School Board

Mahlon Bryanton
Renfrew County District School Board

Sukwinder Buall
Toronto District School Board

Shayne Campbell
Upper Grand District School Board

Dennis Caron
Toronto Catholic District School Board

Patricia Cava
Ottawa Catholic District School Board

Lenny Chiro
Toronto District School Board

Michele Chomniak
Halton District School Board

Laura Christian
Hamilton Wentworth District School Board

Ian Christie
Halton District School Board

Brenda Collins
London District Catholic School Board

Sue Continelli
District Scholl Board of Niagara

Craig Corbett
Halton District School Board

Darin Corbiere
Toronto District School Board

Catherine Costello
York Region District School Board

Rosalie Cross
Ottawa-Carleton District School Board

Mary Cuylle
Peel District School Board

Kara Dalgleish
Hamilton-Wentworth District School Board

Brett Davis
Hastings and Prince Edward District School Board

Ian Dawson
Peel District School Board

Veronica Deignan
Waterloo Catholic District School Board

Joan D'Elia
Peel District School Board

Sonia DiCola Kopichanski
London District Catholic School Board

Chris di Tomasso
Catholic District School Board of Eastern Ontario

Nadine Dodds
Cormack Simcoe County District School Board

Seana Donohue
Ottawa Catholic School Board

Randy Dumont
McMaster University

Kristy Duncan
District School Board of Niagara

Jessica Egelnick
Peel District School Board

Sam Falzone
Toronto District School Board

Julia Farewell
Peel District School Board

Jodi Ferdinand
Renfrew County District School Board

Heidi Ferguson
Renfrew County Catholic District School Board

Alison Fernandes
Dufferin-Peel Catholic District School Board

Ian Fischer
Ottawa Catholic School

Erika Fleming Gillespie
Waterloo Regional District School Board

Kim Foley
Limestone District School Board

Jane Forbes
Ontario Institute for Studies in Education, University of Toronto

Andy Forgrave
Hastings and Prince Edward District School Board

Donna Forward
Ottawa Catholic School Board

Michael Frankfort
York Region District School Board

Jeff Fraser
Peel District School Board

Jennifer Freelandt
Ottawa Catholic School Board

Lorraine Ganesh
Peel District School Board

Sarah Garrett
Upper Grand District School Board

Krista Gauthier
Renfrew County District School Board

Fraser Gill
Peel District School Board

David Gillespie
Durham District School Board

Mike Glazier
London District Catholic School Board

Kevin Goode
Simcoe County District School Board

Shaunna Goode
Peel District School Board

Julie Grando
Dufferin-Peel Catholic District School Board

Rob Green
Peel District School Board

Akaran Guyadin
Toronto District School Board

Jodie Hancox-Meyer
Waterloo District School Board

Jocelyn Harrison
Toronto District School Board

Dr Monika Havelka
University of Toronto (Mississauga)

Deb Hearn
Peel District School Board

Tara Hewitt
Grand Erie District School Board

Marc Hodgkinson
Thames Valley District School Board

Pat Hogan
Catholic District School Board of Eastern Ontario

Bryan Honsinger
District School Board of Niagara

Shawna Hopkins
District School Board of Niagara

Bill Hrynkiw
Durham District School Board

Karen Hume
Durham District School Board

Nizam Hussain
Toronto District School Board

Colleen Hutcheson
Ottawa-Carleton District School Board

Stephanie Insley
Thames Valley District School Board

Wayne Isaac
Waterloo Regional District School Board

Krista Jarvie
Peel District School Board

Terry Jay
Simcoe County District School Board

Brent Johnston
Waterloo Region District School Board

Kristi Johnston-Bates
Catholic District School Board of Eastern Ontario

Matt Johnston
Toronto District School Board

Darayus Kanga
Toronto District School Board

Tom Karrow
Waterloo Regional District School Board

Adam Kelly
Ottawa-Carleton District School Board

Kristina Kernohan
Durham District School Board

Gita Khanna
Toronto District School Board

Irene Kicak
Toronto District School Board

Deb Kiekens
Thames Valley District School Board

Amy Kilty Schwandt
Thames Valley District School Board

Dr. Jean Kisoon-Singh
Peel District School Board

Brenda Kusmenko
Peel District School Board

Helen Laferriere
Simcoe Muskoka Catholic District School Board

Marilyn Lajeunesse
Waterloo District School Board

Jean-Benoit Lanca
Ottawa Catholic School Board

Chris Lanis
Toronto District School Board

Heather Lanning
Toronto District School Board

Jeff Laucke Lambton
Kent District School Board

Bill Legate
Bluewater District School Board

Natalie Leitch
Upper Grand District School Board

Nicholas Lemire
Toronto District School Board

Andrew Leslie
Simcoe County District School Board

Steve Logue
Peel District School Board

Lara Loseto
York Region District School Board

Andrew Lovatt
Catholic District School Board of Eastern Ontario

Tait Luste
Peel District School Board

Heather Mace
Ottawa-Carleton District School Board

Jenn MacKinnon
Waterloo Catholic District School Board

Hugh MacLean
Waterloo Region District School Board

Tracey MacMillian
Renfrew County District School Board

Art MacNeil
Peel District School Board

Marjory Masson
Toronto District School Board

Sean Matheson
Toronto District School Board

Elizabeth Mayock
Hastings and Prince Edward District School Board

Monica McArthur-Joseph
Peel District School Board

Rob McBeth
Waterloo Region District School Board

Cara McCrae
Thames Valley District School Board

Irene McCuaig
Keewatin-Patricia District School Board

Diana McFarland-Mundy
Ottawa-Carleton District School Board

Dave McGaghran
Grand Erie District School Board

Mary Sue McIntyre
Simcoe Muskoka Catholic District School Board

Mark McKinley
Kawartha Pine Ridge District School Board

Chris McKinnon
Waterloo Catholic District School Board

Hugh Mclean
Waterloo Regional District School Board

Manish Mehta
Peel District School Board

Paul Menicanin
Hamilton-Wentworth District School Board

Marina Milner-Bolotin
Ryerson University

Sandra Mirabelli
Dufferin-Peel Catholic District School Board

Cindi Mitchell
York Region District School Board

Yvan Moise
Ottawa Catholic School Board

Ginny Monaghan
Peel District School Board

Luis Morgadinho
Peel District School Board

Frank Muller
Peel District School Board

Katie Muller
Upper Grand District School Board

Brian Murrant
Simcoe County District School Board

Michael J. Newnham
Thames Valley District School Board

Trevor Ormerod
Peel District School Board

Leda Ostafichuk
Toronto Catholic District School Board

Johanna Pastma
District School Board of Niagara

Steacy Petersen
Upper Grand District School Board

Jennifer Phillips
Toronto District School Board

Elizabeth Piwowar
Peel District School Board

Julie Podesta
Thames Valley District School Board

Bruno Pullara
Dufferin-Peel Catholic District School Board

Georgina Purchase
Ottawa-Carleton District School Board

Tom Rhind
Keewatin-Patricia District School Board

Rebecca Ridler
Simcoe County District School Board

Rena Ro
Peel District School Board

Lisa Rome
Peel District School Board

Michaeline Rowberry
Peel District School Board

Steven Sadura
University of Guelph

Ernie Salac
Kawartha Pine Ridge District School Board

Phil Sanders
Thames Valley District School Board

Rey Sandre
Toronto Catholic District School Board

Shirley Saunders
Peel District School Board

Tamara Sayers-Pringle
Hastings and Prince Edward District School Board

Ericka Schroeder
Waterloo Catholic District School Board

Manny Sciberras
York Region District School Board

Ryan Seale
Catholic District School Board of Eastern Ontario

Clare Shannon
Bluewater District School Board

Katherine Shaw
Peel District School Board

David Shulman
York Region District School Board

Jane E. Simms
Toronto District School Board

Maureen Sims
Toronto Catholic District School Board

Denise Stansfield
Peel District School Board

Trevor Starkes
Peel District School Board

John Starratt
Simcoe Muskoka Catholic District School Board

Corrina Strong
Peel District School Board

Micheline Tamminen
Lakehead Public Schools

Corinna Taverna-Rossi
York Catholic District School Board

Enzo Tignanelli
Waterloo Catholic District School Board

Derek Totten
York Region District School Board

John Tovey
York Region District School Board

Brandon Tse
Peel District School Board

Stacy van Boxtel
Renfrew County Catholic District School Board

Dr. Rashmi Venkateswaran
University of Ottawa

Cathy Viscount
Waterloo Regional District School Board

Dana Wallace
Ottawa-Carleton District School Board

Greg Watson
District School Board of Niagara

Margaret Ward
Halton District School Board

Corey Wells
Simcoe County District School Board

Deborah Weston
Peel District School Board

Lisa Weston Tourigny
London District Catholic School Board

Annie White
Hamilton-Wentworth District School Board

Janice Whiton
York Catholic District School Board

Raymond Wiersma
Thames Valley District School Board

Matthew Wilson
District School Board of Niagara

Michelle Willson
Grand Erie District School Board

Sandy Wilson
Thames Valley District School Board

Craig Winslow
Niagara Catholic District School Board

Table des matières

Table des matières

Table des matières

Table des matières

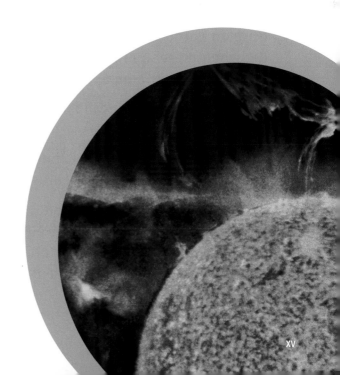

Règles de sécurité à observer en classe

Ce manuel te propose de nombreuses activités. Avant de les entreprendre, lis-en bien la description, particulièrement les mises en garde. Elles t'expliqueront les consignes de sécurité à respecter pendant l'activité. Assure-toi de bien comprendre ce quelles signifient.

Pendant une activité, il est très important de respecter les règles de sécurité. Ton enseignante ou ton enseignant peut ajouter d'autres consignes de sécurité à celles qui sont indiquées dans le manuel. Quand tu lis ces règles, discute avec une ou un camarade ou note pourquoi il est nécessaire de suivre ces règles.

Avant de commencer

1. Lis les consignes énumérées dans le texte ou dans tout autre document fourni par ton enseignante ou ton enseignant et assure-toi de bien les comprendre. Respecte toujours les consignes. Tu ne dois ni modifier, ni commencer une activité sans approbation préalable.

2. Apprends à reconnaître les symboles de mise en garde signalant les substances dangereuses, tel qu'indiqué dans la section *Boîte à outils 1*, aux pages 377-378.

3. Garde ton espace de travail rangé et organisé.

4. Repère les emplacements des extincteurs et des autres équipements de sécurité.

5. Porte toujours des lunettes de protection et tout autre vêtement protecteur, tel que demandé par ton enseignante ou ton enseignant ou tel que recommandé dans ce manuel.

6. Attache tes cheveux s'ils sont longs. Si tu as des manches très longues, retrousse-les.

7. Informe ton enseignante ou ton enseignant si tu souffres d'allergies, de problèmes médicaux ou si tu présentes toute autre particularité qui peut influer sur ton travail en classe de science.

Pendant l'activité

8. Avise ton enseignante ou ton enseignant de toute préoccupation en matière de sécurité ou de tout danger (tel qu'une substance renversée).

9. Dans les laboratoires, tu ne dois pas boire, manger ou mâcher de la gomme.

10. Tu ne dois jamais goûter une substance.

11. Ne sens jamais une substance directement. Agite plutôt doucement ta main au-dessus de la substance pour en diriger l'odeur vers ton nez, tel qu'illustré dans la photographie ci-dessous.

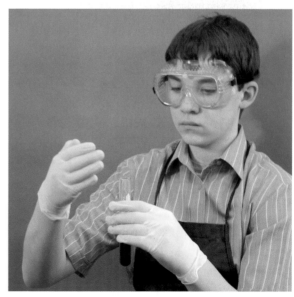

Agite doucement la main pour diriger l'odeur vers toi.

12. Les récipients en verre doivent être manipulés avec soin. Si tu remarques un bris de verre, demande à ton enseignante ou à ton enseignant comment régler cette situation.

13. Manipule les couteaux ou tout autre objet tranchant avec prudence. Coupe toujours en faisant un mouvement qui s'éloigne de toi et ne pointe jamais un objet pointu vers une autre personne.

14. Utilise toujours des récipients et des tubes à essai ouverts et en verre résistant à la chaleur lorsque tu fais chauffer des solides ou des liquides. Utilise des pinces ou des gants protecteurs pour toucher les objets chauds.

15. Lorsque tu fais chauffer des tubes à essai, assure-toi que l'extrémité ouverte n'est pas dirigée vers toi ou vers une autre personne.

L'extrémité ouverte d'un tube à essai chauffé ne doit jamais être dirigée vers une personne.

La photo ci-dessous indique comment procéder.

16. Ne laisse pas un contenant vide sur le réchaud.

17. Éloigne les contenants des prises électriques et, lorsque tes mains sont mouillées, reste loin des prises électriques.

18. Sois prudent quand tu coupes, assembles ou perces quoi que ce soit. Assure-toi de savoir comment utiliser correctement tes outils.

19. Si une partie de ton corps entre en contact avec une substance chimique, rince la zone touchée immédiatement à grande eau. Si une substance atteint tes yeux, ne touche pas tes yeux. Rince-les immédiatement et abondamment avec de l'eau pendant 15 minutes. Informes-en ton enseignante ou ton enseignant.

20. Traite toute espèce vivante avec respect. Suis les consignes de ton enseignante ou de ton enseignant quand tu travailles avec des espèces vivantes dans la classe ou lors d'une excursion.

21. Lors d'une excursion, ne perturbe pas l'endroit plus que nécessaire. Si tu dois cueillir des plantes, prends-en le moins possible et prélève-les avec soin.

Après l'activité

22. Assure-toi de fermer les récipients de substances chimiques immédiatement après les avoir utilisés.

Assure-toi de porter l'équipement de sécurité nécessaire lors des manipulations au laboratoire.

23. Suis les consignes de ton enseignante ou de ton enseignant pour éliminer les déchets de façon adéquate.

24. Lave-toi toujours bien les mains avec du savon, de préférence du savon liquide, après avoir manipulé des substances chimiques. Lave-toi toujours les mains après avoir touché des plantes, de la terre ou un animal, sa cage ou son récipient.

25. Une fois l'expérience terminée, nettoie tout le matériel avant de le ranger. Fais attention aux plaques chauffantes et au matériel qui a été chauffé, car ils peuvent être encore chauds.

Oui à la sécurité !

✓ Respecte les consignes de sécurité indiquées par ton enseignante, ton enseignant ou celles qui sont recommandées dans ce manuel.

✓ Sois vigilent et signale tout danger potentiel.

✓ Sois attentif à ta sécurité, à celle de tes camarades et de ton enseignante ou ton enseignant.

Après la lecture

Stratégies Littératie

Partage tes connaissances

Avec une ou un camarade ou en petit groupe, réfléchis à une manière de partager tes connaissances en matière de sécurité en classe de science, à l'aide d'une affiche ou d'un sketch. Tu pourrais, par exemple, créer une affiche présentant la technique recommandée pour sentir une substance ou pour faire chauffer un liquide dans un récipient. Tu pourrais également planifier et présenter un sketch portant sur ta préparation ou la préparation de l'espace de travail pour faire une activité de science.

Découvre ton manuel *Investigation Sciences et technologie 7* en cherchant les réponses aux questions suivantes.

Titres et rubriques

1. Combien de modules étudieras-tu dans ce manuel? Énumères-en les titres. D'après toi, sur quoi portera chaque module?

2. Quels renseignements peux-tu trouver en consultant la rubrique *Survol du module*?

3. Qui est Jay Ingram? Quel est le titre de la page où il te présente de l'information? (Conseil: Cherche à la fin du chapitre 3.)

Symboles

1. Quel symbole apparaît dans le coin supérieur droit des rubriques *Pendant la lecture*? Quel est le but de ces rubriques?

2. Trouve une rubrique *Activité synthèse* dans le chapitre 8 et reproduis les deux symboles de sécurité qui s'y trouvent. Dans ce manuel, où peux-tu lire d'autres renseignements sur les symboles de sécurité?

Couleurs

1. Nomme trois types d'activités dont les titres sont imprimés sur fond bleu. Trouve tes exemples dans le module A.

2. À la fin de chaque chapitre, une révision du chapitre est présentée sur fond jaune. Comment s'intitulent les parties qui la composent?

3. Un projet est présenté au début de chaque module. Trouve le *projet du module* C et résume-le. Regarde à la fin de chaque chapitre du module C pour y trouver des encadrés à fond bleu présentant les liens avec le projet. Combien y en a-t-il dans le module C?

Mots et habiletés

1. Repère la liste des mots clés du chapitre 2. Où peux-tu trouver les définitions de tous les mots clés du manuel?

2. Tu développeras diverses habiletés dans ce manuel. Trouve la liste des habiletés à utiliser dans le chapitre 7. Choisis-en une et décris comment tu pourrais exercer cette habileté.

3. Certaines rubriques sont placées dans la marge. Trouve un exemple de celle qui s'intitule *L'importance des mots* dans le chapitre 7. De quoi y est-il question?

4. Cherche une activité dans le chapitre 4 qui fait référence à la *Boîte à outils 4*. Où se trouve cette section dans ton manuel? Quel est le sujet de la *Boîte à outils 4*?

Bien comprendre la structure de ton manuel t'aidera à mieux réussir.

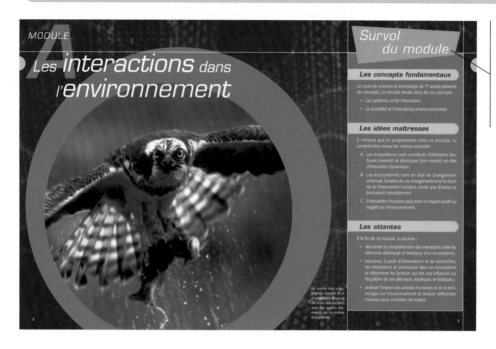

Survol du module

Accompagnant la photographie qui illustre le concept étudié, ce survol te présente les concepts fondamentaux, les idées maîtresses et les attentes du module à l'étude.

Sommaire

Le Sommaire te présente les trois sections et neuf sous-sections du module.

Laboratoire

En ouverture de module, le *Laboratoire* te propose une courte activité pour te familiariser avec les concepts principaux du module. Dans ton manuel, tu retrouveras d'autres courts laboratoires, *activités de résolution de problèmes* et *d'analyse de la prise de décision*.

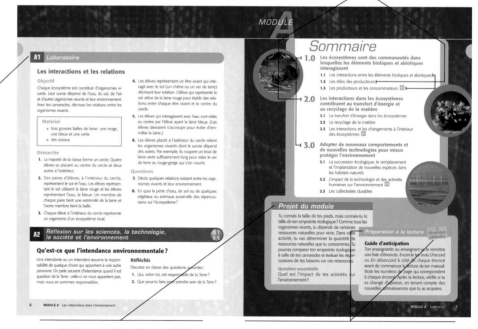

La rubrique ***Projet du module*** t'informe sur les concepts clés qui seront nécessaires à la réalisation du projet du module.

L'activité de littératie de la rubrique ***Préparation à la lecture*** te sera utile pour planifier ta lecture du module. Prends bien note du pictogramme qui te propose des stratégies utiles avant, pendant et après tes lectures.

L'Introduction résume ce que tu vas apprendre dans ce chapitre, les habiletés à utiliser et l'importance du sujet en lien avec le concept du module.

Chaque chapitre débute par une photographie attrayante accompagnée d'une légende permettant de faire le lien avec le sujet.

La leçon débute par un résumé des contenus que tu apprendras dans la section.

Chaque section contient une activité *Point de départ* pour te permettre de faire le bilan de ce que tu sais déjà sur le sujet.

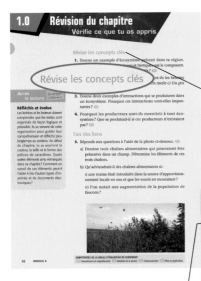

À la fin de chaque chapitre, tu peux vérifier ce que tu as appris en révisant les concepts clés et en mettant tes connaissances en application.

Résumé du module te permet de voir tous les **concepts clés** du module traités dans les différentes sections avec un résumé des contenus de chaque chapitre. Cette page te sera utile pour organiser tes notes de cours.

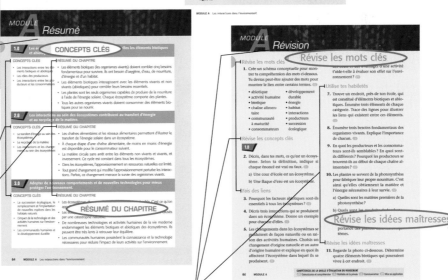

Révision du module te permet de réviser les mots clés du module, de vérifier ta compréhension des concepts clés et de faire des liens entre les notions étudiées dans le module. Des questions te permettront de faire le bilan des habiletés que tu auras utilisées dans le module et d'en réviser les idées maîtresses.

Survol du module

Les concepts fondamentaux

Le cours de sciences et technologie de 7ᵉ année présente six concepts. Ce module étudie deux de ces concepts :

- Les systèmes et les interactions

- La durabilité et l'intendance environnementale

Les idées maîtresses

À mesure que tu progresseras dans ce module, tu comprendras mieux les notions suivantes :

A. Les écosystèmes sont constitués d'éléments biotiques (vivants) et abiotiques (non vivants) en état d'interaction dynamique.

B. Les écosystèmes sont en état de changement continuel. Certains de ces changements sont le résultat de l'intervention humaine, tandis que d'autres se produisent naturellement.

C. L'intervention humaine peut avoir un impact positif ou négatif sur l'environnement.

Les attentes

À la fin de ce module, tu pourras :

- démontrer ta compréhension des interactions entre les éléments abiotiques et biotiques d'un écosystème ;

- examiner, à partir d'observations et de recherches, les interactions se produisant dans un écosystème et déterminer les facteurs qui ont une influence sur l'équilibre de ces éléments abiotiques et biotiques ;

- analyser l'impact des activités humaines et de la technologie sur l'environnement et évaluer différentes mesures pour contrôler cet impact.

La survie des organismes vivants d'un écosystème dépend de leurs interactions avec les autres éléments de ce même écosystème.

3

Exploration

Une randonnée dans un écosystème te permettra d'être en contact étroit avec de nombreux organismes vivants.

Tu marches en forêt, près d'une vallée. Un cerf de Virginie grignote quelques feuilles à côté d'un buisson. Tout près, un faisan bat bruyamment des ailes avant de s'envoler. Tu entends le bourdonnement des insectes. Comme toi, les plantes, les insectes, les oiseaux et les autres animaux sont des organismes vivants faisant partie d'un écosystème. Un **écosystème** est constitué d'organismes vivants et de leur environnement qui interagissent dans un milieu particulier.

Dans l'environnement, les interactions jouent un rôle fondamental pour la survie des organismes vivants de notre planète. Ce module te permettra d'en apprendre plus sur le fonctionnement des écosystèmes.

Il sera aussi important d'analyser l'impact des activités humaines sur les écosystèmes et d'apprendre que les activités et la technologie évoluent au fur et à mesure qu'on agit pour protéger les écosystèmes.

La vallée de Rouge River

Il y a plus de 500 ans, Rouge River était connue sous le nom de *Katabokokonk*, qui signifie « rivière facile d'accès ». À cette époque, le peuple des *Longhouse* habitait la vallée. Il se servait de l'eau de la rivière pour cuisiner, boire, pêcher et se déplacer. Les villageois y cultivaient la terre. La culture des haricots, par exemple, gardait le sol sain et augmentait la production des autres végétaux. Ces Iroquois vivaient dans des maisons longues faites de perches, de branches et d'écorce d'arbres de la forêt. La survie de ces premiers habitants dépendait uniquement des éléments vivants et non vivants de la vallée.

Quand les Européens se sont établis dans la région, ils y ont installé des fermes et construit des moulins pour moudre le grain à l'aide de l'énergie fournie par l'eau. Des communautés, des entreprises et des routes sont apparues parallèlement au développement de la ville de Toronto.

Rouge River et les rivières de plus petite taille qui s'y jettent traversent la moraine d'Oak Ridges et se déversent dans le lac Ontario. Les écosystèmes de la vallée de Rouge River sont constitués de forêts matures, d'un vaste marais, de falaises, de champs et d'un rivage.

Rouge River.

Le parc Rouge

En 1975, l'impact des activités humaines sur les écosystèmes de la vallée préoccupait les habitants de la région. Ces gens craignaient que le développement urbain cause d'importants dommages. Selon eux, les routes et les maisons allaient détruire les habitats naturels, les animaux et les plantes. De plus, la présence de véhicules allait contribuer aux problèmes de pollution et les cours d'eau allaient être détournés ou pollués.

Les habitants de la région ont donc formé un groupe pour préserver la vallée de Rouge River et favoriser sa mise en valeur. Le parc Rouge a vu le jour après 20 ans de réunions, de pétitions et de rassemblements.

Le parc Rouge s'étend maintenant sur 47 km^2 et protège de nombreux écosystèmes. Des habitants de la région et des représentants des gouvernements en assurent la gestion. Leur objectif est de limiter l'impact des activités humaines et de la technologie sur la vallée de Rouge River.

Un héron.

EXPLORATION (suite)

Les interactions et les relations

Objectif

Chaque écosystème est constitué d'organismes vivants. Leur survie dépend de l'eau, du sol, de l'air et d'autres organismes vivants et leur environnement. Avec tes camarades, décrivez les relations entre les organismes vivants.

Matériel

- trois grosses balles de laine : une rouge, une bleue et une verte
- des ciseaux

Démarche

1. La majorité de la classe forme un cercle. Quatre élèves se placent au centre du cercle et deux autres à l'extérieur.

2. Des paires d'élèves, à l'intérieur du cercle, représentent le sol et l'eau. Les élèves représentant le sol utilisent la laine rouge et les élèves représentant l'eau, la bleue. Un membre de chaque paire tient une extrémité de la laine et l'autre membre tient la balle.

3. Chaque élève à l'intérieur du cercle représente un organisme d'un écosystème local.

4. Les élèves représentant un être vivant qui interagit avec le sol (un chêne ou un ver de terre) décrivent leur relation. L'élève qui représente le sol utilise de la laine rouge pour établir des relations entre chaque être vivant et le centre du cercle.

5. Les élèves qui interagissent avec l'eau sont reliés au centre par l'élève ayant la laine bleue. (Les élèves devraient s'accroupir pour éviter d'emmêler la laine.)

6. Les élèves placés à l'extérieur du cercle relient les organismes vivants dont la survie dépend des autres. Par exemple, ils coupent un bout de laine verte suffisamment long pour relier le ver de terre au rouge-gorge qui s'en nourrit.

Questions

7. Décris quelques relations existant entre les organismes vivants et leur environnement.

8. En quoi la perte d'eau, de sol ou de quelques végétaux ou animaux aurait-elle des répercussions sur l'écosystème ?

A2 *Réflexion sur les sciences, la technologie, la société et l'environnement*

Qu'est-ce que l'intendance environnementale ?

Une intendante ou un intendant assume la responsabilité de quelque chose qui appartient à une autre personne. On parle souvent d'intendance quand il est question de la Terre : celle-ci ne nous appartient pas, mais nous en sommes responsables.

Réfléchis

Discutez en classe des questions suivantes :

1. Qui, selon toi, est responsable de la Terre ?

2. Que peux-tu faire pour prendre soin de la Terre ?

MODULE A

Sommaire

Projet du module

Tu connais la taille de tes pieds, mais connais-tu la taille de ton empreinte écologique? Comme tous les organismes vivants, tu dépends de certaines ressources naturelles pour vivre. Dans cette activité, tu vas déterminer la quantité de ressources naturelles que tu consommes. Tu pourras comparer ton empreinte écologique à celle de tes camarades et évaluer les répercussions de tes besoins sur ces ressources.

Question essentielle

Quel est l'impact de tes activités sur l'environnement?

Préparation à la lecture

Stratégies Littératie

Guide d'anticipation

Ton enseignante ou enseignant va te remettre une liste d'énoncés. Encercle les mots *D'accord* ou *En désaccord* à côté de chaque énoncé avant de commencer la lecture de ton manuel. Note les numéros de page qui correspondent à chaque énoncé. Après ta lecture, vérifie si tu as changé d'opinion, en tenant compte des nouvelles connaissances que tu as acquises.

Les écosystèmes sont des communautés au sein desquelles les éléments biotiques et abiotiques interagissent

Les organismes vivants assurent leur survie grâce à leur écosystème.

Ce que tu vas apprendre

Dans ce chapitre, tu vas :

- expliquer ce dont les organismes vivants ont besoin pour vivre ;
- décrire un écosystème ;
- décrire les interactions entre les producteurs, les consommateurs, les décomposeurs et leur environnement dans les écosystèmes.

Les habiletés que tu utiliseras

Dans ce chapitre, tu vas :

- observer les consignes de sécurité établies pour explorer les écosystèmes ;
- concevoir et réaliser un modèle d'écosystème.

Pourquoi est-ce important ?

Les organismes vivants, par exemple un poisson dans une rivière, un pied de tomates ou toi, dépendent de leurs interactions avec d'autres organismes vivants et leur environnement pour vivre. Ces interactions (agir les uns sur les autres) se produisent dans les écosystèmes.

Avant la lecture

Stratégies Littératie

Parcourir les éléments d'un texte

Les manuels présentent tous une variété d'éléments. Ces éléments servent à organiser les concepts clés et les idées principales, de même qu'à souligner l'importance de certains détails. Parcours ce chapitre pour avoir un aperçu des titres et du vocabulaire scientifique utilisés. Examine la couleur, la taille et la forme des polices de caractères. De façon à mieux comprendre le contenu, essaie de trouver la raison pour laquelle ces éléments sont présentés ainsi.

Mots clés

- un écosystème
- abiotique
- une population
- les consommateurs
- biotique
- les producteurs
- une communauté
- les décomposeurs

Figure 1.1 Les Autochtones partagent leurs terres avec des animaux, par exemple, ce cerf.

Figure 1.2 Les Autochtones respectent tous les éléments présents dans la nature.

En tant que pêcheurs, chasseurs et agriculteurs, les peuples autochtones de l'Amérique du Nord ont vécu de la terre pendant des générations.

Les Autochtones ont toujours accordé une attention particulière aux plantes, aux oiseaux, aux animaux et aux ressources naturelles nécessaires à leur survie, partout où ils ont vécu. Par exemple, les Cris du Nord comprenaient que s'ils chassaient trop l'oie, ils en seraient bientôt privés. Les Mohawks savaient très bien que, s'ils abattaient un trop grand nombre d'arbres, ils pourraient perdre leur gîte et leur principale source de chaleur. Lorsque les sources d'eau locales devenaient non potables, les Ojibwa étaient forcés de s'installer ailleurs ou de risquer leur vie.

Les pratiques traditionnelles autochtones nous enseignent de ne rien gaspiller quand on utilise des plantes ou qu'on chasse des animaux. Les Autochtones chassaient des animaux comme le cerf pour se nourrir (figure 1.1). Ils utilisaient la peau, les os et les autres parties de cet animal pour fabriquer des outils, des vêtements, des abris et des médicaments. Pour les Autochtones, la vie et l'eau ont un caractère sacré, et tout est lié par des interactions. Ils croient faire eux-mêmes partie de l'écosystème dans lequel ils vivent. Ces croyances démontrent un profond respect et une immense gratitude envers la Terre. Les modes de vie traditionnels exigent que tout, dans la nature, soit respecté et utilisé avec sagesse.

Encore aujourd'hui, les aînés autochtones sont toujours aussi fidèles au respect de la Terre lorsqu'ils travaillent avec des spécialistes de l'environnement. Grâce au savoir traditionnel et à la recherche scientifique, ils améliorent la gestion des écosystèmes locaux.

A3 *Laboratoire*

L'omniprésence des écosystèmes

Figure 1.3

Figure 1.4

Partout où tu regardes, tu peux apercevoir certains éléments d'un écosystème. Dans une ville, tu verras des oiseaux, des insectes, des nids, des arbres, des pelouses, des écureuils et des ratons laveurs. Dans une région moins peuplée, tu pourras observer la faune d'un étang. Chaque écosystème est constitué d'organismes vivants (comme les plantes et les animaux) et d'éléments non vivants (comme le sol, la roche et l'eau).

Chaque écosystème est essentiel à la survie des organismes vivants. Un écosystème peut être vaste ou petit, humide ou sec, chaud ou froid.

Objectif

Déterminer les interactions dans les écosystèmes.

Matériel
- des photos
- du papier et un crayon

Démarche

1. Crée deux tableaux à deux colonnes intitulées *Organismes vivants* et *Éléments non vivants*. Examine les écosystèmes des figures 1.3 et 1.4. Classe tous les éléments que tu as observés dans les tableaux.

2. Avec une ou un camarade, dresse une liste des interactions entre les organismes vivants et l'environnement.

Questions

3. Avec toute la classe ou en équipe de deux, discute des questions suivantes.

   a) Quelles seraient vos interactions avec chacun des écosystèmes ?

   b) Quelles pourraient être vos répercussions sur chaque écosystème ?

1.1 Les interactions entre les éléments biotiques et abiotiques

Résumé de ce que tu apprendras dans cette section

- Un organisme vivant est un élément biotique.
- Un élément non vivant est un élément abiotique.
- Les éléments biotiques doivent combler cinq besoins fondamentaux pour survivre.
- Les éléments biotiques interagissent avec des éléments biotiques et abiotiques pour combler les besoins essentiels à leur survie.

Tes camarades et toi luttez en tout temps pour survivre. Tu vois peut-être cela autrement, mais c'est la vérité! Quelles activités te permettent — et permettent à la plupart des organismes vivants — d'assurer ta survie? Tu respires de l'air. Tu consommes des aliments. Tu te débarrasses des déchets. Ton corps fabrique l'énergie nécessaire pour digérer et bouger. Combler ses besoins fondamentaux est essentiel à la survie des organismes vivants. Pour combler ces besoins, les organismes vivants et non vivants interagissent ensemble.

A4 Point de départ

Habiletés **R** **C**

Les organismes vivants et les éléments non vivants présents dans les écosystèmes

L'activité précédente t'a permis de dresser une liste des organismes vivants et des éléments non vivants apparaissant sur les photographies. Comment as-tu fait tes choix?

Examine ces trois photographies. Lesquelles montrent des organismes vivants et des éléments non vivants? Comment peux-tu faire la différence entre les deux? Discute de la question avec une ou un camarade. Énumère les facteurs que tu as utilisés pour répondre à la première question.

Figure 1.6

Figure 1.7

Figure 1.5

Les besoins fondamentaux des éléments biotiques

Les scientifiques appellent les organismes vivants *éléments **biotiques*** et les éléments non vivants, *éléments **abiotiques***. Les éléments biotiques doivent combler cinq besoins fondamentaux pour survivre. La plupart des organismes — ours polaires, moustiques, pissenlits, érables ou toi — ont besoin :

1. d'oxygène
2. d'eau
3. de nourriture
4. d'énergie
5. d'un habitat convenable (un endroit où vivre).

Combler un besoin dépend de l'interaction entre des éléments biotiques et des éléments abiotiques. Réfléchis à cette interaction durant ta lecture.

L'IMPORTANCE DES MOTS

Le préfixe *bio-*, dans un mot comme *biotique*, signifie « vie ». Le préfixe *a-* marque la négation : abiotique (non vivant).

Pour aller Plus loin

Certains éléments biotiques vivent dans des habitats sans oxygène. Effectue une recherche sur ces organismes qui réussissent à vivre dans de tels milieux.

A5 Pendant la lecture

Stratégies Littératie

Des titres pour te guider

Durant ta lecture, sers-toi des titres pour mieux comprendre la matière à l'étude. Dresses-en une liste dans ton journal scientifique. Pour chaque titre, écris une question que tu te poses. Formule tes questions à l'aide des mots *Pourquoi ? Où ? Quoi ?* ou *Comment ?* Garde ces questions à l'esprit lorsque tu lis, de manière à comprendre la façon dont les interactions avec les éléments non vivants contribuent à combler les besoins fondamentaux des organismes vivants.

Oxygène	Eau	Nourriture	Énergie	Habitat
Comment puis-je avoir de l'oxygène ?	En quoi l'eau m'est-elle utile ?			

L'oxygène

L'**oxygène** est un gaz sans couleur et sans odeur de l'atmosphère terrestre. Tu en absorbes une certaine quantité lorsque tu respires. L'oxygène aide ton corps à libérer et à utiliser l'énergie des aliments que tu manges. L'oxygène est indispensable à la plupart des éléments biotiques (figure 1.8).

L'eau

Ton corps est composé d'eau à environ 70 %. C'est dans l'eau de ton corps qu'ont lieu les nombreuses réactions chimiques nécessaires à ta survie. Les animaux, y compris les humains, doivent boire de l'eau non contaminée pour vivre. Les plantes ont besoin d'eau pour fabriquer de la nourriture.

Figure 1.8 Les poissons se servent de leurs branchies pour extraire l'oxygène de l'eau et respirer.

Figure 1.9 Les nutriments d'une orange aident ton corps à rester en santé.

Figure 1.10 Ton corps a besoin d'énergie pour faire fonctionner ses systèmes. Tu as aussi besoin d'énergie pour effectuer tes activités.

Figure 1.11 L'habitat de ce castor lui fournit à la fois oxygène, eau, nourriture et abri.

Les aliments

Tu dois consommer des aliments pour obtenir les nutriments dont ton corps a besoin (figure 1.9). Les **nutriments** sont des substances alimentaires que ton corps assimile. Les nutriments sont des glucides (sucres), des lipides (gras), des protéines, des vitamines et des minéraux et de l'eau. Ils te fournissent l'énergie nécessaire pour te faire bouger et grandir, ainsi que pour réparer et conserver les millions de cellules de ton corps. La plupart des éléments biotiques tirent leur nourriture de leur environnement.

L'énergie

L'oxygène, l'eau et les nutriments des aliments interagissent avec ton corps pour produire de l'énergie. Cette énergie permet à ton corps de bouger (figure 1.10), fait battre ton cœur et t'aide à respirer. Ces activités, dont tu ne te rends probablement pas compte, te maintiennent en vie. Ton cerveau consomme environ 20 % de toute l'énergie que produit ton corps. Cette énergie contrôle presque tout ton corps et les activités qu'il accomplit.

Un habitat convenable

Comme tu es un organisme vivant, tu dois vivre dans un environnement où il t'est possible d'obtenir tout ce qui est nécessaire à ta survie. Un **habitat** fournit l'oxygène, l'eau, la nourriture, l'abri et tout autre élément essentiel à la survie des organismes vivants. Le castor de la figure 1.11, par exemple, vit dans un milieu qui lui fournit l'oxygène, l'eau, la nourriture et un abri.

Les interactions nécessaires pour combler les besoins fondamentaux

La lumière solaire, le sol et l'eau sont essentiels à la croissance des plantes. Les animaux construisent leurs abris à l'aide de feuilles, de branches, d'arbres et de terre et se nourrissent d'autres organismes vivants. Ce ne sont là que quelques exemples d'interactions entre les éléments biotiques et abiotiques d'un écosystème. Dans un étang, les plantes, le sol et l'eau constituent d'excellents habitats pour diverses espèces d'oiseaux, d'insectes et de poissons. D'autres animaux, comme les ours, se nourrissent de poissons et de petits fruits. Les interactions alimentaires fournissent tous les nutriments nécessaires à la survie des organismes vivants.

Les interactions entre les éléments biotiques et abiotiques

L'activité A3 t'a permis d'examiner deux espaces naturels et de déterminer les éléments biotiques et abiotiques représentés sur les photos. Tu vas maintenant examiner de près un espace naturel qui t'est familier. Tu identifieras certaines des interactions qui permettent aux éléments biotiques de combler leurs besoins fondamentaux.

Objectif

Explorer les interactions entre les éléments biotiques et abiotiques d'une région.

Matériel

- la cour d'école
- du papier et un crayon
- un bloc-notes
- une loupe
- un appareil photo numérique (facultatif)

Démarche

1. Avec tes camarades, tu observeras et tu noteras les éléments biotiques et abiotiques présents dans la cour d'école, ou à proximité. Mais avant, avec l'aide d'une ou d'un partenaire, dresse une liste de consignes pour t'assurer que chaque élève respectera les habitats des animaux et des végétaux qui vivent à cet endroit.

2. Une fois sur place, familiarise-toi avec les lieux. Garde le silence pendant quelques minutes, pour écouter les bruits. Essaie de repérer des bruits et des odeurs que tu ne connais pas.

3. Dessine un croquis ou prends une photo de ton poste d'observation. Tes observations doivent comprendre toute chose que tes yeux, ton nez et tes oreilles peuvent remarquer. Ne touche à rien et ne goûte à rien non plus.

4. Copie le tableau ci-dessous. Notes-y tous les éléments vivants et non vivants que tu as observés. Inscris ceux dont tu n'es pas certain dans la troisième colonne.

Biotiques	Abiotiques	Incertains

5. Note tes observations jusqu'à ce que tu doives retourner en classe.

Questions

6. Compare ton tableau à ceux de tes camarades. Ensemble, créez un tableau des éléments observés. Y a-t-il des observations avec lesquelles vous n'êtes pas d'accord? Pourquoi classeriez-vous ces observations dans une autre catégorie?

7. Ensemble, discutez des items de la troisième colonne du tableau pour les classer en tant qu'éléments biotiques ou abiotiques.

8. Dans ton tableau, trace une ligne entre un élément biotique et un élément abiotique si tu crois qu'ils interagissent. Tu as peut-être observé cette interaction ou croire qu'il y en a une. Par exemple, si tu as observé un ver (biotique) et le sol (abiotique), tu pourrais les relier à l'aide d'une ligne. Cette ligne illustrerait le lien entre le ver et le sol qui est nécessaire à sa survie. Dans la marge, inscris le besoin fondamental que l'interaction permet de combler.

9. Choisis deux éléments biotiques du tableau. Comment ces éléments peuvent-ils combler tous leurs besoins grâce aux interactions dans leur habitat?

Révise les concepts clés

1. a) Quels besoins fondamentaux assurent ta survie?

   b) En quoi tes besoins se comparent-ils à ceux d'autres organismes vivants?

2. Comment interagis-tu avec l'environnement pour combler tes besoins fondamentaux?

3. a) Énumère quatre éléments biotiques qui vivent dans l'étang ci-dessous.

   b) Énumère quatre éléments abiotiques qui se trouvent dans le même étang.

4. Comment les interactions aident-elles les pissenlits, les faucons et les abeilles à survivre?

Fais des liens

5. Pourquoi les outardes migrent-elles pour combler leurs besoins fondamentaux?

6. Décris brièvement deux écosystèmes situés tout près de la cour d'école. Pour chacun, énumère trois éléments biotiques et trois éléments abiotiques.

7. Comment l'un de ces éléments biotiques interagit-il avec les autres éléments pour combler ses besoins?

Utilise tes habiletés

8. À l'aide d'un tableau ou d'une carte conceptuelle, illustre cinq besoins fondamentaux des éléments biotiques.

A7   *Réflexion sur les sciences et l'environnement*

Ta représentation schématique des écosystèmes

Tu étudies les organismes vivants pour comprendre de quelle façon ils assurent leur survie en interagissant. Ce chapitre cherche à déterminer en quoi les écosystèmes constituent des sources de vie. D'autres chapitres traitent du transfert de l'énergie, du recyclage de la matière et des changements dans les écosystèmes. Utilise une carte conceptuelle pour noter cette information.

Inscris d'abord le mot *Écosystèmes* au centre d'une feuille de papier. À droite, note chaque mot du module que tu ne connais pas. Cette partie pourrait constituer ton mur de vocabulaire du chapitre.

Fais des liens entre les mots et ta compréhension des interactions dans les écosystèmes. Utilise le schéma conceptuel pour illustrer ces liens.

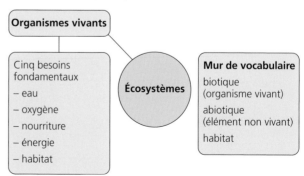

Figure 1.12 Représentation schématique des écosystèmes.

1.2 Les rôles des producteurs

Résumé de ce que tu apprendras dans cette section

- Les plantes interagissent avec la lumière et la chaleur du Soleil pour soutenir la vie.
- Les plantes sont les seuls organismes capables de produire de la nourriture à l'aide de l'énergie solaire.
- D'autres organismes vivants interagissent avec les plantes qui leur servent de nourriture ou d'abri.

Quand il fait beau, tu peux sentir la chaleur du Soleil sur ton visage. Parfois, tu dois t'abriter les yeux avec la main quand la lumière est éblouissante. Les plantes sont aussi en interaction avec la lumière et la chaleur du Soleil. Tu peux remarquer ce phénomène au printemps, lorsque la chaleur du Soleil fait fondre la neige et réchauffe le sol. Les plantes commencent alors à sortir de terre. Elles poussent de plus en plus rapidement dès que les journées s'allongent et que le nombre d'heures d'ensoleillement augmente.

L'ensoleillement est un élément abiotique essentiel à la plupart des écosystèmes (figure 1.13). Les deux formes d'énergie qui proviennent du Soleil — la lumière et la chaleur — sont importantes pour la plupart des organismes vivants sur la Terre.

Figure 1.13 Les organismes vivants interagissent avec la lumière et la chaleur du Soleil.

A8 Point de départ

 Habiletés **A** **C**

L'année sans été de 1816

En 1815, le mont Tambora fait éruption dans l'océan Pacifique, à l'est de l'île de Java, projetant 150 millions de tonnes de poussière volcanique dans la haute atmosphère. Les cendres enveloppent progressivement la Terre et bloquent les rayons du Soleil pendant de longs mois.

En Amérique du Nord et dans certaines parties de l'Europe, l'année 1816 est connue sous le nom de *l'année sans été*. En juin, les régions situées près de Montréal et de la ville de Québec sont encore recouvertes de neige pendant de courtes périodes, tout comme les États de la Nouvelle-Angleterre. Les récoltes sont désastreuses, conséquence directe d'un premier gel tôt en septembre. Les familles et le bétail auront peu à manger au cours de l'hiver. C'est presque la famine.

Réfléchis

1. Comment un manque de lumière solaire peut-il nuire aux interactions entre les éléments biotiques et abiotiques ?

2. Des documents historiques signalent que les gens ont dû abandonner leur ferme ou quitter leur ville pour s'établir ailleurs. Selon toi, cette situation pourrait-elle se reproduire si les rayons du Soleil étaient de nouveau bloqués ?

Figure 1.14 Les volcans peuvent projeter d'énormes quantités de poussière et de gaz.

La façon dont les producteurs utilisent l'énergie du Soleil

Les végétaux sont des **producteurs**. Les producteurs fabriquent leur propre nourriture pour obtenir la matière organique et l'énergie nécessaires à leur survie. Les plantes vertes de toutes tailles et de tous types, de l'algue minuscule aux arbres les plus grands, sont des producteurs (figure 1.15).

La photosynthèse

Les producteurs se servent d'un processus appelé *photosynthèse* pour fabriquer leur nourriture. La **photosynthèse** est une réaction chimique qui se produit dans les feuilles des plantes grâce à l'action du Soleil. La couleur verte de la plupart des feuilles est due à un pigment appelé ***chlorophylle***, nécessaire à la réaction chimique. Durant la photosynthèse, les producteurs combinent le dioxyde de carbone, un gaz présent dans l'air, et l'eau contenue dans le sol pour former des sucres et de l'oxygène (figure 1.16). L'oxygène est rejeté dans l'atmosphère par de très petites ouvertures, les pores, situées dans les feuilles.

Figure 1.15 Les algues qui flottent sur l'étang et les plantes de grande taille de la partie supérieure de la photo sont toutes des producteurs.

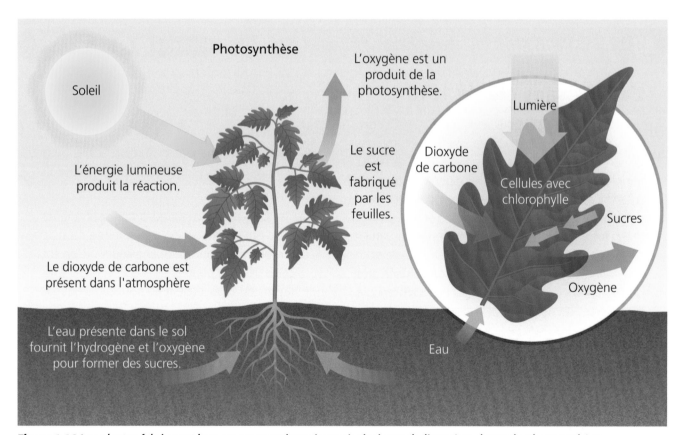

Photosynthèse

L'oxygène est un produit de la photosynthèse.

Soleil

Lumière

L'énergie lumineuse produit la réaction.

Le sucre est fabriqué par les feuilles.

Dioxyde de carbone

Cellules avec chlorophylle

Sucres

Le dioxyde de carbone est présent dans l'atmosphère

Oxygène

L'eau présente dans le sol fournit l'hydrogène et l'oxygène pour former des sucres.

Eau

Figure 1.16 Les plantes fabriquent leur propre nourriture (sucres) ainsi que de l'oxygène durant la photosynthèse.

Les rôles des producteurs

Tous les écosystèmes comportent des producteurs. Ils interagissent avec les éléments biotiques d'un écosystème de trois façons:

1. Les producteurs produisent de l'oxygène

La réserve d'oxygène de la Terre provient de plantes et d'éléments biotiques semblables aux plantes. L'oxygène constitue l'un des besoins fondamentaux des organismes vivants.

2. Les producteurs fournissent de la nourriture

Les producteurs sont les seuls éléments biotiques capables de fabriquer leur propre nourriture. Tous les autres organismes vivants doivent trouver de la nourriture pour obtenir la matière organique et l'énergie nécessaires à leur survie. Certains se nourrissent uniquement de producteurs. Par exemple, les cerfs, les lapins, les vaches et quelques insectes ne mangent que des plantes. D'autres se nourrissent d'organismes vivants qui mangent des producteurs. Les oiseaux se nourrissent d'insectes, alors que les renards chassent le lapin. Les humains consomment des producteurs et des aliments d'origine animale. Ainsi, les producteurs sont à l'origine de toutes les interactions alimentaires.

3. Les producteurs fournissent des abris

Dans les écosystèmes, les plantes servent souvent d'abri aux éléments biotiques. Les oiseaux font leurs nids dans les arbres. Les écureuils et les tamias se réfugient dans des troncs d'arbres creux. Les insectes vivent dans les arbres, les buissons, les arbustes et les mousses. Les poissons trouvent refuge sous les plantes aquatiques des étangs et des rivières.

Les troncs d'arbres en décomposition, les digues de castor et les nids d'oiseau ne sont que quelques exemples d'abris que fournissent les plantes ou qu'elles permettent de construire.

Les interactions dans les écosystèmes

Les écosystèmes sont très dynamiques, car les éléments biotiques interagissent avec d'autres éléments pour combler leurs besoins fondamentaux. Les producteurs captent l'énergie lumineuse du Soleil et puisent l'énergie de l'eau et des nutriments présents dans le sol. Le processus de photosynthèse est en cours, alors que d'autres éléments biotiques se cherchent un abri ou se nourrissent.

Figure 1.17 Une grande variété d'animaux se nourrissent des différentes parties des producteurs.

Certaines interactions dans un écosystème mettent parfois des éléments en danger. Par exemple, quand un serpent mange une grenouille, elle meurt et le serpent en absorbe les nutriments. D'autres interactions sont cependant utiles aux deux éléments à la fois. Par exemple, lorsqu'une abeille se nourrit du nectar des plantes à fleurs, elle assure le transport du pollen et stimule leur capacité de reproduction.

Ces interactions sont constantes dans les écosystèmes. Les Autochtones du Canada les décrivent comme des liens. Selon eux, tout changement qui survient dans un écosystème aura un effet sur plusieurs autres éléments de cet écosystème. Par exemple, si un castor construit une digue et inonde une région, les plantes incapables de survivre dans les terres humides mourront. Les éléments biotiques qui dépendent de ces plantes auront du mal à survivre.

Figure 1.18 Certaines interactions dans un écosystème mettent parfois des éléments en danger.

A9 *Fais le point !*

Les plantes et le Soleil

1. Décris l'interaction entre le Soleil et les producteurs.

2. Pourquoi cette interaction est-elle importante ?

3. Comment s'appelle cette interaction ?

4. Quels rôles jouent les producteurs dans un écosystème ?

5. Pourquoi un renard doit-il vivre dans un écosystème comportant de l'herbe ?

Les populations et les communautés

Quand tu réfléchis aux interactions d'un écosystème, tiens compte des populations et des communautés, et non des éléments biotiques individuellement. Une **population** est un groupe d'individus de la même espèce vivant dans le même milieu. Une **espèce** est une famille d'organismes capables de se reproduire entre eux.

Une **communauté** est une association de diverses populations d'espèces vivant dans le même écosystème. L'écosystème est constitué des interactions entre les populations et les éléments abiotiques locaux.

Figure 1.19 Cette population de canards fait partie de la communauté d'un étang naturel.

Les canards de la figure 1.19, par exemple, font partie d'une population. Autour d'eux se trouve un étang qui regroupe des populations de diverses plantes, d'oies et de différents oiseaux, insectes et mammifères. Ensemble, ces populations forment la communauté de l'étang. L'écosystème de l'étang comprend les interactions de la communauté avec les éléments abiotiques de l'étang, tels que l'eau, les roches et le sol, ainsi que d'autres éléments biotiques. La survie des éléments biotiques dépend des autres éléments biotiques et abiotiques de l'écosystème.

Pour aller Plus loin

Même si les humains sont omnivores de nature, certains choisissent d'être végétariens. Comment les végétariens obtiennent-ils tous les nutriments dont ils ont besoin en se nourrissant uniquement de végétaux?

A10 Pendant la lecture

Stratégies Littératie

Lire comme une rédactrice ou un rédacteur

Comprendre la façon dont sont organisés des ouvrages généraux fera de toi une meilleure lectrice ou un meilleur lecteur. Une grande partie de ce chapitre est écrite sous forme de description. Une description sert à présenter un concept, un animal, une plante ou un lieu. Un texte descriptif décrit une image avec des mots.

À toi maintenant de décrire quelque chose par écrit. Le paragraphe qui suit parle d'une espèce, d'une variété de pomme et d'une communauté faisant partie d'un écosystème.

À l'aide des renseignements de la présente section, enrichis le paragraphe précédent de quelques détails. Consulte le tableau ci-dessous pour comprendre ce que tu dois faire.

Une fois l'activité terminée, échange ton paragraphe avec celui d'une ou un camarade, puis lis-le sien. Fais-lui quelques suggestions.

Ajoute à ton paragraphe les suggestions qui t'ont été proposées.

En Ontario, les agriculteurs cultivent différents fruits et légumes, dont la très populaire pomme McIntosh. Plusieurs fermes produisent cette variété de pomme en grande quantité. Alors que dans d'autres fermes, la pomme McIntosh n'est qu'un fruit parmi d'autres.

Ce que tu dois faire	Phrases ou questions clés
Développer	Pourquoi est-ce ainsi?
Détailler	Comme quoi? Par exemple?
	Voici un exemple de…
	Cela ressemble à…
	Donne-moi plus de détails sur…

La façon dont un élément abiotique peut influencer les producteurs

Objectif

Découvrir comment la lumière du Soleil peut influencer les producteurs du Canada.

Matériel

- des statistiques sur la production de pommes de terre (par province)
- des statistiques sur la production de blé (par province)
- des statistiques sur la production de pommes (par province)

Démarche

1. La carte ci-dessous illustre le nombre annuel moyen d'heures d'ensoleillement au Canada. Quelles tendances observes-tu parmi les provinces qui affichent le même nombre d'heures d'ensoleillement? Et parmi celles qui affichent un nombre d'heures d'ensoleillement différent?

2. Compare la production de produits de la ferme avec le nombre annuel moyen d'heures d'ensoleillement des régions où ces produits sont principalement cultivés. Quelles tendances remarques-tu?

Questions

3. En quoi le nombre d'heures d'ensoleillement est-il lié à la croissance des plantes?

4. Quels autres éléments abiotiques peuvent influer sur la croissance des plantes? Présente quelques exemples d'éléments et décris leurs effets.

5. En quoi le fait d'organiser et de représenter des statistiques à l'aide d'un diagramme ou d'un tableau t'aide-t-il à formuler et à soutenir une conclusion?

6. Nomme quelques facteurs dont doivent tenir compte les agriculteurs au moment de choisir une nouvelle terre pour la culture.

7. En quoi la saison de croissance (nombre d'heures d'ensoleillement) a-t-elle un effet sur l'endroit où les gens choisissent de vivre?

8. Quel rôle le Canada joue-t-il dans les industries liées aux producteurs?

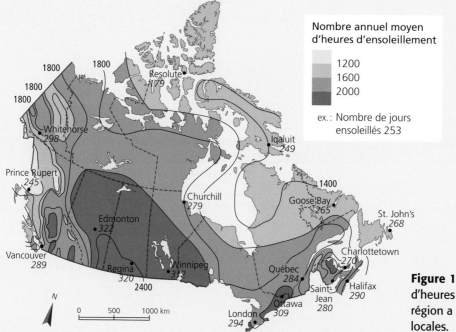

Nombre annuel moyen d'heures d'ensoleillement

1200
1600
2000

ex.: Nombre de jours ensoleillés 253

Figure 1.20 Le nombre moyen d'heures d'ensoleillement d'une région a un effet sur les cultures locales.

Révise les concepts clés

1. Indique deux façons dont le Soleil soutient la vie.

2. Comment les plantes poussant près d'un champ fournissent-elles un habitat aux papillons, aux mulots et aux hiboux ?

3. En quoi la photosynthèse est-elle importante pour tous les écosystèmes ?

Fais des liens

4. Des forêts et des terrains innoccupés sont souvent détruits pour faire place à des fermes ou à la construction de maisons. Nomme quelques éléments des écosystèmes qui sont perdus à jamais lorsque les plantes sont éliminées.

5. Comment le fait de planter différentes espèces de plantes favoriserait-il la formation d'un écosystème dans un terrain innoccupé ?

6. Les plantes vivant en eaux peu profondes remplissent les mêmes rôles que les plantes des terres pauvres. Décris les rôles des plantes ci-dessous. Donne un exemple d'interaction entre l'une de ces plantes et un élément biotique de l'écosystème.

Utilise tes habiletés

7. En quoi rassembler et organiser l'information au sujet des écosystèmes t'aide-t-il à mieux comprendre les interactions entre leurs éléments ?

A12 *Réflexion sur les sciences et l'environnement*

Fais des liens

Tu en sais maintenant un peu plus sur *l'année sans été de 1816* (page 17). À cette époque, de nombreux agriculteurs de l'Est canadien étaient dans l'impossibilité de produire suffisamment de nourriture en prévision de l'hiver qui approchait. Personne ne savait alors que l'éruption d'un volcan dans l'océan Pacifique était à l'origine de leurs problèmes.

Les scientifiques comprennent maintenant que les relations entre les éléments biotiques et abiotiques assurent la survie des organismes vivants. Ces relations existent tant à grande échelle que dans le minuscule écosystème d'une petite mare. Dans un écosystème, le changement d'un seul élément a des répercussions sur tous les autres.

Réfléchis

1. Est-il acceptable qu'une personne déverse ses déchets chimiques dans un ruisseau? Explique ta réponse.

2. Est-il acceptable que des grandes industries polluent l'air avec des produits chimiques? Explique ta réponse.

Résumé de ce que tu apprendras dans cette section

- Les animaux ne peuvent fabriquer leur propre nourriture. C'est pourquoi ils se nourrissent d'organismes vivants pour obtenir les nutriments dont ils ont besoin.
- Une chaîne alimentaire permet d'illustrer les interactions entre producteurs et consommateurs.
- Les décomposeurs constituent un type particulier de consommateurs. Ils décomposent la matière organique morte pour que les nutriments restants soient recyclés dans l'écosystème.

Figure 1.21 Ces moutons sont des consommateurs, car ils se nourrissent d'herbe. Dans cet écosystème, l'herbe est un producteur.

Les producteurs fabriquent leur propre nourriture à l'aide de l'énergie du Soleil, d'eau, de dioxyde de carbone et de nutriments. Ils ne se nourrissent donc pas d'autres éléments biotiques. Les éléments biotiques dépendent tous des interactions qui existent dans leur écosystème pour combler leurs besoins alimentaires. Ces organismes vivants sont des **consommateurs**. On les nomme ainsi parce qu'ils consomment d'autres organismes vivants. *Consommer* signifie «se nourrir de» ou «utiliser». Les consommateurs n'existeraient pas sans les producteurs. Les moutons de la figure 1.21 sont des consommateurs, car ils se nourrissent de producteurs.

A13 *Point de départ*   Habiletés

D'où provient leur nourriture?

1. Nomme six organismes vivants dans l'écosystème de l'étang, à droite.

2. Divise ces organismes en deux groupes:

   Groupe 1 : ceux capables de produire leur propre nourriture

   Groupe 2 : ceux incapables de produire leur propre nourriture

   Présente ces organismes dans un tableau à deux colonnes. Donne un nom à chacun des deux groupes.

Figure 1.22 Étang.

Les types de consommateurs

Les consommateurs se nourrissent d'organismes vivants pour obtenir les nutriments dont ils ont besoin. Certains se nourrissent exclusivement de fruits, de graines ou de racines. D'autres mangent des poissons, des oiseaux, de petits ou de gros animaux. Les consommateurs sont classés selon le type d'organisme vivant dont ils se nourrissent. Ainsi, **l'herbivore** se nourrit exclusivement de végétaux. Le **carnivore** se nourrit uniquement d'aliments d'origine animale. Un **omnivore** se nourrit d'aliments d'origine animale et végétale.

Tableau 1.1 Aliments consommés selon les type de consomateurs.

Types de consommateurs	Aliments consommés	Exemples
Herbivores	Plantes	Souris et pucerons
Carnivores	Chair animale	Truites et loups
Omnivores	Chair animale et végétaux	Humains et ours

A14 *Pendant la lecture*

Stratégies Littératie

L'origine des mots scientifiques

Les préfixes et la racine des mots peuvent t'aider à comprendre les termes que tu ne connais pas. En général, les scientifiques se servent de mots d'origine grecque ou latine pour créer de nouveaux mots. Les termes *herbivore*, *carnivore* et *omnivore* viennent du mot latin *vorare*, qui signifie « avaler, manger ».

Herba est un mot latin qui signifie « plante ». Un herbivore se nourrit donc exclusivement de végétaux. *Carnis* est un mot latin qui signifie « chair » ou « viande ». Un carnivore se nourrit donc uniquement de chair animale. En latin, le mot *omni* signifie « tout ». Un omnivore se nourrit donc d'aliments d'origine végétale et animale.

En général, les mots scientifiques sont présentés en italique ou en gras. Examine la rubrique *L'importance des mots* de ton manuel pour te renseigner sur l'origine de certains mots scientifiques.

À l'aide d'un dictionnaire, dresse une liste de mots qui commencent par *herbi-*, *carni-* et *omni-*.

Les prédateurs et les proies

L'interaction entre un carnivore et l'animal qu'il dévore fait partie des interactions d'un écosystème. L'animal qui est capturé puis mangé par un autre animal est une **proie**. L'animal qui capture la proie pour la manger est un **prédateur** (figure 1.23). Ainsi, quand un coyote dévore un cerf, il agit comme prédateur et le cerf constitue la proie. Lorsqu'un loup dévore un coyote, il joue le rôle de prédateur, alors que le coyote est la proie.

Figure 1.23 Dans l'écosystème d'un champ, les oiseaux sont des prédateurs.

Figure 1.24 Les vautours et autres charognards se nourrissent de la chair d'animaux morts pour obtenir les nutriments dont ils ont besoin.

Figure 1.25 Les vers font partie d'un autre groupe de consommateurs spécialisés. Ce sont des détritivores.

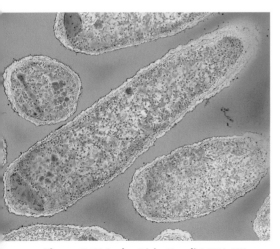

Figure 1.26 La bactérie *E. coli 0157 :H7*.

Les charognards, les détritivores et les décomposeurs : des consommateurs spécialisés

Les organismes vivants finissent tous par mourir. De même, tous les consommateurs produisent des déchets provenant de la nourriture absorbée. Notre planète serait entièrement recouverte de déchets et de carcasses d'animaux en décomposition sans la présence de groupes de consommateurs spécialisés. Certains de ces consommateurs sont des charognards ; d'autres sont des détritivores ; d'autres encore sont des décomposeurs.

En général, le **charognard** ne chasse pas pour obtenir sa nourriture. Il se nourrit plutôt de la chair d'animaux morts (figure 1.24). La corneille, le corbeau et l'asticot sont des exemples de charognards.

Le **détritivore** se nourrit de déchets (détritus). L'escargot et le ver de terre sont deux exemples de détritivore. Le ver de terre se nourrit de la matière organique présente dans la terre (figure 1.25). La **matière organique** provient des organismes vivants, par exemple, les déchets d'animaux et les insectes morts. Le système digestif du ver assure la décomposition des particules organiques en nutriments qu'il peut absorber et qu'il laisse sur son passage sous forme de détritus. Ces détritus sont riches en nutriments et sont absorbés par les racines des plantes.

Utiles ou nuisibles ?

Le **décomposeur** défait les plantes mortes et les animaux morts. Les fongus, par exemple les champignons et la moisissure se trouvant sur du pain, un fruit ou un légume, sont des décomposeurs. D'autres décomposeurs, telles les **bactéries**, ne sont visibles qu'au microscope.

La bactérie *Escherichia coli*, ou bactérie *E. coli*, vit dans le gros intestin. Elle décompose les aliments que tu consommes pour obtenir sa propre nourriture. Au cours de ce processus, elle fabrique plusieurs vitamines dont ton corps a besoin pour rester en santé. La bactérie *E. coli 0157:H7* (figure 1.26) est une autre forme de bactérie *E. coli*. Elle est parfois présente dans certains produits alimentaires tels que le bœuf haché, le lait et le jus de pomme. Quand elle décompose les aliments, cette bactérie produit un agent hautement toxique. Elle peut même causer une intoxication alimentaire.

Essentiels à tous les écosystèmes

Les détritivores et les décomposeurs font beaucoup plus que *nettoyer* la nature. Grâce à eux, les plantes ont toujours accès à des nutriments. En fait, les détritivores et les décomposeurs créent des liens entre les éléments biotiques et abiotiques des écosystèmes.

Les chaînes alimentaires

On peut illustrer les interactions alimentaires entre producteurs et consommateurs sous la forme d'une **chaîne alimentaire** (figure 1.27). Le premier élément d'une chaîne alimentaire est toujours un producteur. Une flèche pointe alors en direction d'un consommateur qui se nourrit du producteur. Dans la plupart des cas, le premier élément se fait manger par un autre consommateur. Ces interactions alimentaires constituent un élément essentiel à tous les écosystèmes.

a)

b)

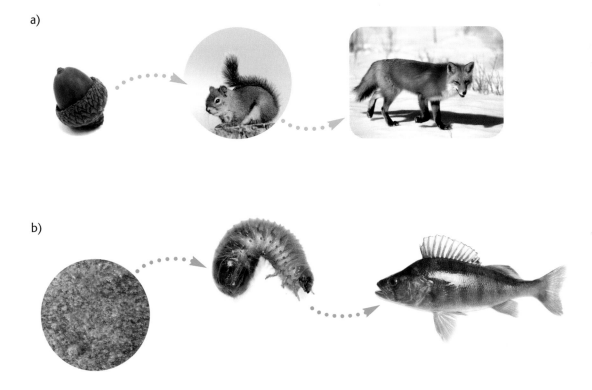

Figure 1.27 La chaîne alimentaire de la forêt a) ci-dessus est constituée des glands d'un chêne. Ces glands servent de nourriture à l'écureuil, lequel sera mangé à son tour par le renard. Dans la chaîne alimentaire aquatique b), les algues utilisent l'énergie du Soleil pour fabriquer de la nourriture. Ici, les consommateurs sont représentés par la larve d'insecte et le poisson.

Pour aller Plus loin

Les baleines se trouvent parmi les premiers consommateurs de certaines chaînes alimentaires océaniques. Renseigne-toi sur les chaînes alimentaires de ces grands mammifères.

Les chaînes alimentaires et toi

Tout comme les aliments que tu consommes, tu fais partie de nombreuses chaînes alimentaires.

Objectif

Déterminer les chaînes alimentaires à l'origine de ton repas du midi.

Matériel

- du papier
- des crayons

Démarche

1. Pense à tout ce que tu as mangé et bu ce midi ou hier midi, par exemple une pointe de pizza, un morceau de fromage, du brocoli et un jus de pomme. Note chaque aliment sur une feuille de papier. Laisse suffisamment d'espace pour dessiner un cadre autour de chacun.

2. Pour les aliments qui contiennent plusieurs ingrédients, inscris-les près du mot correspondant. Pour la pizza, par exemple, il faudrait ajouter les mots *sauce aux tomates*, *farine* et *pepperoni*. À l'aide de flèches, relie chaque ingrédient au mot *pizza*. Poursuis l'exercice jusqu'à ce que tu aies énuméré tous les ingrédients principaux de ton repas du midi.

3. Indique la source des principaux ingrédients que tu as énumérés et relie-la à l'ingrédient. La source est-elle un producteur ou un consommateur? S'il s'agit d'un consommateur, ajoute sa source alimentaire. Le fromage de ta pizza, par exemple, est fait de lait; le lait provient de la vache, et la vache se nourrit d'herbe. Représente ces éléments dans une chaîne alimentaire et relie-les à chaque aliment de ton repas.

4. Refais les étapes précédentes jusqu'à ce que tu aies déterminé le producteur qui se trouve au début de chaque chaîne alimentaire.

5. Examine les tendances à partir des lignes et des flèches des chaînes alimentaires.

Questions

6. Où commencent les chaînes alimentaires qui sont à l'origine de ton repas?

7. Combien de producteurs et de consommateurs ont servi à la composition de ton repas?

Figure 1.28 Une pizza est constituée de nombreux ingrédients.

A16 *Activité synthèse*   Boîte à outils 2

Un modèle d'écosystème, première partie

Question

Quels éléments biotiques et abiotiques pourrais-tu déposer dans un contenant scellé pour créer un écosystème sain ?

Matériel

- un contenant de verre ou un contenant transparent muni de son couvercle
- du gravier propre ou des cailloux
- de l'eau d'un étang
- de l'eau distillée ou de l'eau du robinet que tu laisseras reposer pendant 24 heures
- des petits organismes aquatiques, par exemple des escargots d'eau douce
- des plantes aquatiques, comme la lentille d'eau ou l'élodée du Canada
- du ruban adhésif

Figure 1.29 La limnée est un escargot d'eau douce.

Démarche

1. Examine le matériel que ton enseignante ou ton enseignant a apporté. Avec les membres de ton équipe, déterminez quels sont :

   a) les éléments biotiques ;

   b) les éléments abiotiques.

2. Choisissez les éléments biotiques et abiotiques que vous déposerez dans le contenant scellé.

3. Avant de créer votre écosystème, réfléchissez à toutes les précautions que vous devrez prendre au moment de préparer votre matériel. Par exemple, devriez-vous nettoyer le contenant avec du savon ou le rincer tout simplement à l'eau ?

4. Assurez-vous que tous les membres de votre équipe participent à la création de votre écosystème.

5. Créez votre écosystème et scellez le contenant à l'aide de ruban adhésif. Placez le contenant dans un endroit où il vous sera facile de l'observer.

6. Dessinez un croquis ou prenez une photo de votre écosystème pour vous rappeler ce à quoi il ressemblait au début de cette activité.

Analyse et interprétation

7. Discutez des éléments biotiques et abiotiques de votre écosystème et de leurs interactions possibles au cours des trois prochaines semaines. Notez ces idées. Imaginez à quoi ressemblera alors votre écosystème et dessinez-le.

8. Dans un tableau, notez tous les changements observés au cours de cette période. Réservez une partie du tableau pour décrire chaque interaction entre les éléments biotiques et abiotiques.

Développement des habiletés

9. En quoi votre connaissance des écosystèmes vous aide-t-elle à faire des prédictions logiques ?

Pour conclure

10. Expliquez tous les changements observés dans votre écosystème.

Révise les concepts clés

1. Quelle est la principale différence entre un producteur et un consommateur ? Illustre ta réponse à l'aide d'un exemple.

2. Qu'arriverait-il à une chaîne alimentaire si on lui enlevait l'un de ses éléments ?

3. À l'automne, beaucoup de gens recouvrent leur jardin de feuilles mortes. L'été suivant, la plupart de ces feuilles semblent avoir disparu. Où sont-elles passées ?

Fais des liens

4. Qu'arriverait-il à un écosystème s'il était privé de décomposeurs ?

5. En quoi un vautour qui mange les restes d'un raton laveur en bordure d'une route est-il utile à un écosystème ?

6. Beaucoup de gens possèdent un aquarium rempli de poissons. Avec une ou un camarade, discutez du fait qu'un aquarium ne constitue pas véritablement un écosystème. Déterminez quelles parties d'un écosystème sont manquantes. Serait-il possible de concevoir et de fabriquer un aquarium qui fonctionnerait comme un écosystème ? Explique ta réponse.

Exerce tes habiletés

7. Trouve un écosystème près de ton école. À l'aide d'un schéma, illustre deux chaînes alimentaires de cet écosystème.

A17 Réflexion sur les sciences et l'environnement

Faire un schéma de conséquences

Les relations entre les éléments biotiques et abiotiques empêchent tout changement de se produire de façon isolée. Tu peux illustrer les conséquences possibles d'un changement sur une carte de conséquences. Cette carte ressemble à un arbre conceptuel, sauf qu'elle sert à lier les conséquences possibles plutôt que les idées.

Utilise une carte des conséquences pour illustrer ce qui pourrait se produire si l'écosystème d'un champ ne recevait aucune précipitation. Qu'arriverait-il aux éléments biotiques et abiotiques ?

Ce que tu dois faire

1. Dresse une liste des éléments biotiques et abiotiques présents dans un champ.

2. À l'aide de cette liste, dessine les chaînes alimentaires que tu pourrais y trouver.

3. Énumère les rôles que jouent les producteurs et les consommateurs dans un écosystème.

Réfléchis

4. Que deviendraient les éléments biotiques du champ après un été sec ? Dessine un cadre dans la partie gauche d'une feuille. Notes-y les mots *été sec* et les conséquences directes d'un tel été. Dessine la carte des conséquences.

La tourbière Wainfleet

La formation de la tourbière Wainfleet remonte à des milliers d'années. Elle a eu lieu dans une vaste étendue d'eau qui ne pouvait se jeter dans le lac Érié. À mesure que les plantes mouraient, de la matière organique s'est formée dans cette eau stagnante. La faible quantité d'oxygène pouvait à peine assurer la survie des micro-organismes nécessaires à la décomposition. C'est plutôt de la tourbe qui s'est formée et l'eau est devenue très acide.

Au cours des deux derniers siècles, des villes des fermes et des routes ont été construites à proximité de la tourbière. Les habitants ont extrait des blocs de tourbe pour s'en servir comme combustible et comme engrais. L'eau est devenue alors moins acide et des plantes ont commencé à pousser. Ces changements ont eu pour effet de modifier l'écosystème d'origine de la tourbière et de réduire les populations de plantes et d'animaux indigènes.

Sauver la tourbière

Les plantes de l'écosystème de la tourbière sont incapables de vivre ailleurs. Des groupes locaux de conservation, des universités et différents paliers de gouvernement collaborent au rétablissement de cet écosystème. Des arbres non indigènes ont été abattus et remplacés par des espèces qui conviennent parfaitement à la tourbière. Les canaux qui drainaient l'eau ont été bloqués pour maintenir les niveaux d'eau et des renfoncements peu profonds ont été creusés pour garder l'eau à l'intérieur de la tourbière.

Figure 1.30 Les efforts des résidants de la région ont permis de sauver la tourbière.

Assurer la survie de la tourbière

Pour mieux connaître les écosystèmes d'une tourbière, l'Office de protection de la nature de la péninsule du Niagara surveille le niveau des eaux ainsi que les changements au sein des communautés de plantes et des populations animales.

Le niveau des eaux souterraines est maintenant plus stable, les plantes indigènes poussent avec vigueur et la tourbe s'accumule à nouveau. Les populations d'oiseaux et les espèces sauvages adaptées à l'écosystème de la tourbière sont maintenant plus nombreuses.

Les habitants des environs réservent toujours une partie de leur terre pour créer un milieu favorable aux habitats de la tourbière. Sans les efforts de divers groupes, il aurait été impossible de préserver cet écosystème unique du sud de l'Ontario.

Questions

1. Quels écosystèmes la zone protégée la plus près de chez toi préserve-t-elle?

2. Doit-on préserver exclusivement les écosystèmes uniques? Explique ton raisonnement.

3. Des membres de la communauté environnante ont uni leurs efforts pour sauver la tourbière Wainfleet. Décris un projet environnemental de ta collectivité auquel tu pourrais participer.

Figure 1.31 Riche et acide, le sol de la tourbière abrite un éventail de mousses et de plantes.

Révise les concepts clés

1. Donne un exemple d'écosystème présent dans ta région. Nomme les éléments abiotiques et biotiques qui le composent. Comment ces éléments interagissent-ils ? *CC*

2. Comment les organismes suivants comblent-ils les besoins essentiels à leur survie ? a) Un serpent b) Un merle c) Un pin d) Un champignon *CC*

3. Donne deux exemples d'interactions qui se produisent dans un écosystème. Pourquoi ces interactions sont-elles importantes ? *CC*

4. Pourquoi les producteurs sont-ils essentiels à tout écosystème ? Que se produirait-il si ces producteurs n'existaient pas ? *CC*

Fais des liens

5. Réponds aux questions à l'aide de la photo ci-dessous. *m*

   a) Dessine trois chaînes alimentaires qui pourraient être présentes dans un champ. Détermine les éléments de ces trois chaînes.

   b) Qu'adviendrait-il des chaînes alimentaires si :

   I) une toxine était introduite dans la source d'approvisionnement locale en eau et que les souris en mouraient ?

   II) l'on notait une augmentation de la population de faucons ?

Après la lecture Stratégies Littératie

Réfléchis et évalue
Les lectrices et les lecteurs doivent comprendre que les textes sont organisés de façon logique et prévisible. Ils se servent de cette organisation pour guider leur compréhension et réfléchir plus longtemps au contenu. Au début du chapitre, tu as examiné la couleur, la taille et la forme des polices de caractères. Quels autres éléments as-tu remarqués dans ce chapitre ? Comment un survol de ces éléments peut-il t'aider à lire d'autres types d'imprimés et de documents électroniques ?

COMPÉTENCES DE LA GRILLE D'ÉVALUATION DU RENDEMENT
CC Connaissance et compréhension *h* Habiletés de la pensée *c* Communication *m* Mise en application

32 MODULE A

6. Une forêt fournit un habitat à de nombreux organismes vivants. Que deviendraient ces organismes si l'on coupait les arbres de la forêt ? (m)

7. Le climat de la Terre a beaucoup changé depuis quelques décennies. Les régions nordiques se réchauffent. D'autres parties du monde sont touchées par la sécheresse et de violentes tempêtes. Quels effets ces changements auront-ils sur la capacité des organismes vivants, dont les humains, à se nourrir ? (h)

Utilise tes habiletés

8. Crée un tableau à trois colonnes et donne-lui le titre *Types de consommateurs*. Écris *herbivores* en haut de la première colonne. Donne un titre qui convient aux deux autres colonnes. Dans chaque colonne, inscris le sens du mot que tu as mis comme titre de la colonne. Donne ensuite trois exemples d'animaux qui correspondent à ce type de consommateur. (h)

Lien avec le projet du module

Les humains, comme tous les éléments biotiques, interagissent avec d'autres éléments biotiques et abiotiques pour assurer leur survie. Dans ton cahier de notes, dresse une liste de tes interactions avec les éléments biotiques et abiotiques de ton environnement. Quelles interactions sont essentielles à ta survie ? Quelles interactions ne sont pas indispensables à ta survie ?

A18 *Réflexion sur les sciences et l'environnement*

Les zoos et les écosystèmes

Une visite au zoo est l'occasion de découvrir et d'observer des animaux du monde entier. Les zoos font beaucoup plus que prendre soin et exposer des animaux. Ils participent aussi à des projets de conservation. Ils protègent les espèces menacées et veillent à leur reproduction.

Selon certaines personnes, cependant, les zoos nuisent aux animaux. Ces personnes croient que les efforts de conservation et de protection des écosystèmes où vivent les animaux constituent une bien meilleure solution que de garder les animaux en captivité. Les zoos jouent-ils vraiment un rôle dans la conservation et la protection des animaux ?

Ce que tu dois faire

1. Renseigne-toi sur les efforts de conservation faits par les zoos.

2. Renseigne-toi sur les préoccupations de certains à l'égard des animaux tenus en captivité.

Réfléchis

Discute des questions suivantes en équipe de deux ou trois ou avec toute la classe.

3. Énumérez des avantages liés à la conservation des animaux dans un zoo.

4. Énumérez quelques inconvénients liés à la conservation des animaux dans un zoo.

5. Énumérez quelques activités dans lesquelles les zoos pourraient s'engager à l'avenir.

Les interactions au sein des écosystèmes contribuent au transfert d'énergie et au recyclage de la matière

Les écosystèmes se caractérisent tous par des interactions biotiques et abiotiques, le transfert d'énergie et le recyclage de la matière.

Ce que tu vas apprendre

Dans ce chapitre, tu vas :

- décrire le transfert d'énergie et le recyclage de la matière qui s'effectuent dans les écosystèmes ;
- expliquer en quoi les changements dans les écosystèmes affectent l'équilibre et les interactions dans l'environnement.

Les habiletés à utiliser

Dans ce chapitre, tu vas :

- utiliser la démarche de recherche pour explorer des phénomènes qui affectent l'équilibre d'un écosystème local ;
- communiquer en te servant du vocabulaire scientifique et technologique approprié.

Pourquoi est-ce important ?

Étudier le transfert d'énergie et le recyclage de la matière peut t'aider à mieux comprendre les écosystèmes. Tu pourras alors déterminer ton rôle dans les écosystèmes qui t'entourent.

Avant la lecture

Stratégies Littératie

Faire une prédiction-lire-vérifier

Prédire le contenu d'un chapitre t'aidera à demeurer concentré sur la matière à l'étude au moment de la lecture. Avant de lire ce chapitre, parcours les sections 2.1, 2.2 et 2.3. Concentre-toi sur le contenu des photographies, des schémas, des tableaux et des cartes. Lis les légendes. Note les idées principales de chaque section. Après avoir étudié chaque section en classe, revois les idées que tu as notées. Conserve-les ou modifie-les au besoin.

Mots clés

- une pyramide d'énergie
- la matière organique
- les facteurs limitants
- un réseau alimentaire
- le recyclage de la matière
- la durabilité

Figure 2.1 Les écosystèmes ont besoin de pluie et de soleil pour assurer la survie de leurs éléments biotiques.

Tous les organismes vivants ont besoin d'eau. Depuis des millions d'années, l'eau de notre planète circule en suivant le *cycle de l'eau*. L'eau peut être stockée dans le sol, les rivières, les lacs et les océans sous forme liquide. Elle peut aussi s'évaporer c'est-à-dire se transformer en vapeur. Elle se condense également en nuages et en brouillard et se présente alors sous forme de gouttelettes. La vapeur circule dans l'atmosphère autour de la Terre, puis retombe sous forme de pluie ou de neige.

Avant d'être recyclée dans l'atmosphère et de revenir à la surface de la Terre, l'eau peut rester enfouie dans le sol durant des décennies ou demeurer congelée dans un glacier pendant plusieurs siècles. La pluie ou la neige qui tombe n'est pas nouvelle, car elle est déjà tombée à une autre époque et à un autre endroit.

Figure 2.2 La moraine d'Oak Ridges est située au nord du lac Ontario.

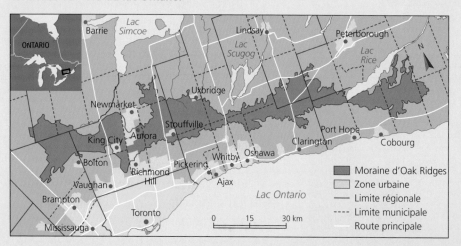

Si tu vis dans le sud de l'Ontario, l'eau que tu consommes se déverse dans la moraine d'Oak Ridges. La moraine, illustrée à la figure 2.2, s'est formée il y a plus de 13 000 ans à la suite de dépôts de sable et de gravier laissés par les glaciers. Cette accumulation de débris filtre et distribue l'eau, qui se jette dans de nombreux ruisseaux et rivières. Ces cours d'eau alimentent les écosystèmes des milieux humides, des marais, des étangs, des champs, des forêts et des communautés humaines. Une **zone humide** est un milieu où le sol est gorgé d'eau (par exemple, un marécage).

Plus les populations humaines augmentent, plus les communautés ont besoin des terres. Cette croissance a des répercussions sur les écosystèmes environnants et rend difficile le recyclage de l'eau sur ces terres. Cette situation pourrait aussi avoir un effet sur les systèmes d'approvisionnement en eau de nombreuses municipalités et villes ontariennes. La compréhension du cycle intérieur des écosystèmes facilite la prise de décision en matière d'activités humaines.

A19 *Laboratoire*

Le recyclage du papier

Les premiers programmes de recyclage ont été créés dans les années 1980. Leur objectif consistait à réduire la quantité de déchets expédiés dans les sites d'enfouissement. Grâce à ces initiatives, il est possible de réutiliser des ressources qui ont déjà servi pour fabriquer des produits en métal, en aluminium, en plastique, en papier et en verre. La réutilisation de ces matières permet aussi de préserver les ressources. Le recyclage et la réutilisation du papier permettent de sauver de nombreux arbres.

Objectif

Trouver des façons d'utiliser le papier plus efficacement dans les écoles.

Matériel

■ du papier et un crayon

Démarche

1. Avec une ou un camarade, évaluez le nombre de feuilles de papier que vous jetez durant une semaine. Comparez vos résultats à ceux de deux autres groupes.

2. Estimez maintenant la quantité de papier que jette ta classe durant la même période.

3. Sers-toi de ce résultat pour évaluer la quantité de papier que jette l'ensemble de ton école durant un mois.

4. Avec une ou un camarade, dresse une liste des moyens pour réduire la consommation de papier dans ton école.

Questions

5. Qu'advient-il du papier jeté à l'école ? Et du papier que jette la population de ton quartier ?

6. Réduire sa consommation de papier est-il aussi important que de recycler le papier utilisé ? Explique ton raisonnement.

Résumé de ce que tu apprendras dans cette section :

- Les chaînes alimentaires illustrent le transfert d'énergie au sein d'un écosystème.
- À chaque étape d'une chaîne alimentaire, la quantité d'énergie alimentaire disponible diminue.
- Un réseau alimentaire est un réseau de chaînes alimentaires reliées les unes aux autres.

Figure 2.3 Quand un prédateur comme ce raton laveur dévore sa proie, il tire de l'animal l'énergie nécessaire à sa survie. La chaîne alimentaire illustre le transfert d'énergie de la proie au prédateur (le consommateur).

Les producteurs absorbent une partie de la lumière et de la chaleur du Soleil. Par photosynthèse, ils transforment cette énergie en sucres dont ils se nourrissent. Herbivores et omnivores mangent alors ces producteurs. Par la suite, les consommateurs transforment en énergie les sucres emmagasinés dans les producteurs.

Les chaînes alimentaires illustrent le transfert d'énergie et de matière d'un élément biotique à un autre. Le Soleil et les producteurs sont à la base de tous les transferts d'énergie. Les consommateurs présents dans la chaîne alimentaire assurent ensuite la continuité du processus (figure 2.3).

Le transfert d'énergie

Les chaînes alimentaires permettent de comprendre comment, au sein d'un écosystème, l'énergie se déplace dans un seul sens. L'énergie du Soleil se transfère des producteurs aux herbivores et

---

A20 *Point de départ*   Habiletés Ⓐ Ⓒ

La représentation des chaînes alimentaires

La représentation des chaînes alimentaires t'aidera à mieux comprendre les interactions entre producteurs, consommateurs et décomposeurs. Ton enseignante ou ton enseignant te remettra une feuille qui contient les mots suivants :

carnivores   omnivores
décomposeurs   charognards
herbivores   Soleil
producteurs

Complète les étapes suivantes.

1. Sur une feuille, définis chacun des mots.

2. Découpe chaque mot avec soin.

3. Présente les mots de façon à illustrer ta compréhension de la chaîne alimentaire. Rappelle-toi que tu dois utiliser tous les mots dans ton schéma.

4. Colle chaque mot sur une feuille de papier. Ajoutes-y des légendes ou des illustrations pour mieux exprimer ta pensée.

5. Décris chaque tendance ou forme que tu observes.

6. Présente tes résultats à tes camarades.

aux omnivores, puis aux carnivores et aux omnivores. À chaque étape de la chaîne, les organismes consomment une petite partie de l'énergie pour survivre. Une grande partie est libérée sous forme de chaleur, alors qu'une faible proportion est emmagasinée. Seule l'énergie emmagasinée passe au niveau suivant. Selon les écologistes, cette partie représente environ 10 % de l'énergie alimentaire consommée par la source de nourriture.

Les **consommateurs primaires** se nourrissent uniquement de producteurs. Les herbivores et les omnivores sont deux exemples de consommateurs primaires. Ils appartiennent au premier niveau des consommateurs d'une chaîne alimentaire. Les carnivores et les omnivores qui se nourrissent exclusivement de consommateurs primaires sont des **consommateurs secondaires.** Ils appartiennent au deuxième niveau. Les **consommateurs tertiaires** sont des carnivores ou des omnivores qui se nourrissent exclusivement de consommateurs secondaires. Ils appartiennent au troisième niveau. Plus une chaîne alimentaire est complexe, moins l'énergie emmagasinée dans un élément biotique est transférée à l'élément suivant.

Les pyramides d'énergie

Une **pyramide d'énergie** (figure 2.4) représente le transfert d'énergie qui se produit dans chaque interaction alimentaire. Plus on se rapproche du sommet de la pyramide, moins chaque niveau compte d'organismes, parce qu'environ 10 % de l'énergie consommée est transférée au niveau suivant. Moins il y a d'énergie, moins il y a d'organismes, d'où le nom *pyramide d'énergie*.

Figure 2.4 Les 6 millions de producteurs de la pyramide d'énergie ci-dessous disposent de 1000 unités d'énergie. Ces producteurs ne peuvent nourrir qu'environ 700 000 consommateurs primaires. Les consommateurs primaires sont moins nombreux, parce qu'ils ne peuvent obtenir que 100 unités d'énergie en se nourrissant des producteurs.

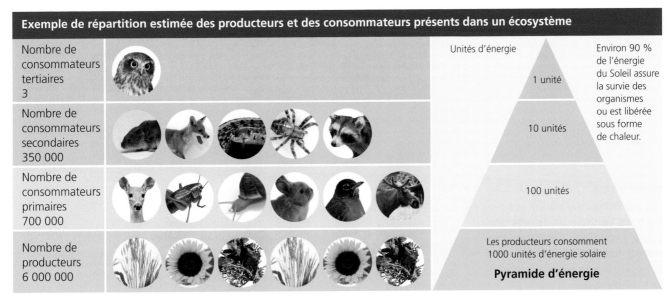

Exemple de répartition estimée des producteurs et des consommateurs présents dans un écosystème

Nombre de consommateurs tertiaires 3		Unités d'énergie — 1 unité — Environ 90 % de l'énergie du Soleil assure la survie des organismes ou est libérée sous forme de chaleur.
Nombre de consommateurs secondaires 350 000		10 unités
Nombre de consommateurs primaires 700 000		100 unités
Nombre de producteurs 6 000 000		Les producteurs consomment 1000 unités d'énergie solaire — **Pyramide d'énergie**

Lire comme une auteure ou un auteur

Pour faciliter la compréhension de certains éléments, les auteures et les auteurs présentent parfois les idées et les concepts complexes à l'aide de photos, de tableaux, de schémas ou de cartes. Les éléments graphiques sont généralement accompagnés d'un texte ou d'une légende. Présentée ainsi, l'information est plus concise, parce que les éléments graphiques peuvent renfermer beaucoup d'éléments en occupant peu d'espace. En quoi la représentation graphique de la page 39 et le schéma au bas de cette page-ci t'aident-ils à mieux comprendre le transfert d'énergie et les réseaux alimentaires ?

Les réseaux alimentaires

Un écosystème est composé de diverses chaînes alimentaires. Une source alimentaire fait généralement partie d'un grand nombre de chaînes alimentaires reliées les unes aux autres. Dans un champ, de nombreux herbivores, comme les lapins, les écureuils et les souris, se nourrissent d'herbe ou de graines. Un carnivore, comme le hibou, chasse les souris et les autres herbivores. Certains omnivores, comme le renard roux, mangent aussi des souris.

Un **réseau alimentaire** est un ensemble complexe de chaînes alimentaires reliées les unes aux autres. Plus complexe qu'une chaîne alimentaire, ce réseau illustre aussi le transfert d'énergie qui s'effectue à l'intérieur d'un écosystème, mais de façon plus précise. La figure 2.5 présente un modèle de réseau alimentaire.

Les Grands Bancs de Terre-Neuve ont longtemps abrité un écosystème riche et diversifié. Effectue une recherche sur les réseaux alimentaires qui ont existé à cet endroit pendant plusieurs siècles.

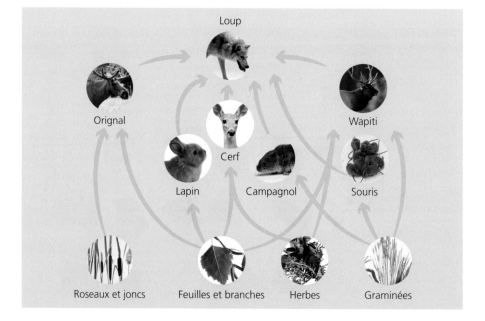

Figure 2.5 Dans un champ, le Soleil fournit l'énergie nécessaire aux producteurs. Ceux-ci transforment cette énergie en sucres. Ces sucres sont ensuite transférés à divers types de consommateurs grâce aux interactions alimentaires.

Faites circuler!

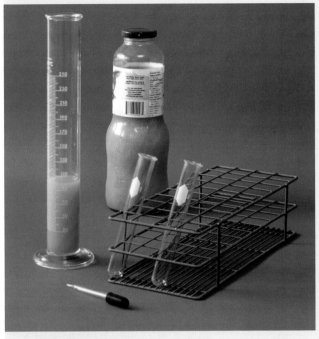

Figure 2.6 Matériel.

Objectif

Démontrer comment s'effectue le transfert d'énergie dans une chaîne alimentaire.

Matériel

- un contenant de 1 l de jus de fruits
- un cylindre gradué de 250 ml
- deux éprouvettes
- un compte-gouttes

Démarche

1. Demande à une ou un camarade de tenir le cylindre gradué. Verses-y 100 ml de jus. Place le contenant de jus à côté du cylindre.

2. Demande à une ou un deuxième camarade de tenir une éprouvette. Verses-y 10 ml de jus.

3. Demande à une ou un troisième camarade de tenir la seconde éprouvette. À l'aide du compte-gouttes, prélève 1 ml de jus de la première éprouvette et introduis-le dans la seconde éprouvette.

Questions

4. Le contenant de jus de 1 l représente 1000 unités d'énergie solaire. Que représentent les 100 ml de jus du cylindre gradué?

5. En quoi la quantité de jus des deux éprouvettes représente-t-elle l'énergie transférée aux deux niveaux suivants?

6. Que représente l'énergie (le jus de fruits) qui n'a pas été transférée au niveau suivant?

7. Quelle quantité d'énergie solaire du départ a été transférée au dernier consommateur de la chaîne alimentaire?

Figure 2.7 Cette expérience montre comment l'énergie qui provient du Soleil est transférée des producteurs aux consommateurs, comme c'est le cas dans la chaîne alimentaire illustrée ci-dessus.

Révise les concepts clés

1. Comment l'énergie du Soleil circule-t-elle au sein d'un écosystème ?

2. Pourquoi un réseau alimentaire permet-il de représenter les interactions alimentaires de façon plus précise, comparativement à une chaîne alimentaire ?

3. Pourquoi y a-t-il moins d'énergie disponible pour les consommateurs des niveaux supérieurs d'une chaîne alimentaire ?

Fais des liens

4. En quoi les réseaux alimentaires terrestres et marins sont-ils semblables ? En quoi sont-ils différents ?

5. À l'aide d'un schéma, illustre le transfert d'énergie qui s'effectue dans une chaîne alimentaire dont le dernier niveau est composé de toi et d'un sandwich au poulet.

Utilise tes habiletés

6. La rive d'un lac est constituée de centaines de plantes. Grâce à elles, les animaux et les insectes disposent de nourriture et d'un habitat convenable. Ces insectes sont ensuite mangés par des libellules et des poissons, qui sont mangés à leur tour par des hérons. Illustre cet écosystème à l'aide d'une pyramide d'énergie.

A23 *Réflexion sur les sciences et l'environnement*

En voie de disparition

La population d'une espèce en voie de disparition est si peu nombreuse qu'elle a du mal à combler ses besoins fondamentaux et à se reproduire. Cette réalité peut être attribuable à une maladie, à un changement de climat, à la destruction d'un habitat ou à la perte d'une source alimentaire importante. Une espèce est considérée comme étant en voie de disparition lorsqu'elle est sur le point de disparaître de tous les écosystèmes. En Ontario, selon le Comité sur la situation des espèces en péril au Canada (COSEPAC), l'effraie des clochers (un oiseau) et le châtaignier d'Amérique (une plante) font partie de ce groupe. Les habitats et les sources alimentaires de l'effraie des clochers sont de plus en plus rares et les châtaigniers d'Amérique ont presque tous disparu à cause de maladies.

Réfléchis

Discute des questions suivantes avec une ou un camarade ou toute la classe.

1. Que se produirait-il si l'un des organismes d'un réseau alimentaire disparaissait ? Examine le réseau alimentaire de la figure 2.5, à la page 40, pour répondre à la question. Combien d'organismes seraient touchés ? Que se produirait-il si deux organismes disparaissaient ?

2. Compare les deux situations suivantes : que se produirait-il si deux producteurs d'un réseau alimentaire disparaissaient ? Que se produirait-il si deux consommateurs du niveau tertiaire disparaissaient ? Prédis l'effet de ces changements sur le réseau alimentaire.

Résumé de ce que tu apprendras dans cette section :

- Les décomposeurs dégradent la matière organique pour en recycler les nutriments.
- Les atomes de carbone, d'azote et de phosphore constituent les éléments de base de la matière qui sont recyclés au sein des écosystèmes.
- Les interactions entre les cycles font partie des changements continuels qui se produisent dans les écosystèmes.

As-tu déjà trouvé un sandwich moisi dans ta case ? Dans l'affirmative, tu as assisté au travail des décomposeurs. Les **décomposeurs** ont dégradé la matière organique de ton sandwich pour la transformer en éléments abiotiques.

Les décomposeurs sont généralement visibles dans les contenants laissés longtemps au réfrigérateur, dans un composteur ou dans un environnement naturel. Les décomposeurs transforment la matière organique en éléments abiotiques. Ces éléments sont ensuite absorbés par des éléments biotiques. Cette séquence de transformation des éléments abiotiques en éléments biotiques qui les retransforment en éléments abiotiques est un **cycle.** Les décomposeurs sont le moteur du programme de recyclage des nutriments de la Terre.

Figure 2.8 Plusieurs municipalités offrent un programme de contenants verts destinés au recyclage de la matière organique.

A24 *Point de départ*  Habiletés

Les déchets organiques et toi

Dans la nature, les décomposeurs jouent un rôle clé dans la décomposition des déchets organiques. Qu'advient-il des déchets organiques que tu produis — des cœurs de pomme, des pelures de pommes de terre — et des autres déchets domestiques dont tu te débarrasses ? Ces déchets sont généralement jetés aux ordures, puis acheminés vers un site d'enfouissement. Afin de garder cette matière organique à l'écart de ces sites, des municipalités ont créé récemment des programmes pour fabriquer du compost, très riche en minéraux et en nutriments (figure 2.8).

Réfléchis

1. En quoi consistent les déchets organiques ?

2. Trouve une municipalité qui recycle ses déchets organiques. Que doit faire la population avec ses déchets organiques ?

3. Énumère les avantages d'un programme de recyclage des déchets organiques.

4. Effectue une recherche pour déterminer si ton école recycle ses déchets organiques.

Figure 2.9 Très lentement, des décomposeurs transformeront ces carottes en purée. Ces nutriments seront ensuite absorbés à nouveau par d'autres organismes.

Le recyclage de la matière organique

L'eau est un élément abiotique. Elle circule dans les écosystèmes selon un cycle. D'autres éléments abiotiques, comme le carbone, l'oxygène, l'hydrogène, l'azote et le phosphore, circulent aussi selon des cycles. Le carbone est présent dans le dioxyde de carbone de l'atmosphère. L'oxygène et l'hydrogène sont présents dans l'air et dans l'eau. L'azote est présent dans l'air et dans le sol, alors que le phosphore se trouve uniquement dans le sol.

Le **recyclage de la matière** assure la réutilisation continuelle des éléments abiotiques en suivant une série d'étapes, c'est-à-dire un cycle. Les producteurs absorbent et utilisent ces éléments pour former de la matière organique. Pour assurer leur croissance, les consommateurs absorbent à leur tour cette matière, grâce aux interactions alimentaires. Les consommateurs produisent des déchets organiques durant toute leur croissance. Les décomposeurs dégradent ces déchets issus d'organismes vivants ou morts pour les transformer en éléments abiotiques qui seront utiles aux producteurs (figure 2.9).

La transformation de la matière assure la disponibilité continuelle des éléments abiotiques nécessaires aux interactions au sein des écosystèmes.

A25 *Fais le point!*

Boucler la boucle

1. Quand un ours laisse les restes d'une carcasse de saumon dans une forêt, des décomposeurs les dégradent pour les transformer en éléments abiotiques, dont le carbone, l'azote et d'autres nutriments. Comment ces éléments abiotiques, qui proviennent d'un saumon mort, sont-ils recyclés dans un écosystème?

2. En quoi la circulation de l'énergie au sein d'un écosystème est-elle différente de la circulation des éléments abiotiques comme le carbone et l'azote?

Figure 2.10 Les restes du saumon seront transformés en éléments abiotiques, puis recyclés dans l'écosystème.

Des changements qui résultent du recyclage de la matière

À mesure que l'énergie est transférée et que la matière se transforme, les écosystèmes se modifient un peu. En fait, chaque écosystème évolue lentement. C'est pourquoi tu ne noteras aucun changement à court terme (d'heure en heure ou de jour en jour, par exemple). Cependant, de saison en saison et d'année en année, les changements sont plus évidents. Tu verras alors que des plantes poussent et que les arbres commencent à perdre leurs feuilles ou qu'ils meurent. Les animaux construisent des abris, se reproduisent et abandonnent le lieu qu'ils habitent. Des graines germent. Des insectes, des oiseaux et des animaux meurent. La matière organique s'accumule. Ces changements, considérés comme normaux, résultent du recyclage de la matière.

Le recyclage de la matière est continuel, comme le transfert d'énergie et les petits changements qui s'opèrent dans les écosystèmes. Si tu visites un écosystème intact et relativement peu perturbé, tu constateras tous les petits changements qui s'y sont produits au bout d'un certain nombre d'années (figure 2.11).

Pour aller
Plus loin

Divers types d'éléments abiotiques, dont le carbone, l'azote et le phosphore, circulent selon des cycles dans les écosystèmes. Choisis l'un de ces éléments. Effectue une recherche afin de déterminer pourquoi ces cycles sont importants pour la viabilité des écosystèmes.

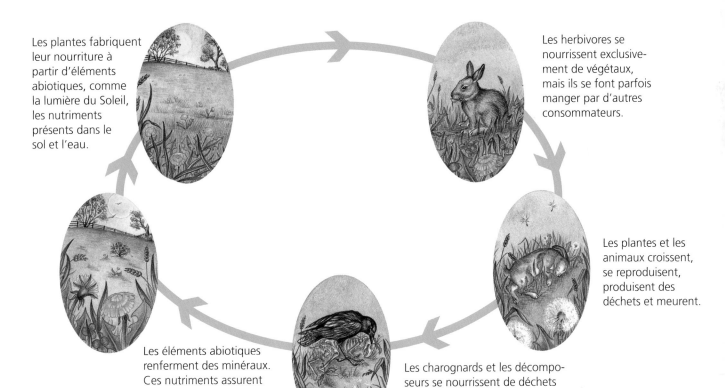

Les plantes fabriquent leur nourriture à partir d'éléments abiotiques, comme la lumière du Soleil, les nutriments présents dans le sol et l'eau.

Les herbivores se nourrissent exclusivement de végétaux, mais ils se font parfois manger par d'autres consommateurs.

Les plantes et les animaux croissent, se reproduisent, produisent des déchets et meurent.

Les charognards et les décomposeurs se nourrissent de déchets et de restes organiques. Ce processus décompose la matière autrefois vivante et la transforme en éléments abiotiques simples.

Les éléments abiotiques renferment des minéraux. Ces nutriments assurent la survie des éléments biotiques comme les plantes.

Figure 2.11 Le recyclage de la matière

A26 *Activité de résolution de problème*

Boîte à outils 3

HABILETÉS À UTILISER
- Définir un problème
- Concevoir, fabriquer et tester

Améliorer un emballage

Reconnaître un besoin

La plupart des biens vendus au Canada parcourent de longues distances avant d'arriver à destination. Ces biens doivent être livrés intacts et l'étiquetage doit être précis. Ces emballages se retrouvent généralement dans des sites d'enfouissement ou dans des écosystèmes. S'ils ne sont pas faits de matières organiques, les décomposeurs seront incapables de les dégrader.

Figure 2.12

Objectif

Comment fabriquer un emballage qui est à la fois sécuritaire et biodégradable?

Matériel

- un vase de plastique rempli de fleurs et d'eau ou
- une pyramide de billes ou
- quatre œufs cuits durs
- des matériaux d'emballage de ton choix

Critères de réussite

Ton modèle doit respecter les critères suivants:

- L'emballage doit être biodégradable.

- L'article doit être protégé contre tout dommage pendant le transport.

- Les règles d'étiquetage (information obligatoire au sujet du contenu) doivent être respectées.

- L'emballage doit être attrayant.

Remue-méninges

1. Effectue une recherche sur un emballage conçu exclusivement pour l'un des articles mentionnés dans l'encadré Matériel. Réponds aux questions suivantes: Comment l'article est-il protégé? Comment sera-il transporté? Comment est-il vendu? Que deviendra l'emballage après utilisation?

2. Quel est l'impact de l'emballage sur l'environnement? L'emballage est-il biodégradable? Si oui, en combien de temps?

3. Quelles autres possibilités d'emballage seraient plus respectueuses de l'environnement?

Construis un modèle

4. Conçois un emballage qui respectera les critères de réussite et qui réduira la quantité totale de matériaux d'emballage acheminés vers des sites d'enfouissement.

Teste et évalue

5. Promène-toi dans ton école en transportant l'article dans son nouvel emballage. Monte ou descends un escalier pour accéder à un autre étage. Rends-toi à l'autre extrémité d'un corridor, en transportant ton article à l'aide d'un chariot à deux roues. Ton emballage répond-il aux critères de réussite?

6. Compare tes idées et tes résultats à ceux de tes camarades. Ont-ils eu des idées identiques aux tiennes? Semblables aux tiennes? Complètement différentes des tiennes? En quoi tes résultats se comparent-ils à ceux de tes camarades?

Présente tes conclusions

7. Prépare une affiche, un diaporama à l'aide d'un logiciel de présentation ou une exposition sur d'autres formes d'emballage. Tu peux aussi présenter tes résultats à la classe sous la forme que te propose ton enseignante ou ton enseignant.

Révise les concepts clés

1. Qu'est-ce que la matière organique ?

2. Décris ce qu'est le recyclage de la matière. Donnes-en un exemple.

3. Comment les humains peuvent-ils contribuer au recyclage des nutriments dans les écosystèmes ?

4. Selon toi, un écosystème qui n'a pas été perturbé pendant 20 ans sera-t-il exactement le même après tout ce temps ? Explique ta réponse.

5. Selon toi, quels changements un écosystème subit-il avec le temps ?

6. Vrai ou faux : les écosystèmes se recyclent. Explique ton raisonnement.

Fais des liens

7. Que se produirait-il dans un écosystème s'il n'y avait plus aucun décomposeur ?

8. Pourquoi la circulation des éléments de base des écosystèmes est-elle différente du transfert d'énergie ?

Utilise tes habiletés

9. Conçois l'évaluation d'un emballage de yogourt. Définis les critères d'un emballage réussi. L'emballage doit être biodégradable. Dresse une liste des tâches d'évaluation.

A27 *Réflexion sur les sciences et l'environnement*

Des produits chimiques dans les chaînes alimentaires

En 1938, le chimiste suisse Paul Muller découvre que le dichloro-diphényl-trichloréthane (DDT), un produit chimique, est très efficace pour lutter contre les insectes ravageurs de récoltes et porteurs de maladies comme le paludisme. Pendant de nombreuses années, on utilisera le DDT dans le monde entier pour tuer des millions d'insectes.

Les décomposeurs ont dégradé les insectes morts et les autres matières organiques arrosés au DDT, mais pas le produit chimique lui-même. Le DDT est plutôt demeuré dans la matière organique et a pénétré les chaînes alimentaires. Le DDT présent dans la matière organique, dans le sol et dans l'eau a été absorbé ou consommé par tous les organismes des régions où il a été utilisé.

Les oiseaux et autres consommateurs se sont nourris de plantes, de graines et d'insectes vaporisés au DDT. L'insecticide s'est ensuite concentré dans les consommateurs du niveau supérieur.

Le DDT s'est accumulé dans les chaînes alimentaires et les populations de nombreux organismes ont diminué. Le DDT consommé les a tuées ou les a assez endommagées pour nuire à leur reproduction. En Amérique du Nord, le DDT est interdit depuis les années 1980, mais on l'utilise encore dans d'autres pays.

Réfléchis

1. Les communautés qui luttent contre le paludisme font face à un choix difficile. De quels facteurs devraient-elles tenir compte pour utiliser ou ne pas utiliser le DDT ? Que leur proposerais-tu ?

2. Les herbicides et les insecticides sont d'autres produits chimiques populaires. Quels sont les avantages de ces produits ? Quels problèmes ces produits causent-ils ?

Les interactions et les changements au sein des écosystèmes

Résumé de ce que tu apprendras dans cette section :

• L'approvisionnement en ressources dans les écosystèmes est limité.

• Un grand changement dans l'approvisionnement des ressources a pour effet de perturber les interactions dans l'écosystème.

• Un changement soudain des ressources peut menacer la survie des éléments biotiques.

Figure 2.13 Lorsqu'un consommateur comme la lamproie s'introduit dans un écosystème, il arrive que cette espèce envahissante n'ait aucun prédateur naturel. Sa population peut alors croître rapidement et exterminer d'autres espèces.

Dans les Grands Lacs et dans tous les autres écosystèmes, la taille des éléments biotiques dépend de l'approvisionnement alimentaire, de la présence de prédateurs, du climat et de la qualité de l'habitat. Ces facteurs limitent le développement ou le nombre d'éléments biotiques d'un écosystème. Ce sont des **facteurs limitants.**

La région des Grands Lacs, en Ontario, offre un riche habitat à de nombreuses espèces de poissons. Pendant des années, ces poissons ont nourri des reptiles, des oiseaux, des mammifères et les résidants de la région et de ses environs. Cette situation a soudainement changé dans les années 1960, lorsque la lamproie, type de poisson sans mâchoires, a envahi le réseau alimentaire des Grands Lacs par la Voie maritime du Saint-Laurent (figure 2.13).

Il n'y avait aucun prédateur dans les Grands Lacs pour manger les lamproies. Celles-ci disposaient d'une grande quantité de saumons et de touladis (une sorte de truite). Alors que la population de lamproies a augmenté, la population de touladis a diminué d'environ 90 %.

A28 *Point de départ*   Habiletés **I** **C**

Les facteurs limitants

Dans l'exemple ci-dessus, la population de lamproies a augmenté de façon incontrôlée parce que cette espèce n'avait aucun prédateur naturel, ce qui aurait été un facteur limitant. Le réseau alimentaire des Grands Lacs a beaucoup changé après l'apparition de la lamproie.

Réfléchis

1. Avec une ou un camarade, essaie de déterminer à quel moment la population de lamproies cessera d'augmenter.

2. Qu'est-il advenu des populations de poissons dont se nourrissaient les touladis ?

Pourquoi les écosystèmes changent-ils?

Les transferts d'énergie et le recyclage de la matière ont des effets sur les interactions des producteurs, des consommateurs et des décomposeurs dans les écosystèmes. La santé et la taille des populations de producteurs et de consommateurs dépendent directement de la quantité d'oxygène, d'eau, de nourriture et d'énergie, ainsi que de la qualité des habitats nécessaires pour combler leurs besoins fondamentaux. C'est pourquoi les organismes vivants doivent s'adapter à leur écosystème pour répondre à leurs besoins.

Chaque écosystème subit des changements causés par une variété de facteurs. L'absence de pluie, par exemple, peut faire diminuer le nombre de producteurs (figure 2.14) et donc les populations de consommateurs du réseau alimentaire. Des pluies abondantes auront l'effet contraire. Les populations d'organismes vivants dépendent des éléments abiotiques et biotiques disponibles pour combler leurs besoins fondamentaux.

Il se produit toujours des changements dans l'écosystème. Les organismes vivants croissent, vieillissent, se reproduisent et meurent. Les écosystèmes se modifient également parce que le nombre d'éléments biotiques ou abiotiques change soit pendant une courte période ou de façon permanente. Un événement tel que l'introduction d'une espèce envahissante ou un accroissement de la compétition pour obtenir les ressources peut aussi être à l'origine d'un changement.

Figure 2.14 Un changement à long terme au sein des éléments abiotiques, tel que l'absence de pluie, peut tuer les éléments biotiques.

Les espèces envahissantes

Les **espèces indigènes** sont naturellement présentes dans une région donnée, mais beaucoup d'animaux et de plantes du Canada viennent d'ailleurs. Les colons européens ont introduit au pays des espèces étrangères, alors que d'autres espèces sont arrivées accidentellement. Une **espèce introduite** est importée dans un environnement où elle n'était pas présente avant (figure 2.15).

Les scientifiques utilisent le terme *espèce envahissante* pour désigner les espèces étrangères qui dérèglent les écosystèmes indigènes. Un grand nombre d'entre elles sont plus résistantes que les espèces indigènes ou, comme la lamproie, n'ont aucun prédateur naturel. Ces espèces se multiplient rapidement. Leurs effets sur les écosystèmes et sur les organismes vivants sont dévastateurs.

Figure 2.15 La salicaire pourpre est une espèce introduite très envahissante. Ses racines sont si denses qu'elles empêchent les plantes voisines de survivre.

Figure 2.16 La moule zébrée n'a aucun prédateur naturel dans les Grands Lacs. L'habitat dans lequel elle s'est installée lui permet de se multiplier rapidement. Les populations de moules zébrées ont bloqué les tuyaux d'arrivée d'eau des installations de traitement des eaux et ont endommagé la machinerie.

La moule zébrée a été observée pour la première fois en 1988 dans la région des Grands Lacs. Six ans plus tard, on évaluait à près de 50 000 moules/m^2 dans quelques rivières situées près de cette région (figure 2.16). La moule zébrée a délogé la moule indigène du réseau alimentaire et a pris sa place dans son habitat.

La salicaire pourpre et la moule zébrée sont des **espèces envahissantes.** Ces espèces introduites se sont si bien adaptées à leur nouvel environnement que les espèces indigènes ne peuvent plus survivre.

La compétition

Des changements surviennent aussi au sein des populations d'espèces en raison de leurs interactions avec des éléments biotiques et abiotiques. La compétition est l'une de ces interactions.

Tu as sûrement déjà participé à une compétition où plusieurs participantes ou participants partagent le même but, qu'il s'agisse d'une course ou de la conception d'un logo pour l'école. Dans la nature, tous les organismes vivants sont en compétition les uns avec les autres pour s'approprier les ressources présentes dans leur milieu. Les êtres vivants compétitionnent pour la nourriture, l'eau et l'habitat. Ces ressources sont toutefois limitées. C'est pourquoi les organismes luttent sans arrêt pour s'approvisionner et combler leurs besoins fondamentaux, au désavantage des autres organismes vivants.

A29 *Pendant la lecture*

Stratégies Littératie

Visualiser

Les bonnes lectrices et les bons lecteurs créent des images dans leur tête pour mieux comprendre ce qu'ils lisent. Quelles images te viennent à l'esprit lorsque tu lis chacun des mots suivants?

- producteurs
- consommateurs
- décomposeurs
- interaction
- transfert d'énergie
- recyclage de la matière
- compétition
- espèce envahissante

Résume la présente section à l'aide des images que tu as imaginées. Identifie les points principaux de la section puis conçois une affiche, une composition graphique créée par ordinateur ou toute illustration que tu désires lier à ces images. Donne un titre à chacune de tes illustrations.

La durabilité

Un écosystème est dit durable lorsqu'il réussit, avec le temps, à maintenir un équilibre entre les besoins à combler et les ressources disponibles. Par le passé, les petites populations autochtones exploitaient les ressources locales tout en évitant d'épuiser les ressources de l'écosystème nécessaires à la survie des éléments biotiques. Ces pratiques s'appuyaient sur le principe de la **durabilité**, soit la capacité d'un écosystème à préserver et à maintenir les processus et les fonctions écologiques.

Figure 2.17 Souvent, la croissance des communautés modernes détruit les habitats naturels.

Les Autochtones considèrent qu'ils font partie des écosystèmes locaux. Avec l'augmentation des populations, les activités humaines ont eu des répercussions sur la durabilité des écosystèmes. Les activités industrielles ont nui à la qualité des éléments abiotiques, comme l'air et l'eau. Le développement a détruit de nombreux habitats et la quantité de déchets produits a bouleversé le processus de recyclage de la matière organique (figure 2.17).

Les impacts du mode de vie moderne

Les scientifiques remettent en question notre mode de vie moderne. Ils se demandent s'il finira par endommager, sinon par détruire, les écosystèmes :

- Quels changements attribuables au mode de vie moderne subiront les écosystèmes ?

- Ces changements menacent-ils la durabilité des écosystèmes ?

- Les populations humaines pourront-elles combler leurs besoins fondamentaux sans écosystème ?

En 1987, l'Organisation des Nations Unies (ONU) a proposé que les activités humaines évitent dorénavant de nuire aux besoins fondamentaux des écosystèmes. Autrement dit, les technologies et les activités humaines ne devraient plus causer de dommage à long terme aux éléments biotiques et abiotiques nécessaires à tous les organismes.

Pour aller
Plus loin

Ici comme ailleurs, les villes essaient de réduire l'impact de leurs activités sur l'environnement. Effectue une recherche sur les changements qu'elles tentent d'apporter et dresse une liste de leurs effets sur l'environnement.

A30 *Créer un laboratoire*   Boîte à outils 2

HABILETÉS À UTILISER
- Poser des questions
- Recueillir et organiser des données

La compétition dans les écosystèmes

Figure 2.18 Les plantes ci-dessus sont en compétition pour les ressources du champ.

Question

En quoi la compétition a-t-elle un effet sur les populations de plantes dans un écosystème?

Conçois et effectue ton expérience

1. Formule une hypothèse pour vérifier comment les populations d'au moins trois espèces de plantes peuvent être affectées lorsqu'elles se font compétition pour les ressources d'une zone de petite taille. (Une hypothèse est une réponse possible à une question ou une supposition pour expliquer des faits.)

2. Choisis le matériel dont tu as besoin pour vérifier ton hypothèse. Par exemple:

   a) Détermine le nombre de populations avec lesquelles tu effectues ton expérience.

   b) Détermine si tu fais pousser les plantes à partir de graines ou de jeunes plants.

   c) Détermine le nombre de contenants dont tu as besoin.

   d) Détermine la quantité de terre dont tu as besoin.

3. Planifie les étapes de ta démarche. Pose-toi quelques questions. Par exemple:

   a) Quelle preuve permet de vérifier mon hypothèse?

   b) Quelles étapes sont nécessaires pour recueillir les données dont j'ai besoin?

   c) Mon expérience représente-t-elle un test valable? Comment puis-je le savoir?

   d) Comment vais-je noter mes résultats? À l'aide d'un tableau, d'un graphique, des deux ou de ni l'un ni l'autre?

   e) Combien de temps ai-je pour effectuer mon expérience?

   f) Combien de temps me reste-t-il pour terminer mon expérience?

4. Rédige ta démarche. Montre ta démarche révisée à ton enseignante ou ton enseignant.

5. Effectue ton expérience.

6. Compare tes résultats à ton hypothèse. Tes résultats te permettent-ils de vérifier ton hypothèse? Si tu réponds non, pourquoi en est-il ainsi?

7. Compare ton plan et tes résultats à ceux de tes camarades. Y a-t-il un plan identique au tien? Semblable au tien? Complètement différent du tien? En quoi tes résultats se comparent-ils à ceux de tes camarades?

ED Activité d'ancrage

A31 *Activité synthèse*

Boîte à outils 2

HABILETÉS À UTILISER
■ Tirer des conclusions
■ Présenter des résultats

Un modèle d'écosystème, seconde partie

Question

Comment le transfert d'énergie et la transformation de la matière expliquent-ils ce qui s'est produit dans le contenant scellé ?

Matériel

- l'écosystème de l'activité A16
- tes observations des dernières semaines
- la photo ou le croquis réalisé au tout début de l'activité
- le croquis de ton écosystème tel que tu l'imaginais au bout de quelques semaines

Figure 2.19

Démarche

1. Relis tes observations des dernières semaines.

2. Dresse une liste des interactions qui, selon toi, se sont produites dans le contenant scellé.

3. Classe les interactions selon qu'elles sont liées au transfert d'énergie ou au recyclage de la matière.

4. Note le rôle de chaque élément biotique.

5. Compare tes prédictions et ton croquis de l'écosystème à tes résultats.

Analyse et interprétation

6. Pour chaque changement observé, suggère quelques raisons qui pourraient expliquer ce qui s'est produit.

7. Quels organismes ont été capables de combler leurs besoins fondamentaux ? Comment le sais-tu ? Quels organismes ont été incapables de combler leurs besoins fondamentaux ? Qu'est-il advenu de ces éléments biotiques ?

Développement des habiletés

8. Organise tes données pour rendre compte de l'évolution de ton écosystème.

Pour conclure

9. Compare tes prédictions à tes résultats. Discute des différences.

10. En quoi l'information découverte depuis la création de ton écosystème explique-t-elle tes résultats ?

11. Pourquoi ton écosystème ne pouvait-il soutenir qu'un nombre limité d'organismes vivants ?

Révise les concepts clés

1. Explique dans tes mots pourquoi les écosystèmes abritent un nombre limité de populations.

2. Comment une nouvelle espèce sans prédateur naturel peut-elle affecter les populations des autres espèces?

3. a) Quels seraient les effets d'un été plus sec que la moyenne sur l'écosystème d'un étang?

   b) En quoi ces effets seraient-ils différents des effets d'un assèchement de l'étang?

4. Qu'est-ce que la durabilité?

5. Quels facteurs affectent les populations d'un écosystème?

Fais des liens

6. En quoi la construction d'une route affecte-t-elle la durabilité de l'écosystème qu'elle traverse?

7. Certaines écoles adoptent des mesures pour réduire leur consommation de papier. Des municipalités offrent aussi des programmes de gestion des déchets organiques. Ces initiatives sont-elles des exemples d'approches durables pour l'environnement? Explique ton raisonnement.

Utilise tes habiletés

8. Prépare une affiche ou une courte présentation multimédia pour expliquer ton point de vue sur la durabilité.

A32 *Réflexion sur les sciences et l'environnement*

Consulte à nouveau ton schéma de conséquences

Au chapitre 1, tu as illustré sur un schéma la réaction en chaîne que peut provoquer une activité humaine. Beaucoup d'activités humaines ont des effets à court terme et à long terme sur l'environnement. Les gens commencent tout juste à comprendre ce qu'est la durabilité. C'est pourquoi ils doivent examiner attentivement les conséquences de leurs activités sur l'environnement.

Avec une ou un camarade, dresse une liste des activités humaines qui pourraient affecter les interactions des éléments biotiques et abiotiques, les transferts d'énergie et le recyclage des éléments nutritifs. Ces activités peuvent être liées au transport, aux loisirs ou aux choix de style de vie.

Ce que tu dois faire

1. Passe en revue la liste d'activités. Quelles activités as-tu réalisées au cours des deux dernières semaines? Conçois un schéma de conséquences pour l'activité que tu auras choisie. Assure-toi d'établir la chaîne des conséquences possibles.

2. Compare ta chaîne à celle d'une ou d'un camarade. En quoi sont-elles semblables? En quoi sont-elles différentes?

Réfléchis

3. Comment un schéma de conséquences t'aide-t-il à comprendre que nos actions et nos décisions peuvent affecter la durabilité des écosystèmes et de l'environnement?

Les spécialistes de la foresterie

Les forêts constituent une part importante des ressources économiques du Canada, car elles offrent des possibilités d'emploi à de nombreux travailleurs ainsi qu'une variété de produits. Les arbres fournissent de l'oxygène et du carburant aux habitants de la Terre, un habitat aux plantes et aux animaux, en plus d'abriter un grand nombre de communautés.

Figure 2.20 Les spécialistes de la foresterie passent une grande partie de leur temps dans la forêt.

Les spécialistes de la foresterie assurent la gestion et la supervision des ressources de nos forêts. Ils évaluent la qualité du bois à partir de la taille et du type d'arbre. Au moment d'établir la valeur d'une forêt, ces spécialistes déterminent d'abord s'il faut conserver cet habitat naturel. Dans l'affirmative, les sociétés forestières ne couperont pas les arbres de cette forêt.

Les écosystèmes forestiers

Au moment de prendre leurs décisions, les spécialistes de la foresterie tiennent compte de l'état des écosystèmes sains pour déterminer s'ils seront en mesure de survivre à une coupe d'arbres. Ils examinent aussi les effets de l'abattage sur les habitats des animaux et encouragent les sociétés forestières à réduire les dommages au minimum.

Les arbres constituent une ressource renouvelable. Après chaque coupe, de nouveaux arbres devraient être plantés dans l'écosystème local pour favoriser le renouvellement de la forêt. À la suggestion de l'ONU, l'industrie de l'exploitation forestière canadienne pourrait poursuivre ses activités, à condition de ne pas nuire aux besoins fondamentaux des écosystèmes forestiers.

La technologie et la foresterie

Pour évaluer et gérer les ressources d'une forêt, les spécialistes de la foresterie utilisent plusieurs outils, dont la photographie à infrarouge, l'imagerie satellitaire, la photographie aérienne et même la détection à distance. Ces technologies leur permettent de tenir un inventaire de nos forêts et de décider si les arbres doivent être coupés pour être transformés en bois d'œuvre, de façon à empêcher la propagation d'une maladie, ou être préservés pour la faune et la flore.

Les spécialistes de la foresterie travaillent pour des sociétés forestières, sous la supervision du gouvernement ou à leur compte. Ils jouent un rôle très important dans le secteur des ressources canadiennes et dans la préservation des écosystèmes.

Questions

1. De quels facteurs les spécialistes de la foresterie doivent-ils tenir compte au moment de prendre une décision?

2. En quoi la technologie est-elle utile à ces spécialistes?

3. Quelle importance est accordée à la durabilité par les spécialistes de la foresterie?

Figure 2.21 La photographie à infrarouge permet de distinguer la végétation vivante de la végétation morte d'une région.

Révise les concepts clés

1. Tous les organismes vivants ont besoin d'énergie. Comment les réseaux alimentaires montrent-ils que ces organismes obtiennent dans un écosystème l'énergie nécessaire à leur survie ? *cc*

2. Comment les bactéries et les micro-organismes assurent-ils la présence des nutriments au sein d'un écosystème ? *cc*

3. Comment la destruction d'une forêt ou d'un champ pour faire place à un centre commercial affecte-t-elle l'environnement ? *cc*

4. Quelles activités favoriseraient davantage la durabilité d'une communauté humaine ? *cc*

Fais des liens

5. Dans l'écosystème d'un ruisseau, quels mécanismes assurent le contrôle des populations d'éléments biotiques et l'équilibre des interactions ? *h*

6. Le recyclage du métal, du verre, du plastique et du papier favorise-t-il la durabilité ? Explique ton raisonnement. *m*

7. La moule zébrée a été observée pour la première fois il y a environ 20 ans dans la région des Grands Lacs. Depuis, la population de cette espèce a explosé. Sa présence est visible dans d'autres lacs et rivières. Prépare un exposé oral pour expliquer cette croissance. Prédis ce qui pourrait se produire prochainement ou à plus long terme. *h*

8. Examine la pyramide d'énergie ci-dessous. Cette pyramide représente-t-elle un écosystème dont la survie est assurée à long terme ? Explique ton raisonnement. *h*

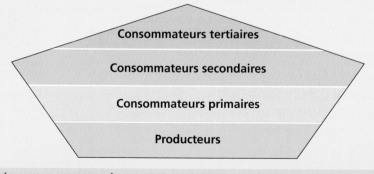

Consommateurs tertiaires

Consommateurs secondaires

Consommateurs primaires

Producteurs

Après la lecture — Stratégies Littératie

Réfléchis et évalue

Révise les éléments que tu as survolés au début du chapitre. Relis les idées principales que tu as retenues ou modifiées au fil de ta lecture. Crée un résumé pour expliquer et illustrer ces idées.

COMPÉTENCES DE LA GRILLE D'ÉVALUATION DU RENDEMENT
cc Connaissance et compréhension *h* Habiletés de la pensée *c* Communication *m* Mise en application

Utilise tes habiletés

9. Pourquoi la reproduction d'un modèle d'écosystème dans un contenant scellé peut-elle représenter un véritable écosystème? ⓜ

10. Pourquoi un remue-méninges t'aide-t-il à choisir la solution que tu estimes la meilleure? ⓗ

11. De quelle manière les techniques d'enquête en sciences facilitent-elles tes prises de décision dans ta vie de tous les jours? ⓜ

12. Comment l'élaboration de critères de réussite t'aide-t-elle à résoudre un problème? ⓜ

Lien avec le projet du module

Le recyclage de la matière occupe une place importante dans tous les écosystèmes. Sur une feuille, crée un tableau à deux colonnes intitulées *Matières recyclées* et *Matières non recyclées*. Inscris tout ce que tu ne recycles pas dans l'une des deux colonnes. Tiens ce *journal des déchets* pendant une semaine.

A33 Réflexion sur les sciences et l'environnement

L'expansion des habitats humains et son impact sur les organismes vivants

Lorsqu'un écosystème naturel n'est pas perturbé, les populations de producteurs, de consommateurs et de décomposeurs, ainsi que leurs interactions, ont tendance à demeurer en équilibre. Ces interactions permettent le transfert d'énergie, le recyclage continuel de la matière et des nutriments essentiels au sein des habitats terrestres et marins.

Avec le temps, les habitats humains ont fait de plus en plus appel à la technologie. Malheureusement, de nombreuses composantes ne peuvent pas être recyclées rapidement. Notre consommation d'énergie et de ressources dépasse largement nos besoins fondamentaux. Les ressources locales sont insuffisantes, c'est pourquoi elles proviennent de l'extérieur.

Notre utilisation de la technologie a un grand impact sur l'environnement. L'expansion de nos habitats déséquilibre ou détruit souvent l'habitat des éléments biotiques.

Ce que tu dois faire

1. Discute de l'énoncé suivant avec une ou un camarade.

« Les humains devraient minimiser leur impact sur l'habitat des organismes au moment de planifier et de construire leurs propres habitats. »

Êtes-vous d'accord avec cet énoncé? Pourquoi?

Réfléchis

2. Discute des questions suivantes avec une ou un camarade ou toute la classe.

a) De quelles façons les activités humaines affectent-elles les interactions et l'équilibre dans les écosystèmes?

b) Comment la technologie affecte-t-elle les interactions et l'équilibre dans les écosystèmes?

c) Dans quelle mesure les humains devraient-ils modifier leurs activités pour assurer la survie des habitats et des écosystèmes? Explique ton raisonnement.

3.0

Adopter de nouveaux comportements et de nouvelles technologies pour mieux protéger l'environnement

Les sociétés modernes utilisent une variété de technologies. Un grand nombre d'entre elles affectent les écosystèmes.

Ce que tu vas apprendre

Dans ce chapitre, tu vas :

- faire la distinction entre la succession primaire et la succession secondaire dans un écosystème ;
- évaluer l'impact de certaines technologies sur l'environnement ;
- analyser les coûts et les avantages de certaines stratégies de protection de l'environnement.

Les habiletés à utiliser

Dans ce chapitre, tu vas :

- utiliser la démarche de recherche pour explorer des phénomènes qui affectent les écosystèmes locaux ;
- choisir la forme appropriée pour communiquer tes résultats à l'auditoire ciblé.

Pourquoi est-ce important ?

Nous pouvons minimiser notre impact sur l'environnement si nous comprenons la façon dont les composantes des écosystèmes comblent leurs besoins fondamentaux de façon naturelle.

Avant la rédaction

Stratégies Littératie

Lettres d'opinion

Des personnes écrivent parfois une lettre d'opinion pour donner leur point de vue sur une question ou une situation précise. Trouve des exemples de ce type de lettres dans les journaux locaux. Qu'est-ce que ces lettres ont en commun ? Réfléchis à la structure, au choix de mots, au vocabulaire et à l'utilisation des faits dans ces lettres. En quoi ces écrits seraient-ils semblables à une lettre que tu écris à une amie ou à un ami ? En quoi seraient-ils différents ?

Mots clés

- la succession
- une communauté à maturité
- les avantages
- une espèce pionnière
- le coût

Figure 3.1 En détruisant plantes, animaux et habitats, les incendies de forêt provoquent des changements soudains au sein des écosystèmes.

Si, à l'été 2007, tu avais survolé Sandy Lake, Deer Lake et Keewaywin, trois communautés du nord de l'Ontario, tu aurais aperçu de larges bandes de terre très foncées ainsi qu'une variété d'arbustes et de petits buissons. Tu aurais aussi vu des cerfs, des orignaux et plusieurs petits animaux, tels que des écureuils et des lièvres, qui se nourrissent de ces végétaux. Tu aurais également remarqué des aigles qui survolent cet espace, à la recherche de nourriture.

Cependant, si tu avais effectué ce court voyage avant 2006, tu aurais vu un paysage complètement différent. À cette époque, le territoire était couvert d'épinettes, de pins et de sapins typiques d'une forêt boréale du nord de l'Ontario. L'été 2006 ayant été très sec, la foudre a provoqué des incendies qui ont détruit des dizaines de km² de forêt boréale. On a même dû évacuer les résidants de Deer Lake, de Sandy Lake et de Keewaywin parce que le feu risquait de se propager jusqu'aux maisons. Les animaux de la forêt se sont enfuis, leur habitat étant aussi détruit par des flammes. Une nouvelle communauté d'organismes vivants a toutefois commencé à s'installer aussitôt que le feu a cessé d'être une menace.

Les écosystèmes sont en constant changement. Avec le temps, les interactions entre les éléments biotiques et abiotiques finissent toujours par retrouver leur équilibre. Des phénomènes naturels, à la fois soudains et terrifiants, par exemple un incendie de forêt ou une tempête, peuvent perturber ces interactions très rapidement (figures 3.1 et 3.2). Les incendies, les tornades et les glissements de terrain détruisent des habitats en plus de tuer des animaux et des plantes. Dans la prochaine activité, utilise ta connaissance du recyclage de la matière et du transfert d'énergie pour prédire ce qui pourrait se produire dans un écosystème gravement altéré.

Figure 3.2 La tempête de verglas survenue en 1998 a détruit beaucoup d'arbres et altéré de nombreux écosystèmes.

A34 *Laboratoire*

Faire face aux phénomènes naturels soudains

Objectif

Montrer en quoi les changements qui surviennent au sein d'un écosystème peuvent affecter tous ses éléments sans toutefois les détruire.

> **Matériel**
> - un jeu de cartes par groupe de trois ou cinq élèves
> - du papier, un crayon et des marqueurs

Démarche

1. Chacune des quatre couleurs représente les éléments biotiques et abiotiques de l'écosystème d'un champ. Ainsi, le pique, le cœur, le carreau et le trèfle représentent respectivement l'eau, l'air, le sol et les organismes vivants.

2. Place les cartes sur la table, côté face. À tour de rôle, les membres de ton groupe tirent une carte de chaque atout, puis les déposent en face d'eux.

3. Une fois toutes les cartes tirées, dispose les tiennes sur une feuille de papier pour montrer les liens qui existent entre les éléments de l'écosystème. Tu peux aussi utiliser une grande feuille de papier et un marqueur pour illustrer ces liens.

4. Réfléchis aux effets que pourraient avoir les événements suivants sur l'écosystème.

   - Une sécheresse réduit la quantité d'eau disponible dans la région (retire tous les piques dont la valeur est inférieure à sept).

   - Un incendie de forêt ravage une grande partie du champ (retire tous les trèfles dont la valeur est supérieure à sept).

Questions

5. En quoi les événements (correspondant aux cartes retirées) affectent-ils les liens existants entre les éléments de l'écosystème ? Des écosystèmes ont-ils été détruits ?

6. Énumère quelques autres événements susceptibles d'affecter l'écosystème. Selon toi, pourra-t-il retrouver son équilibre ?

La succession écologique, le remplacement et l'implantation de nouvelles espèces dans les habitats naturels

Résumé de ce que tu apprendras dans cette section :

- Les changements se produisent de façon prévisible dans un écosystème ; ce phénomène est appelé *succession*.
- Les écosystèmes peuvent se développer dans un endroit où il n'y avait aucune vie auparavant.
- Les écosystèmes peuvent retrouver leur équilibre après une catastrophe naturelle.

Si les gens ne tondaient pas leur pelouse et n'éliminaient pas les mauvaises herbes qui y poussent, leur gazon pousserait rapidement et finirait par monter en graines. Bientôt, de nouvelles plantes apparaîtraient et disputeraient les ressources disponibles à certains brins d'herbe. Ces plantes, à leur tour, pourraient être remplacées puis délogées par d'autres espèces.

Les types de plantes changent avec le temps. C'est pourquoi la communauté animale vivant dans la pelouse changera aussi. De nouvelles populations d'insectes, des petits animaux et des oiseaux s'y implanteront dès qu'ils pourront bénéficier d'un habitat convenable. Après un certain temps, il y aura peu de ressemblance entre la communauté d'éléments biotiques qui habitait la pelouse et la nouvelle qui s'y est installée.

A35 *Point de départ*  Habiletés Ⓐ Ⓒ

Que se produit-il dans un terrain vague?

Ce que tu dois faire

Avec une ou un camarade ou en groupe, examine la photo ci-contre. Ce terrain vague (terrain où rien n'est cultivé ni construit) abrite-t-il un écosystème?

Réfléchis

1. Que se produit-il dans le terrain vague?

2. Suppose que le terrain est abandonné. À quoi ressemblera-t-il dans deux ans? Dans cinq ans? Explique ton raisonnement.

Figure 3.3 Terrain vague.

La succession

La **succession** est un processus naturel dans lequel les espèces d'un écosystème sont graduellement remplacées par d'autres. Les changements se produisent de façon prévisible après une longue période. Un sol non entretenu, par exemple, sera d'abord habité par des plantes et des insectes de petite taille. Ces plantes et ces insectes mourront et leurs nutriments s'ajouteront au sol. Lentement, le sol deviendra suffisamment riche pour abriter des plantes de grande taille et les organismes vivants qui en dépendent. Ainsi, les communautés évoluent ou sont graduellement remplacées par d'autres.

Dans tout processus naturel de succession, les populations s'adaptent systématiquement aux changements de l'habitat. Seuls les organismes capables de combler leurs besoins fondamentaux survivent. Un sol mal entretenu pourra devenir un champ et, éventuellement, une forêt. Les populations de plantes et d'animaux changeront graduellement, au rythme des changements des agents abiotiques.

Les scientifiques distinguent deux types de succession : la succession primaire et la succession secondaire.

La succession primaire

La **succession primaire** se produit dans un endroit où il n'y avait aucune vie auparavant, par exemple dans des îles volcaniques récemment formées, au large des côtes rocheuses ou dans des dunes. Les premières plantes à y prendre racine doivent être assez résistantes pour survivre dans des conditions rudes et dans un sol pauvre en nutriments.

Les plantes ou espèces vivantes qui ressemblent aux plantes de la succession primaire sont souvent désignées sous le nom d'***espèces pionnières***. Ce pourrait être des lichens qui s'accrochent à la surface des rochers et qui sont capables d'absorber suffisamment de nutriments pour survivre (figure 3.4). Ces espèces résistantes décomposent la surface des rochers et déclenchent le processus de formation du sol. Les espèces pionnières comprennent aussi les herbes dont les racines sont suffisamment longues pour maintenir le sable des dunes en place.

Les plantes disposent d'un endroit pour grandir dès qu'une quantité de sol commence à se former ou qu'une dune est fixée par la végétation. Leurs graines peuvent être transportées par le vent, par un oiseau ou par un promeneur. Ces graines germent et une plante prend racine.

Figure 3.4 Le lichen est une espèce pionnière composée d'algues et de champignons. Sa très grande résistance lui permet de survivre dans des conditions très rudes.

La succession secondaire

La **succession secondaire** se produit à la suite de la destruction partielle ou complète d'une communauté, à la suite d'un phénomène naturel ou de certaines activités humaines. À ce moment, une nouvelle communauté apparaît. La succession secondaire est différente de la succession primaire, car les habitats ont déjà été occupés par des organismes vivants. Un champ cultivé, un terrain vacant, une région forestière formée récemment, et même une mine à ciel ouvert, sont tous des exemples de lieux où la succession secondaire peut se produire. La figure 3.5 montre comment une terre cultivable non entretenue peut se transformer en un champ, en un terrain boisé, puis en une forêt après une quarantaine d'années.

Les communautés naturelles évolueront ainsi jusqu'à ce qu'une communauté suffisamment stable, c'est-à-dire une ***communauté à maturité***, se forme (figure 3.5 d)). On y trouvera des plantes et des animaux de grande taille comme ceux des forêts. Les communautés à maturité évoluent lentement et subtilement sur une longue période. Un événement extrême, tel qu'un incendie, une tempête ou une intervention humaine, peut toutefois y provoquer des changements majeurs de façon soudaine.

Figure 3.5 a) Première année : une terre cultivable non entretenue.

Figure 3.5 b) Deuxième année : un champ.

Figure 3.5 c) Dixième année : un terrain boisé.

Figure 3.5 d) Quarantième année : une communauté à maturité.

Avec le temps

Schéma conceptuel

Tu en sais maintenant un peu plus sur la succession secondaire. Dessine quelques encadrés dans ton cahier de notes. Relie ces encadrés à l'aide de traits. Inscris quelques mots dans chacun des encadrés pour décrire les étapes qui précèdent la formation d'un nouvel écosystème.

Le remplacement et l'implantation de nouvelles espèces

Les écosystèmes frappés par une catastrophe naturelle, par exemple un incendie, une inondation, une avalanche, un glissement de terrain ou même un tremblement de terre, peuvent retrouver leur équilibre. Le processus de succession durera tant que les éléments abiotiques essentiels à la survie des organismes vivants seront présents.

La croissance de l'épilobe à feuilles étroites, dans une zone fraîchement brûlée, illustre le processus de succession (figure 3.6). Les graines de cette fleur sauvage sont transportées par le vent sur de grandes distances. Lorsque le territoire touché retrouvera un certain équilibre, les arbustes et les arbres seront de plus grande taille. L'épilobe à feuilles étroites ne survivra pas. Toutefois, après l'incendie, ce sont ses racines qui ont maintenu le sol en place, permettant ainsi aux arbustes et aux arbres de pousser. Une fois morts, les épilobes à feuilles étroites se décomposent et fournissent des nutriments au sol. Les décomposeurs sont des organismes facilitant le processus de la dégradation de la matière.

Figure 3.6 Après un incendie de forêt, l'épilobe à feuilles étroites est l'une des premières plantes à s'installer dans un écosystème. En anglais, cette plante est appelée *Fireweed* «herbe à feu».

Un événement naturel peut détruire le paysage, mais il n'élimine pas l'ensemble des plantes. Le territoire secoué par l'événement retrouvera son équilibre. Les insectes, les oiseaux et les autres animaux reviendront dans leur habitat.

Les écosystèmes ont plus de mal à retrouver leur équilibre à la suite d'une catastrophe causée par l'activité humaine, car les dommages biotiques sont très grands. Si l'eau et l'air sont contaminés, les plantes seront incapables de pousser. L'écosystème en entier risque de s'effondrer.

Pour aller Plus loin

Située en Islande, l'île Surtsey s'est formée à la suite d'une éruption volcanique survenue en 1963. Découvre de quelle façon, à cet endroit, un écosystème a réussi à se former très lentement grâce aux facteurs abiotiques et biotiques environnants.

A37 *Analyse de la prise de décision* Boîte à outils 4

HABILETÉS À UTILISER
- Repérer les idées préconçues
- Tirer une conclusion

La gestion des forêts et des incendies de forêt

Figure 3.7

Problème

Depuis le début du siècle dernier, les spécialistes de la foresterie ainsi que Parcs Canada ont déployé de grands efforts en matière de prévention et d'extinction rapide des incendies de forêt. Cette politique a favorisé le maintien d'un grand nombre de forêts aujourd'hui matures.

En août et en septembre 2003, un incendie dans le parc du mont Okanagan, en Colombie-Britannique, a ravagé 250 km² de forêt, détruit 239 résidences, en plus de forcer l'évacuation de 27 000 habitants de la région. Cet incendie et d'autres catastrophes récentes du même type ont amené les représentants officiels à revoir leur politique de gestion des incendies de forêt. Quel est le meilleur moyen de gérer les écosystèmes forestiers canadiens?

Contexte

- Au printemps, les Autochtones brûlaient régulièrement certaines zones de forêts pour créer des pâturages et garder les routes ouvertes.

- Dans les régions où les températures sont plus froides, le processus de décomposition est lent. Le bois, les feuilles et les aiguilles en décomposition s'accumulent sur le sol. Ces matières combustibles présentent un danger d'incendie.

- Les forêts matures sont denses. Elles se caractérisent par la présence d'arbres de grande taille qui bloquent les rayons du Soleil. C'est pourquoi il y a peu de végétation basse dans ces forêts. Par conséquent, les animaux y sont rares.

- Les écosystèmes des prairies brûlent régulièrement et disposent de jeunes herbes et de plantes en abondance. Celles-ci risquent moins d'être remplacées par des arbres et des arbustes.

- Le feu transforme la matière organique en cendres riches en minéraux qui retournent au sol.

- Les forêts incendiées sont des milieux suffisamment dégagés pour que les rayons du Soleil parviennent jusqu'au sol. Le plancher forestier offre un habitat aux animaux de petite taille qui se nourrissent de petits fruits et de feuilles.

- Les semences d'arbres, par exemple celles du pin et du pin gris, sont scellées dans des cônes couverts de résine. Ces cônes s'ouvrent pour laisser tomber les semences, mais seulement après qu'un incendie a fait fondre la résine.

- Depuis des milliers d'années, la foudre déclenche de nombreux incendies dans les forêts et les prairies.

- Des températures plus chaudes, des précipitations moins abondantes assèchent les forêts et les prairies et créent des conditions très propices aux incendies.

Analyse et évaluation

1. À l'aide de ta connaissance du recyclage de la matière et de la succession, explique pourquoi les incendies sont nécessaires pour garder les écosystèmes des forêts et des prairies en santé.

2. La matière organique qui s'accumule sur le sol d'une forêt mature est-elle favorable aux incendies? Explique ton raisonnement lors d'une présentation orale.

Révise les concepts clés

1. Décris les différences qu'il y a entre la succession primaire et la succession secondaire.

2. Que se produirait-il si un terrain de ta région était abandonné pendant 25 ans ? Réponds à la question en quelques lignes.

3. Énumère quatre événements susceptibles de modifier une communauté mature. Pour chacun, décris à quoi ressemblera le territoire deux ans après l'événement.

4. En quoi ta connaissance des écosystèmes t'aide-t-elle à comprendre le processus de succession ?

Fais des liens

5. Explique en quoi les événements ci-dessous pourraient être un élément important dans la formation d'une nouvelle communauté d'organismes vivants.

a) Des oiseaux qui mangent du poisson se posent sur une île rocailleuse.

b) Une noix de coco s'échoue sur une plage.

c) D'énormes vagues rejettent des algues sur une plage sablonneuse.

6. Dans le processus de la succession primaire, quels éléments s'établissent en premier : les éléments biotiques ou les éléments abiotiques ? Réponds à la question en donnant quelques exemples.

Utilise tes habiletés

7. À l'aide de petits schémas, montre de quelle façon une forêt semblable à celle-ci retrouve son équilibre après un incendie. Inclus des animaux dans tes schémas.

A38 *Réflexion sur les sciences et l'environnement*

La chasse aux mauvaises herbes

Les pelouses et les herbes d'un quartier, des terrains de golf et des parcs publics ont toutes besoin d'eau et d'engrais. Elles doivent aussi être tondues souvent. Plusieurs personnes désirent que leur terrain soit impeccable, c'est-à-dire sans mauvaises herbes ni insectes nuisibles. Certains utilisent des insecticides et des herbicides (ou désherbants) pour détruire les parasites, les rongeurs et les mauvaises herbes. Tous ces produits finissent cependant par s'infiltrer dans le sol et dans les plans d'eau locaux.

Après avoir tondu leur pelouse, les gens ratissent généralement leur terrain et retirent les résidus de gazon.

Réfléchis

1. À l'aide de ta connaissance de la succession, explique ce qui cause l'apparition des mauvaises herbes.

2. Est-ce une bonne idée d'empêcher tout changement dans un écosystème comme une pelouse ? Explique ton raisonnement.

3.2 L'impact de la technologie et des activités humaines sur l'environnement

Résumé de ce que tu apprendras dans cette section :

- De nombreuses technologies affectent la qualité de l'air et de l'eau de l'ensemble des organismes vivants.
- Un grand nombre d'interactions humaines avec l'environnement affectent l'habitat des autres organismes vivants.
- Les technologies produisent de grandes quantités de déchets que les décomposeurs ne peuvent dégrader.

Les communautés humaines profitent de la technologie. Les inventions et les matériaux performants ont grandement amélioré notre espérance de vie et notre qualité de vie. La technologie nous offre du confort dans des habitats rudes et inhospitaliers. Elle nous aide à produire et à transporter de grandes quantités d'aliments, ainsi que des biens, peu importe la distance à parcourir. La technologie est également fort utile à nos déplacements sur de longues distances.

Nous consommons de l'oxygène, de l'eau et des aliments et nous produisons beaucoup de déchets. Nous utilisons de l'énergie pour le transport, le chauffage et la climatisation, ainsi que pour le fonctionnement des entreprises et des industries. Comme les autres organismes vivants, nous interagissons avec les éléments biotiques et abiotiques pour survivre.

Quand nous développons des technologies pour améliorer notre qualité de vie, nous nous soucions rarement de leur impact sur les écosystèmes et sur l'environnement en général.

Figure 3.8 Qu'elle soit suffisamment petite pour une famille ou assez puissante pour une ville, la pompe à eau nous facilite la tâche et améliore notre qualité de vie.

A39 *Point de départ*

L'écotourisme

Les écosystèmes intacts sont de plus en plus rares. Pour les conserver, on peut en interdire l'accès ou les protéger du développement.

On peut aussi les ouvrir au public pour en expliquer la complexité. L'**écotourisme** est un marché en pleine croissance dans des territoires tels que le parc provincial Wabakimi, situé près de Thunder Bay. Il contribue aussi financièrement à la survie du parc.

Les visiteuses et visiteurs ont besoin d'un endroit pour dormir et manger, ainsi que d'un moyen de transport. Des routes et des bâtiments doivent être construits. Des sources d'énergie sont nécessaires. Ainsi, l'ouverture d'un territoire naturel au grand public peut avoir des retombées négatives sur l'écosystème.

Réfléchis

Discute de l'énoncé ci-dessous avec une ou un camarade ou toute la classe.
Le grand public devrait être tenu à l'écart des écosystèmes fragiles ou uniques.
Exprime ton point de vue et trouve de bons arguments.

Évaluer l'impact des humains

Les activités et la technologie améliorent notre qualité de vie, mais elles affectent aussi les écosystèmes locaux. En effet, elles ont un impact sur la capacité de la Terre à puiser dans ses ressources naturelles pour se régénérer. Une grande partie de cette technologie a modifié les écosystèmes. Le tableau 3.1 présente quelques impacts des activités humaines sur les écosystèmes.

Tableau 3.1 Quelques impacts des activités humaines sur les écosystèmes

Élément	Impact
Air	• Les combustibles fossiles, comme le pétrole, qui servent au chauffage, au transport et au secteur industriel polluent l'air.
Eau	• La consommation excessive d'eau par les humains en réduit l'accès aux autres organismes. • Le développement des communautés humaines peut nuire à la circulation de l'eau dans les bassins hydrographiques. • L'élimination inadéquate ou occasionnelle de produits chimiques peut diminuer la qualité de l'eau. • Les déversements de produits chimiques contaminent parfois l'eau des rivières, des lacs et des océans.
Habitat	• La destruction des habitats a pour conséquence de réduire le nombre de producteurs responsables de la formation des chaînes alimentaires. • La destruction des habitats d'un écosystème prive tous les organismes vivants de leurs conditions de vie essentielles, ce qui peut mener à l'extinction de certaines espèces.

Figure 3.9 Les nouveaux îlots résidentiels sont souvent considérés comme de l'*étalement urbain*, parce qu'ils débordent sur le territoire des écosystèmes.

Figure 3.10 Des accidents de trains provoquent souvent des déversements toxiques dans les lacs et les rivières.

Se loger, se déplacer et s'amuser

À proximité des grandes villes, les communautés sont établies dans des écosystèmes. On y trouve des résidences, des zones commerciales, des entreprises et des écoles (figure 3.9). Ces communautés en croissance ont aussi besoin de routes pour permettre à leurs habitants de circuler et d'avoir accès à d'autres communautés. Les routes qui traversent les écosystèmes divisent ou détruisent l'habitat.

En 2005, en Ontario, 8 millions de véhicules ont parcouru environ 125 milliards de kilomètres. Ces déplacements ont fait augmenter la quantité de dioxyde de carbone et d'autres polluants présents dans l'air. Le transport par train réduit le nombre de véhicules qui transportent des marchandises. Cependant, la possibilité d'un déversement de produits chimiques pouvant contaminer l'eau et le sol (figure 3.10) existe toujours. Les écosystèmes peuvent mettre beaucoup de temps à se remettre de la perte de leurs éléments abiotiques.

Des activités récréatives comme le vélo de montagne et le véhicule tout-terrain (VTT), qui permettent de circuler dans divers

Figure 3.11 Des activités de plein air, comme le VTT, peuvent défigurer le paysage et détruire les plantes et les habitats.

types de sentiers, constituent d'autres exemples d'activités humaines susceptibles d'endommager les écosystèmes (figure 3.11).

Ces activités sont susceptibles d'altérer les écosystèmes. Pourtant, plusieurs d'entre elles sont nécessaires à notre survie, tout comme les grandes fermes qui nous nourrissent. Les routes sont indispensables au transport des aliments et des biens. Les terres sont essentielles à l'habitat humain.

A40 *Pendant la rédaction*

Stratégies Littératie

Rassembler des idées pour écrire

De nouvelles maisons, de nouvelles routes et de nouvelles entreprises sont nécessaires à la croissance des populations. Cependant, ces activités nuisent généralement aux écosystèmes. Comment peut-on combler les besoins des communautés humaines tout en protégeant l'environnement local et en évitant de détruire l'habitat des autres organismes vivants?

Résume en quelques mots le problème que soulève cette question. Utilise le contenu de la présente section et ta réflexion pour concevoir un graphique ou un réseau conceptuel et y noter tes idées. Ajoutes-y des idées et des faits au fil de ta lecture. Ces éléments t'aideront à écrire une lettre d'opinion que tu adresseras à un journal.

Figure 3.12 Les ordures, ou déchets solides, sont généralement expédiées dans des sites d'enfouissement.

Le recyclage et l'élimination des déchets

Les activités humaines produisent de grandes quantités de déchets. Comme tu le sais, certains déchets sont organiques et retournent au sol grâce à des programmes de compostage. D'autres déchets, comme le papier, le verre, le métal et certains emballages, sont recyclés. Même si ces activités de recyclage réduisent sensiblement la quantité d'ordures, les collectivités ontariennes continuent de produire des milliers de tonnes de déchets qui doivent être éliminés. En général, les déchets sont envoyés dans des sites d'enfouissement pour être enterrés (figure 3.12). En 2007, la ville de Toronto a acheminé chaque jour environ 441 350 tonnes de déchets solides vers ces sites.

Les premiers sites d'enfouissement ont laissé s'infiltrer des matières toxiques et des produits chimiques dans l'eau et le sol, contaminant ainsi les éléments abiotiques. Aujourd'hui, heureusement, les sites d'enfouissement sont surveillés et scellés pour éviter les fuites de **produits toxiques**, tels que les déchets de médicaments, les produits ménagers et industriels dangereux et les équipements électroniques. Ces sites sont nécessaires pour entreposer les déchets que produisent nos activités. Peu importe la façon dont nous gérons les déchets, les sites d'enfouissement occupent l'espace où se trouvaient des écosystèmes naturels.

Pour aller **Plus loin**

Un nombre grandissant de consommatrices et consommateurs désirent se procurer des aliments biologiques. Effectue une recherche sur ces aliments. Détermine la raison pour lesquelles certaines personnes consomment de tels aliments.

A41 *Analyse de la prise de décision* **Boîte à outils 4**

HABILETÉS À UTILISER
- Organiser l'information
- Présenter des résultats

L'élimination des déchets électroniques

Problème

Les produits électroniques sont très populaires. Ils évoluent constamment, car on leur ajoute de nouvelles fonctionnalités. Ces produits sont de plus en plus petits et faciles à utiliser. C'est pourquoi les consommatrices et consommateurs désirent à tout prix se procurer la dernière version de leurs produits électroniques préférés. Chaque année au Canada, des milliers de tonnes de téléphones cellulaires, d'ordinateurs, d'appareils photographiques, de consoles de jeux et de baladeurs numériques se retrouvent à la poubelle.

Les produits électroniques contiennent des matières plastiques et des métaux, comme l'aluminium, le cuivre, l'or, le fer, le plomb, le mercure, l'acier et le zinc, que les décomposeurs ne peuvent dégrader. Que faire de tous ces déchets?

Contexte

1. Pour découvrir quelle est la meilleure méthode d'élimination des déchets électroniques, tu auras besoin de plus d'information. Forme un groupe de six élèves et demande à chaque membre de choisir l'une des six options suivantes. Ces options ne sont pas toutes offertes au Canada. Votre recherche doit comprendre des options offertes dans d'autres pays.

   a) Faire don du produit.

   b) Expédier le produit dans un site d'enfouissement.

   c) Incinérer le produit.

   d) Faire recycler le produit dans un pays étranger.

   e) Payer pour le recyclage du produit au Canada.

   f) Obliger le fabricant à reprendre tout vieux produit.

Figure 3.13

2. Observe les pistes ci-dessous pour mieux définir ton sujet de recherche. Organise l'information et tes sources d'information sous forme de notes, de graphiques ou de tableaux. Choisis la méthode qui est la plus efficace pour toi.

   a) Choisis un produit électronique que tu as mis aux ordures au cours de la dernière année. Essaie de déterminer le nombre de produits du même type qui sont jetés chaque année au Canada.

   b) Décris l'option d'élimination que tu as choisie. Expliques-en le fonctionnement.

   c) Cette option a-t-elle un impact sur l'environnement? Si oui, décris-le.

   d) A-t-elle un impact sur la santé? Si oui, décris-le.

   e) Selon toi, cette option pourrait-elle traiter la totalité ou la majorité des déchets électroniques produits au Canada?

Analyse et évaluation

3. En groupe, préparez un rapport de recommandations portant sur les méthodes les plus efficaces pour traiter les déchets électroniques. Expliquez vos recommandations et les raisons pour lesquelles vous rejetez les autres options.

ED

Activité d'ancrage

A42 *Activité de résolution de problème*

Boîte à outils **3**

HABILETÉS À UTILISER

- Définir un problème
- Concevoir, construire et tester

Le nettoyage d'un déversement de pétrole

Figure 3.14 Un déversement de pétrole élimine les propriétés isolantes des plumes de nombreux oiseaux de rivage et de la fourrure d'autres animaux qui vivent sur les rives des plans d'eau.

Reconnaître un besoin

Les pétroliers parcourent de très longues distances avant d'arriver à destination. Ces navires-citernes font parfois naufrage et déversent leur contenu sur un rivage. Afin d'éviter tout dommage aux écosystèmes locaux, on évacue rapidement les populations vivant à proximité pour accélérer les opérations de nettoyage.

Problème

Comment nettoyer un déversement de pétrole?

Matériel

- un contenant de forme carrée ou rectangulaire peu profond d'une capacité d'au moins 1,2 l
- un litre de sable
- quatre ou cinq cailloux
- deux plantes de petite taille
- de l'eau
- deux cuillères à soupe (30 ml) d'huile à moteur 🔥
- les technologies de nettoyage de ton choix

Critère de réussite

- L'eau, ainsi que les autres éléments abiotiques et biotiques, ne doit plus contenir de trace d'huile.

Remue-méninges

1. Effectue une recherche sur les technologies de nettoyage des déversements de pétrole. Dans quelle mesure sont-elles efficaces?

2. Lesquelles seraient utiles à ton opération de nettoyage?

Construis un modèle

3. Conçois un écosystème de rivage dans ton contenant. Protège le sable à l'aide des cailloux. Ajoute la quantité d'eau nécessaire pour reproduire un rivage.

Teste et évalue

4. Ajoute deux cuillères à soupe d'huile à moteur dans le contenant, puis remue-le délicatement.

5. Nettoie les éléments biotiques et abiotiques à l'aide des technologies que tu as choisies.

6. Compare tes idées et tes résultats à ceux de tes camarades. Y a-t-il des idées identiques aux tiennes? Semblables aux tiennes? Complètement différentes des tiennes? En quoi tes résultats se comparent-ils à ceux de tes camarades?

Communique tes idées

7. À l'aide d'un logiciel de présentation, prépare une recherche ou un diaporama sur le succès de ton opération de nettoyage. Tu peux aussi présenter tes résultats sous la forme que te propose ton enseignante ou ton enseignant.

Révise les concepts clés

1. Décris deux impacts des activités humaines sur les éléments abiotiques. En quoi ces impacts affectent-ils l'environnement ?

2. En quoi le recyclage aide-t-il à réduire les problèmes liés à la quantité de déchets produits par les activités humaines ?

3. Comment les jeunes de ton âge pourraient-ils éliminer les équipements électroniques dont ils n'ont plus besoin en ayant peu d'impact ou pas du tout, sur l'environnement ?

4. Pourquoi le processus de succession a-t-il du mal à retrouver son équilibre après certains changements environnementaux causés par les activités humaines ?

Fais des liens

5. Décris trois impacts de tes activités sur l'environnement. Ces impacts sont-ils positifs ou négatifs ?

Utilise tes habiletés

6. Pourquoi faut-il tenir compte de divers points de vue sur un sujet au moment de prendre une décision ?

A43 *Réflexion sur les sciences et l'environnement*

Les facteurs limitants et les communautés humaines

Le chapitre 2 t'a permis d'explorer les facteurs limitants et leurs effets sur les populations, par exemple la présence de prédateurs et l'approvisionnement en ressources.

En 2000, la population mondiale était évaluée à 6,1 milliards d'individus, comparativement à 1,7 milliard d'individus en 1900.

Ce que tu dois faire

1. Effectue une recherche dans Internet pour déterminer la population mondiale actuelle et la population mondiale prévue dans 10 ans.

Réfléchis

Discute des questions ci-dessous avec une ou un camarade ou toute la classe.

1. Les facteurs limitants pourraient-ils avoir un impact sur la population mondiale ? Explique ton raisonnement.

2. Quel facteur limitant aura le plus d'impact sur la population mondiale ? Explique ton raisonnement.

3. Quels moyens pourraient prendre les populations du monde pour réduire les effets des facteurs limitants ?

Résumé de ce que tu apprendras dans cette section :

- Les décisions ayant pour objectif de changer les activités humaines et la technologie afin de respecter l'environnement comportent des coûts et des avantages mesurables.
- Les communautés humaines peuvent assurer la gestion de leurs déchets pour favoriser le recyclage des matériaux.
- La technologie et les pratiques pour dépolluer l'air et l'eau réduisent la quantité de déchets et la consommation énergétique.

Figure 3.15 Les alertes au smog sont émises en été lorsque la qualité de l'air est suffisamment mauvaise pour provoquer des problèmes de santé.

De mai à septembre, lors des journées chaudes et ensoleillées, la pollution atmosphérique est souvent bien visible à l'horizon. Cette forme de pollution, appelée *smog*, cause des problèmes aux personnes ayant des difficultés respiratoires. Le smog est plus visible dans les grandes villes (figure 3.15).

Les gens peuvent contribuer à réduire le nombre de jours où il y a du smog en conduisant des véhicules bien entretenus. Opter pour le covoiturage, emprunter les transports en commun ou réduire l'utilisation des climatiseurs sont aussi des moyens efficaces pour réduire le smog. Pour bien des gens, ces choix sont pratiques et économiques.

A44 *Point de départ* — Habiletés A C

Une trop grande quantité de phosphore dans l'eau

Au milieu des années 1960, l'eau de nombreux lacs et rivières d'Amérique du Nord est devenue verte. Les algues étaient si denses que les rayons du Soleil ne pouvaient plus pénétrer l'eau. Un grand nombre d'algues sont mortes et les décomposeurs ont alors consommé beaucoup d'oxygène ; il en restait bien peu pour le reste de l'écosystème. Les détergents à lessive avec phosphates étaient à l'origine du problème. Les phosphates demeuraient présents même après le traitement des eaux usées qui étaient recyclées dans les écosystèmes d'eau douce. Ils agissaient comme un engrais et jouaient un rôle prédominant dans la croissance des algues.

Les fabricants de détergents à lessive ont alors consacré des millions de dollars à la recherche pour trouver une solution de rechange aux phosphates. Les consommateurs insistaient : il fallait agir vite ! L'objectif fut atteint et un mouvement écologique populaire est né.

Réfléchis

1. Si tu apprenais que l'un de tes produits préférés détruit un écosystème local, continuerais-tu de l'utiliser ? Pourquoi ?

2. Si un produit plus écologique coûtait plus cher que le produit original, serais-tu prêt à payer la différence ? Explique ton raisonnement.

Les communautés durables

Une communauté durable est celle dont l'organisation est modelée sur le principe de l'écosystème. L'énergie provient des ressources renouvelables. Les déchets sont triés et les matériaux réutilisables sont recyclés. Changer les comportements des communautés pour favoriser le développement durable a des effets positifs sur la santé de la population et des écosystèmes. L'adoption de pratiques durables comme le recyclage a cependant un prix : elle peut entraîner des coûts et exiger un effort personnel.

Les communautés peuvent-elles changer ? Avant 2004, 35 % des déchets solides des résidants de la ville de Markham, en Ontario, étaient déposés dans des bacs bleus, et les feuilles et résidus de jardinage étaient mis au compostage. Le reste se retrouvait dans les sites d'enfouissement. En 2004, la Ville a annoncé de nouveaux objectifs. Elle souhaitait que 70 % des déchets soient recyclés ou compostés. L'objectif a été atteint grâce à un plus grand nombre de programmes de recyclage (figure 3.16) et de compostage.

Figure 3.16 La collecte des matières recyclables s'adresse tant aux citoyennes et aux citoyens qu'aux entreprises.

Les coûts et les avantages du recyclage

Des millions de dollars sont consacrés à la construction de centres de tri, à la collecte et au tri des matières recyclables et à l'éducation de la population en matière de recyclage. Ce processus est très coûteux et ses avantages peuvent ne pas être perçus immédiatement.

Par exemple, au tout début du recyclage, le papier recyclé coûtait beaucoup plus cher que le papier neuf. Le procédé de recyclage est aujourd'hui plus efficace et les produits de papier recyclé sont abordables. Les avantages du recyclage du papier ne se limitent pas à sauver des arbres. Ce procédé nécessite moins d'eau et d'énergie, comparativement à la fabrication de la pâte à papier. Moins de produits chimiques, tels que des agents de blanchiment, sont nécessaires. Le recyclage du papier réduit également la quantité de déchets solides acheminés vers les sites d'enfouissement (figure 3.17).

Les gens doivent être bien informés de ces avantages pour accepter de consacrer du temps au tri des matières recyclables. Être conscient des avantages permet aussi d'accepter les coûts, payés sous forme de taxes, pour mettre sur pied et soutenir des programmes de recyclage.

Figure 3.17 Le recyclage du papier est maintenant implanté dans de nombreuses écoles et entreprises.

Au-delà du recyclage : la réutilisation et la réduction

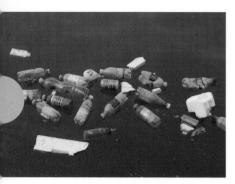

Figure 3.18 Les produits jetables semblent pratiques, mais leur élimination est coûteuse. Une élimination inadéquate affecte l'environnement.

La réutilisation et la réduction constituent deux autres façons de relever le défi de l'élimination des déchets. Il est préférable de réutiliser les récipients, les outils et les matériaux plutôt que de les jeter à la poubelle et s'en procurer de nouveaux. La réutilisation est non seulement économique, mais elle permet aussi de réduire la quantité de déchets solides. Cette solution peut sembler moins pratique, car elle exige temps et énergie. Par contre, elle est plus respectueuse de l'environnement. Par exemple, le rinçage et le remplissage d'une bouteille réutilisable exigent plus d'effort que le fait de simplement consommer une bouteille d'eau jetable chaque jour. Ce choix permet d'éviter la fabrication et l'élimination de millions de bouteilles de plastique qui, autrement, se retrouvent dans des sites d'enfouissement ou dans la nature (figure 3.18).

Les procédés et la technologie du recyclage des composants électroniques ne sont pas aussi évolués que ceux employés pour le papier, le verre et le métal. Serais-tu prêt à utiliser des produits plus longtemps pour bénéficier des avantages d'un environnement sain?

Réduire l'utilisation des technologies nuisibles aux écosystèmes aide à protéger les milieux naturels. Cela peut signifier de devoir se rendre à l'école à pied ou à vélo plutôt qu'en automobile ou utiliser des produits sans piles. Ce sont des décisions que nous pouvons prendre après avoir mesuré l'impact de la technologie sur la santé de l'environnement.

A45 *Pendant la rédaction*

Stratégies Littératie

Tenir compte d'autres opinions

Débattre d'une question t'offre l'occasion d'exprimer tes opinions et de réfléchir à d'autres points de vue.

La technologie envahit notre quotidien. Cependant, un grand nombre d'activités qui font appel à la technologie ont des effets négatifs sur l'environnement. Qui devrait être responsable de ces effets? Que devrait faire la personne responsable? Avec les élèves de ta classe, tente de répondre à ces questions. Chaque coin de la classe sera marqué comme suit : utilisatrices et utilisateurs de technologies, fabricants de technologies, gens qui vendent des technologies et gouvernement.

Qui doit protéger l'environnement? Réfléchis à la question pendant quelques minutes. Dirige-toi vers le coin qui correspond à ton opinion. Discute de tes idées avec les élèves qui sont dans ce coin. Résumez l'opinion de votre groupe et présentez-la au reste de la classe.

Les opinions des autres influencent-elles ton point de vue? Ajoute toute nouvelle idée à ton organisateur graphique. Imagine maintenant que tu veuilles partager ton opinion avec des lecteurs du journal local. Écris un brouillon de ta lettre d'opinion.

Choisir des technologies durables

Les technologies qui réduisent la demande en combustibles fossiles pour le transport, le chauffage et l'industrie existent déjà. Elles commencent à s'implanter dans certaines villes de l'Ontario. En voici quelques exemples.

- Durant les mois chauds de l'été, certains édifices du centre-ville de Toronto sont climatisés grâce à l'eau froide puisée dans le lac Ontario. Ce système réduit la consommation d'énergie et les émissions de dioxyde de carbone.
- Un parc d'éoliennes situé près de Shelburne, en Ontario, produit suffisamment d'électricité pour alimenter 20 000 foyers (figure 3.19).
- On fabrique des véhicules électriques au Canada et à l'étranger.
- Des équipements électroniques peuvent fonctionner sans piles, par exemple, grâce à des capteurs solaires.
- Certains nouveaux édifices sont dotés d'un *toit vert* et de panneaux solaires. Les plus anciens sont modifiés pour intégrer un plus grand nombre de pratiques durables (figure 3.20).

Évaluer les coûts et les avantages

Le développement de nouvelles technologies est coûteux, mais il est possible de calculer les coûts financiers de ces changements. Il existe cependant d'autres coûts — sociaux et environnementaux — difficiles à évaluer. Par exemple, le coût social de l'augmentation des maladies respiratoires à cause de la pollution atmosphérique.

Les nouvelles technologies amènent aussi des avantages financiers, sociaux ou environnementaux. Un avantage financier lié à la diminution de la pollution atmosphérique se traduirait par une réduction des sommes consacrées à la santé. Un avantage social consisterait en un moins grand nombre de personnes malades.

Nous, les humains, n'assumons pas directement les coûts liés à la disparition d'habitats, à la perte d'eau douce et à l'air moins pur. Mais tous les organismes, y compris les humains, ont besoin les uns des autres pour assurer leur survie. Les avantages d'un environnement sain sont profitables pour l'ensemble des organismes vivants. Quelle est la valeur de ces avantages?

L'évaluation des coûts et des avantages des technologies constitue une partie importante de l'analyse de l'impact des activités humaines sur l'environnement. En utilisant des technologies durables, tu aides à améliorer et à maintenir un environnement sain pour tous.

Figure 3.19 En Ontario, les parcs d'éoliennes contribuent à l'approvisionnement en électricité.

Figure 3.20 Un *toit vert* est constitué de terre et de plantes qui absorbent l'eau, en plus de la chaleur en été. Il fait ainsi plus frais à l'intérieur des édifices.

Activité suggérée •··········
A46 Analyse de la prise de décision, page 78

Pour aller Plus loin

De nombreux groupes composés de gens ordinaires unissent leurs efforts pour construire des communautés durables et protéger l'environnement. Choisis l'un de ces groupes et effectue une recherche sur ses objectifs et ses activités.

A46 *Analyse de la prise de décision* Boîte à outils 4

HABILETÉS À UTILISER
- Collecter de l'information
- Tirer une conclusion

Quel type de véhicule conduiras-tu ?

Problème

L'essence qui alimente les moteurs de nos véhicules provient de sources d'approvisionnement en pétrole vastes mais limitées. Les habitants de l'Inde et de la Chine ont maintenant les moyens financiers d'acheter des véhicules et la demande en essence produite à partir du pétrole brut continue d'augmenter. À cela il faut ajouter la pollution atmosphérique, présente dans de nombreuses villes du monde, en partie à cause des gaz d'échappement.

Tous ces facteurs indiquent qu'il faut trouver des solutions de rechange aux véhicules et aux moteurs classiques et les appliquer d'ici quelques années.

Quelques faits

- Pour effectuer une recherche sur la propulsion des véhicules de demain, tu auras besoin de plus d'information. En groupe de trois élèves, déterminez trois solutions de rechange au moteur à essence de l'automobile.

- Chaque membre choisit une solution de rechange, observe les pistes ci-dessous et se concentre sur les objectifs de la recherche. Note l'information et tes sources d'information sous forme de listes, de graphiques ou de tableaux. Choisis la méthode qui est la plus efficace pour toi.

  - Quel mécanisme propulse le véhicule ?

  - Quelle source d'énergie le véhicule utilise-t-il ?

  - Quels sont les sous-produits de l'utilisation du véhicule ou les émissions qui y sont liées ?

  - Le véhicule offre-t-il une bonne performance ?

  - Quel est le coût potentiel du véhicule et de l'énergie qui l'alimente ?

  - Dans quelle mesure le ravitaillement sera-t-il facile ?

- Quels changements sociaux, le cas échéant, seront nécessaires pour assurer le succès du véhicule ? Il y a, par exemple, des stations-services presque partout. Qu'adviendra-t-il de ces stations-services si les nouveaux véhicules ne fonctionnent plus à l'essence ?

- Nomme les avantages financiers et environnementaux de ce nouveau type de véhicule.

- Présente tes résultats aux membres de ton groupe. Consulte aussi les autres groupes. L'information collectée pourra vous être utile.

Analyse et évalue

1. Quels critères utiliseras-tu pour évaluer les automobiles de demain ?

2. Quelle solution de rechange est la plus susceptible d'être acceptée ? Compare les coûts et les avantages de ce virage technologique pour expliquer ton raisonnement.

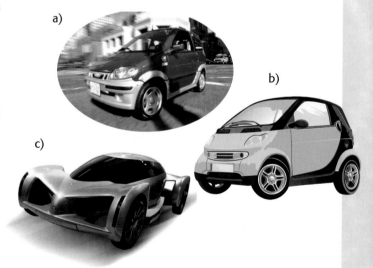

a)

b)

c)

Figure 3.21 a) Un véhicule électrique à émission zéro.
b) Un véhicule à faibles émissions de CO_2.
c) Un véhicule écoénergétique.

A47 *Analyse de la prise de décision* Boîte à outils 4

HABILETÉS À UTILISER
- Poser des questions
- Organiser l'information

Qu'est-ce que tu veux faire aujourd'hui?

Problème

Les activités humaines et la technologie ont un effet sur l'environnement. Souvent, il est possible de faire des choix qui limitent notre impact sur l'environnement et qui contribuent à la protection des écosystèmes.

Contexte

Il y a des consommateurs dans tous les écosystèmes, comme il y a des consommatrices et des consommateurs dans les centres commerciaux d'Amérique du Nord, sans oublier ceux qui s'adonnent à la consommation dans Internet.

L'économie repose en grande partie sur l'achat de biens et de services. L'épicerie hebdomadaire, l'achat de vêtements, une coupe de cheveux et un repas au restaurant sont des activités de consommation. Les emballages, les sacs de plastique, les émissions atmosphériques des véhicules utilisés pour se rendre au centre commercial, les assiettes jetées après usage et les objets inutiles qui s'entassent dans les sous-sols sont tous des résultants de l'activité humaine.

Les produits que nous achetons sont fabriqués à partir de ressources qui proviennent de la Terre. Une certaine quantité d'énergie est nécessaire pour fabriquer, emballer et transporter ces produits et les commercialiser. De l'énergie est aussi nécessaire pour éclairer et alimenter en énergie les magasins et les centres commerciaux. Les produits, une fois devenus inutiles, génèrent beaucoup de déchets. Quel impact ces activités ont-elles sur l'environnement? Nous commençons à peine à comprendre les conséquences de notre consommation sur l'environnement. Que sommes-nous prêts à faire pour diminuer cet impact?

Analyse et évaluation

1. Réfléchis à l'une des activités suivantes ainsi qu'à ses impacts sur l'environnement.

   a) Un repas dans un restaurant rapide avec des amis.

   b) L'épicerie hebdomadaire d'une famille.

   c) L'achat d'un nouveau vêtement ou d'un nouveau jeu électronique.

   d) Une autre activité qui a un impact sur l'environnement et à laquelle tu participes (demande à ton enseignante ou ton enseignant si cette activité est pertinente).

2. À l'aide du tableau ci-dessous, analyse l'impact de l'activité que tu as choisie.

Avantages pour toi (+)	Coût environnemental (–)	Choix

Les avantages (+) sont les bénéfices que te procure l'activité en tant que consommatrice ou consommateur. Les coûts (–) représentent tout ce qui est nuisible à l'environnement. Dans la colonne *Choix*, présente des façons qui te permettraient de réduire l'impact de ton activité tout en continuant à en profiter.

3. Compare les avantages, les coûts et les choix des activités que tu as déterminées à ceux de deux camarades.

4. Discutez de toute autre question, préoccupation ou information liée à vos activités respectives. Notez-les au verso de votre tableau.

5. En groupe, trouvez une façon créative de présenter vos résultats au reste de la classe (un exposé oral, un diaporama, un éditorial ou une vidéo) ou suggérez des façons d'établir un équilibre entre les avantages et les coûts associés à quelques activités dans le cadre d'un *Salon écologique*. Votre enseignante ou votre enseignant vous indiquera la date de présentation des travaux.

3.3 VÉRIFIE et RÉFLÉCHIS

Révise les concepts clés

1. Certaines de nos actions peuvent affecter les écosystèmes. En quoi les coûts financiers influencent-ils notre choix de poser ces gestes?

2. En quoi les parcs d'éoliennes peuvent-ils contribuer à la protection de l'environnement? Pourraient-ils avoir des effets négatifs?

3. Décris deux exemples de nouvelles technologies et deux modes de pensée susceptibles d'aider l'environnement.

Fais des liens

4. Donne un exemple de coût social et d'avantage social associés à la préservation d'un champ plutôt qu'à la construction d'un nouvel aréna.

5. En quoi les coûts sociaux et environnementaux sont-ils différents des coûts financiers? Ont-ils des points en commun?

Utilise tes habiletés

6. Conçois une affiche pour présenter les avantages qu'il y a à:
   a) marcher pour se rendre à l'école;
   b) préparer un lunch qui ne produit pas de déchets;
   c) ne pas laisser tourner le moteur d'un véhicule inutilement.

7. À l'aide d'un tableau, illustre les coûts financiers, sociaux et environnementaux associés à la construction d'un centre commercial.

A48 *Réflexion sur les sciences et l'environnement*

Des mesures positives pour l'environnement

Située près du lac Ontario, la ville de Brighton compte environ 5 000 habitants. Pour traiter les déchets en provenance des stations d'épuration des eaux usées de la ville, les résidants ont transformé un ancien champ de maïs en marais. Ce projet a pour but d'aménager un milieu humide pour le traitement des eaux usées et le rétablissement d'un écosystème riche et varié.

Dans le nord du Québec, on aménage une zone protégée qui comprend les superficies drainées par la rivière du Vieux-Comptoir, l'embouchure de cette rivière et le territoire de la Baie-James qu'elle traverse. La population autochtone de cette région, les Cris, partagera ses connaissances du territoire et de la baie et participera à la gestion de la zone protégée.

Ce que tu dois faire

1. Avec une ou un camarade, discute de ces projets qui combinent à la fois activité humaine et protection des écosystèmes.

2. Dans des journaux, trouve d'autres exemples d'activités humaines qui favorisent la préservation ou la conservation d'un environnement sain.

Réfléchis

3. Les communautés humaines peuvent-elles préserver autrement la santé de leurs écosystèmes tout en assurant leur croissance?

Fais des liens

Jay Ingram

Jay Ingram est un journaliste scientifique d'expérience. Il anime l'émission *Daily Planet,* diffusée sur la chaîne *Discovery Channel Canada.*

Le réensauvagement

Imagine que tu parcours l'Ouest canadien et les États-Unis pour observer des éléphants, des lions, des chameaux et des guépards en pleine nature. Comment cela serait-il possible? Il est question ici du *réensauvagement*, une idée dont on parle de plus en plus.

Selon certains scientifiques, la plupart des grands mammifères d'Afrique et d'Asie sont menacés d'extinction. Plutôt que de les laisser mourir, pourquoi ne pas implanter certaines de ces espèces dans les vastes étendues d'Amérique du Nord? Échappant à la pression des populations humaines et à la destruction des habitats, elles pourraient y survivre et prospérer.

Cette idée n'est pas aussi farfelue qu'elle le paraît. D'abord, il y a 20 000 ans, l'Amérique du Nord était peuplée d'espèces animales semblables. Il y avait des chameaux, des lions, des guépards, des mammouths (ressemblant aux éléphants) et des mastodontes. L'histoire nous prouve qu'il serait possible d'offrir un habitat convenable à ces animaux.

Le territoire est suffisamment vaste pour qu'on puisse croire en ce projet. En fait, l'habitat d'Amérique du Nord pourrait en bénéficier : les chameaux et les éléphants, en broutant les plantes ligneuses, contribueraient au rétablissement des prairies d'Amérique pour qu'elles retrouvent leur splendeur du temps passé. Le guépard d'Amérique, aujourd'hui disparu, chassait l'antilope. L'antilope a probablement marqué l'évolution du guépard, lui permettant de devenir l'un des plus rapides animaux sur Terre. Le guépard d'Afrique reprendrait peut-être la chasse qu'il a abandonnée il y a plusieurs milliers d'années.

L'un des principaux arguments en faveur du réensauvagement est que les grands animaux, carnivores ou herbivores, exercent une influence démesurée sur leurs habitats. Les grands prédateurs, tels que le lion, abattent leurs proies herbivores. Ils abandonnent les carcasses aux charognards. Ils sont aussi les hôtes d'une variété de tiques, de poux et d'autres invertébrés qui, en retour, vivent aux dépens des autres.

Le réensauvagement pose évidemment un énorme problème sur les plans politique et biologique. Même si l'Ouest américain est relativement peu peuplé, une grande partie de ce territoire appartient toujours à des intérêts privés. Qui, en Afrique, serait d'accord avec ce projet? Ce serait avouer ouvertement l'échec des efforts de conservation qui ont été déployés sur ce continent. De plus, nous vivons à une autre époque, dans un climat et un monde différents. Ces conditions ne conviendraient peut-être pas aux espèces africaines. Bien sûr, l'Amérique du Nord était peuplée de guépards il y a 10 000 ans, mais nous ignorons de quelle façon cette espèce se comporterait aujourd'hui sur notre continent.

Et si, finalement, le réensauvagement avait plutôt pour objectif d'encourager les idées plus audacieuses en matière de conservation et de biodiversité pour nous inciter à nous préoccuper davantage de nos espèces en voie de disparition? Le réensauvagement pourrait-il atteindre d'autres objectifs? Pour l'instant, il favorise des discussions sur la conservation et la biodiversité. Peut-être amènera-t-il les gens à se préoccuper davantage des espèces en voie de disparition.

Figure 3.22 Le réensauvagement permettrait à ces espèces de vivre en liberté en Amérique du Nord.

Révise les concepts clés

1. En quoi les écosystèmes changent-ils de façon naturelle ? Donne des exemples pertinents. **cc**

2. En quoi les catastrophes naturelles affectent-elles l'équilibre des éléments biotiques et abiotiques d'un écosystème ? **cc**

3. Énumère trois impacts des activités humaines sur la qualité de l'eau. **cc**

4. Explique les stratégies employées par ta communauté pour réduire la quantité de déchets aux sites d'enfouissement. **cc**

5. Écris une chanson ou un rap pour décrire en quoi l'application des trois R (réduction, réutilisation, recyclage) comporte des avantages pour l'environnement. **cc**

Fais des liens

6. Parmi les contenants ci-dessous, lesquels sont les plus respectueux de l'environnement ? **m**

7. À l'aide d'une bande dessinée comptant huit illustrations, explique pourquoi il faut réduire l'utilisation des ressources naturelles. **c**

8. Conçois une affiche pour promouvoir une source d'énergie de remplacement. Assure-toi de bien expliquer les avantages de cette nouvelle technologie. **c**

9. Quels avantages un écosystème forestier tire-t-il d'un incendie de forêt ? **m**

10. Les civilisations de l'Égypte ancienne habitaient en bordure du Nil. La crue annuelle du fleuve déposait de riches sédiments

Après la rédaction

Stratégies Littératie

Réfléchis et évalue

Révise la lettre d'opinion que tu as écrite. Avec une ou un camarade, discute des idées présentées dans chacune de vos lettres. Les faits et les opinions y sont-ils clairement exposés ? Y est-il question des changements qui surviennent au sein des écosystèmes et de notre rôle en tant qu'intendante ou intendant de l'environnement ? Y trouve-t-on les caractéristiques des exemples de lettres présentés au début du chapitre ?

COMPÉTENCES DE LA GRILLE D'ÉVALUATION DU RENDEMENT
cc Connaissance et compréhension   **h** Habiletés de la pensée   **c** Communication   **m** Mise en application

sur les terres environnantes. En quoi ce phénomène était-il favorable à l'agriculture ? *m*

11. Écris une lettre à ta conseillère municipale ou à ton conseiller municipal. Explique-lui en quoi le développement récréatif d'un site est susceptible d'avoir des effets sur l'environnement (voir photo). Indique clairement si tu es pour ou contre ce projet et explique ton choix. *c*

Utilise tes habiletés

12. Décris les étapes à suivre pour analyser l'impact d'une activité humaine sur l'environnement. *m*

13. À l'aide d'un logiciel de présentation, prépare un diaporama pour sensibiliser des élèves du primaire à l'application de la règle des trois R (réduction, réutilisation, recyclage). *c*

Lien avec le projet du module

Dresse une liste des cinq principales activités du monde industrialisé qui doivent changer pour préserver les écosystèmes et protéger l'environnement. Indique si chaque changement est lié à l'application de la règle des trois R (réduction, réutilisation et recyclage).

A49 | *Réflexion sur les sciences et l'environnement*

L'intendance

Tu sais maintenant que les éléments biotiques et abiotiques dépendent les uns des autres pour survivre et que les écosystèmes peuvent naturellement répondre aux besoins des organismes qui les occupent.

Dans ce chapitre, il a été question de la difficulté qu'ont les écosystèmes à survivre à cause de certaines activités humaines. Des idées ont aussi été proposées pour modifier certains comportements humains et protéger l'environnement. Tu as également découvert des collectivités qui ont choisi de changer leurs activités.

Le module a débuté par une discussion portant sur le mot *intendance*. Lorsque nous planifions nos activités quotidiennes, devrions-nous tenir compte de notre responsabilité d'intendance environnementale ? Pourquoi ?

Réfléchis

Discute des questions ci-dessous avec une ou un camarade ou toute la classe.

1. La protection des écosystèmes constitue-t-elle un moyen efficace d'assurer l'intendance environnementale ?

2. En quoi certaines pratiques des Autochtones constituent-elles toujours de bons exemples d'intendance environnementale ?

3. En quoi les activités durables sont-elles associées au fait d'être une intendante ou un intendant de l'environnement efficace ?

4. Énumère cinq choses que tu pourrais faire pour devenir une intendante ou un intendant de l'environnement efficace.

1.0 Les écosystèmes sont des communautés au sein desquelles les éléments biotiques et abiotiques interagissent.

CONCEPTS CLÉS

- Les interactions entre les éléments biotiques et abiotiques
- Les rôles des producteurs
- Les interactions entre les producteurs et les consommateurs

RÉSUMÉ DU CHAPITRE

- Les éléments biotiques (les organismes vivants) doivent combler cinq besoins fondamentaux pour survivre. Ils ont besoin d'oxygène, d'eau, de nourriture, d'énergie et d'un habitat.
- Les éléments biotiques interagissent avec les éléments vivants et non vivants (abiotiques) pour combler leurs besoins essentiels.
- Les plantes sont les seuls organismes capables de produire de la nourriture à l'aide de l'énergie solaire. Chaque écosystème comporte des plantes.
- Tous les autres organismes vivants doivent consommer des éléments biotiques pour se nourrir.

2.0 Les interactions au sein des écosystèmes contribuent au transfert d'énergie et au recyclage de la matière.

CONCEPTS CLÉS

- Le transfert d'énergie au sein des écosystèmes
- Le recyclage de la matière
- Les interactions et les changements au sein des écosystèmes

RÉSUMÉ DU CHAPITRE

- Les chaînes alimentaires et les réseaux alimentaires permettent d'illustrer le transfert de l'énergie solaire dans un écosystème.
- À chaque étape d'une chaîne alimentaire, de moins en moins d'énergie est disponible pour le consommateur suivant.
- La matière circule sans arrêt entre les éléments non vivants et vivants, et inversement. Ce cycle est constant dans tous les écosystèmes.
- Dans les écosystèmes, l'approvisionnement en ressources naturelles est limité.
- Tout grand changement qui modifie l'approvisionnement perturbe les interactions. Parfois, ce changement menace la survie des organismes vivants.

3.0 Adopter de nouveaux comportements et de nouvelles technologies pour mieux protéger l'environnement.

CONCEPTS CLÉS

- La succession écologique, le remplacement et l'implantation de nouvelles espèces dans les habitats naturels
- L'impact de la technologie et des activités humaines sur l'environnement
- Les communautés humaines et le développement durable

RÉSUMÉ DU CHAPITRE

- Les écosystèmes changent d'une façon naturelle et prévisible. C'est ce qu'on appelle la succession écologique.
- Les écosystèmes retrouvent leur équilibre à la suite des changements causés par une catastrophe naturelle.
- De nombreuses technologies et activités humaines de la vie moderne endommagent les éléments biotiques et abiotiques des écosystèmes. Ils peuvent être très lents à retrouver leur équilibre.
- Les communautés humaines possèdent la connaissance et la technologie nécessaire pour réduire l'impact de leurs activités sur l'environnement.

Réduis la taille de ton empreinte écologique

Mise en contexte

La superficie totale de la Terre, notre habitat, s'étend sur un peu plus de 500 millions de km^2. Cependant, moins du quart de cette superficie produit de la nourriture et des ressources. Ainsi, seuls 120 000 km^2 peuvent combler les besoins fondamentaux de l'ensemble des producteurs et des consommateurs, y compris l'être humain. Pour six milliards d'humains, cela correspond à 0,02 km^2 par personne, que nous partageons avec les autres organismes vivants.

Tu sais maintenant que les organismes vivants doivent combler cinq besoins fondamentaux pour survivre. Tu sais aussi que les ressources nécessaires à ces besoins sont limitées. Une analyse de ton mode de vie te permettra de déterminer si la quantité de ressources dont tu as besoin pour vivre est égale, supérieure ou inférieure à 0,02 km^2. Ton empreinte écologique correspond à la superficie totale de terre que tu utilises pour combler tes besoins.

Ton objectif

Tu attribueras des points à chacune de tes activités pour calculer ton empreinte écologique. Tu passeras ensuite en revue ton mode de vie pour trouver des façons de réduire la taille de ton empreinte.

Ce que tu dois savoir

Ton enseignante ou ton enseignant te remettra une calculatrice d'empreinte écologique pour que tu calcules ta propre empreinte. Tu attribueras ensuite des points à tes activités selon les catégories suivantes : nourriture, eau, énergie, transport, abri et mode de vie.

Les étapes vers le succès

1. Détermine ton empreinte écologique à l'aide de la calculatrice. Quelles catégories affichent un pointage élevé ? Quelles catégories affichent un pointage peu élevé ? Compare le nombre de points que tu as obtenus à celui de tes camarades.

2. Avec une ou un camarade, examine le pointage que vous avez obtenu dans chacune des catégories. Quels changements pourraient réduire vos pointages respectifs ? Indiquez un minimum de deux changements par catégorie.

3. Comment tes camarades et toi pouvez-vous réduire votre empreinte écologique ? Ensemble, discutez de la question. Échangez des idées pour réduire le nombre de vos activités et réutiliser ou recycler certains articles. Combien de changements effectueras-tu ? Pourquoi ?

4. Rédige un contrat dans lequel tu t'engages à réduire ton empreinte écologique en effectuant au moins un changement dans chaque catégorie. Tes choix doivent être réalistes.

Bilan

5. À l'aide de la calculatrice, calcule de nouveau ton empreinte écologique, en supposant que tu as effectué les changements décrits dans ton contrat. Quelle est la taille de ton empreinte écologique maintenant ? Que pourrais-tu faire pour réduire ton empreinte à 0,02 km^2 ?

6. Pourrais-tu adopter un nouveau mode de vie pour utiliser moins de ressources terrestres ? Comment prévois-tu changer tes activités pour atteindre cet objectif ? Note tes idées par écrit.

7. Conçois une affiche, un calendrier ou un journal pour faire le suivi de tes progrès. Invite tes camarades à trouver les élèves qui ont réussi à réduire leur empreinte écologique.

Révise les mots clés

1. Crée un schéma conceptuel pour démontrer ta compréhension des mots ci-dessous. Tu devras peut-être ajouter des mots pour montrer le lien entre certains termes. *cc*

- Abiotique
- Activité humaine
- Biotique
- Chaîne alimentaire
- Communauté à maturité
- Consommateurs
- Développement durable
- Énergie
- Habitat
- Interactions
- Producteurs
- Succession écologique

2. À l'aide des mots *carnivore, consommateur, décomposeur, herbivore, omnivore* et *producteur,* explique en un paragraphe les transferts de l'énergie provenant du Soleil qui ont lieu dans un écosystème. *cc*

3. Le terme *durer* est la racine du mot *durable.* En quoi la signification du mot *durer* t'aide-t-elle à comprendre le sens de *développement durable* ? *cc*

Révise les concepts clés

1.0

4. Décris, dans tes mots, ce qu'est un écosystème. Selon ta définition, indique si chaque énoncé est vrai ou faux. *cc*

a) Une cour d'école est un écosystème.

b) Une flaque d'eau est un écosystème.

5. Pourquoi les facteurs abiotiques sont-ils essentiels à tous les écosystèmes ? *cc*

6. Décris trois interactions qui se produisent dans un écosystème. Donne un exemple pour chacune d'elles. *cc*

7. Les changements dans les écosystèmes se produisent de façon naturelle ou en raison des activités humaines. Choisis un changement d'origine naturelle et un autre d'origine humaine et explique en quoi ils affectent l'écosystème dans lequel ils se produisent. *cc*

8. En quoi une brève analyse de l'ensemble des coûts et des avantages d'une activité t'aide-t-elle à évaluer son effet sur l'environnement ? *cc*

9. Trouve un endroit, près de ton école, qui est constitué d'éléments biotiques et abiotiques. Énumère trois éléments de chaque catégorie. Trace des lignes pour illustrer les liens qui existent entre ces éléments. *cc*

10. Énumère trois besoins fondamentaux des organismes vivants. Explique l'importance de chacun. *cc*

11. En quoi les producteurs et les consommateurs sont-ils semblables ? En quoi sont-ils différents ? Pourquoi les producteurs se trouvent-ils au début de chaque chaîne alimentaire ? *cc*

12. Les plantes utilisent la photosynthèse pour fabriquer leur propre nourriture. C'est ainsi qu'elles obtiennent la matière et l'énergie nécessaires à leur survie. *cc*

a) Quelles sont les matières premières de la photosynthèse ?

b) Quels sont les produits de la photosynthèse ?

c) Donne trois raisons pour expliquer l'importance des plantes dans les écosystèmes.

COMPÉTENCES DE LA GRILLE D'ÉVALUATION DU RENDEMENT
cc Connaissance et compréhension   *h* Habiletés de la pensée   *c* Communication   *m* Mise en application

13. Regarde la photo ci-dessous. Détermine quatre éléments biotiques qui pourraient vivre à cet endroit. **cc**

a) En quoi ces éléments biotiques peuvent-ils être liés ?

b) En quoi les éléments biotiques et abiotiques peuvent-ils être liés ?

c) Ce type d'écosystème abrite-t-il des détritivores et des décomposeurs ? Pourquoi ?

2.0

14. Remets ces chaînes alimentaires dans l'ordre pour illustrer le transfert d'énergie. **cc**

a) ver de terre, lapin, rose, Soleil, loup

b) bactérie, loutre, oursin, algues, Soleil

15. Examine le schéma suivant.

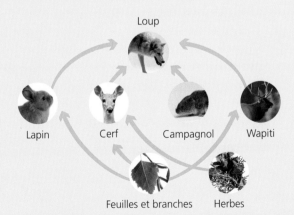

Loup

Lapin   Cerf   Campagnol   Wapiti

Feuilles et branches   Herbes

a) Détermine un minimum de trois chaînes alimentaires. Présente-les dans l'ordre approprié. **cc**

b) Un réseau alimentaire représente-t-il les interactions alimentaires de façon plus précise qu'une chaîne alimentaire ? Pourquoi ? **cc**

16. Que se produirait-il si la matière présente dans un environnement abiotique n'était pas recyclée ? **h**

17. Compare le nombre de producteurs et le nombre d'herbivores au sein d'un écosystème. En quoi le nombre de carnivores se compare-t-il au nombre d'herbivores ? Donne deux raisons pour expliquer ta réponse. **cc**

18. Explique ce que veut dire le mot *durabilité*. Fournis deux exemples pour illustrer le développement durable d'un écosystème dans un milieu naturel. **cc**

19. En quoi l'implantation d'un animal ou d'une plante non indigène peut-elle affecter un écosystème ? **cc**

3.0

20. À la suite d'un incendie de forêt, des ours, des arbres, dont des bouleaux, des épilobes à feuilles étroites, de l'herbe et des souris sont réapparus dans la région après quelques années. Dans quel ordre sont-ils réapparus ? Explique ta réponse. **cc**

21. En quoi certains humains ont-ils affecté une zone naturelle de ta communauté ? Ces effets ont-ils été positifs ou négatifs ? Explique ta réponse. **cc**

22. Donne quelques exemples pour montrer ta compréhension des termes suivants : *cc*

avantage pour l'environnement, coût environnemental, avantage financier, avantage pour la société, coût social

23. En quoi les activités ci-dessous affectent-elles les interactions dans un écosystème ? *cc*

a) Couper tous les arbres d'une forêt.

b) Faire de la moto et du véhicule tout-terrain (VTT) dans un milieu humide.

c) Utiliser un pesticide pour la pelouse afin de lutter contre les insectes.

Fais des liens

24. Les incendies de forêt d'origine naturelle ou humaine changent les écosystèmes forestiers.

a) Nomme trois autres changements naturels susceptibles d'affecter les écosystèmes. *h*

b) Choisis l'un des changements ci-dessus. Comment ce changement peut-il affecter un écosystème ? *m*

25. La photo ci-contre montre l'incendie d'un énorme tas de pneus. Suggère trois effets que pourrait avoir cet événement sur l'environnement. Pour chacun d'eux, propose quelques façons pour que l'environnement retrouve son équilibre. *h*

26. Maintenant que tu te prépares à terminer le présent module, tes décisions seront-elles différentes au moment de choisir des activités qui affectent l'environnement ? Pourquoi ? *m*

Utilise tes habiletés

27. Regarde la photo ci-dessous. Explique pourquoi ce déversement de pétrole affecte l'écosystème du rivage. À l'aide d'une série de diagrammes, montre comment la zone touchée risque de changer au cours des 20 prochaines années. *h*

28. Ton école désire créer un programme de recyclage. De quelle information as-tu besoin pour déterminer s'il s'agit d'un bon projet ? Prépare d'abord un sondage pour explorer la question. *m*

29. Conçois un tableau à quatre colonnes et quatre rangées. En haut des colonnes, écris *Activité humaine*, *Air*, *Eau* et *Habitat*. Dans la colonne *Activité humaine*, écris *Aménager un terrain de golf*, *Restaurer un milieu humide* et *Construire un projet résidentiel*. Note les effets de chaque activité sur l'air, l'eau et l'habitat. *h*

COMPÉTENCES DE LA GRILLE D'ÉVALUATION DU RENDEMENT
cc Connaissance et compréhension   *h* Habiletés de la pensée   *c* Communication   *m* Mise en application

30. Décris un problème environnemental qui préoccupe ta communauté. Conçois une affiche ou un dessin pour illustrer ce problème. Assure-toi d'y présenter les causes et les effets du problème. ⓒ

31. Conçois un plan d'action pour aider ta communauté à s'attaquer au problème que tu as décrit à la question précédente. Énumère les facteurs dont tu tiendras compte. ⓜ

32. À l'aide d'un tableau, présente l'ensemble des coûts et des avantages dont il faut tenir compte pour prendre des décisions éclairées concernant l'impact des activités humaines sur l'environnement. Tu peux utiliser le problème posé à la question 30. ⓜ

Révise les idées maîtresses

33. Repère les énoncés ci-dessous qui sont faux. Réécris les énoncés faux pour les rendre vrais. ⓒⓒ

a) Il n'existe que de grands écosystèmes.

b) Les écosystèmes sont constitués d'éléments biotiques et abiotiques.

c) Dans une mare, seuls des pierres et du sable sont nécessaires à la formation d'un écosystème.

34. À l'aide des exemples donnés ci-dessous, montre en quoi les humains peuvent affecter le transfert d'énergie et le recyclage de la matière dans un écosystème. ⓗ

a) Un promoteur fait remblayer un milieu humide pour construire des maisons.

b) Un agriculteur laboure une prairie pour produire des récoltes.

c) Une ville change le système de drainage d'un écosystème pour réduire les inondations.

35. Trouve un exemple de l'impact des activités humaines sur un écosystème. Comment peux-tu réduire cet impact ? ⓜ

A50 *Réflexion sur les sciences, la technologie, la société et l'environnement*

Peux-tu devenir *neutre en carbone* ?

Devenir *neutre en carbone* est une façon de compenser pour une activité qui génère du dioxyde de carbone par une activité qui n'en émet pas. Pour ce faire, il faut d'abord calculer les émissions de dioxyde de carbone produites par une activité. Il faut ensuite mettre en œuvre des activités qui éliminent l'équivalent des émissions de carbone de l'activité précédente. Les produits fabriqués à l'aide d'énergie renouvelable et la plantation d'arbres sont deux exemples d'activités éliminatrices de carbone.

Réfléchis

Discute de l'énoncé suivant avec quelques camarades.

Devenir neutres en carbone fournira le prétexte idéal aux gens pour ne pas adopter une nouvelle attitude et de nouveaux comportements envers l'environnement.

Les *structures:*
formes et *fonctions*

Survol du module

Les concepts fondamentaux

Le cours de sciences et technologie de 7ᵉ année présente six concepts. Ce module étudie deux de ces concepts :

- Les structures et les fonctions
- L'énergie

Les idées maîtresses

À mesure que tu progresses dans ce module, tu comprendras mieux les notions suivantes :

A. Une structure a une forme qui dépend de sa fonction.

B. Une structure est soumise à des forces externes et internes.

C. L'interaction entre une structure et les forces qui agissent sur elle est prévisible.

Les attentes

À la fin de ce module, tu sauras :

- analyser les facteurs personnels, sociaux, économiques et environnementaux dont il faut tenir compte lors de la conception et de la construction de structures et de dispositifs ;

- concevoir et construire diverses structures et étudier, d'une part, la relation entre la conception et la fonction de ces structures et, d'autre part, les forces qui agissent sur ces structures ;

- montrer que tu as compris la relation entre la forme d'une structure et les forces externes et internes qui agissent sur elle et en elle.

Ces maisons ont été conçues et construites pour conserver l'énergie.

Exploration

Tous les objets représentés dans ce collage sont des structures.

Le pont Garden City Skyway (en arrière-plan) traverse le canal Welland à St. Catharines en Ontario. Il est suffisamment haut pour que les navires passent en dessous. Ce navire vient de passer entre les deux parties d'un pont basculant.

Presque tout ce que tu peux voir et toucher est une structure : la chaise sur laquelle tu t'assois, le stylo que tu utilises, le livre que tu lis, un rocher dans le parc, l'escalier que tu montes. Toi-même, tu es une structure constituée de plusieurs autres structures : un squelette, un cœur, des cheveux, un cerveau, etc. Une **structure** est composée de parties assemblées en vue d'un usage précis.

Chaque structure a une forme et une fonction. La **forme** est l'aspect de base de la structure ; la **fonction** est ce à quoi la structure sert.

Certaines structures sont naturelles (les arbres, les rochers, les fleurs, toi) et d'autres sont construites (les avions, les vases, les cadres, les ponts). La conception des structures construites tient compte de leurs formes et de leurs fonctions. La conception comprend également le choix des matériaux et la façon de construire les structures.

Dans ce module, tu vas explorer les formes et les fonctions de diverses structures. Tu vas également étudier les forces qui peuvent agir sur les structures et découvrir comment des structures différentes réagissent à ces forces. Une **force** est une poussée ou une traction qui peut modifier la taille d'un objet, sa vitesse ou la trajectoire qu'il suit. Tu apprendras comment prédire l'action des forces sur les structures. Les forces et les structures sont en interaction constante. Lorsque ces interactions sont bien comprises, il est possible de construire de meilleures structures.

Bon nombre des produits que tu achètes peuvent avoir un impact sur l'environnement. Il est important de tenir compte de cet impact lorsque tu choisis des produits. Prendre de bonnes décisions assure la durabilité de la vie sur Terre.

La conception ergonomique

Certaines structures sont conçues pour être *ergonomiques*. Cela signifie que les conceptrices et les concepteurs tiennent compte des données scientifiques pour adapter le matériel à la personne qui l'utilise. Une conception ergonomique peut éviter que les gens se blessent en effectuant des tâches répétitives. De nombreux objets ergonomiques sont conçus pour les personnes ayant des handicaps physiques. Ainsi, les structures ergonomiques peuvent améliorer leur qualité de vie.

Compare la forme et la fonction de cette chaise à celles de la tienne.

Réfléchis à la manière dont tu interagis avec les structures quand tu fais tes devoirs. Tu t'assois sans doute sur une chaise, devant un bureau sur lequel tes affaires sont posées. Des milliers de personnes passent de longues périodes assises à leur bureau. Cela peut être exigeant pour le corps humain s'il n'est pas soutenu correctement.

Comme tu le sais, les chaises présentent une grande variété de formes, tout en remplissant des fonctions semblables. Réfléchis aux différences qui existent entre un tabouret de laboratoire scientifique et le fauteuil dans lequel tu regardes la télévision. Plusieurs fabricants de mobilier créent des chaises ergonomiques conçues pour le personnel de bureau.

Pour concevoir ces chaises, ils observent la manière dont les gens s'assoient afin d'effectuer leurs tâches quotidiennes : travailler à l'ordinateur, parler au téléphone, manipuler des documents et écrire.

EXPLORATION (suite)

La conception d'une meilleure table de travail

Alors que tu lis ceci, tu es peut-être assise ou assis sur une chaise à une table de travail. Réfléchis aux fonctions que cette table doit remplir. Quel est le lien entre la forme et la fonction ? Pourrais-tu modifier sa forme afin d'améliorer ses fonctions ?

Objectif

Suggérer des améliorations à la forme d'une table de travail d'établissement scolaire afin qu'elle remplisse mieux ses fonctions.

Matériel

- papier
- crayon

Démarche

1. Énumère les fonctions de ta table de travail.

2. Évalue la façon dont elle remplit chacune de ses fonctions dans sa forme actuelle.

3. Suggère des améliorations qui, selon toi, lui permettront de mieux remplir ces fonctions.

4. Compare ta liste à celle d'une ou d'un camarade.

Questions

5. Quelle fonction de ta table de travail considères-tu comme la plus importante ? Pourquoi ?

6. Si tu pouvais effectuer l'un des changements que tu as suggérés, lequel choisirais-tu ? Pourquoi ?

B2 *Réflexion sur les sciences, la technologie, la société et l'environnement*

Réflexion sur la forme et la fonction

Réfléchis aux structures présentes dans ta classe : les chaises, les tables, les étagères, les crayons, les récipients et les nombreuses autres structures, grandes et petites. Chaque structure a une forme et remplit une fonction.

Ce que tu dois faire

1. Dans un tableau comme celui ci-dessous, énumère au moins six structures présentes dans ta classe.

Structure	Description de la forme	Description de la fonction

2. Décris la forme de chaque structure.

3. Décris la fonction de chaque structure.

Pose-toi des questions

Avec une ou un camarade ou avec toute la classe, réfléchis aux questions suivantes.

4. Quelles structures ont les formes les plus complexes ?

5. Quelles structures remplissent plusieurs fonctions ?

6. Comment la forme et la fonction peuvent-elles s'influencer ?

MODULE B

Sommaire

Projet du module

Au cours de ta vie, tu utiliseras de nombreuses structures que d'autres ont conçues. Tu pourras également modifier une structure existante et concevoir tes propres structures. Dans ce module, ton projet sera de concevoir quelque chose pour améliorer l'efficacité énergétique d'une structure existante.

Question essentielle

Réfléchis à une structure que tu as modifiée. Pourquoi ne l'as-tu pas utilisée telle qu'elle était ou pourquoi n'as-tu pas fabriqué quelque chose de nouveau ?

Avant la lecture

Stratégies Littératie

Classement de mots

Avant de commencer ce module, avec une ou un camarade, écrivez les mots clés de chacun des chapitres sur des cartes. Cherchez des façons de classer ces mots. Triez vos cartes par catégorie. Faites part de ces catégories à la classe.

4.0

Les conceptrices et les concepteurs tiennent compte de la forme et de la fonction d'une structure ainsi que des forces qui agissent sur elle

Une tente est une structure dans laquelle tu peux dormir.

Ce que tu vas apprendre

Dans ce chapitre, tu vas :

- étudier les structures et leurs fonctions ;
- classer les structures selon qu'elles sont pleines, à ossature ou à coque ;
- décrire les forces qui peuvent agir sur les structures.

Les habiletés à utiliser

Dans ce chapitre, tu vas :

- utiliser le langage scientifique pour décrire des structures ;
- explorer la façon dont les structures sont conçues pour assurer notre sécurité.

Pourquoi est-ce important ?

Chaque objet que tu utilises est une structure. Chaque structure a des usages particuliers appelés fonctions. Toutes les structures doivent être conçues, puis construites de façon à supporter les forces qui agiront sur elles. En classant les structures et en remarquant comment elles réagissent à des forces différentes, tu comprendras mieux ce qui les rend efficaces.

Avant la lecture

Stratégies Littératie

Schéma conceptuel sur la structure

Tu peux utiliser un schéma conceptuel pour noter ce que tu apprends au sujet des structures. Au centre d'une feuille blanche, écris le mot *structure*. À mesure que tu découvres des manières de classer les structures, ajoute ces catégories à ton schéma. Relie les concepts entre eux pour indiquer leurs relations.

Mots clés

- une structure
- une structure pleine
- une charge
- le cisaillement
- une fonction
- une structure à ossature
- la tension
- la torsion
- une forme
- une structure à coque
- la compression

Figure 4.1 Les gens vivent dans une grande variété de structures.

Pratiquement tout ce que tu vois est une structure : édifices, automobiles, arbres, vélos, souliers, ton corps, une canette, etc. Toutes ces structures remplissent au moins une fonction. Une maison ou un immeuble à logements est une structure qui fournit un abri, de la chaleur et un espace où entreposer d'autres structures (figure 4.1). Certains animaux construisent des structures (par exemple : nids, gîtes, tanières, etc.) remplissant les mêmes fonctions qu'une maison (figure 4.2).

Diverses forces agissent sur ces structures. Par exemple, par grand vent, les arbres s'agitent. Si tu marches sur une guimauve, elle s'écrase. Le vent et le poids (par exemple, celui de ton pied) sont des forces qui agissent sur les structures.

Parfois, tu peux prédire les interactions entre les forces et les structures. Tu sais que la guimauve n'a aucune chance de rester intacte sous ton pied. Cependant, il est plus difficile de prévoir quand une branche cassera au lieu de simplement plier.

Figure 4.2 Les animaux vivent également dans une grande variété de structures.

Durant toute ta vie, tu feras des choix lors de l'achat de structures telles que des vêtements, des appareils électroniques, des automobiles et des habitations. Pour faire de bons choix, tu dois comprendre les notions clés liées aux structures. Dans ce chapitre, tu vas étudier plusieurs types de structures en observant leurs formes et leurs fonctions (figure 4.3). Tu découvriras quelles forces, par exemple le vent, peuvent agir sur elles. Tu exploreras également les manières dont les structures sont conçues pour détecter et supporter ces forces.

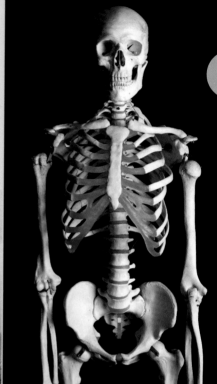

Figure 4.3 Tous ces éléments sont des structures.

Les effets du vent

Selon l'endroit où elles poussent, certaines plantes sont plus résistantes que d'autres. Au cours de cette expérience, tu vas étudier comment le vent agit sur ces plantes.

Objectif

Observer les effets du vent sur diverses structures.

Matériel

- carton épais à agiter comme un éventail ou un ventilateur
- trois ou quatre plantes différentes en pot

Démarche

1. Examine la structure de chaque plante.
2. Prédis ce qui pourrait se passer si du vent soufflait sur chacune.
3. Agite le carton ou fais fonctionner le ventilateur devant chaque plante, d'abord doucement, puis plus énergiquement. Note tes observations.

Questions

4. Décris comment le vent agit sur chaque plante.
5. Quelles plantes ont réagi de la même façon? Pourquoi?
6. Que se passerait-il dans chaque cas s'il ventait encore plus fort?

Voici un résumé de ce que tu apprendras au cours de cette section :

- Une structure peut être classée selon ses fonctions.
- Une structure peut être classée selon sa construction.
- Une structure peut être classée selon sa forme : structure pleine, structure à ossature ou structure à coque.

Quand les gens pensent aux structures, ils pensent souvent à des tours et à des ponts. Ces structures sont en effet imposantes, mais chaque objet que l'on utilise est aussi une structure. Si tu compactes de la neige pour faire une boule de neige, tu crées une structure. Si tu combines des ingrédients pour faire du pain, tu crées aussi une structure.

Si tu observes diverses structures, tu remarques que la plupart présentent des ressemblances. Ces structures, comme celles des figures 4.4 et 4.5, peuvent remplir la même fonction. Dans cette section, tu vas explorer des manières de classer les structures.

Figure 4.4 Un rocher peut servir de siège.

Figure 4.5 Un siège de voiture remplit une fonction précise.

B4   *Point de départ*   Habiletés **A** **C**

Assieds-toi

Réfléchis à au moins six structures sur lesquelles on peut s'asseoir. Fais-en une liste. Certaines peuvent être à l'intérieur, d'autres à l'extérieur. Quels sont les avantages et les inconvénients de chacune des structures dans leur fonction de siège ? Fais part de tes idées à une ou un camarade.

Fais des liens

Pour lire efficacement, tu dois activer tes connaissances en faisant des liens entre ce que tu lis et tes propres expériences, le monde qui t'entoure ou d'autres textes. À mesure que tu lis cette section sur la classification des structures, réfléchis aux liens que tu peux faire avec les renseignements présentés.

Classer des structures

Nous classons souvent les structures selon leur fonction. Certaines structures sont fabriquées pour contenir quelque chose, d'autres pour soutenir quelque chose ou enjamber un espace. Lorsqu'il pleut, par exemple, si tu remarques que de la terre se répand hors du jardin de l'école, tu peux décider de construire un muret pour retenir cette terre. Si tu as de la difficulté à atteindre une étagère haute, tu peux monter sur un marchepied. Si des ouvrières et des ouvriers construisent un mur, ils installent d'abord un échafaudage pour se déplacer sans risque (figure 4.6).

Figure 4.6 Les ouvrières et les ouvriers utilisent des échafaudages pour pouvoir travailler en hauteur.

Un pont est une structure conçue pour enjamber un espace. Parfois, cet espace est une rivière ou un fleuve (figures 4.7 et 4.8), ou encore, une route. Les premiers ponts consistaient en un rondin jeté en travers d'un ruisseau; les ponts modernes présentent de nombreuses formes. Regarde les ponts de ta localité. Que la forme d'un pont soit simple ou complexe, sa fonction est toujours d'enjamber un espace en toute sécurité.

Il est possible de classer les structures selon la façon dont elles sont construites et les matériaux employés. Nous étudierons ceci au chapitre 5. Une troisième manière de classer les structures est de les regrouper selon leur forme : les structures pleines, les structures à ossature et les structures à coque.

Figure 4.7 Ces trois ponts se trouvent à Vancouver. Le pont moderne au premier plan est le pont Skytrain. Nous voyons ensuite un pont sur lequel se trouve une route. Le pont le plus bas est un chemin de fer; il comprend une section mobile qui peut s'élever pour que les navires puissent passer en dessous.

Figure 4.8 Autrefois, des ponts couverts étaient conçus et construits. Leur toit permettait à la neige de glisser pour que son poids n'endommage pas le pont. Ce pont couvert, situé à Guelph, a récemment été construit par des bénévoles.

Classer des structures

Dessine un tableau à quatre colonnes et à six lignes. Dans la première colonne, écris le nom de six structures présentes dans ta classe. À mesure que tu avances dans le chapitre, note la fonction de chaque structure dans la deuxième colonne. Si tu n'en connais pas la fonction, inscris un point d'interrogation. Dans la troisième colonne, dresse la liste des matériaux avec lesquels chaque structure est fabriquée. Dans la quatrième colonne, écris si tu penses qu'il s'agit d'une structure pleine, d'une structure à ossature ou d'une structure à coque.

Compare ton tableau à celui d'une ou d'un camarade. Discute des éléments pour lesquels tu as mis un point d'interrogation. Fais une liste des réponses pour en discuter avec la classe. Quels types de structures sont les plus courants ?

Les structures pleines

Sais-tu ce qu'ont en commun les montagnes, les barrages, les châteaux de sable, les chandelles et les pommes ? Ils sont tous considérés comme des **structures pleines** (figure 4.9). La plupart des structures pleines sont entièrement remplies, même si une montagne peut contenir des grottes, un barrage peut contenir des salles pour les génératrices et une pomme peut contenir des trous de ver. Une structure pleine a une masse plus grande qu'une structure creuse de la même taille et de la même matière.

Activité suggérée •··········
B7 Laboratoire, page 105

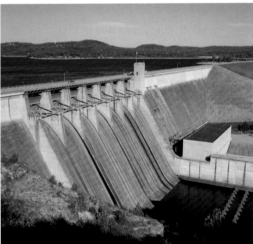

Figure 4.9 Il est important de compacter le matériau pour construire des structures pleines.

Les structures à ossature

Les **structures à ossature** sont constituées de parties reliées. Ces parties sont souvent appelées des composants structuraux. Ton squelette, par exemple, est une structure à ossature. Ses composants structuraux (par exemple, les os, les ligaments, les tendons, etc.) sont reliés. Un châssis d'automobile est un autre exemple de structure à ossature (voir figure 4.10).

Les structures à ossature peuvent exister soit sous la forme d'une ossature ou d'une ossature recouverte d'un revêtement. Une raquette de tennis, un égouttoir à vaisselle et une toile d'araignée sont des exemples de structures uniquement composées d'une ossature. Les parapluies, les automobiles ou les ailes de chauve-souris consistent en une ossature recouverte d'un matériau.

Figure 4.10 Une fragile toile d'araignée et un solide châssis d'automobile sont des structures à ossature, car ces structures s'apparentent à des squelettes.

Les structures à coque

La plupart des structures robustes et creuses sont des **structures à coque.** As-tu déjà pénétré dans un igloo ou as-tu déjà regardé l'intérieur d'une coupole ? As-tu déjà versé du lait d'une boîte en carton dans un verre ou soufflé dans un ballon ? Dans tous ces cas, il s'agit de structures à coque (figure 4.11).

Puisque les structures à coque sont vides, elles servent souvent de récipients. Leur construction nécessite en outre peu de matériaux. Cela signifie qu'elles peuvent être assez légères malgré leur taille. Les vêtements peuvent également être considérés comme des structures à coque.

Pour aller
Plus loin

La tour Eiffel, la Grande Muraille de Chine et l'Everest sont des structures très célèbres dans le monde. Connais-tu des structures pleines, à ossature et à coque célèbres ?

Figure 4.11 Cet igloo, cette boîte à œufs et les coquilles d'œuf elles-mêmes sont des structures à coque.

Les structures combinées

De nombreuses structures sont des **combinaisons de structures** parce qu'elles combinent l'utilisation de structures à coque, de structures à ossature et de structures pleines. Par exemple, la figure 4.12 montre la construction d'une maison à partir de structures pleines (des briques, des clous et des planches). Les planches sont clouées sur une charpente qui donne de la solidité à l'édifice. La **résistance** est la capacité d'un objet à supporter des forces. Les murs et le toit forment alors des structures à ossature.

Quand la charpente est terminée, les ossatures des murs et du toit sont recouvertes de contreplaqué. Des fenêtres et des portes sont placées dans les trous percés dans le contreplaqué.

Les murs extérieurs sont ensuite recouverts d'un parement (de briques ou autre) et le toit, de bardeaux. Ces éléments protègent la maison des intempéries.

Figure 4.12 Une maison est construite à partir de structures solides qui sont assemblées pour constituer une charpente. Les murs et le toit forment un revêtement autour de la charpente.

Construire des structures pleines, à ossature et à coque

Des structures qui remplissent la même fonction peuvent présenter des formes très différentes. Par exemple, toutes les chaises sont conçues pour soutenir le poids d'une personne assise (figures 4.13, 4.14 et 4.15). Au cours de ce laboratoire, tu vas construire plusieurs formes de chaises et tester leur solidité.

Objectif

Construire des structures de différentes catégories : pleines, à ossature et à coque.

Matériel

- des cure-dents
- de la pâte à modeler

Démarche

1. Dessine trois chaises représentant les trois types de structures : pleine, à ossature et à coque.

2. Fabrique un modèle de chaque chaise avec les cure-dents et la pâte à modeler. Essaie de construire des chaises de tailles semblables.

3. Imagine une structure différente et répète les étapes 1 et 2 pour la structure que tu as choisie.

4. En groupe, concevez une manière de tester la capacité de chaque chaise à supporter un poids.

Questions

5. Qu'as-tu remarqué au sujet de l'utilisation des matériaux quand tu as construit les structures pleines, à ossature et à coque ?

6. Quel type de structure était le mieux adapté pour supporter un poids ?

7. Que peux-tu conclure sur les structures pleines, à ossature et à coque ?

Figure 4.13

Figure 4.14

Figure 4.15

Étudier des emballages

Les emballages sont des structures que tu rencontres tous les jours. Ils servent à protéger d'autres structures pendant leur transport. Les emballages permettent également de présenter les produits dans un magasin. Un objet aussi simple qu'un savon (structure pleine) peut être présenté dans une boîte en carton (structure à coque) qui peut être enveloppée dans du plastique (autre structure à coque).

Dans cette activité, tu étudieras les emballages en tant que structures. Choisis des emballages provenant de produits alimentaires, de fournitures scolaires et d'appareils électroniques.

Objectif

Étudier les structures qui sont utilisées dans les emballages.

Matériel

- tous les emballages associés à des achats récents
- un crayon et du papier
- une balance de cuisine ou une balance électronique
- une règle

Démarche

1. Étudie l'emballage qui accompagnait tes produits. Ne mélange pas les différents emballages.

2. Choisis l'emballage d'un des produits. Que contenait-il? Examine ses matériaux. Décris-le de manière qualitative en inscrivant ses caractéristiques dans un tableau comme le tableau 4.1. Une description qualitative comporte uniquement des mots (par exemple, la couleur d'un objet, sa texture, sa forme).

3. Décris l'emballage de manière quantitative en mesurant sa masse et ses dimensions. Une description quantitative présente des informations sous forme de nombres pour décrire un objet (par exemple, la longueur, la masse).

Tableau 4.1 Tableau des résultats de l'étude des emballages

Produit	Description qualitative	Description quantitative	Type(s) de matériau

4. Répète la démarche en utilisant trois autres emballages.

Questions

5. Compare ton tableau à celui d'une ou un camarade. Es-tu d'accord avec sa manière de décrire ses emballages?

6. Quels types de structure étaient présents dans le plus grand nombre d'emballages? Lesquels étaient le moins souvent présents dans les emballages? Quelles structures achètes-tu sans emballage?

7. Compare la masse de chaque structure avec celle de son emballage. Remarques-tu une tendance?

8. Penses-tu que chacun de tes emballages remplit ses fonctions?

9. Penses-tu que chaque partie des emballages était nécessaire?

Révise les concepts clés

1. Définis, dans tes propres mots, ce qu'est une *structure*. Décris trois manières de classer les structures.

2. Classe les structures suivantes en tant que structure pleine, structure à ossature ou structure à coque.
   - a) Un cartable
   - b) Une tente
   - c) Un panier de basket-ball
   - d) Un château de sable
   - e) Un sac à dos
   - f) Un patin

Fais des liens

3. Dessine un tableau à quatre colonnes. Dans la première colonne, énumère cinq structures utilisées lors d'un match de soccer ou de basket-ball.
   - a) Dans la deuxième colonne, indique si chaque structure est une structure pleine, à ossature ou à coque.
   - b) Dans la troisième colonne, décris la forme de chaque structure.
   - c) Dans la quatrième colonne, nomme la fonction de chaque structure.

4. Transporter des structures les expose parfois à des forces qu'elles ne subiraient pas au cours de leur usage habituel.
   - a) Énumère des manières de protéger des structures pendant leur transport.
   - b) Décris une manière que tu trouves efficace.
   - c) Décris une manière que tu ne trouves pas efficace.
   - d) Que fais-tu des matériaux d'emballage après avoir déballé la structure ?

5. Penses-tu que le travail de conception devrait débuter en tenant d'abord compte de la forme ou de la fonction ? Explique ta réponse.

Utilise tes habiletés

6. Réfléchis à une structure étant à la fois une structure à ossature et à coque. Explique ta réponse à l'aide d'un schéma.

B9 *Réflexion sur les sciences et l'environnement*

Les structures dans ta boîte-repas

Ce que tu dois faire

1. Réfléchis à un repas à emporter et aux structures utilisées pour emballer chacune de ses composantes. De quels types de structure s'agit-il ?

Réfléchis

Avec une ou un camarade ou avec toute la classe, discute des questions suivantes.

2. Les structures utilisées pour transporter de la nourriture sont-elles le plus souvent des structures à coque, des structures à ossature ou des structures pleines ? Pourquoi, selon toi ?

3. De quels matériaux les structures servant d'emballage pour ton repas sont-elles faites ? Peuvent-elles être réutilisées ou doit-on les jeter ?

4. Comment le choix des structures utilisées pour transporter notre nourriture peut-il avoir un impact sur l'environnement ?

5. Qu'est-ce qui est le plus difficile à transporter : de la nourriture solide ou de la nourriture liquide ? Pourquoi ?

Les forces qui peuvent agir sur les structures

Voici un résumé de ce que tu apprendras dans cette section :

- Une force est une poussée ou une traction.
- Des forces agissent sur les structures.
- Les forces peuvent être classées en tant que forces externes (par exemple : le vent, la gravité, etc.) ou internes.
- L'ampleur d'une force, sa direction ainsi que son point et son plan d'application déterminent l'impact de cette force sur une structure.
- Le cisaillement, la tension, la compression et la torsion sont des types de forces internes qui agissent sur les structures.

Figure 4.16 Il est difficile de croire que cette grange a autrefois été solide et utile.

Tu peux parfois entendre parler de routes déformées, de maisons détruites par une tornade ou d'effondrement de vieux édifices (figure 4.16). Quels sont les points communs de ces événements ? Ils sont le résultat de forces qui ont agi sur une structure qui n'a pu y résister.

Une **force** est une poussée ou une traction. Des forces agissent sur toutes les structures. Quelle que soit leur taille, elles doivent être conçues et construites pour supporter les forces qui agiront sur elles. Si la structure n'est pas assez solide, elle peut présenter une **défaillance structurale**. Une construction trop solide peut mener à du gaspillage de ressources, de temps, et augmenter inutilement la masse de la structure. Comprendre les forces nous aide à concevoir et à construire des structures plus efficaces.

Toutes les structures subissent continuellement des forces. Parfois, l'effet de ces forces met du temps à se manifester. C'est pourquoi il faut concevoir une structure avec soin, la construire avec rigueur et bien la surveiller durant sa vie utile.

B10 *Point de départ* — Habiletés (A) (C)

La gravité est une force

Quand tu étais plus jeune, tu trouvais peut-être fascinant de construire des tours avec des blocs et de les faire s'écrouler. Tu faisais l'expérience de la gravité, cette force qui attire les objets vers le sol. À l'aide du contenu de ton étui à crayons ou des objets se trouvant autour de toi, construis une structure haute et stable sur ton bureau. Continue jusqu'à ce que ta structure s'effondre. Pourquoi ta structure s'est-elle effondrée ?

Construis une autre structure et agite une feuille de papier devant elle pour simuler le vent ou construis-la sur ton bureau et secoue-le pour simuler un tremblement de terre.

Décris ce qui se passe.

Discute avec une ou un camarade des raisons de l'effondrement de ta structure. Qu'aurais-tu pu faire pour en retarder l'effondrement ?

Stratégies
Littératie

La prise de notes

Survole ce chapitre pour repérer les titres de section. Réécris chaque titre de section sous la forme d'une question comportant les mots *Comment? Quoi?* ou *Pourquoi?* Écris les questions dans un tableau identique au tableau 4.2 ci-dessous. Au cours de ta lecture du chapitre, note tes observations dans la colonne appropriée. En prenant tes notes, ne mentionne que les idées principales ; plutôt que d'utiliser des phrases, utilise des mots clés et des groupes de mots clés.

Tableau 4.2 Tableau de prise de notes

Titre de section sous forme de question	Mots clés

Les forces internes et externes

Les structures doivent être conçues pour supporter les forces qui agissent sur elles. Certaines de ces forces viennent de l'extérieur de la structure. Ce sont les forces externes. La **gravité** est une **force externe** qui agit sur toutes les structures, en tout temps. La gravité est la force d'attraction naturelle qui attire les objets l'un vers l'autre. La gravité attire constamment les structures vers le centre de la Terre.

Par ailleurs, tu as sans doute déjà vu le vent faire voler des papiers et des petits objets. La figure 4.17 montre que le vent peut même bousculer des gens ! L'utilisation quotidienne d'une structure lui applique aussi des forces externes. Par exemple, une échelle est conçue pour supporter le poids de la personne qui y monte. Cette personne applique une force sur l'échelle. Quand tu ouvres un tiroir, tu exerces une force externe sur lui.

D'autres forces sont le résultat de l'action d'une partie d'une structure appliquée à d'autres parties de cette structure. Ce type de force s'appelle une *force interne*. Il peut s'agir de la tension d'un élastique étiré ou de la compression causée par le poids d'un toit qui s'appuie sur les murs d'un édifice.

Figure 4.17 Le vent est une force externe qui agit sur ces jeunes filles et sur leur parapluie.

Description des forces

Souviens-toi de ta dernière sortie pendant une tempête. Tu as alors senti la force du vent et constaté les variations de sa vitesse. Tu as peut-être remarqué la direction dans laquelle le vent soufflait. Parfois, le vent agissait sur tout ton corps; à d'autres moments, tu ne le sentais que sur tes jambes.

Pour décrire la façon dont une force agit sur une structure, les ingénieures et les ingénieurs tiennent compte des trois caractéristiques suivantes: l'ampleur de la force, sa direction ainsi que son point et son plan d'application (voir le tableau 4.3). Le **point d'application** est l'endroit exact où la force agit sur la structure. Le **plan d'application** est le côté de la structure sur lequel la force agit.

Tableau 4.3 Description des forces

Facteurs utilisés pour décrire une force	Question à se poser	Exemple
Ampleur	Quelle est la grandeur de la force par rapport à la taille et au poids de l'objet?	Une brise légère fait voleter un drapeau. Par grand vent, le drapeau semble rigide.
Direction	D'où vient la force?	Si tu marches face au vent, il t'est difficile d'avancer. Si le vent te pousse dans le dos, tu peux marcher plus vite, mais il peut t'être difficile de garder ton équilibre.
Point et plan d'application	Où la force agit-elle sur la structure?	Le vent agit-il sur une partie ou sur l'ensemble de la structure? Une bourrasque de vent sur tes pieds peut être suffisamment forte pour te faire tomber.

Les forces externes et les charges

Toute structure doit supporter une charge. La **charge** totale est la somme des charges statique et dynamique. La **charge statique** est l'effet de la gravité sur une structure. La **charge dynamique** comprend les forces qui se déplacent ou changent pendant qu'elles agissent sur une structure. Elles sont appelées *dynamiques*, car leur ampleur, leur direction, leur point et leur plan d'application changent avec le temps. La figure 4.18 montre les forces dynamiques d'un camion qui traverse un pont et celle du vent qui souffle sur le pont.

Réfléchis à une étagère remplie de livres. Sa charge statique comprend les matériaux dont l'étagère est fabriquée. La gravité agit sur ces matériaux, qu'il y ait ou non des livres sur les tablettes. Toutes les structures doivent pouvoir supporter leur propre poids.

force du vent (charge dynamique)

poids du camion
(charge dynamique)

poids du pont
(charge statique)

La charge dynamique qui s'exerce sur l'étagère comprend le poids des livres sur les tablettes. La valeur de cette charge change en fonction du nombre de livres. L'effet de cette charge dépend également de l'endroit où les livres sont placés sur la tablette (figure 4.19).

Quand tu conçois une structure, tu veux qu'elle puisse supporter ses charges statiques et ses charges dynamiques. Si cette structure n'est pas assez solide, elle peut s'effondrer. Si la structure est trop solide, il peut y avoir gaspillage de ressources.

Pour aller Plus loin

Le corps des athlètes subit ces forces de nombreuses manières. Prends l'exemple de ton sport préféré. Cherche les forces que subissent les athlètes qui pratiquent ce sport, en raison de leurs propres mouvements ou de l'équipement qu'ils utilisent.

a)   b)   c)

Figure 4.19 Quand les livres sont placés au milieu d'une tablette a), celle-ci peut s'affaisser du fait que sa charge dynamique n'est pas soutenue. Si tu places les livres près des supports b) et c), la tablette ne se déformera pas.

Les forces internes

Étire le bras pour tenter de toucher le plafond avec une main tout en essayant de toucher le sol avec l'autre main. Sens-tu que ton corps (qui est également une structure) essaie d'aller dans deux directions ? Tu génères ainsi une force interne. Cette force interne est due à l'action d'une partie de ton corps sur une autre partie. D'autres structures subissent également des forces internes.

Activité suggérée •···········
B12 Laboratoire, page 113

Figure 4.20 Les forces internes

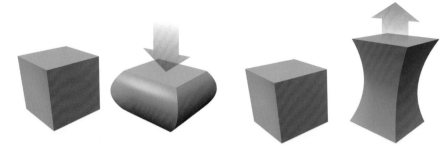

a) La **compression** : une force qui presse

b) La **tension** : une force qui étire

c) Le **cisaillement** : une force qui pousse dans des directions opposées

d) La **torsion** : une force qui tord

Selon la direction dans laquelle elles agissent, les forces internes peuvent être classées en tant que forces de **compression**, de **tension**, de **cisaillement** ou de **torsion** (voir la figure 4.20 pour les définitions). Le mouvement de vrille de la patineuse de la figure 4.21 crée une torsion dans son corps. À d'autres moments de son numéro, la patineuse ressent d'autres forces internes. Pendant un porté, le patineur qui porte la patineuse fait l'expérience d'une compression. Tendre les bras pour faire des mouvements peut engendrer des forces de tension ou de cisaillement, selon la direction des bras.

Concevoir en fonction des forces

Quand les ingénieures et les ingénieurs conçoivent des structures telles que des ponts et des édifices imposants, ils considèrent toutes les forces qui pourraient agir sur ces structures au cours de leur durée de vie. En hiver, par exemple, un pont doit supporter la neige en plus des automobiles et des camions. Dans les régions où les tremblements de terre sont fréquents, les édifices doivent pouvoir supporter les secousses sismiques sans que la bâtisse s'écroule ou que ses fenêtres éclatent.

Souvent, les grosses structures sont conçues en tenant compte de ce qu'on appelle l'*orage du siècle*. Il s'agit d'un événement qui n'arrivera probablement qu'une fois par siècle. Les dégâts montrés aux actualités télévisées sont souvent dus à des orages de cette ampleur.

Figure 4.21 Le mouvement de vrille crée une torsion dans le corps de la patineuse.

Et si tu étais une structure ?

Figure 4.22 Ce garçon ressent une compression des muscles de son cou. Cette sensation est similaire à ce que subissent les colonnes d'un édifice.

Il peut être difficile d'imaginer la façon dont les forces internes agissent sur une structure. En imitant ces structures avec ton corps, tu en sauras davantage au sujet des divers types de force.

Objectif

Ressentir la compression, la tension, le cisaillement et la torsion en utilisant ton corps.

Matériel

- de l'espace pour se déplacer
- un manuel scolaire

Démarche

1. En utilisant ton corps, détermine la façon dont chacune des forces peut être imitée. Note tes idées. Pour ressentir une compression, par exemple, tu peux placer un livre sur ta tête (figure 4.22).

2. Avec la permission de ton enseignante ou ton enseignant, mets tes idées en pratique et note tes observations dans un tableau tel que le tableau 4.4 ci-dessous.

Tableau 4.4 Et si tu étais une structure ?

Force	Action	Observations
Compression		
Tension		
Cisaillement		
Torsion		

Questions

3. Discute de cette activité avec ta ou ton partenaire, de chaque action et de ce que tu as ressenti. Quels effets ce type de force peut-il avoir sur les structures et comment celles-ci peuvent-elles y réagir ?

4. Réfléchis à une situation courante où tu subis chaque type de force (quand tu essaies d'atteindre une tablette ou que tu lances un ballon, par exemple). Comment ton corps réagit-il à chacune de ces forces ?

5. Choisis une structure. Suggère des manières de minimiser la compression, la tension, le cisaillement et la torsion sur cette structure.

Hisse le drapeau

Plus tôt dans ce chapitre, tu as compris l'effet du vent sur diverses plantes. Dans cette activité, tu vas étudier de plus près la façon dont le vent agit sur les structures.

Figure 4.23 Drapeau du Canada.

Objectif

Étudier les effets du vent sur un drapeau.

Matériel

- un crayon
- du papier de soie
- un bout de ficelle
- du ruban adhésif
- des ciseaux
- une paille
- une feuille de papier

Démarche

1. Avec une ou un partenaire, fabrique un modèle de drapeau et de mât avec du papier de soie, un crayon, un bout de ficelle et du ruban adhésif, en simulant les dimensions et les attaches d'un vrai drapeau (voir figure 4.23).

2. Fabrique un éventail avec la feuille de papier. Agite l'éventail pour créer un effet de vent sur le drapeau. Note tes observations.

3. Souffle avec la paille à différents endroits sur le drapeau. Note tes observations.

Questions

4. Décris la façon dont le drapeau bouge quand tu utilises l'éventail. Quels sont les changements quand tu agites l'éventail aux différents endroits de la structure (en bas, au milieu et en haut du crayon)?

5. Décris la façon dont le drapeau bouge quand tu souffles dessus avec la paille. Quels sont les changements quand tu souffles avec la paille aux différents endroits de la structure (en bas, au milieu et en haut du crayon)?

6. Comment l'utilisation de l'éventail en papier montre-t-elle le *plan d'application* d'une force?

7. Comment l'utilisation de la paille montre-t-elle le *point d'application* d'une force?

Révise les concepts clés

1. Définis le mot *force* dans tes propres mots.

2. Quels types de force peuvent agir sur les structures? Donne des exemples de chacun de ces types de force.

3. Classe les forces suivantes en tant que force interne ou externe.

   a) la gravité

   b) la compression

   c) un vent fort

   d) la tension

4. Une famille de castors construit un barrage en travers d'un ruisseau. Décris les forces qui agissent sur le barrage. Décris l'ampleur, la direction ainsi que le point et le plan d'application de chaque force.

Fais des liens

5. Sur certaines routes, des panneaux signalent la charge maximale que sont autorisés à transporter les véhicules qui y roulent. Pourquoi?

6. Quelles forces (internes ou externes) sont plus faciles à prévoir lors de la conception d'une structure? Pour quelle raison, selon toi?

7. Décris les types les plus courants de blessures que subissent celles et ceux qui pratiquent ton sport préféré. Qu'est-ce que cela t'apprend au sujet des types de forces internes qui agissent sur leur corps?

Utilise tes habiletés

8. Dessine le schéma d'une structure qu'il est possible d'escalader dans la cour de ton établissement scolaire. Décris la structure et sa fonction et indique s'il s'agit d'une structure pleine, à ossature ou à coque. Sur ton schéma, représente les forces internes et externes qui peuvent agir sur la structure.

B14 *Réflexion sur les sciences et la technologie*

Les structures endommagées

Chaque jour, des structures subissent l'assaut de forces externes. Certaines sont endommagées par ces forces, d'autres ne le sont pas.

Ce que tu dois faire

1. Décris une structure qui, selon toi, a subi une grande force externe. Quels signes te font penser que la structure a subi cette force?

2. Quelles sont les mesures qui auraient pu être prises pour protéger la structure de cette force?

3. Comment la technologie pourrait-elle éviter que la structure continue d'être endommagée?

4. Fais part de tes idées à une ou un camarade ou à toute la classe.

Les conceptrices et les concepteurs tiennent compte de la forme et de la fonction d'une structure ainsi que des forces qui agissent sur elle **115**

La conception d'une structure en fonction de la sécurité

Voici un résumé de ce que tu apprendras dans cette section :

- La solidité d'une structure dépend de sa fonction.
- Une bonne conception tient compte de la fonction de la structure.
- Les ingénieures et les ingénieurs s'assurent de la solidité d'une structure à l'aide de diverses caractéristiques de base.

Figure 4.24 Les nids de poule sont causés par le gel et le dégel de l'eau qui s'infiltre dans les fissures des routes.

Figure 4.25 Ces arbres de l'est de l'Ontario ont été endommagés par le verglas en 1998.

Chaque jour, tu longes des rues à pied ou tu les empruntes en voiture. Tu as peut-être vu ou senti des nids de poule (figure 4.24). Il peut arriver que quelqu'un soit blessé à cause de l'effondrement d'un toit. Les toits sont conçus pour supporter une certaine charge de neige. Un grand volume de neige peut faire s'effondrer un toit si elle n'est pas enlevée. Le viaduc de la Concorde, près de Montréal, s'est effondré en 2006, tuant plusieurs personnes. Des structures naturelles s'effondrent également lorsque les forces sont trop fortes pour elles (figure 4.25).

Parfois, l'effondrement d'une structure est tragique, mais n'oublions pas les millions de ponts, d'édifices et d'avions qui remplissent leurs fonctions sans faiblir ! Ces structures sont inspectées régulièrement. À l'occasion, pourtant, quelque chose cède. Que cette défaillance soit un trou dans la chaussée ou l'effondrement d'un pont, les ingénieures et les ingénieurs apprennent de cette leçon et corrigent leurs plans pour améliorer la sécurité des structures.

Dans cette section, tu verras comment la sécurité fait partie de la conception des structures et tu étudieras les facteurs utilisés pour leur conception et leur surveillance.

B15 *Point de départ* Habiletés Ⓐ Ⓒ

Défaillances courantes

Pense à ta vie quotidienne. Ton crayon s'est peut-être cassé juste quand tu terminais un problème de mathématiques. Le vent a peut-être fait tomber ton vélo et une pédale s'est tordue.

Avec les élèves de ta classe, réfléchis à une liste de défaillances structurales qui peuvent se produire à tout moment.

Avec une ou un partenaire, choisis trois des défaillances de la liste. Discute de chaque situation et écris au moins une cause possible de chaque défaillance.

Faire des liens

Faire des liens avec un sujet permet aux lectrices et lecteurs de rester concentrés pendant qu'ils lisent, de mieux se souvenir de ce qu'ils ont lu et d'avoir une meilleure compréhension du sujet. En lisant cette section, réfléchis aux liens que tu peux faire avec le sujet de la conception de structures sécuritaires. Ajoute toute information nouvelle à ton schéma conceptuel sur les structures.

Éviter les défaillances

Personne ne peut concevoir une structure qui soit sans défaillance. Les matériaux dont la structure est faite s'usent avec le temps. Une personne peut mal utiliser la structure et la briser. Des forces inattendues peuvent intervenir.

Les ingénieures et les ingénieurs ont recours à des techniques de gestion des risques pour réduire autant que possible les menaces de défaillance. Il y a trois façons de gérer les risques connus : les ignorer, les éviter ou concevoir des structures qui en tiennent compte.

Certains des événements pouvant affecter une structure ont peu de chances de se produire. Un éléphant, par exemple, pourrait entrer dans ta chambre, s'asseoir sur ta chaise et la briser. Comme il s'agit d'un événement très improbable, les chaises ne sont pas conçues en tenant compte de cette possibilité.

La plupart des ponts sont conçus en intégrant des éléments de suspension qui peuvent supporter l'impact d'un navire. Cependant, si un pont est conçu sans qu'aucun élément de suspension ne soit placé dans l'eau (voir la figure 4.26), le risque de collision avec un navire est évité.

Concevoir une structure en fonction des risques nécessite d'avoir une compréhension approfondie de la structure et des forces qui agissent sur elle. Il ne faut pas exagérer l'éventualité de certains risques en rendant la structure plus solide que nécessaire. Il est possible d'ajouter des éléments de sécurité tels que des **systèmes d'appoint** et d'alarme fonctionnant avec des capteurs.

Figure 4.26 Les bateaux ne peuvent entrer en collision avec les piliers de ce pont, car ils ne se trouvent pas dans l'eau.

Concevoir une structure en fonction des risques

Les crayons sont conçus pour supporter un *usage normal*, c'est-à-dire la force d'une écriture quotidienne. Ils ne sont pas conçus pour supporter la force d'un coup de marteau! Ce risque a été ignoré lors de la conception. De plus, les gens n'utilisent pas les crayons sous l'eau, donc ce risque a également été écarté.

Si tu concevais une structure, de quels risques tiendrais-tu compte? Quels risques ignorerais-tu ou éviterais-tu? Fais part de tes idées à une partenaire ou un partenaire. Joignez-vous ensuite à deux autres élèves pour continuer la conversation et résumez vos idées par écrit.

Figure 4.27 As-tu déjà vu la notice de *charge maximale* d'un ascenseur?

Concevoir une structure en fonction des charges

La conception d'une structure doit se faire en tenant compte de la charge que celle-ci devra supporter. Pour concevoir une chaise, par exemple, il faut déterminer l'usage qui en sera fait. Si la chaise est conçue pour un usage courant, il faut que celle-ci puisse supporter son propre poids et celui des personnes qui l'utiliseront normalement. Toutefois, il est possible que plus d'une personne s'assoie sur la chaise en même temps. Par conséquent, les designers conçoivent une chaise qui supportera plus que la somme de son poids et sa charge maximale occasionnelle. Certaines structures comportent même des notices d'avertissement précisant la charge maximale qu'elles peuvent porter (figure 4.27).

Concevoir une structure en fonction de la sécurité

En Ontario, toutes les constructrices et tous les constructeurs doivent respecter la réglementation du *Code du bâtiment* de l'Ontario. Ce code fournit les normes minimales de tous les aspects d'un édifice, notamment sa capacité porteuse et ses matériaux. Le *Code du bâtiment* de l'Ontario garantit au public un certain niveau de sécurité.

Le *Code de prévention des incendies* de l'Ontario est une loi qui stipule que toutes les habitations de l'Ontario doivent être équipées de détecteurs de fumée en état de marche à chacun des étages et à l'extérieur de chaque chambre. Un avertisseur de fumée est un dispositif qui détecte la présence de fumée. S'ils sont correctement installés et qu'ils fonctionnent, les avertisseurs de fumée donnent rapidement l'alarme et réduisent le nombre de blessures et de décès liés aux incendies.

Activité suggérée ● ·········
B19 Activité synthèse, page 121

Concevoir une structure en fonction de l'efficacité

Une chose est considérée *efficace* si elle fonctionne bien, sans perte de temps, d'effort ni d'argent. Par exemple, si deux élèves construisent des ponts qui peuvent supporter la même charge, le pont dont les matériaux sont les moins lourds est considéré comme plus efficace.

Les capteurs

Un **capteur** est un dispositif qui peut détecter ou mesurer des conditions réelles. Divers capteurs détectent la chaleur, la lumière, la pression ou le bruit ainsi que les variations de ces éléments.

Les capteurs domestiques comprennent les détecteurs de fumée, les détecteurs de monoxyde de carbone et les thermostats. Un thermostat (figure 4.28) surveille (*mesure*) la température. Le chauffage, la climatisation d'une maison, la température du four et celle du réfrigérateur sont contrôlés par des thermostats. Ceux-ci réagissent aux variations de température et actionnent d'autres dispositifs. Quand le thermostat du système de chauffage détecte que la température de la maison a baissé, il lui signale de se mettre en marche.

Si un avertisseur de fumée (figure 4.29) détecte la présence de fumée, il sonne bruyamment. Les détecteurs de monoxyde de carbone émettent également un son pour signaler la présence de monoxyde de carbone, un gaz mortel.

Les capteurs sont également utilisés dans le domaine du divertissement. Tu as peut-être déjà joué à un jeu électronique pourvu d'un tapis de détection (figure 4.30). Les capteurs du tapis transmettent tes mouvements à l'ordinateur. Celui-ci calcule le résultat de tes performances, ce qui te motive à t'améliorer.

Tu peux également avoir fait l'expérience des détecteurs de mouvement. Dans certains édifices, les lumières s'allument lorsque quelqu'un entre dans une pièce. Quand tu présentes tes mains sous les robinets des toilettes de certains restaurants, l'eau se met à couler. Les portes de nombreux magasins s'ouvrent lorsque tu t'en approches. Ces types de capteur détectent une variation et activent le matériel en fonction de ces signes.

Les ingénieures et les ingénieurs utilisent plusieurs types de capteurs pour assurer la sécurité du public. Les capteurs qui détectent les vibrations sont fréquemment installés dans les nouveaux édifices commerciaux. Les vibrations quotidiennes de la circulation sont surveillées informatiquement. Après un ouragan ou un tremblement de terre, l'ordinateur peut déterminer si la structure a été endommagée et indiquer s'il est prudent d'y retourner.

Figure 4.28 Un thermostat. Tu règles la température désirée dans la partie supérieure. Le thermomètre de la partie inférieure indique la température actuelle de la pièce.

Figure 4.29 Les capteurs d'un avertisseur de fumée peuvent remplir correctement leurs fonctions uniquement s'ils sont en état de marche.

Figure 4.30 Des capteurs sont présents dans de nombreux dispositifs, dans les domaines pratiques comme dans les divertissements.

Pour aller **Plus loin**

Un certain type de capteur a reçu le surnom de *capteur intelligent*. Cela signifie simplement que les données recueillies par ce capteur sont traitées par un ordinateur intégré.

Joue le rôle d'une inspectrice ou d'un inspecteur

L'inspection visuelle est une méthode utilisée pour s'assurer de la solidité d'une structure. Les inspectrices et les inspecteurs examinent une structure existante à la recherche des signes de faiblesse. Ce sont, par exemple, les fissures, les affaissements, la rouille ou la corrosion des métaux. Bon nombre de structures courantes présentent ces signes de faiblesse bien avant de s'effondrer. Ainsi, ces défauts peuvent être réparés. Les structures sont souvent fabriquées en modèle réduit et des forces simulées sont appliquées aux structures pour en tester les limites.

Objectif

Détecter les signes de faiblesse de structures courantes.

> **Matériel**
> ■ deux récipients à nourriture jetables identiques ainsi que leur couvercle

Démarche

1. Examine les récipients jetables et réfléchis à la façon dont ils sont utilisés. Selon toi, de quelle manière la structure peut-elle montrer des signes de faiblesse lorsqu'elle est utilisée de nombreuses fois? Note tes observations.

2. Mets l'un des récipients de côté. Utilise le deuxième pour en simuler l'emploi normal. Par exemple, tu peux le laver ou y placer quelque chose. Tu peux le fermer à l'aide du couvercle, retirer ce couvercle et vider le contenu, etc. Reprends cette simulation à 10 reprises. Note tes observations dans un tableau identique au tableau 4.5.

Tableau 4.5 Signes de faiblesse

Test #	Observations	Déductions

3. Compare le récipient non utilisé avec celui que tu as utilisé pour la simulation. Note chaque signe de faiblesse.

4. Répète la simulation à 10 autres reprises et note à nouveau tes observations.

Questions

5. La structure a-t-elle indiqué les signes de faiblesse que tu avais prédits?

6. Comment pourrais-tu concevoir la structure pour qu'elle dure plus longtemps?

7. Cette activité simule ce qui pourrait se passer durant une certaine période. Suggère une autre situation dans laquelle des simulations pourraient permettre de tester une structure.

8. Comment concevrais-tu un capteur qui pourrait signaler qu'un récipient est sur le point de ne plus pouvoir remplir ses fonctions?

B19 *Activité synthèse*

Boîte à outils 2

HABILETÉS À UTILISER
- Consigner et organiser des données
- Évaluer sa démarche

Mesures de charges

Figure 4.31

Les ponts doivent supporter d'énormes charges dynamiques sur toute leur longueur. Dans cette activité, tu vas simuler la charge qui agit à divers endroits d'un pont à l'aide d'un dynamomètre (balance à ressort) (voir figure 4.31).

Question

Quel est l'effet de l'endroit où une force agit sur une structure et celui de la direction dans laquelle elle agit?

Matériel

- une règle ou un mètre en bois
- du ruban adhésif
- un dynamomètre

Démarche

1. À l'aide de la règle ou du mètre et de ruban adhésif, fabrique un pont simple qui enjambe un espace de 50 cm. Place le pont entre deux bureaux et fixe les deux extrémités à l'aide de ruban adhésif.

2. Simule la charge qui agit sur le pont de chacune des manières suivantes. Tire sur le dynamomètre afin d'appliquer une traction sur le pont. Augmente la traction jusqu'à ce que le pont commence à plier. À ce moment-là, lis la force indiquée sur le dynamomètre, puis relâche la traction exercée.

   a) Tire verticalement vers le bas au centre du pont.

   b) Tire verticalement vers le bas à l'une des extrémités du pont, près du support.

   c) Tire vers le bas au centre du pont, selon un angle de 45°.

   d) Tire vers le bas à l'une des extrémités, selon un angle de 45°.

3. Dans chaque cas, note tes mesures.

Analyse et interprétation

4. Quelles ont été les différences entre la traction appliquée à la verticale au centre et à l'une des extrémités du pont?

5. Quelles ont été les différences entre la traction appliquée à la verticale ou selon un angle de 45° au centre du pont? Ce résultat a-t-il été le même à l'extrémité du pont?

Développement des habiletés

6. Comment pourrais-tu modifier la démarche pour augmenter la précision de tes mesures?

Pour conclure

7. Quelles sont tes conclusions quant à l'importance de connaître le point d'application d'une force sur une structure?

8. Détermine le point le plus faible de ton pont. Si tu étais une ingénieure ou un ingénieur, quel endroit choisirais-tu pour tester tes ponts de façon à connaître la charge dynamique maximale qu'ils peuvent supporter?

Révise les concepts clés

1. Décris certaines façons dont les structures peuvent présenter des défaillances. Pourquoi est-ce important d'essayer de les éviter ?

2. a) Choisis une structure qui doit supporter une charge importante. Décris de quelle façon la conception de cette structure tient compte de la sécurité.

b) Réponds à cette question pour une structure qui doit servir de contenant.

c) Des capteurs ont-ils été incorporés à la structure pour en accroître la sécurité ?

3. Dans tes propres mots, fais la distinction entre une *charge dynamique* et une *charge statique*. Donne un exemple pour préciser ta réponse.

Fais des liens

4. Quand les ingénieures et les ingénieurs étudient les forces qui agissent sur une structure, ils doivent penser à toutes les sections de la structure. Décris trois parties d'un pont qui subissent des forces très différentes.

5. Dresse une liste de tous les capteurs qui se trouvent dans ton établissement scolaire. Décris la fonction de chacun d'eux.

Utilise tes habiletés

6. Tu dois concevoir un bureau pour ton ordinateur portable. De quels facteurs dois-tu tenir compte pour décider de la charge maximale que le bureau doit supporter ?

7. Élabore un test pour vérifier si une chaise a bien été conçue pour supporter le poids d'une personne. Choisis le type de chaise que tu veux tester. Décris comment tu vas mettre la chaise à l'épreuve. Établis une liste de critères d'évaluation pour mesurer la résistance de la chaise.

B20 *Réflexion sur les sciences et la technologie*

Activités sans risque

Ce que tu dois faire

1. Construis un tableau à deux colonnes. Du côté gauche, énumère des activités, telles que faire de la planche à roulettes, du vélo, etc. Donne un titre à cette colonne.

2. Du côté droit, énumère certaines des structures qui assurent ta sécurité pendant que tu t'adonnes à ces activités.

Réfléchis

Avec une ou un camarade ou toute la classe, discute des questions suivantes.

3. Comment chacune des structures assure-t-elle ta sécurité ?

4. Quelles améliorations pourrais-tu apporter à l'une de ces structures pour qu'elle assure encore mieux ta sécurité ?

5. Pourquoi la loi t'oblige-t-elle à utiliser certaines de ces structures (telles qu'un casque quand tu fais du vélo, etc.) qui diminuent les risques de blessures ? Pourquoi d'autres structures (telles que les protège-coudes pour faire du vélo, etc.) sont-elles optionnelles ?

Le pont de la Confédération

Figure 4.32 En hiver, la glace est une menace pour le pont de la Confédération.

Avant mai 1997, il fallait prendre un traversier pour rejoindre l'Île-du-Prince-Édouard. Le trajet en traversier était long et il fallait patienter sur chaque rive. Les gouvernements du Canada et de l'Île-du-Prince-Édouard souhaitaient trouver une manière plus pratique d'effectuer ce trajet. Cependant, la solution devait respecter l'environnement, être sécuritaire et financièrement acceptable. Une entreprise appelée Strait Crossing Development Inc. a obtenu le privilège de concevoir, de construire, de financer et de gérer le pont. Ce pont, d'une longueur de 12,9 kilomètres, devait enjamber des eaux recouvertes de glace en hiver, comme le montre la figure 4.32.

Des mesures de sécurité ont été prévues à chaque étape du projet; à la conception, durant la construction et même pour la surveillance du pont de la Confédération.

Ainsi, la *durée de vie prévue* du pont est de cent ans, c'est-à-dire plus de deux fois la durée de vie de la plupart des autres édifices et ponts. Le pont compte plus de 750 capteurs qui surveillent les déformations du béton, les variations de la température et les vibrations causées par la circulation ou les phénomènes naturels, par exemple les tremblements de terre. Des universités, le gouvernement et des entreprises sont chargés de cette surveillance.

Le pont de la Confédération est patrouillé en tout temps et des systèmes de surveillance visuelle sont en opération. De plus, la vitesse maximale autorisée sur le pont varie selon les conditions climatiques. Par beau temps, la vitesse maximale est de 80 kilomètres à l'heure et la traversée prend alors environ 10 minutes.

En 1994, l'Association canadienne de la construction a remis le Prix de la réalisation environnementale à l'entreprise Strait Crossing Development Inc. Cette récompense lui a même été décernée avant l'inauguration du pont, car l'entreprise de construction avait pris des mesures particulières pour assurer la protection de la faune dans les zones marines et terrestres affectées par la construction du pont.

Une caméra Web permet d'observer le pont de la Confédération en temps réel. Cette observation est particulièrement intéressante par mauvais temps.

Questions

1. Pourquoi ce pont a-t-il été construit?
2. Nomme quelques défis liés à la construction de ce pont.
3. Nomme certaines des mesures de sécurité prévues lors de la conception du pont.

Révise les concepts clés

1. Énumère trois manières de classer les structures. Quand chaque système de classification est-il le plus adéquat ? **CC**

2. Classe la liste suivante en trois colonnes intitulées *Structures pleines*, *Structures à ossature*, *Structures à coque* : peigne, bougie, pont, pomme, échelle, œuf, igloo, tente, automobile, livre, maison et gomme à effacer. **CC**

3. Définis la notion de *forme* dans tes propres mots. Parfois, la fonction est plus importante que la forme. Décris une structure que tu as utilisée et qui semble correspondre à cette description. **CC**

4. Définis la notion de *fonction* dans tes propres mots. Parfois, la forme est plus importante que la fonction. Décris une structure que tu as utilisée et qui semble correspondre à cette description. **CC**

5. Décris trois structures qui sont utiles pour transporter des fournitures scolaires. Quelles sont leurs ressemblances en matière de forme et de fonction ? Quelles sont leurs différences ? Quelles forces ces structures sont-elles conçues pour supporter ? **m**

6. Décris la forme et la fonction de chacune des structures suivantes ainsi que les forces qui agissent sur elles. **CC**

   a) une banane   d) des patins à glace

   b) un ordinateur portable   e) un chariot d'épicerie

   c) un élastique

7. Décris les charges statiques et dynamiques que doit supporter chacune des structures suivantes. **m**

   a) une route   c) un boîtier de CD

   b) un livre   d) le mur d'une maison

8. Décris l'ampleur, la direction ainsi que le point et le plan d'application d'une force externe qui agissent sur chacune des structures de la question 7. Décris la façon dont chaque structure subit au moins une force externe. **m**

Après la lecture   Stratégies Littératie

Faire un résumé

À l'aide de ton schéma conceptuel, résume ce que tu as appris sous la forme d'un schéma de concepts 5-4-3-2-1 en indiquant :

- Cinq notions clés que tu as apprises au cours du chapitre
- Quatre forces internes qui agissent sur les structures
- Trois manières de classer les structures
- Deux manières d'éviter les défaillances de structure
- Une question que tu te poses encore

COMPÉTENCES DE LA GRILLE D'ÉVALUATION DU RENDEMENT

CC Connaissance et compréhension   **h** Habiletés de la pensée   **c** Communication   **m** Mise en application

Fais des liens

9. Suggère une autre manière de classer les structures qui n'est pas décrite dans ce chapitre. Quels sont les avantages et les inconvénients de ta méthode? (h)

10. Bon nombre de structures sont conçues pour être plus solides que nécessaire. Donne un exemple et explique pourquoi il en est ainsi. (m)

11. Réfléchis au chemin que tu prends pour te rendre à l'école. Trouve un exemple de chacune des structures suivantes qui se trouvent le long de ta route: une structure à coque, une structure à ossature, une structure pleine et la structure qui supporte la plus grosse charge. (cc)

12. Pourquoi les gouvernements votent-ils des lois pour assurer un niveau minimal de sécurité en matière de conception de structures? (cc)

13. Après certains incendies, les pompiers remarquent que des détecteurs de fumée manquaient ou ne fonctionnaient pas correctement. Comment les pompiers pourraient-ils inciter les gens à mieux utiliser ces dispositifs de sécurité? (h)

Utilise tes habiletés

14. Un corps humain et une maison sont des structures. À l'aide d'un tableau, compare ces deux structures en expliquant leurs ressemblances et leurs différences. Utilise des mots ou des images pour faire tes comparaisons. (m)

> ### Lien avec le projet du module
>
> Dans ta planification du projet de ce module, note la forme et la fonction de diverses structures de ta maison qui utilisent de l'énergie. Quelles forces s'exercent sur ces structures et quels dispositifs de sécurité y sont intégrés? Réfléchis à la manière d'incorporer des technologies plus récentes à l'une de ces structures afin d'améliorer l'efficacité énergétique de ta maison.

B21 *Réflexion sur les sciences et la technologie*

Les structures et la technologie

Ce que tu dois faire

1. Réfléchis à l'une de tes activités quotidiennes. Quelles structures utilises-tu pour faire cette activité? Est-ce qu'elles exercent des tensions sur ton corps?

Réfléchis

Avec une ou un camarade, discute des questions suivantes.

2. Lorsque tu pratiques cette activité, trouves-tu que les structures sont confortables à utiliser?

3. Ces structures sont-elles ergonomiques?

4. Comment pourrais-tu améliorer les structures que tu utilises pour faire cette activité?

5.0

Une bonne conception, des matériaux adéquats et une construction rigoureuse rendent les structures stables et solides

Des Inuits ont érigé cet inukshuk pour aider les gens à trouver leur chemin. *Inukshuk* signifie « à l'image d'une personne ».

Ce que tu vas apprendre

Dans ce chapitre, tu vas :

- décrire les facteurs qui rendent une structure stable ;
- décrire ce qu'est le centre de gravité des structures ;
- décrire ce qu'est la symétrie des structures ;
- prédire la stabilité d'une structure en fonction de son centre de gravité.

Les habiletés à utiliser

Dans ce chapitre, tu vas :

- analyser comment les structures supportent les charges ;
- concevoir, construire et tester des structures.

Pourquoi est-ce important ?

Lors de la conception d'une structure, tu dois tenir compte des propriétés des matériaux et des techniques de construction à utiliser. Ces deux facteurs ont un impact sur la solidité et la stabilité de la structure finale. Ce que tu as appris au sujet des formes et des fonctions au chapitre 4 t'aidera à choisir et à construire des structures plus efficaces.

Avant la lecture

Stratégies Littératie

Tableau S-Q-A

Crée un tableau à trois colonnes intitulées *Ce que je **S**ais*, *Les **Q**uestions que je me pose* et *Ce que j'ai **A**ppris*. Réfléchis au titre du chapitre et remplis les deux premières colonnes. Tu rempliras la troisième colonne après avoir terminé le chapitre.

Mots clés

- des composants structuraux
- une tension
- la fatigue structurale
- une défaillance
- la symétrie
- la stabilité
- le centre de gravité
- un rappel de produit
- un prototype

Figure 5.1 Ta classe compte de nombreuses structures qui sont constituées de divers matériaux maintenus ensemble par différents types de fixations et d'attaches.

Figure 5.2 Le pied du bureau est soudé à la barre horizontale et sa hauteur peut être ajustée à l'aide d'un boulon.

Tu peux voir plusieurs structures dans ta classe (figure 5.1). Chacune a une forme et une fonction. Si tu examines certaines de ces structures, tu remarqueras qu'elles sont constituées de divers types de matériaux.

Si tu examines chaque structure d'encore plus près, tu verras que ces matériaux sont maintenus ensemble à l'aide de différents types d'attaches et de fixations, telles que des boulons et des soudures (figure 5.2), du fil (figure 5.3) ou du fil et de la colle (figure 5.4).

Les combinaisons de matériaux et de fixations utilisées pour fabriquer des structures peuvent avoir un impact sur leur stabilité et leur solidité. La **stabilité** est la capacité d'une structure à reprendre sa position initiale après qu'une force externe lui eut été appliquée. Examine plusieurs bibliothèques. Tu peux remarquer que certaines tablettes se déforment au milieu. Ceci peut être dû aux matériaux utilisés. Une tablette qui ne se déforme pas peut être faite de matériaux plus solides ou plus épais. Elle peut également être soutenue par un autre composant structural, par exemple, un morceau de matériau supplémentaire.

Les structures doivent être suffisamment solides pour remplir leurs fonctions et pour supporter les forces qui peuvent agir sur elles. Cela peut signifier de devoir modifier la conception, choisir d'autres matériaux ou changer les techniques de construction. Il faut du temps et des efforts pour concevoir des structures efficaces.

Dans ce chapitre, tu apprendras comment les structures sont conçues en tenant compte de la solidité, de la stabilité, de la fonction et de la forme.

Figure 5.4 Les pages de ce livre sont cousues ensemble avec du fil, puis collées à la reliure.

Figure 5.3 Ces perles sont enfilées sur des fils.

B22 *Laboratoire*

La chasse aux matériaux et aux fixations

Objectif

Dresser une liste de tous les matériaux et fixations possibles en une minute.

> **Matériel**
> - un chronomètre ou une montre
> - du papier et un crayon

Démarche

1. Écris *Matériaux* sur une feuille.

2. Quand ton enseignante ou ton enseignant donne le signal, commence à dresser une liste de tous les types de matériaux présents dans ta classe. Arrête au signal indiquant qu'une minute s'est écoulée.

3. Retourne ta feuille et écris *Fixations/attaches*.

4. Quand ton enseignante ou ton enseignant donnera le signal, commence à dresser une liste de tous les types de fixations et d'attaches présentes dans ta classe. Arrête au signal indiquant qu'une autre minute s'est écoulée.

Questions

5. Regarde ta liste de matériaux et ta liste de fixations. Quels sont leurs points communs?

6. Que remarques-tu au sujet des matériaux et de leur impact sur la forme ou la fonction des structures?

7. Que remarques-tu au sujet des fixations et de leur impact sur la forme ou la fonction des structures?

8. Choisis une structure présente dans ta classe. Imagine qu'elle est constituée d'un autre matériau, maintenu par un autre type de fixation. Cette structure aurait-elle la même forme et remplirait-elle la même fonction? Pourrais-tu l'utiliser de la même manière?

Stabiliser les structures

Résumé de ce que tu apprendras dans cette section :

- Une structure est stable si les forces sont équilibrées.
- Des forces non équilibrées peuvent engendrer de la tension et de la fatigue sur les structures.
- Des matériaux adéquats peuvent permettre de stabiliser les structures.
- De bonnes techniques de construction peuvent permettre de stabiliser les structures.

Figure 5.5 Quand des tablettes se déforment ainsi, cela signifie qu'elles subissent une tension.

La plupart d'entre nous avons déjà utilisé une chaise branlante. Chaque fois que l'on bouge un peu dessus, la chaise se balance. On peut alors glisser un morceau de papier ou de carton plié sous l'un de ses pieds. Pourquoi cela empêche-t-il la chaise de branler ? Parce qu'ainsi la chaise est à nouveau en équilibre.

Tu as peut-être déjà remarqué une tablette qui se courbe en son centre (figure 5.5). La courbure indique que la structure ne supporte pas bien le poids des livres. La manière de résoudre ce problème dépend de la situation. Tu pourrais retirer des livres. Cependant, si tu n'as pas d'autre endroit où les mettre, tu devras peut-être renforcer la tablette elle-même.

Dans cette section, tu étudieras ce qui arrive quand des structures sont instables et tu exploreras des manières de les stabiliser.

B23 *Point de départ*   Habiletés A C

Le point de basculement

Tends les bras devant toi à la hauteur de la poitrine, les paumes vers le haut, pour créer une plate-forme. Demande à une ou un camarade de placer un livre sur tes bras, près de tes mains. Ressens-tu une légère envie de baisser les bras ? Demande à ta ou ton camarade d'en ajouter un autre. L'envie de baisser les bras est-elle plus forte ? Combien de livres penses-

tu pouvoir supporter ainsi ? À la fin, est-ce que l'ajout d'un seul livre de plus te ferait lâcher tous les autres ? Que se passerait-il si ta ou ton camarade s'arrêtait après deux livres ? Pendant combien de temps penses-tu pouvoir garder les bras ainsi ?

La solidité structurale

Certaines structures semblent résister au passage du temps. Tu as peut-être vu le Colisée de Rome ou les pyramides d'Égypte à la télévision. Ces structures ont été construites il y a des milliers d'années et sont toujours debout. Cependant, certains édifices peuvent devoir être démolis moins d'un siècle après leur construction parce qu'ils sont devenus dangereux (figure 5.6).

Figure 5.6 Certaines structures durent des milliers d'années, d'autres non.

Des formes structurales

Une partie de la solidité d'une structure dépend des formes utilisées lors de sa conception. Tu sais peut-être déjà que le triangle est une forme très solide faisant partie de nombreuses structures. Les carrés et les rectangles ne sont pas aussi solides que les triangles. Les prismes triangulaires tridimensionnels et les formes pyramidales sont également plus solides que les prismes rectangulaires tridimensionnels.

B24 *Fais le point!*

La solidité du triangle

Les triangles sont plus solides que les carrés. Vérifie cela toi-même à l'aide de quelques pailles et de ruban adhésif.

Plie une paille en forme de carré (figure 5.7a), une autre en forme de rectangle b) et une troisième en forme de triangle c). Fixe les extrémités de chaque paille à l'aide de ruban adhésif.

Place chaque structure debout sur une table. Appuie doucement, dans le même plan que la forme, sur l'un des coins supérieurs de la structure. Quelle structure est la plus solide?

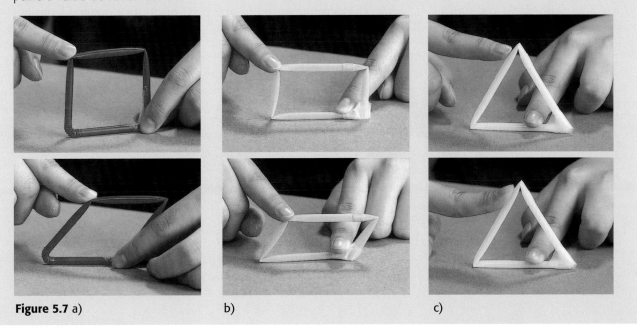

Figure 5.7 a)   b)   c)

Les composants structuraux

Activité suggérée •·········
B27 Activité synthèse, page 138

Quand tu observes des édifices, essaie de remarquer les éléments qu'ont en commun des bâtisses différentes. Les arches, les poutres et les colonnes sont fréquemment utilisées dans la conception d'édifices, car elles sont des types de **composants structuraux** et peuvent en augmenter la solidité. De plus, beaucoup de gens les trouvent esthétiques. La figure 5.8 présente plusieurs composants structuraux.

Figure 5.8 Les composants structuraux

Une **poutre** est une structure plate qui doit être soutenue à chaque extrémité. Si la poutre supporte un trop grand poids, elle se courbe en forme de U et parfois même se casse en deux.

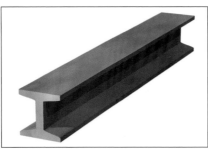

La forme particulière de la **poutre en I** lui donne sa solidité. Cette forme lui permet aussi d'être plus légère que des poutres pleines de même longueur. La poutre en I peut ainsi supporter des charges plus importantes.

La **colonne** est une structure solide qui peut facilement se maintenir debout d'elle-même. Les colonnes peuvent être utilisées pour soutenir des poutres pleines et des poutres en I.

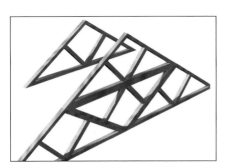

La **ferme de toit** est une structure de poutres maintenues ensemble. Les fermes de toit ont généralement la forme de triangles emboîtés.

La **poutre cantilever** est une poutre plate soutenue à une seule extrémité. Quand un poids est placé à l'autre extrémité de la poutre, celle-ci se courbe en forme de n afin de résister à la charge.

Les **poutrelles** ou **poutres à caissons** sont de longues poutres ayant la forme d'un prisme rectangulaire creux.

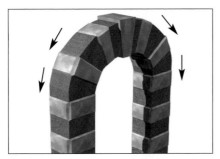

L'**arche** est une structure recourbée pouvant supporter un très grand poids. La force du poids appliqué sur une arche est transmise de chaque côté de l'arche jusqu'à ses supports. Ceci répartit l'impact de n'importe quelle charge.

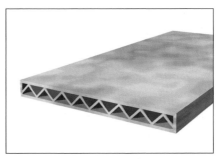

Quand une feuille de métal ou de carton présente une série de plis ou de triangles, on l'appelle **métal ondulé** ou **carton ondulé**. Une feuille ondulée est plus solide qu'une feuille plate.

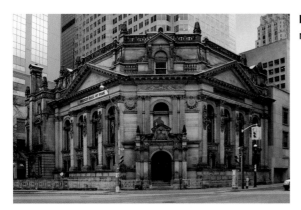

Figure 5.9 Le Temple de la renommée du hockey, à Toronto

Les composants structuraux peuvent être utilisés seuls ou en combinaison. Les fenêtres et les portes du Temple de la renommée du hockey (figure 5.9), par exemple, ont la forme d'une arche. Cette forme répartit la force de la charge de chaque côté de l'arche jusqu'à sa fondation. Les colonnes entre les fenêtres supportent les poutres qui se trouvent au-dessus. Les triangles au-dessus des poutres jouent le même rôle que des fermes de toit.

Les matériaux structuraux

Imagine deux étagères, l'une faite de papier mouchoir, l'autre de béton. Ces deux possibilités sont bizarres, mais pour des raisons différentes. L'étagère en papier mouchoir n'est pas pratique, car ce matériau est trop fragile pour supporter le poids des livres. L'étagère en béton serait solide, mais extrêmement lourde et difficile à déplacer. Il est important de choisir les matériaux adéquats lors de la conception et de la construction de structures.

Le centre de gravité

Peux-tu tenir une règle en équilibre horizontalement sur un doigt ? La seule façon d'atteindre l'équilibre est de placer ton doigt exactement au milieu de la règle. Ainsi, chaque moitié de la règle est identique ou symétrique. Ce point s'appelle le ***centre de gravité***. Le centre de gravité est l'endroit où le poids d'un corps est concentré. À cet endroit, le corps est à l'équilibre dans toutes les directions.

Toute structure a un centre de gravité. C'est le point où la gravité semble agir. L'emplacement du centre de gravité d'une structure permet de déterminer la stabilité de la structure. Prends l'exemple d'une chaise (figure 5.10 à la page suivante). Quand tu t'assois sur une chaise, le centre de gravité de l'ensemble chaise et personne n'est pas le même que ceux de la chaise seule et de la personne seule. C'est pourquoi certains tabourets tendent à basculer quand une personne s'assoit dessus.

Pour aller **Plus loin**

Le bois est un matériau de construction important. Il est renouvelable s'il est géré correctement et peut faire partie de nombreuses structures. Récemment, le bambou, un type de plante, est devenu un matériau de construction populaire. Trouve ses avantages et ses inconvénients.

Activité suggérée •·········
B26 Expérience, page 137

Figure 5.10 Les pieds de cette chaise haute sont plus écartés que ceux d'une chaise ordinaire, car son centre de gravité est plus haut. Les pieds écartés de la chaise haute améliorent sa stabilité.

La stabilité

La **stabilité** dépend des matériaux et des techniques de construction ainsi que du centre de gravité. Une table a un centre de gravité en hauteur, mais est généralement stable si elle est dotée de quatre pieds relativement éloignés les uns des autres. Plus les pieds sont rapprochés, moins la table est stable. La stabilité est également déterminée par le type de structure : une structure pleine, une structure à ossature ou une structure à coque. Une structure pleine ayant un centre de gravité en hauteur peut être moins stable qu'une table à ossature.

Certaines structures sont conçues pour ne pas être stables (par exemple, le culbuto gonflable de la figure 5.11). D'autres sont faites pour ne pas être solides : le devant des automobiles et les tonneaux en plastique remplis d'eau situés le long des rampes des autoroutes et qui absorbent beaucoup d'énergie, par exemple (figure 5.12). D'autres objets, comme des balles de foin, peuvent également absorber de l'énergie (figure 5.13).

Figure 5.11 Ce clown se penche vers l'arrière quand tu le frappes, mais revient ensuite rapidement à sa position initiale. Rassure-toi, ce clown n'a pas vraiment renversé cette personne !

Figure 5.12 Une automobile perdrait beaucoup de son énergie en frappant ces tonneaux. Elle serait ainsi bien moins endommagée que si elle frappait le pilier directement.

Figure 5.13 De nombreux circuits de course ont recours à des balles de foin pour protéger les personnes participant à la course, ainsi que le public, en cas d'accident.

Quand quelque chose cède
La tension et la fatigue structurales

Quand une structure est mal conçue ou mal construite, elle peut ne pas supporter toutes les forces qui agissent sur elle. Lorsqu'elle doit résister à des combinaisons importantes de forces internes et externes pendant une longue période, elle peut s'affaiblir. Cela peut engendrer une **tension structurale**. Au début, les signes de tension structurale peuvent disparaître quand les forces internes et externes diminuent.

Figure 5.14 Cette vieille maison montre des signes de fatigue structurale. Cependant, il faudra encore quelques tempêtes pour qu'elle défaille entièrement.

Par exemple, si tu places un livre très lourd au milieu de la tablette d'une étagère, la tablette peut se courber. Cette courbure est un signe de tension. Quand le livre est retiré, l'étagère peut reprendre sa forme de départ. Cependant, si la tablette ne peut supporter la tension, elle peut fendre. Des modifications permanentes, comme la courbure d'une tablette, sont les signes d'une **fatigue structurale** (figure 5.14).

La défaillance structurale

Si tu ignores la fatigue structurale et que tu places d'autres gros livres au milieu de la tablette, celle-ci peut s'effondrer. Cela s'appelle une *défaillance structurale*. Une **défaillance structurale** se produit lorsqu'une structure cède à cause des forces internes et externes qui agissent sur elle. Cependant, dans ce cas, la défaillance ne serait pas une surprise. La structure ayant déjà manifesté une tension structurale en se courbant, puis une fatigue structurale en se fendant et finalement une défaillance structurale en s'effondrant.

> **L'IMPORTANCE DES MOTS**
>
> Le mot *fatigue* signifie « épuisement ». Les gens et les structures peuvent se fatiguer ou s'épuiser.

> *Pour aller*
> **Plus loin**
>
> Les entreprises de démolition utilisent diverses méthodes pour démolir des structures. Les bouteurs servent à la démolition des petits édifices. Les plus gros sont détruits à l'aide d'explosifs qui provoquent leur effondrement. Fais des recherches sur ces entreprises, leur matériel, leurs procédés ainsi que leurs fiches de sécurité.

B25 *Pendant la lecture*

Stratégies Littératie

Faire une déduction

Parfois, la réponse à une question ne figure pas dans le texte. Les lectrices et les lecteurs doivent alors tirer des conclusions à partir de ce qu'ils savent déjà et des nouveaux renseignements ou indices que leur donne le texte afin de répondre à la question. Cela s'appelle déduire ou faire une déduction.

As-tu déjà entendu l'expression « C'est la goutte qui a fait déborder le vase ! » ? Comment une si petite goutte peut-elle faire déborder un vase ? Réfléchis à cela et fais le lien avec l'activité où des livres sont posés sur tes bras tendus. Fais part de tes déductions à une ou un camarade.

Les rappels de produits

Malgré toute l'attention apportée à la fabrication de nouvelles structures, des défauts sont parfois découverts après la vente du produit au public. Quand les défauts sont graves, les responsables de la fabrication font un **rappel de produit**. Ils contactent les médias et ceux-ci le diffusent. Ils peuvent également utiliser leurs propres moyens publicitaires pour alerter le public. Les personnes qui ont acheté le produit en question peuvent alors le rapporter au magasin et obtenir un remboursement, l'échanger contre un autre modèle ou faire réparer la structure touchée.

Parfois, le problème est lié aux matériaux employés. Certains jouets d'enfants, par exemple, ont été rappelés parce que la peinture utilisée présentait une forte teneur en plomb (figure 5.15). Le plomb peut provoquer des lésions cérébrales.

D'autres fois, les parties d'une plus grande structure peuvent se détacher trop facilement. C'est également une préoccupation dans le cas des jouets, car les enfants peuvent avaler les petits morceaux et s'étouffer.

Des sièges d'auto pour enfants ont été rappelés à cause de harnais défectueux. Une grande entreprise de jeux vidéo a changé les attaches de sécurité de ses manettes populaires, car les attaches d'origine se cassaient lors de l'utilisation normale du produit. Des milliers de propriétaires d'ordinateurs portables ont également obtenu de nouvelles piles quand celles de certains ordinateurs ont surchauffé et pris feu.

Les rappels d'automobiles

Les voitures font souvent l'objet de rappels. Dans ce cas, les propriétaires retournent leur automobile chez le concessionnaire pour que les réparations nécessaires y soient effectuées gratuitement.

Il y a plusieurs années, un modèle de voitures a été rappelé à cause d'une mauvaise conception : son réservoir à essence était placé trop près de l'arrière de l'auto. Quand elles étaient frappées par l'arrière, elles prenaient souvent feu. Ce défaut de conception a coûté la vie à plusieurs personnes. Le fabricant a alors dû remplacer les véhicules défaillants et payer des dommages aux blessés et aux familles des victimes décédées. Dans ces cas, les avis de rappel sont une très mauvaise publicité pour l'entreprise. Comme tu peux le constater, il vaut mieux réussir une bonne conception dès le début que de devoir payer les frais d'une mauvaise conception.

Figure 5.15 Puisque les enfants mâchonnent souvent leurs jouets, la peinture ne doit pas contenir de plomb.

La stabilité

Figure 5.16 Les bougies présentent de nombreuses formes. Certaines sont plus stables que d'autres.

Quand tu testes l'équilibre d'un objet tel qu'une règle, il est facile de trouver son centre de gravité. Pourtant, le centre de gravité n'est généralement pas si évident. Il n'est pas toujours facile de déterminer le centre de gravité d'un objet. En règle générale, cependant, plus le centre de gravité d'un objet est bas, plus l'objet est stable.

Certaines des bougies de la figure 5.16 ont une base étroite et un centre de gravité en hauteur. Il est donc plus probable qu'elles se renversent que les bougies plus larges et moins hautes.

Objectif

Chercher le centre de gravité de diverses structures.

ATTENTION : Manipule les objets pointus, par exemple les ciseaux, avec précaution.

Matériel

- un crayon et une feuille pour noter tes résultats
- une règle
- des ciseaux
- du papier de construction
- du ruban adhésif

Démarche

1. Enroule une feuille de papier pour obtenir un cône à base large et colle-le à l'aide de ruban adhésif.

2. Enroule une autre feuille de papier pour obtenir un cône plus étroit de la même hauteur et colle-le à l'aide de ruban adhésif.

3. Enroule une troisième feuille de papier pour obtenir un cône encore plus étroit, également de la même hauteur, et colle-le à l'aide de ruban adhésif.

4. Coupe la base de chaque cône pour qu'il puisse être posé sur la table, la pointe vers le haut.

5. Vérifie quel cône est le plus stable en essayant de les renverser.

6. Note tes résultats.

7. Fabrique trois cylindres de largeurs différentes, mais de même hauteur que tes cônes. Répète les étapes 5 et 6.

Questions

8. Quel cône a été le plus difficile à renverser ? Pourquoi ? Compare tes résultats à ceux des élèves de ta classe.

9. Quel cylindre a été le plus difficile à renverser ? Pourquoi ? Compare tes résultats à ceux des élèves de ta classe.

10. Quelle forme a été la plus difficile à renverser ? Les cônes ou les cylindres ? Pourquoi ?

11. Que peux-tu conclure quant à l'emplacement du centre de gravité de chaque cône et de chaque cylindre ?

12. Comment peux-tu utiliser cette information pour construire des structures plus stables ?

HABILETÉS À UTILISER
- Concevoir un test valable
- Consigner par écrit et organiser des données

Les composants et les matériaux structuraux

Lors de la conception et de la fabrication d'une structure, tu dois posséder des connaissances au sujet des composants et des matériaux structuraux. Dans cette expérience, tu vas utiliser des composants et des matériaux pour étudier leurs propriétés.

Questions

1. Quelles sont les propriétés de certains composants structuraux?

2. Quel est l'effet de l'utilisation de différents matériaux pour construire des composants structuraux?

Matériel

- divers types de papier
- du ruban adhésif
- des ciseaux
- un rouleau de pièces de monnaie

ATTENTION: Manipule les objets pointus, par exemple les ciseaux, avec précaution.

Démarche

Première partie: Les composants

1. Observe certains des composants structuraux de la figure 5.8, page 132. Choisis-en trois que tu vas construire à l'aide de papier et de ruban adhésif.

2. Construis tes composants en utilisant aussi peu de ruban adhésif que possible dans chaque cas.

3. Détermine la solidité de chaque composant en y déposant des pièces de monnaie.

4. Note tes résultats dans un tableau semblable au tableau 5.1

Tableau 5.1 Résultats du test des composants

Nom du composant	Croquis	Résultats

Deuxième partie: Les matériaux

5. Choisis l'un des composants que tu as testés.

6. Construis le composant trois fois à l'aide d'un type de papier différent chaque fois. Essaie d'utiliser la même quantité de ruban adhésif et de papier pour chacun.

7. Détermine la solidité de chaque échantillon en y déposant des pièces de monnaie.

8. Note les résultats dans ton tableau.

Analyse et interprétation

9. Qu'as-tu découvert au sujet des composants de la première partie? Compare tes résultats à ceux d'un autre groupe.

10. Qu'as-tu découvert au sujet des matériaux de la deuxième partie? Compare tes résultats à ceux d'un autre groupe.

11. Quel composant a le mieux résisté aux forces?

12. Quel matériau a le mieux résisté aux forces?

Développement des habiletés

13. Certaines parties de ce test pourraient-elles être effectuées de manière plus valable? Explique comment.

Pour conclure

14. Nomme certaines des propriétés des composants structuraux testés. Où ces composants pourraient-ils être utiles?

15. Nomme certaines des propriétés des matériaux structuraux testés. Où ces matériaux pourraient-ils être utiles?

Révise les concepts clés

1. Définis, dans tes propres mots, les notions de *solidité structurale* et de *stabilité*.

2. Décris brièvement comment chacun des éléments suivants contribue à la solidité structurale.

a) les formes structurales

b) les composants structuraux

c) les matériaux structuraux

3. Décris chacune des situations suivantes à l'aide des mots *tension structurale*, *fatigue* ou *défaillance*.

a) une bosse dans un gobelet en plastique

b) un gobelet en plastique fondu

c) un trou dans un gobelet en plastique

d) une fissure dans un verre

e) un éclat sur le bord d'un verre

f) des morceaux de verre cassé par terre

Fais des liens

4. Pense à une structure ancienne qui laisse voir l'un de ses composants structuraux. Compare-la à une structure moderne qui comprend les mêmes composants structuraux.

5. Imagine un gobelet en carton déformé. Quels facteurs ont pu contribuer à la défaillance de cette structure?

6. Explique pourquoi une forme triangulaire est plus solide qu'une forme rectangulaire.

Utilise tes habiletés

7. Réfléchis à la forme et à la fonction d'un inukshuk (introduction du chapitre 5), d'un igloo (figure 4.11) et d'un kayak (figure 5.17). Choisis l'une de ces structures et fais les exercices suivants.

a) Dessine la structure pour en montrer la forme.

b) Indique le nom de chacun de ses composants structuraux.

c) Décris les matériaux utilisés pour la construire.

d) Répète les exercices a), b) et c) pour une autre structure de ton choix.

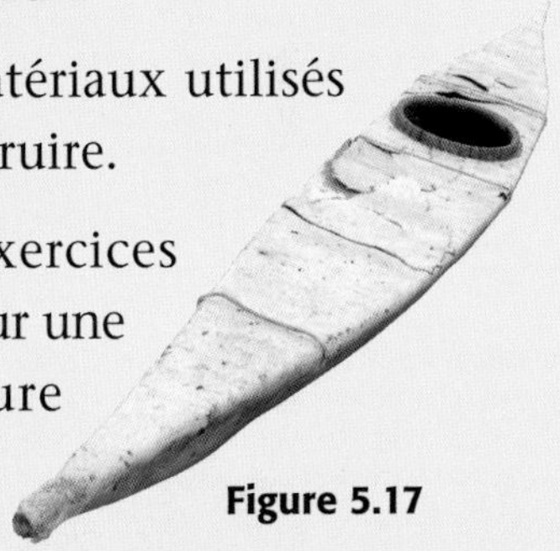

Figure 5.17

8. Construis la structure la plus haute et la plus stable possible à l'aide de matériaux de construction commerciaux, tels que des cubes emboîtables. Mesure sa hauteur. Démonte la structure. Avec les mêmes pièces, construis une structure encore plus haute. La deuxième structure est-elle aussi stable que la première?

B28 *Réflexion sur les sciences, la technologie et la société* S T S E

Nouvelle-éclair

Réfléchis à un rappel de produit dont tu as récemment entendu parler dans les médias. Identifie le problème à l'origine de ce rappel. En groupe, discutez de ce rappel de produit. Utilise les termes scientifiques de ce chapitre dans ton explication.

Les éléments de conception

Résumé de ce que tu apprendras dans cette section :

- Une bonne conception tient compte de la fonction de la structure.
- Une bonne conception tient compte de la solidité et de la stabilité nécessaires à la structure.
- La symétrie est souvent utilisée dans une bonne conception.
- Une conception ergonomique des objets les rend plus faciles à utiliser.

De nombreuses structures, comme les vélos et les échelles, sont construites pour être solides et robustes. Si tu les utilises correctement, elles dureront longtemps. Une utilisation correcte suppose de ne pas les surcharger. Un tricycle, par exemple, n'est pas conçu pour supporter le poids d'un adulte. Une charrette-jouet n'est pas conçue pour transporter d'aussi grosses charges qu'un camion à benne. Même des escabeaux conçus pour un usage courant peuvent être accompagnés d'avertissements quant à leur charge maximale et au danger de se tenir debout sur le dernier barreau (figure 5.18).

Les structures bien conçues sont sécuritaires, faciles et agréables à utiliser et elles sont suffisamment solides pour remplir leur fonction. Dans cette section, tu étudieras certains des éléments d'une bonne conception.

Figure 5.18 Il est dangereux de se tenir debout sur le dernier barreau d'un escabeau.

B29 *Point de départ*

Des vélos différents

Travaille avec une ou un camarade pour trouver les différences structurales des deux vélos de la figure 5.19. Suggère des raisons qui expliquent les différences de conception et de construction de ces deux structures. Faites part de vos résultats à deux autres élèves.

Figure 5.19 Ces deux structures ont la même fonction, mais ont été construites pour supporter des forces différentes.

Les éléments d'une bonne conception

Toutes les structures sont conçues et construites pour remplir des fonctions précises. Comment peux-tu savoir si la conception de ta structure est bonne? Pour le découvrir, pose-toi les questions suivantes au fil de la conception et de la construction de ta structure.

Ma conception fait-elle le lien entre la structure et sa fonction?

Parfois, il n'est pas aussi facile de répondre à cette question qu'il ne le semble. Concevoir une structure simple pour remplir une fonction simple est assez facile. Une table basse, par exemple, est une petite structure conçue pour supporter de petites charges et pour décorer la maison. Concevoir une structure pour remplir une fonction plus complexe, telle qu'une machine à cueillir des pêches sans les abîmer, est bien plus compliqué.

Ma structure peut-elle supporter les forces qui agiront sur elle?

Les personnes habiles en conception tiennent compte à la fois des charges statiques et dynamiques qui peuvent agir sur la structure. Des structures de forme semblable peuvent remplir des fonctions différentes. Une table basse en bois peut supporter les forces présentes dans une maison où vit un petit enfant. Une table basse en verre peut ne pas résister dans ces mêmes conditions.

Ma structure est-elle facile à construire à l'aide des matériaux que je veux utiliser?

Si tu devais construire une table basse en bois, une autre en verre et une troisième en métal, est-ce que cela modifierait tes plans? Bien sûr. Certains matériaux sont plus faciles à couper et à assembler que d'autres. Certains sont souples, d'autres non.

Ma structure est-elle ergonomique?

L'**ergonomie** désigne la science de concevoir des équipements qu'une personne peut utiliser de façon efficace et sécuritaire. Une structure ergonomique minimise la tension exercée sur le corps de la personne qui l'utilise. La conception et la disposition d'un mobilier et de fournitures de bureau supposent souvent la prise en compte d'éléments ergonomiques. Les gens qui font des tâches répétitives peuvent souffrir de microtraumatismes répétés s'ils n'utilisent pas le matériel et les techniques appropriés pour réduire la tension exercée sur leur corps (figure 5.20).

Activité suggérée • · · · · · · · · · · ·
B33 Problème à résoudre, page 145

Pour aller Plus loin

Après la conception d'une nouvelle structure, la personne qui l'a conçue ou inventée demande un brevet. Le brevet est un document légal qui déclare que cette idée appartient à cette personne et que cette personne peut la vendre. Fais des recherches sur les brevets.

Figure 5.20 Ce clavier est doté d'un support ergonomique pour les poignets. Ce support réduit les microtraumatismes répétés.

Figure 5.21 Ce garçon contrôle son ordinateur en bougeant la tête d'un côté à l'autre.

L'ergonomie peut être considérée comme la science des relations entre les personnes et les structures. Une structure ergonomique est facile à utiliser. Elle peut s'ajuster à des corps de tailles différentes. Elle peut également soutenir le corps lors de son utilisation. Certaines chaises, par exemple, fournissent un support supplémentaire pour le dos afin d'éviter des maux de dos aux personnes qui restent assises longtemps.

Les ergonomes conçoivent également des structures spéciales pour les personnes souffrant de handicaps. Une personne qui a un bras cassé, par exemple, peut utiliser une fourchette pourvue d'un bord tranchant. Les fauteuils roulants sont souvent conçus sur mesure pour les personnes qui s'en servent, afin qu'elles soient assises confortablement et qu'elles puissent facilement utiliser les commandes. Entre autres, diverses commandes sont conçues pour être actionnées avec les doigts, les orteils, le mouvement de l'œil ou même le souffle (figure 5.21).

Ma structure est-elle esthétique?

Figure 5.22 Ce qui plaît à une personne peut ne pas plaire à une autre.

Si tu pouvais choisir n'importe quelle table basse pour ta maison, laquelle choisirais-tu? Tu aimes peut-être l'une des tables de la figure 5.22, ou peut-être qu'aucune ne te plaît. Toutes les tables basses ont la même fonction, alors pourquoi en existe-t-il autant de formes? La principale raison est que tous les goûts sont dans la nature. Certaines personnes sont surtout attirées par les formes symétriques. La **symétrie** s'obtient lorsqu'une structure présente deux moitiés égales. D'autres aiment les choses originales. Certaines personnes préfèrent un matériau particulier à cause de sa texture ou de sa couleur. Quelle que soit la structure, elle peut ne pas plaire à tout le monde, car les goûts en matière d'esthétique sont très personnels.

Déduire

Les lectrices et les lecteurs peuvent faire des déductions en se basant sur des renseignements écrits ou visuels. En utilisant leurs connaissances et leur expérience, ces personnes peuvent tirer des conclusions quant à ce qui se passe, la raison pour laquelle cela se passe ainsi, ce qui s'est passé avant ou ce qui va se passer ensuite. Utilise tes habiletés de déduction pour suggérer une raison pour laquelle une personne achèterait l'une ou l'autre des tables basses de la figure 5.22.

Ma structure devrait-elle être symétrique ?

Tu as peut-être remarqué que de nombreuses structures semblent présenter deux moitiés égales. Cela signifie qu'elles ont été conçues de façon symétrique. Il y a plusieurs raisons à cela. Les êtres humains ont tendance à aimer les choses ayant l'air symétriques. Ils trouvent cela esthétique. De plus, les choses symétriques sont généralement stables. Pense à une chaise branlante. Son déséquilibre est dû au fait que l'un de ses pieds est plus court que les autres. Les structures symétriques permettent de répartir la charge de manière plus égale. Les êtres humains et les animaux ont également une forme symétrique (figure 5.23).

Les prototypes

Une fois que tu seras satisfait des réponses à toutes ces questions, la conception de ta structure pourra être bonne. Cependant, cela ne signifie pas qu'il s'agira de la meilleure conception possible. Quelque chose qui semble correct par écrit peut ne pas être aussi pratique lorsqu'on l'utilise. Il y a des choses que tu découvriras uniquement en testant ta structure. C'est pourquoi les spécialistes fabriquent souvent des prototypes d'une structure avant d'en adopter le plan.

Un **prototype** est un modèle utilisé pour tester et évaluer une structure. Si tu conçois quelque chose de très grand, teste des prototypes aussi petits que possible avant de construire la version finale à l'échelle réelle. Tu dois également tester des prototypes si tu conçois quelque chose que tu veux produire en grande quantité. Il serait malheureux de fabriquer un million de nouveaux crayons et de se rendre compte qu'ils ne sont pas confortables à tenir !

Figure 5.23 L'axe de symétrie divise la structure en deux moitiés égales.

L'IMPORTANCE DES MOTS

Proto, dans le mot *prototype*, signifie « premier, original ou initial ». Donc, un prototype est la première version d'une chose.

B31 *Fais le point !*

La conception et la fonction

Au chapitre précédent, tu as étudié les structures pleines, à ossature et à coque. Cela t'a permis de réfléchir aux structures en fonction de la manière dont elles sont conçues et construites. Tu as également analysé l'emballage d'une structure. Il s'agissait alors d'une manière de réfléchir aux structures en te basant sur leur fonction. Selon toi, comment la conception et la fonction s'influencent-elles ? Note quelques idées et fais-en part à une ou un camarade. Continue ensuite la conversation avec une deuxième équipe.

Supporter une charge

Figure 5.24 Les élèves utilisent différents types de structures pour transporter leurs livres.

Chaque jour, tu utilises ton corps comme une structure pour supporter une charge quand tu portes quelque chose. De nombreux élèves utilisent des sacs à dos et d'autres types de sacs pour transporter leur matériel scolaire (figure 5.24).

Objectif

Explorer les manières de porter une charge.

Matériel

- un sac à dos avec des bretelles ajustables
- un sac d'école (autre qu'un sac à dos)
- un sac à provisions jetable
- une charge normale de livres et de fournitures scolaires

Démarche

1. Place les livres et les fournitures scolaires dans le sac à dos.

2. Porte le sac à dos sur une seule épaule et note tes observations sur les forces internes que ton corps ressent.

3. Porte le sac à dos sur les deux épaules et note tes observations.

4. Ajuste les bretelles graduellement pour essayer de minimiser la tension exercée sur ton corps. Note tes observations.

5. Répète la démarche avec l'autre sac et le sac à provisions.

Questions

6. Quelle est la meilleure manière, pour toi, de porter la charge de tes livres et de tes fournitures scolaires ? Compare tes choix à ceux de tes camarades.

7. Quel est le lien entre la meilleure position et le centre de gravité de ton corps quand tu porteras le sac ?

8. Quand il est question de porter une charge, quelles sont les caractéristiques importantes des divers sacs ?

9. Si tu devais concevoir le sac idéal pour tes activités, quelles seraient ses caractéristiques ?

ED

Activité d'ancrage

HABILETÉS À UTILISER
- Identifier des solutions
- Mettre un plan en pratique

B33 *Activité de résolution de problème* Boîte à outils **3**

Une bibliothèque en papier journal

Reconnaître un besoin

Tu dois concevoir et construire une bibliothèque uniquement à l'aide de papier journal et de ruban adhésif.

Problème

Une bibliothèque construite avec du papier journal et du ruban adhésif peut-elle supporter un manuel scolaire ?

> **ATTENTION :** Manipule les objets pointus, comme les ciseaux, avec précaution.

Matériel

- des journaux
- du ruban adhésif
- un manuel scolaire
- des ciseaux
- une règle
- un chronomètre ou une montre

Critères de réussite

- La bibliothèque doit tenir debout toute seule.
- La bibliothèque doit être construite uniquement à l'aide de papier journal et de ruban adhésif.
- La bibliothèque doit supporter au moins un manuel scolaire pendant une minute.
- La meilleure bibliothèque doit respecter les trois critères et être construite avec le moins de matériel possible.

Remue-méninges

1. Quelle forme la bibliothèque devrait-elle avoir ?

2. Quelle devrait être la taille de la bibliothèque ?

3. Quels composants structuraux devraient être intégrés à sa conception ?

Construis un prototype

4. Dessine plusieurs plans de ta bibliothèque. En groupe, discutez des avantages et des inconvénients de chaque conception.

5. Décide de la conception que tu préfères et fais part de ton choix à ton enseignante ou ton enseignant.

6. Réunis les matériaux dont tu as besoin et construis ta bibliothèque.

Teste et évalue

7. Place le livre sur ta bibliothèque et démarre le chronomètre. Vérifie si ta bibliothèque respecte le critère de résistance. Fais les ajustements nécessaires pour que ta structure respecte tous les critères.

8. Quand ta structure respecte tous les critères, détermine les améliorations possibles. Pourrais-tu utiliser moins de matériaux ? Pourrais-tu la rendre plus solide ? Pourrais-tu la rendre plus esthétique ?

9. Modifie ton plan et construis un autre modèle.

Communiquer les résultats

10. Sur un grand carton, crée un schéma de ta bibliothèque terminée. Surligne les composants structuraux et précise les matériaux utilisés qui permettent à ta structure d'être efficace.

Révise les concepts clés

1. Pourquoi une bonne conception doit-elle tenir compte de la fonction de la structure ?

2. Qu'est-ce que la symétrie et comment peut-elle influencer la conception des structures ?

3. Quelles peuvent être les conséquences si l'on ignore les exigences d'une structure en matière de solidité et de stabilité ?

4. Énumère les éléments de conception de ta table de travail et décris comment la personne qui l'a conçue peut avoir tenu compte de chacun d'entre eux.

Fais des liens

5. Réfléchis aux structures que tu utilises tous les jours. Selon toi, quelle structure répond aux critères d'une bonne conception ? Quelle structure est un exemple de mauvaise conception ? De quel(s) aspect(s) conceptuel(s) la personne qui a conçu cette structure aurait-elle dû davantage tenir compte ?

6. La construction d'un prototype est généralement coûteuse, car chaque composant doit être fabriqué sur mesure. Pourquoi les fabricants investissent-ils dans le développement d'un prototype ?

Utilise tes habiletés

7. Dans cette section, tu as construit une bibliothèque en papier journal pouvant supporter le poids d'un manuel. Reconstruis ta bibliothèque en utilisant différents modèles, composants ou matériaux afin d'améliorer sa forme et sa fonction.

8. Si tu pouvais choisir de construire n'importe quel type de bibliothèque, lequel choisirais-tu ?

Résume les caractéristiques conceptuelles qui te semblent les plus importantes.

B34 *Réflexion sur les sciences, la technologie et la société*

Une population vieillissante

À mesure que les personnes vieillissent, elles recherchent des structures qui sont plus faciles à utiliser. Les personnes qui souffrent d'arthrite aux mains peuvent trouver plus facile d'utiliser des ustensiles de cuisine dotés de manches plus gros et ergonomiques.

Ce que tu dois faire

1. Rassemble plusieurs exemples d'un type d'ustensile de cuisine.

2. Fais semblant de cuisiner avec chacun de ces ustensiles. En une phrase, dis si chacun est facile à utiliser.

Réfléchis

3. Fais part de tes découvertes à une ou un camarade ou à toute la classe.

4. Quelles tendances remarques-tu dans vos découvertes ?

5. Comment reconnaît-on qu'un ustensile est bien conçu ? Ces ustensiles fonctionnent-ils mieux que les ustensiles mal conçus ?

6. Quel est le rôle de l'esthétique dans la conception des ustensiles de cuisine ?

Beth Anne Currie, consultante en environnement et en santé des enfants

Figure 5.25 Beth Anne Currie, consultante en environnement et en santé des enfants.

Beth Anne Currie travaille pour le Partenariat canadien pour la santé des enfants et l'environnement (figure 5.25). Cette consultante en environnement et en santé des enfants veut trouver des moyens pour protéger les enfants des expositions aux polluants environnementaux. Sa spécialité est de concevoir et de commercialiser des toits verts (ou végétalisés) et des murs vivants. Pour les gens qui habitent en ville, ces structures peuvent améliorer leurs conditions de vie d'un point de vue environnemental.

Madame Currie a commencé sa carrière en tant qu'infirmière en salle d'urgence. Cette activité semble très différente de ce qu'elle fait maintenant. Pourtant, il existe un lien vital entre les deux. Madame Currie aide les gens, encore et toujours. Après avoir soigné des gens malades qui avaient été en contact avec de l'eau contaminée, elle a décidé de retourner à l'université pour étudier l'environnement.

La conception de toits verts

Les toits végétalisés (ou toits verts) sont constitués de divers matériaux et doivent être plus solides que les toits traditionnels. Ils peuvent réduire le volume d'écoulement des eaux lors d'un orage, améliorer la qualité de l'air et réduire la température à la surface du toit. Cela aide à maintenir la fraîcheur dans l'édifice.

Madame Currie conçoit ces toits, d'autres personnes les construisent et les entretiennent. Les personnes qui vendent ces toits ainsi que les horticultrices et les horticulteurs qui y travaillent doivent en comprendre la construction. Des programmeurs informatiques règlent le système d'irrigation en utilisant des capteurs et des logiciels spécialisés.

Madame Currie recommande aux personnes intéressées par ce type de travail d'étudier en soins de santé ou en environnement. Avoir de l'intérêt pour l'écologie est essentiel. Quand on lui demande ce qui la motive, elle répond : « Lorsqu'on s'engage à contribuer à la protection de l'environnement, il y a généralement tant de choses qui vont à l'encontre de nos efforts qu'il est facile d'avoir la motivation pour chercher des façons d'aider, chercher à qui écrire une lettre ou une demande de financement afin de soutenir cette bonne cause. »

Questions

1. Comment le fait de connaître les structures peut-il aider à concevoir des toits verts ?

2. Pourquoi une personne qui s'intéresse à ce travail devrait-elle avoir de l'intérêt pour l'écologie ?

3. Si tu veux un jour construire un toit vert, de quelles autres informations auras-tu besoin pour prendre ta décision ?

Révise les concepts clés

1. Décris plusieurs facteurs qui contribuent à la stabilité d'une structure. *CC*

2. Quel est le rôle de la symétrie dans la conception des structures? *CC*

3. a) Explique pourquoi il est important de connaître le centre de gravité des structures pour les personnes qui les conçoivent. *CC*

   b) Quel est l'impact du changement de l'emplacement du centre de gravité d'une structure? *CC*

4. Nomme trois composants structuraux et explique comment ils contribuent à la solidité et à la stabilité d'une structure. *m*

5. Explique comment chacun des éléments suivants influe sur la solidité et la stabilité d'un vélo. *m*

   a) le choix des matériaux

   b) les formes structurales

   c) les composants structuraux

Fais des liens

6. Lorsqu'une personne conçoit une structure, pourquoi pourrait-elle choisir un matériau n'étant pas le plus solide disponible? *h*

7. Décris une structure de ta maison qui comprend plusieurs composants structuraux. Fais un dessin et nomme ces composants. *m*

8. De nombreuses structures, par exemple des vêtements, des meubles et des automobiles, changent selon la mode. Pourquoi, selon toi? *m*

9. La plupart des personnes qui consomment ne conçoivent pas, ne construisent pas et ne testent pas ce qu'elles possèdent. Certaines personnes se procurent des meubles prêts à assembler, d'autres achètent des meubles déjà assemblés. Quels sont les avantages et les inconvénients de ces deux types de mobiliers? *h*

Après la lecture Stratégies Littératie

Révision du tableau S-Q-A

Au début de ce chapitre, tu as créé un tableau S-Q-A. Maintenant que tu as terminé ce chapitre, prends quelques minutes pour ajouter des renseignements dans la colonne *Ce que j'ai Appris*. Tu as probablement d'autres questions. Ajoute au moins trois choses au sujet desquelles tu aimerais en savoir davantage. Planifie comment tu pourrais en savoir plus sur ces sujets.

COMPÉTENCES DE LA GRILLE D'ÉVALUATION DU RENDEMENT
CC Connaissance et compréhension   *h* Habiletés de la pensée   *c* Communication   *m* Mise en application

10. Décris une structure locale qui est un exemple d'utilisation efficace des éléments structuraux. Explique pourquoi tu penses que les composants sont bien utilisés. *(m)*

11. À l'aide des éléments d'une bonne conception, décris la structure qui, selon toi, est la mieux conçue de ta classe et de ton école. *(m)*

Utilise tes habiletés

12. À l'aide de pailles et de ruban adhésif, construis une structure qui tienne debout toute seule et qui montre l'action d'au moins deux composants structuraux. *(h)*

13. Estime la charge maximale pour laquelle ta table de travail a été conçue. Comment pourrais-tu la tester? *(m)*

Lien avec le projet du module

En réfléchissant à ce que tu aimerais concevoir pour améliorer l'efficacité énergétique de ta maison, pense au rôle de la stabilité de ta structure. Révise les éléments d'une bonne conception pour chacune de tes idées. Peux-tu utiliser les idées d'autres conceptrices ou concepteurs pour t'aider à prendre tes décisions?

B35 *Réflexion sur les sciences, la technologie et la société*

Les ventes d'automobiles

Quand les gens décident d'acheter une voiture, ils doivent faire des choix.

Ce que tu dois faire

1. Nomme trois modèles d'automobiles que tu connais.

2. Trouve des renseignements sur la consommation de carburant de ces automobiles.

3. Prépare un tableau qui compare le coût, l'efficacité énergétique et la sécurité de ces trois automobiles.

Réfléchis

Avec une ou un camarade ou avec toute la classe, discute des questions suivantes.

4. Qu'est-ce qui peut inciter une personne à acheter une automobile?

5. Comment chacun des facteurs de ton tableau peut-il influencer la décision de l'acheteuse ou de l'acheteur?

6. Fais un lien entre le niveau de sécurité de l'automobile et les termes *tension structurale* et *défaillance structurale*.

7. Y a-t-il déjà eu un rappel de produit pour les automobiles que tu as étudiées?

8. Si tu devais concevoir une nouvelle et meilleure voiture, propose un changement pour augmenter la sécurité et un autre pour améliorer l'esthétique.

6.0

Il faut tenir compte de la durée de vie d'une structure pour prendre des décisions responsables

Les gens achètent des choses, les utilisent pendant un moment, puis les jettent. Les déchets métalliques (sur cette photo), l'aluminium, le papier, le verre et le plastique sont séparés pour pouvoir être recyclés.

Dans ce chapitre, tu vas :

- décrire les facteurs qui rendent une structure agréable à regarder ;
- reconnaître et décrire la durée de vie de structures familières.

Les habiletés à utiliser

Dans ce chapitre, tu vas :

- analyser le rôle des consommatrices et des consommateurs dans la fabrication des structures ;
- établir un plan d'action personnel pour réduire ton impact sur l'environnement.

Pourquoi est-ce important ?

Chaque décision d'achat que tu prends peut avoir un effet sur l'environnement. La plupart des produits sont emballés. Parfois, nous achetons des choses dont nous n'avons pas vraiment besoin. La plupart de nos achats deviennent des déchets. Comprendre cela t'aidera à prendre des décisions responsables.

Avant la rédaction

Stratégies Littératie

La technique des questions et des réponses

Les personnes qui écrivent des textes informatifs utilisent diverses techniques pour communiquer l'information et les idées. Elles essaient de choisir une présentation qui informe le public de ce qu'il souhaite savoir sur un sujet. Parfois, les rédactrices et les rédacteurs utilisent la technique des questions et des réponses. Parcours le module B pour y trouver des titres qui se présentent sous la forme d'une question. Les réponses suivent-elles immédiatement les questions ? Pourquoi ce mode d'organisation du texte a-t-il été choisi ? Où as-tu déjà remarqué l'utilisation de cette technique ?

Mots clés

- une consommatrice ou un consommateur
- un fabricant
- une étude de marché
- la durée de vie

Figure 6.1 La technologie permet de communiquer dans différentes situations et dans une grande variété d'endroits.

I l est difficile de s'imaginer une époque sans téléphone! Dans les années 1870, Elisha Gray et Alexander Graham Bell ont expérimenté des appareils qui pouvaient transmettre la parole électroniquement. Alexander Graham Bell a été le premier à breveter cette invention. À cette époque, personne ne pouvait se promener dans la rue tout en parlant au téléphone (figure 6.1). Les premiers téléphones étaient gros et fixés au mur (figure 6.2, en haut).

Aujourd'hui, de nombreuses familles possèdent plus d'un téléphone, parfois même, un dans chaque pièce. Dans certaines familles, chacun a son propre téléphone cellulaire. Qu'arrive-t-il de tous les vieux téléphones (figure 6.3)? Les sites d'enfouissement en contiennent un grand nombre ainsi que des téléviseurs, des ordinateurs, des vêtements et des jouets en plastique.

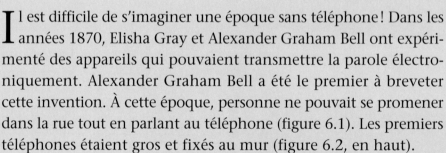

Figure 6.2 L'apparence des téléphones a changé au cours des années. Au début du XXe siècle, il fallait payer pour chaque appel. Ces appels étaient plus courts et visaient principalement à partager de l'information. Désormais, les appels sont bien plus longs, parce que les gens utilisent le téléphone pour *garder le contact*.

Bon nombre de ces produits fonctionnaient encore quand ils ont été jetés, souvent pour être remplacés par des modèles plus récents. Ils n'étaient peut-être plus utiles à leurs propriétaires, mais auraient pu l'être à d'autres personnes.

Que ce soit pour remplacer un vieux modèle parce qu'il ne fonctionne plus ou pour en avoir un plus récent, les gens ont plusieurs raisons de changer de téléphone. Dans cette section, tu vas étudier certains de ces aspects.

Les idées abordées dans ce chapitre présenteront diverses opinions. Il est important de réfléchir à chaque idée. Discuter des idées ouvertement et avec respect, surtout avec les personnes qui ne sont pas d'accord avec toi, est une bonne manière de mieux comprendre les choses.

Figure 6.3 Les vieux téléphones finissent dans les sites d'enfouissement.

B36 *Laboratoire*

Combien de téléphones?

Objectif

Étudier l'impact d'une technologie sur l'environnement.

> **Matériel**
> - un vieux téléphone
> - du papier et un crayon

Démarche

1. Examine le téléphone et dresse une liste des matériaux qui le composent.

2. Indique par écrit ce qui, selon toi, arrive aux téléphones qui ne sont plus utiles.

3. Calcule le nombre de téléphones que ta famille possède actuellement.

Questions

4. Comment peux-tu estimer le nombre de téléphones que possèdent les familles de ta classe? Comment pourrais-tu procéder pour étendre cette estimation à toute l'école?

5. Estime le nombre de téléphones que possèdent toutes les familles canadiennes.

6. Comment pourrais-tu estimer le nombre de téléphones en usage dans des entreprises du Canada? Imagine une pile de tous les téléphones au pays. À quoi cette pile ressemblerait-elle?

7. Les téléphones peuvent-ils être recyclés quand ils ne sont plus utilisés?

Déterminer les besoins des consommatrices et des consommateurs

Résumé de ce que tu apprendras dans cette section :

- Les manufacturiers essaient de déterminer les besoins de leur clientèle afin de prendre de bonnes décisions en matière de produits.
- Les personnes qui consomment achètent en fonction de leurs besoins et de leurs envies.
- L'ergonomie peut être un critère de sélection lors de certains achats.
- Les personnes qui consomment peuvent inciter les entreprises à fabriquer de bons produits.

Tu es une **consommatrice** ou un **consommateur**, une personne qui achète des produits (figure 6.4). Chaque fois que tu achètes quelque chose, tu prends une décision. Parfois, cette décision est peu importante, comme dans le cas du type de boisson que tu aimerais prendre avec ton repas. D'autres fois, ta décision est plus importante, comme dans le cas de l'achat d'un vêtement ou d'une bicyclette. Un jour, tu prendras peut-être la décision d'acheter (ou non) une voiture. Tu achèteras peut-être une maison. Comment les gens prennent-ils leurs décisions d'achat et pourquoi les entreprises de fabrication s'intéressent-elles tant à ce processus de décision ?

Dans cette section, tu trouveras la réponse à ces questions et tu étudieras la relation entre les personnes qui fabriquent et celles qui consomment.

Figure 6.4 Un centre commercial est un endroit où les consommatrices et les consommateurs prennent des décisions d'achat.

B37 *Point de départ*  Habiletés Ⓐ Ⓒ

Lire les publicités

Rassemble des publicités de jeans trouvées dans des magazines, des journaux et des prospectus. Si tu pouvais choisir l'un de ces jeans, lequel choisirais-tu ? Pourquoi ? Discute de ce qui motive ton choix avec une ou un camarade.

Les fabricants

Les **fabricants** s'intéressent à ce que tu penses. Ils souhaitent fabriquer des produits que tu voudras acheter. Ils espèrent que, même si tu n'es pas responsable de l'achat d'un produit, ton opinion influencera le choix de ta famille.

Pour que ces entreprises poursuivent leurs activités, leurs produits doivent se vendre (figure 6.5). Cependant, il existe de nombreuses entreprises de fabrication et chacune d'entre elles souhaite que tu choisisses son produit. En tant que consommatrice ou consommateur, tu dois prendre des décisions quant à ta manière d'utiliser ton argent. Les entreprises savent que chaque personne dispose d'un montant d'argent limité pour ses achats; elles se font donc concurrence, à l'aide de campagnes de publicité, pour que cet argent serve à acheter leurs produits.

Figure 6.5 Certaines entreprises stockent leurs produits dans des entrepôts comme celui-ci.

L'étude de marché

Avant de concevoir ou de modifier un produit, les entreprises doivent vérifier s'il plaira et sera acheté. Elles ne souhaitent pas consacrer trop de temps et de ressources à fabriquer un produit pour ensuite se rendre compte que personne n'en veut ou que les gens le préféreraient autrement. Prenons l'exemple de chaussures. Avant de concevoir un nouveau type de souliers de sport, le fabricant doit collecter et analyser des données, dans le cadre d'une **étude de marché** (figure 6.6).

Les spécialistes des études de marché recueillent l'opinion des consommatrices et des consommateurs afin de comprendre leurs goûts et leurs critères de choix. Ils dévoilent ensuite au fabricant les intentions d'achat des clientèles cibles.

De nos jours, la technologie est un outil utile aux études de marché. Chaque fois qu'une personne utilise une carte de crédit, de débit ou de programme de fidélisation (système de points), ces données sont enregistrées dans une énorme base de données. Cette information illustre les tendances principales, telles que la popularité de certaines marques et de certaines couleurs.

Puisque les consommatrices et les consommateurs s'inquiètent de plus en plus de l'état de l'environnement, les fabricants ont conçu des produits qui reflètent cette préoccupation. Ton magasin préféré peut avoir remplacé les sacs de plastique jetables par des sacs réutilisables. Tu peux également trouver des vêtements confectionnés à partir de matériaux comme les algues et le bambou.

Figure 6.6 Les spécialistes des études de marché effectuent souvent des enquêtes auprès des personnes qui fréquentent les centres commerciaux.

Activité suggérée • • • • • • • • • • •
B39 Créer une expérience, page 159

La publicité

Les entreprises essaient de te convaincre de plusieurs manières que leurs produits sont les meilleurs. Certaines font de la publicité à la radio ou à la télévision, dans les magazines et dans Internet (figure 6.7). D'autres utilisent des techniques de stimulation, comme des rabais postaux, afin de convaincre les acheteuses et les acheteurs qu'ils font un choix judicieux. D'autres encore engagent des célébrités pour être porte-parole de leurs produits afin d'apporter du prestige à leurs produits.

Figure 6.7 L'utilisation d'Internet a engendré de nouvelles formes de publicité : fenêtres publicitaires, bandeaux publicitaires et zones publicitaires déclenchées par le déplacement du curseur de la souris.

B38 *Pendant la rédaction*

Stratégies
Littératie

Prévoir les questions des lectrices et des lecteurs

Dans ce chapitre, tu vas réfléchir à l'impact de faire des choix plus écologiques dans ta vie quotidienne. Les spécialistes des sciences et de la technologie ont inventé de nombreuses manières de recycler les produits usagés et mis au rebut pour en tirer de nouveaux matériaux et produits utiles.

Travaille avec une ou un partenaire pour dresser une liste des questions et réponses que les gens peuvent se poser sur les matériaux et les produits recyclés. Tu devras déterminer le public cible et la mise en

forme de ta liste avant de commencer. Le public cible sera-t-il constitué des élèves de ta classe, de parents de ta communauté ou d'autres personnes ? Utiliseras-tu une affiche, un dépliant ou une brochure ? Tes choix t'aideront à formuler les questions que tu poseras. Crée un plan ou un organiseur graphique pour noter les questions. À mesure que tu avances dans le chapitre, sers-toi de ce système d'organisation pour noter les renseignements et les idées qui t'aideront à répondre à tes questions.

Consommer sagement

Quand une personne veut acheter quelque chose, elle utilise certaines aptitudes pour faire les bons choix. Avant d'acheter une voiture, les gens font généralement un essai routier. Si l'automobile est destinée à toute ta famille, chaque membre peut vouloir l'essayer pour vérifier si la voiture sera assez spacieuse même pour les animaux de compagnie !

Dans le cas de petits achats, tu devrais aussi faire l'essai de l'article qui t'intéresse. Si tu achètes un téléphone cellulaire, tu peux en manipuler plusieurs pour trouver celui qui te convient. Tu peux composer quelques numéros pour vérifier si le clavier est facile à utiliser (figure 6.8) ou appeler quelqu'un pour tester la qualité du son. Tous ces essais te fournissent davantage de renseignements pour te permettre de prendre la meilleure décision.

Figure 6.8 Certaines personnes préfèrent un grand clavier, alors que d'autres préfèrent un clavier plus petit.

Un autre moyen de consommer sagement est de faire connaître aux entreprises ton niveau de satisfaction quant à ton achat. La plupart des entreprises souhaitent améliorer leurs produits. Les lacets des souliers de course que tu as achetés n'étaient peut-être pas solides et ont cassé la troisième fois que tu les as attachés. Ton téléphone cellulaire s'éteint peut-être chaque fois que tu le mets dans ta poche. Tu peux communiquer ces informations aux entreprises en leur téléphonant, en leur envoyant un courriel ou en leur faisant parvenir une lettre.

Les besoins et les envies

T'est-il déjà arrivé de demander quelque chose sous la forme : « S'il te plaît ! S'il te plaît ! J'en ai vraiment besoin ! » ? Ta mère ou ton père n'a peut-être pas été d'accord avec toi quant à ton *besoin* d'acquérir des souliers de course coûteux. Ils ont souligné que tu en avais simplement *envie* (figure 6.9). Parfois, tu dois déterminer si tu as besoin de quelque chose ou si tu en as simplement envie.

Il existe plusieurs types de besoins. Les besoins essentiels (se loger, se nourrir, se vêtir et être en sécurité), les besoins fonctionnels (avoir des meubles, du transport, des appareils électroniques, etc.), et les besoins liés au confort. Dans laquelle de ces catégories se classent des souliers coûteux ?

Pour aller Plus loin

Des organismes tels qu'Industrie Canada ou des associations de défense des consommatrices et des consommateurs essaient d'aider les gens qui prennent une décision d'achat. Ils évaluent plusieurs produits pour vérifier s'ils répondent bien à ce qu'ils semblent offrir ou suggèrent des aspects à vérifier lors de la sélection et de l'achat de certains produits. Cherche ce qu'un organisme de ce type dit des téléphones cellulaires.

Activité suggérée •············
B40 Laboratoire, page 160

Figure 6.9 Souvent, il est difficile de faire la différence entre les marques de souliers.

Figure 6.10 Certaines personnes aiment les voitures anciennes à cause de leur aspect esthétique.

L'aspect esthétique

Pourquoi une personne choisit-elle un produit plutôt qu'un autre ? Parfois, ce n'est ni la solidité ni la stabilité d'une structure qui nous séduit. On peut acheter sur un *coup de cœur*. Qu'est-ce qui nous fait chavirer ? Une couleur, une forme, une qualité esthétique peut influencer notre choix. Les caractéristiques esthétiques des voitures anciennes (figure 6.10), par exemple, charment certaines personnes. D'autres choisissent un véhicule dans le seul but de pouvoir se déplacer.

L'ergonomie

Un produit bien conçu est agréable à utiliser. Certains fabricants conçoivent des produits ergonomiques. Ils ajoutent alors une mention sur l'emballage pour le préciser. Plusieurs personnes y sont sensibles, surtout dans le cas de produits qu'elles utilisent souvent. Des crayons ou des chaises peuvent être conçus de façon à minimiser la tension exercée sur le corps pendant leur utilisation.

La conception universelle

De plus en plus, les conceptrices et concepteurs tiennent compte de la notion de *conception universelle*. Ce terme fait référence aux structures pouvant être utilisées par une grande variété de personnes. Par le passé, par exemple, il était courant de penser que les rampes d'accès et les portes à ouverture automatique étaient uniquement destinées aux personnes en fauteuil roulant (figure 6.11). Désormais, ces caractéristiques facilitent aussi la vie aux personnes âgées, aux gens ayant une poussette ou les bras chargés de paquets.

Figure 6.11 De nombreux édifices sont dotés de rampes menant aux portes d'entrée.

B39 *Créer un laboratoire*　　Boîte à outils 2

HABILETÉS À UTILISER
- Poser des questions
- Transmettre des résultats

Sonder le marché

Les entreprises enquêtent souvent auprès du public pour savoir si un nouveau produit se vendra ou pour identifier les besoins de leur clientèle. Pour ce faire, elles utilisent des techniques de sondage.

Objectif

Rédige un questionnaire dans le but de recueillir des renseignements utiles pour une entreprise qui crée un produit afin de répondre à un besoin de la société.

Matériel

- un crayon
- du papier
- l'accès à un ordinateur
- des exemples de sondage

Démarche

1. Examine des exemples de sondages pour voir comment ils sont rédigés.

2. Travaille avec une ou un camarade pour déterminer un besoin de la société, tel que le besoin d'accroître le compostage domestique, d'éviter les accidents lors de l'utilisation d'appareils électroniques ou tout autre sujet qui t'intéresse.

3. Conçois un questionnaire que tu pourrais utiliser pour recueillir des renseignements afin de savoir si ce besoin touche tes camarades et pour savoir quel produit répondrait à ce besoin.

4. Rédige une ébauche des questions en tenant compte des points suivants :

   a) Les renseignements provenant de ton questionnaire seront-ils confidentiels afin d'encourager les gens à donner des réponses sincères?

   b) Tes questions te permettront-elles de collecter des données que tu pourras analyser et représenter graphiquement?

   c) Les personnes sondées pourront-elles ajouter des commentaires?

   d) Les questions amèneront-elles des réponses rapides et précises?

   e) Laisseras-tu ton questionnaire aux personnes pour qu'elles le remplissent seules ou poseras-tu les questions à chaque personne en notant les réponses toi-même?

   f) Offriras-tu quelque chose pour inciter les gens à répondre à ton sondage?

   g) Peux-tu utiliser une technique de sondage qui n'emploie ni crayon ni papier?

5. Conçois un questionnaire d'une page, attrayant et facile à utiliser. Tu peux te servir d'un ordinateur et d'un logiciel de traitement de texte.

6. Décide, avec ton enseignante ou ton enseignant, auprès de qui tu réaliseras ton sondage. Effectue ton sondage.

Questions

7. Examine les questionnaires remplis. Choisis une méthode te permettant d'organiser les données collectées pour ensuite les analyser.

8. Analyse ces données.

9. Rédige un court texte qui résume les résultats.

10. En fonction des résultats du sondage, quelle ligne de conduite suivrais-tu pour concevoir ton produit?

ED
Activité d'ancrage

B50 *Analyse de la prise de décision* Boîte à outils 4

HABILETÉS À UTILISER
- Choisir et noter des données
- Transmettre des résultats

Vraiment vert ?

Figure 6.25 À table !

Problème

Chaque école a un impact sur l'environnement. Les élèves et le personnel y passent beaucoup de temps et cet environnement doit être sécuritaire et agréable. Le problème est le suivant : quelles modifications peuvent être apportées à l'école pour réduire son impact sur l'environnement ?

Contexte

De l'énergie est nécessaire pour chauffer, climatiser et éclairer l'école. La plupart des activités scolaires produisent des déchets. Afin de réduire l'impact de l'école sur l'environnement, certaines de ces activités et une partie de cette utilisation d'énergie peuvent être modifiées.

Des modifications peuvent être apportées sans que l'école dépense beaucoup d'argent. Par exemple, demander aux élèves d'apporter des repas sans emballages jetables, tels que le repas présenté à la figure 6.25, réduit le volume des déchets produits à l'école. D'autres modifications, telles que l'installation de fenêtres offrant une bonne efficacité énergétique ou l'installation d'un chauffage solaire de l'eau, nécessitent une dépense d'argent.

Réfléchis à ces deux points de vue :

- Certaines personnes pensent qu'il est suffisant de faire des modifications peu coûteuses pour réduire notre impact sur l'environnement. Il est possible de modifier nos comportements. Éteindre la lumière quand elle n'est pas nécessaire et conserver l'édifice à une température modérée, c'est facile et efficace !

- D'autres personnes pensent que de modifier nos comportements n'est qu'un début. Des modifications aux infrastructures, telles qu'une meilleure isolation et l'utilisation d'ampoules à faible consommation, doivent être adoptées afin de mieux respecter l'environnement.

Ta tâche est de faire des recherches à ce sujet afin de défendre l'un de ces points de vue. Tu présenteras tes résultats sous la forme d'un débat ou d'une présentation en classe. Ton enseignante ou ton enseignant te fournira plus de détails sur la manière de présenter tes données.

Analyse et évaluation

Utilise les ressources suivantes pour faire tes recherches.

1. Consulte des ressources imprimées (magazines, journaux, livres) pour savoir comment réduire ton impact sur l'environnement.

2. Résume les données trouvées en un court rapport à présenter au groupe ou à utiliser au cours d'un débat. Assure-toi d'y inclure uniquement les données qui appuient ton point de vue et qui contredisent le point de vue opposé.

Révise les concepts clés

1. Décris comment toutes les décisions d'achat peuvent avoir un impact sur l'environnement.

2. Décris comment la modification de tes décisions d'achat peut réduire ton impact sur l'environnement.

3. Pour chacun des articles ci-dessous, décris les décisions d'achat qui pourraient avoir le moins d'impact sur l'environnement.

   a) produits de nettoyage

   b) fruits et légumes frais

   c) vêtements

Fais des liens

4. Décris pourquoi il est important de faire quotidiennement des choix plus écologiques, même dans le cas de *petites* décisions telles que l'achat d'une crème glacée.

5. Pourquoi réduire ou réutiliser est-il considéré comme une option préférable au recyclage ?

6. Le célèbre écologiste David Suzuki a mis les gens en garde contre la *mascarade écologique*, tendance que les entreprises ont adoptée pour convaincre les consommatrices et les consommateurs que leurs pratiques respectent davantage l'environnement que les pratiques des autres entreprises. Pourquoi penses-tu que cela puisse être un problème ?

Utilise tes habiletés

7. Si tu veux faire des choix plus écologiques à l'épicerie, tu peux te poser la question : « Les aliments ont-ils parcouru de longs trajets avant d'arriver sur les tablettes ? » Inscris cette question dans un tableau à deux colonnes. Ajoute quatre autres questions et, pour chacune, précise le style de réponse que tu souhaites obtenir en les posant.

B51 *Réflexion sur les sciences, la technologie, la société et l'environnement* STSE

Les structures recyclées

Les sciences et la technologie ont trouvé de nombreuses manières d'utiliser des matériaux recyclés. Des nappes de polyester, par exemple, sont fabriquées à partir de bouteilles de plastique recyclées. Réfléchis à l'avenir d'un matériau recyclé, tel que l'aluminium, le papier, le plastique ou le verre.

En groupe, choisissez un matériau recyclé et répondez aux questions suivantes.

1. Quels produits fabrique-t-on à partir de ce matériau recyclé ?

2. Quels sont les avantages de choisir ces produits ?

3. Quels sont les inconvénients de choisir ces produits ?

Fais des liens

Jay Ingram

Jay Ingram est un journaliste scientifique d'expérience qui anime l'émission *Daily Planet* à la chaîne *Discovery Channel Canada*.

Un centre de gravité variable

Où se trouve ton centre de gravité? Dans ce module, tu as appris qu'il s'agit du point d'une structure où la gravité semble agir. Ainsi, si tu es en équilibre sur la pointe du pied, ton centre de gravité est situé directement au-dessus de cette pointe. Sinon, tu tomberais d'un côté ou de l'autre sous l'action de la gravité. À quelle hauteur se trouve ce centre de gravité? Probablement juste au milieu, là où la moitié de la masse de ton corps est au-dessus et l'équivalent est au-dessous.

Le problème est que ton centre de gravité peut se déplacer, parfois même en dehors de ton corps! Quand tu t'accroupis et que tu serres tes genoux dans tes bras, ton centre de gravité s'abaisse aussi. Il quitte en fait ton corps pour flotter quelque part entre tes bras, tes jambes et ta tête.

Dans les années 1960, Dick Fosbury, sauteur en hauteur olympique, est devenu célèbre grâce à sa manière de déplacer son centre de gravité (figure 6.26). Jusqu'alors, les spécialistes du saut en hauteur couraient sur une ligne parallèle à la barre, puis lançaient l'une de leurs jambes et roulaient au-dessus de la barre (le ventre vers la barre, en essayant de ne pas la toucher), ce qui entraînait leur autre jambe.

Certaines personnes avaient du succès avec cette technique et pouvaient sauter au-dessus d'une barre située à plus de deux mètres.

Dick Fosbury employait une technique complètement différente qui fut appelée le *saut Fosbury*. Il courrait vers la barre puis, à la dernière minute, se tournait et sautait de dos, au-dessus de la barre, la tête la première. Au dernier moment, il relevait ses deux jambes pour passer la barre. Dick Fosbury gagna ainsi le saut en hauteur aux Jeux olympiques de Mexico en 1968. Il réussit à passer une barre située à 2,24 mètres.

Aujourd'hui, presque tous les athlètes de saut en hauteur utilisent le saut Fosbury grâce à sa grande efficacité. Avec les autres techniques, les athlètes doivent faire passer leur centre de gravité au-dessus de la barre. Dick Fosbury, lui, passait au-dessus de la barre tout en conservant son centre de gravité sous la barre. Imagine son saut: d'abord, seule sa tête se trouve au-dessus de la barre, puis son torse (avec ses bras et ses jambes sous le niveau de la barre) et finalement ses jambes se trouvent au-dessus. À aucun moment la majeure partie de son corps ne se trouve au-dessus de la barre; son centre de gravité reste toujours sous la barre.

Figure 6.26 Dick Fosbury déplaçant son centre de gravité.

Révise les concepts clés

Après la rédaction — Stratégies Littératie

Réfléchis et évalue

Échange ton travail de *Questions et réponses* avec celui de deux autres élèves. Lis leur travail attentivement. Partagez vos commentaires, par exemple : nommer deux aspects qui ont bien été traités, ajouter une autre question à laquelle tu aurais aimé trouver la réponse, souligner une nouvelle information au sujet des matériaux recyclés. Enfin, partagez en classe des conseils pour écrire un bon travail de *Questions et réponses*.

1. Décris la relation entre les entreprises qui fabriquent et les personnes qui consomment. *cc*

2. Résume l'élaboration d'un nouveau type de bouteille d'eau en utilisant les étapes de base de la durée de vie d'un produit. *cc*

3. Pourquoi les fabricants tiennent-ils sérieusement compte des préférences des consommatrices et des consommateurs ? *cc*

4. Écris un court paragraphe faisant un lien entre ces mots : les personnes qui consomment, les études de marché, la publicité. *cc*

5. Quels énoncés parmi les suivants sont vrais et lesquels sont faux ? Réécris les énoncés faux pour qu'ils soient vrais. *cc*

   a) Bon nombre de produits sont jetés à la poubelle même quand ils pourraient être réutilisés.

   b) La technologie n'est jamais utilisée pour effectuer des études de marché.

   c) Un produit bien conçu n'est pas agréable à utiliser.

   d) Tous les produits finissent dans des sites d'enfouissement ou sont recyclés en d'autres produits.

   e) Si tu choisis des produits dont la fabrication nécessite moins d'énergie, tu augmentes ton impact sur l'environnement.

Fais des liens

6. Certains objets, tels que des meubles ou de la porcelaine, ont été transmis de génération en génération, alors que des objets similaires ne durent pas longtemps. Pourquoi ? *h*

7. Explique pourquoi une décision d'achat responsable tient compte de la durée de vie d'une structure. Donne un exemple inspiré de l'un de tes achats. *h*

8. Comment le désir de minimiser notre impact sur l'environnement peut-il influencer nos décisions d'achat ? *h*

9. Comment peut-on faire en sorte que des produits écologiques soient disponibles ? *h*

COMPÉTENCES DE LA GRILLE D'ÉVALUATION DU RENDEMENT
cc Connaissance et compréhension   *h* Habiletés de la pensée   *c* Communication   *m* Mise en application

10. Parfois, l'*option écologique* n'est pas évidente. À quoi devrais-tu penser pour faire le meilleur choix parmi les options suivantes : (m)

a) utiliser des couches en coton ou des couches jetables ?

b) acheter des récipients en plastique ou en carton ?

c) utiliser un produit qui dure plusieurs années avant d'être jeté à la poubelle ou un produit similaire qui dure deux fois moins longtemps, mais pouvant être composté ou recyclé ?

11. a) Selon toi, que peut-on faire pour inciter les entreprises à proposer des produits *plus écologiques* ? (h)

b) Certaines personnes diront qu'il ne s'agit là que d'une solution partielle et que les gens doivent être moins matérialistes. Qu'en penses-tu ? (h)

12. Une famille que tu connais projette d'acheter une nouvelle machine à laver. Suggère-lui trois questions qu'elle devrait se poser pour prendre une décision responsable. (m)

Utilise tes habiletés

13 Si tu pouvais modifier un stylo destiné à des élèves de ton âge, quels changements y apporterais-tu et pourquoi ? Fais un schéma et annote ces modifications. Quels principaux éléments soulignerais-tu dans une publicité ? (m)

Lien avec le projet du module

Quand tu veux accroître ton efficacité énergétique lors de tes tâches quotidiennes, tu peux avoir des décisions difficiles à prendre. Parfois, remplacer une structure existante par une structure éco-énergétique peut coûter cher. Les machines à laver que l'on charge par l'avant, par exemple, utilisent moins d'électricité, d'eau et de savon que les machines ordinaires. Par conséquent, chaque lavage coûte moins cher. Cependant, les machines à laver à chargement frontal peuvent coûter plus cher à l'achat que les machines à laver ordinaires. Quel type de machine achèterais-tu ? Décris le raisonnement que tu aurais pour prendre cette décision.

B52 — ***Réflexion sur les sciences, la technologie, la société et l'environnement***

De quoi est constitué un sac ?

De nos jours, bon nombre de nos achats sont transportés dans des sacs de plastique. Cependant, ces sacs ont un gros impact sur l'environnement. Ils mettent énormément de temps à se décomposer et ils peuvent blesser les animaux qui essaient de les manger.

Ce que tu dois faire

1. Estime le nombre de sacs de plastique que ta famille rapporte à la maison chaque semaine.

Réfléchis

Avec une ou un camarade ou avec toute la classe, discute des questions suivantes.

2. Lorsque tu magasines, quand as-tu besoin d'un sac de plastique ? Quand pourrais-tu t'en passer ?

3. De quelles autres options que les sacs de plastique disposes-tu ? Qui propose ces autres options ?

4. Quels sont les inconvénients d'utiliser ces autres options ? Suggère des solutions pour éviter ces inconvénients.

5. Mets ta famille au défi de réduire son utilisation de sacs de plastique en tenant compte d'autres options.

MODULE B Résumé

4.0 — Les conceptrices et concepteurs tiennent compte de la forme et de la fonction d'une structure ainsi que des forces qui agissent sur elle

CONCEPTS CLÉS

- Toute structure peut être décrite et classée.
- Des forces agissent sur les structures.
- Les structures doivent être conçues de telle sorte quelles soient sécuritaires.

RÉSUMÉ DU CHAPITRE

- Les structures peuvent être classées selon leur fonction.
- Les structures peuvent être classées selon leur forme, en tant que structures pleines, à ossature ou à coque.
- Des forces internes et externes agissent sur les structures.
- La conception des structures nécessite de comprendre les forces et les charges qui agissent sur elles.

5.0 — Une bonne conception, des matériaux adéquats et une construction rigoureuse rendent les structures stables et solides

CONCEPTS CLÉS

- De nombreux facteurs influent sur la solidité des structures.
- Une bonne conception dépend de nombreux éléments.

RÉSUMÉ DU CHAPITRE

- Les formes, les composants et les matériaux des structures sont les principaux aspects dont il faut tenir compte pour en assurer la solidité.
- Le centre de gravité d'une structure influe sur sa stabilité.
- Les contraintes, la fatigue et les défaillances structurales influent sur les structures.
- Les conceptrices et les concepteurs doivent remettre en question les éléments de conception durant le processus de conception.
- Certaines questions ont des réponses précises. D'autres réponses dépendent du goût personnel.

6.0 — Il faut tenir compte de la durée de vie d'une structure pour prendre des décisions responsables

CONCEPTS CLÉS

- Les personnes qui fabriquent et celles qui consomment ont des responsabilités.
- La durée de vie d'un produit peut être prévue.
- Les décisions prises relativement aux structures peuvent avoir un impact environnemental.

RÉSUMÉ DU CHAPITRE

- Les fabricants déterminent les besoins des consommatrices et des consommateurs à l'aide d'études de marché et essaient de les influencer grâce à la publicité.
- Être une consommatrice avisée ou un consommateur avisé suppose de reconnaître ses besoins et désirs personnels.
- La durée de vie d'un produit peut dépendre d'une date d'obsolescence planifiée.
- La manière de se débarrasser d'un produit devrait être prise en compte au moment de l'achat.
- Les efforts de conservation de l'énergie, à chaque moment de la durée de vie d'un produit, de sa conception à sa mise au rebut, contribuent à protéger la Terre.
- La responsabilité de chaque citoyenne et citoyen est de modifier son comportement personnel pour réduire son impact sur la Terre.

Tout ce qui est vieux peut être remis à neuf

Mise en contexte

Plusieurs de nos édifices (maisons, écoles et bureaux) vieillissent. Au moment de leur construction, le coût de l'énergie n'était pas une préoccupation. Les conceptrices et les concepteurs ont alors choisi des technologies et des matériaux en fonction de l'apparence de l'édifice et non en fonction de son efficacité énergétique. Ainsi, bon nombre d'anciens bâtiments sont mal isolés ou ont un système électrique inefficace.

Cependant, dans le monde actuel, la conservation de l'énergie est devenue très importante. Peut-on augmenter l'efficacité énergétique de ces vieux édifices ? Certaines manières créatives de rénover les vieux bâtiments réduisent leur impact négatif sur l'environnement.

Ton objectif

Tu vas concevoir et fabriquer un prototype (une maquette) de structure qui pourrait réduire l'impact environnemental de ta maison ou de ton école. Choisis l'une des trois options suivantes :

- Modifier une structure existante pour qu'elle soit plus efficace.
- Imaginer la prochaine invention écologique à succès.
- Faire des recherches et fabriquer le modèle d'une innovation récente qui n'est pas encore utilisée à grande échelle.

Ce que tu dois savoir

En pensant à ta maison, ton immeuble ou ton école, trouve une manière de réduire son impact environnemental. Réfléchis à certaines choses que tu pourrais concevoir et construire ou modifier pour atteindre ton objectif d'un fonctionnement plus écologique.

Les étapes de la réussite

1. En petit groupe, visitez une maison ou votre école. De l'extérieur, examinez l'architecture, les matériaux et le terrain environnant. À l'intérieur, visitez les pièces, les entrées et observez d'autres particularités. Dressez une liste de toutes les idées qui pourraient améliorer l'efficacité énergétique de l'édifice. C'est l'étape du remue-méninges ; par conséquent, plus il y a d'idées, le mieux c'est !

2. En groupe, choisissez une idée qui, selon vous, réduirait l'impact environnemental de l'édifice.

3. Discutez des matériaux que vous choisirez. Fabriquerez-vous une maquette ou un prototype fonctionnel ?

4. Fabriquez le prototype ou la maquette. Respectez les consignes de sécurité employées au cours de ce module.

5. Testez et évaluez le produit final.

Bilan

6. Pourrait-il y avoir des problèmes de sécurité au moment de fabriquer ou de tester ta structure ?

7. Comment pourrais-tu améliorer ton modèle ou ton prototype ? Quels matériaux utiliserais-tu si l'argent n'était pas un problème ?

8. Si tu concevais une structure réelle, qui pourrait s'opposer à la mise en application de ton projet ? Pourquoi ces gens pourraient-ils être inquiets ?

9. Quel est l'impact environnemental des matériaux de ta structure ?

10. Réfléchis à la durée de vie du produit. S'agira-t-il d'un investissement à long terme ?

11. En combinant les idées de toute la classe, lesquelles conviennent le mieux aux maisons ? Forme un comité pour rédiger un rapport énumérant et expliquant chacune des structures. Inclus-y des photos numériques de chaque structure. Quelles économies d'énergie pourraient être réalisées si toutes ces innovations étaient installées dans une maison ?

12. Forme un deuxième comité pour rédiger un rapport énumérant et expliquant les structures les mieux adaptées à ton école. Présente ce rapport à la direction et à l'équipe d'entretien. Montre une représentation de chaque structure. Note les commentaires sur une fiche de réaction au rapport.

MODULE B Révision

Révision des mots clés

1. Crée une chaîne de mots qui montre que tu comprends les mots suivants. *CC*

- l'ampleur
- le centre de gravité
- une charge
- des composants structuraux
- une consommatrice ou un consommateur
- une contrainte
- une défaillance
- la durée de vie
- une étude de marché
- un fabricant
- la fatigue
- une fonction
- une force
- un prototype
- un rappel de produit
- une structure
- une structure à coque
- une structure à ossature
- une structure pleine
- la symétrie

Révise les concepts clés

4.0

2. En regardant autour de toi, dresse une liste de huit structures se trouvant à l'intérieur et de huit structures se trouvant à l'extérieur. Décris la forme et la fonction de chacune. *CC*

3. Décris les types de force qui peuvent influer sur les structures. Explique comment ces effets sont intégrés dans leurs conceptions. *CC*

4. Décris comment diminuer les risques de défaillance des structures. *CC*

5. Certaines structures sont conçues pour supporter de petites charges et d'autres pour en supporter de grandes. Quelles sont les ressemblances entre ces structures et quelles sont leurs différences? *CC*

6. Pourquoi des structures qui remplissent la même fonction peuvent-elles présenter des formes différentes? *CC*

7. Reproduis ce dessin en identifiant les charges dynamique(s) et statique(s). *CC*

Question 7

8. En utilisant principalement des diagrammes, décris trois types de force interne. *CC*

9. Aucune structure n'est garantie à 100% contre les défaillances. Comment peut-on juger qu'une structure est *suffisamment sécuritaire*? *C*

5.0

10. Décris les mots *centre de gravité* et *stabilité*, puis explique le lien entre eux. *CC*

11. Pourquoi les fabricants rappellent-ils des produits même si cela peut leur coûter des millions de dollars? *CC*

12. Énumère les composants structuraux visibles sur cette photo. *CC*

Question 12

13. Décris trois structures qui présentent des formes triangulaires. Pourquoi les conceptrices et les concepteurs ont-ils utilisé des triangles plutôt que des rectangles? *m*

14. Explique comment les éléments suivants contribuent à la solidité d'une structure et comment ils sont liés à la conception et à la construction d'un pont. *CC*

COMPÉTENCES DE LA GRILLE D'ÉVALUATION DU RENDEMENT
CC Connaissance et compréhension *h* Habiletés de la pensée *C* Communication *m* Mise en application

a) les formes structurales

b) les composants structuraux

c) les matériaux

15. Lesquels des énoncés suivants sont vrais et lesquels sont faux ? Réécris les énoncés qui sont faux pour qu'ils soient vrais. *CC*

a) La conception d'une structure est liée à sa fonction.

b) Les bonnes structures prennent uniquement en compte les charges dynamiques.

c) Tous les matériaux sont identiques quand il s'agit de les couper et de les assembler.

d) L'ergonomie peut être considérée comme la science des relations entre les gens et les structures.

e) Un prototype est le dernier produit fabriqué.

16. Décris pourquoi, en matière de conception, *l'esthétique* est personnelle. *CC*

17. La symétrie peut améliorer la stabilité d'une structure. Explique pourquoi. Quand cela est-il souhaitable ? Quand cela n'est-il pas souhaitable ? *h*

18. Réfléchis à chacun des éléments d'une bonne conception. Crée un tableau avec les colonnes *Élément* et *Lien avec la stabilité ou la solidité*. Pour chaque élément, décris comment la solidité et la stabilité peuvent influer sur la conception. *CC*

6.0

19. Compare la manière de penser d'une consommatrice avisée ou d'un consommateur avisé à celle d'une personne qui ne l'est pas. *CC*

20. Pourquoi est-ce difficile de concevoir et de construire une structure éternelle ? *CC*

21. Quels sont les liens entre la conception, la fabrication, l'achat et la mise au rebut des structures, d'une part, et la consommation de l'énergie, d'autre part ? *m*

22. Pour prendre des décisions responsables, pourquoi doit-on considérer la durée de vie des structures ? *CC*

23. Pourquoi fait-on des études de marché. *CC*

24. Décris un édifice dans lequel tu as remarqué les principes de conception universelle. *m*

a) Quelle était la forme de la structure ?

b) Comment la forme influait-elle sur la fonction de l'édifice ?

25. Quels sont les arguments pour et contre la notion d'*obsolescence planifiée* ? *CC*

26. Énumère trois *choix écologiques* que tu as faits cette semaine. *CC*

27. Qu'est-ce qui t'inciterait à prendre des décisions encore plus écologiques ? *m*

Fais des liens

28. Décris quelles parties des *structures combinées* suivantes sont des structures pleines, à ossature ou à coque. *m*

a) un lecteur MP3   d) une maison

b) un parapluie   e) un canot

c) une voiture   f) le corps humain

29. En quoi chacune des structures de la question 28 a) à c) est-elle conçue en fonction de la sécurité ? *m*

30. Compare le centre de gravité et la stabilité des sièges sur lesquels tu t'assois à l'école (tabouret de laboratoire, chaise de classe, banc de gymnase). ⓜ

31. Énumère les types de matériaux dont sont faits les vêtements et les chaussures. Quelles sont les tendances générales en matière de relation entre le type de matériau et le type de vêtement ou de chaussure? ⓜ

32. Réfléchis à quelque chose que tu utilises en ce moment. Il peut s'agir de ce manuel, de ton cahier ou de ton crayon. Comment pourrais-tu prolonger la durée de vie de ce produit? ⓗ

33. Quels produits dont tu te sers ont la durée de vie la plus courte? La plus longue? Comment ces durées de vie peuvent-elles être prolongées ou raccourcies? ⓗ

34. Selon ta compréhension des concepts de ce module, quel est le meilleur type de structure pour effectuer les tâches suivantes? Explique tes réponses. ⓜ
a) soutenir une masse importante
b) enjamber un espace
c) contenir quelque chose

35. Tu dois concevoir un jouet à l'aide duquel un petit enfant peut se déplacer. Comment choisiras-tu les matériaux et les modes de construction? Comment modifieras-tu cet objet pour l'adapter à un adulte? Explique tes idées à l'aide de croquis. ⓜ

Utilise tes habiletés

36. Si tu devais concevoir à nouveau quelque chose dans ta maison pour en augmenter la solidité, que choisirais-tu? Pourquoi cette amélioration est-elle nécessaire? Comment ferais-tu ta modification? ⓗ

37. Choisis l'une des activités de construction de ce module et refais-la avec d'autres matériaux, d'autres formes ou d'autres composants structuraux afin d'améliorer l'efficacité de la structure. ⓗ

38. Réfléchis à la manière dont les fabricants écoutent les consommatrices et les consommateurs. Écris une lettre au fabricant d'un produit qui, selon toi, pourrait être amélioré pour en réduire l'impact sur la Terre. ⓜ

39. Ta classe va participer à une compétition de création pour savoir qui peut construire le pont le plus solide à l'aide de bâtonnets et de colle. Prépare une feuille d'instructions et de critères pour relever le défi. ⓗ

40. Le club environnemental de ton école a reçu la demande de fabriquer les sièges pour des classes en plein air. Tu peux utiliser du ciment ou du bois pour fabriquer ces sièges. Crée un tableau montrant les forces et les faiblesses de chaque option. Selon quels critères prendrais-tu la décision finale? ⓗ

Rappel des idées maîtresses

41. Indique les fonctions possibles de chacun des objets suivants. ⓜ
a) Un grand morceau de verre cylindrique avec un fond, mais une extrémité supérieure ouverte.
b) Un morceau de mousse moelleuse recouverte de tissu.
c) Un gros morceau de métal lourd et dur en forme de chien.

COMPÉTENCES DE LA GRILLE D'ÉVALUATION DU RENDEMENT
ⓒⓒ Connaissance et compréhension ⓗ Habiletés de la pensée ⓒ Communication ⓜ Mise en application

d) Un morceau de matériau plat et réfléchissant de forme rectangulaire.

42. Invente quatre autres descriptions de formes et partage-les avec une ou un camarade. Ⓜ

43. La forme d'une structure dépend de sa fonction. Étudie les photographies suivantes et explique le lien entre la forme de ces édifices et leur fonction. Ⓗ

Question 43
À gauche : L'annexe du Musée royal de l'Ontario a été construite pour y exposer des objets. À droite : L'École d'art et de design de l'Ontario est un établissement pour les futurs artistes, conceptrices et concepteurs.

44. Tu as installé une nouvelle bibliothèque dans ta chambre. Comment peux-tu la tester pour t'assurer que sa structure peut supporter les forces qui agissent sur elle ? Ⓜ

45. Alors que tu te promènes dans la rue, tu remarques une petite fissure dans le trottoir. Comment cette fissure peut-elle évoluer si elle est laissée ainsi pendant une longue période ? La saison influerait-elle sur ta réponse ? Ⓗ

46. Pour quels types de structure considérerais-tu que : Ⓗ
   a) la forme est plus importante que la fonction ?
   b) la fonction est plus importante que la forme ?

47. Construire et entretenir des structures comme des routes et des ponts est un travail continu. Discute de la justesse de cet énoncé en utilisant les mots *forces*, *structures* et *interactions*. Ⓗ

Les structures et toi

Quand tu conçois, modifies, choisis d'acheter et mets au rebut des structures, tu as recours aux sciences et à la technologie. Tes décisions peuvent avoir un impact sur la société et l'environnement.

Ce que tu dois faire

1. Choisis une structure que tu utilises tous les jours.

2. Réfléchis à une manière de réduire ton impact sur la société et l'environnement en changeant la façon dont cette structure a été conçue, la raison pour laquelle tu l'as choisie et la façon dont tu la mettras au rebut.

Réfléchis

3. Fais part de ton plan à une ou un camarade.

4. Convenez de vous rencontrer de nouveau bientôt, puis plus tard pour vérifier vos progrès respectifs.

5. Rencontrez-vous pour célébrer votre réussite ou pour modifier vos plans au besoin.

Les *substances* pures et les *mélanges*

Survol du module

Les concepts fondamentaux

Le cours de sciences et technologie de 7ᵉ année présente six concepts. Ce module étudie deux de ces concepts :

- La matière
- Les systèmes et les interactions

Les idées maîtresses

À mesure que tu progresseras dans ce module, tu comprendras mieux les notions suivantes :

A. La matière se classifie d'après ses propriétés physiques.

B. La théorie particulaire sert à expliquer les propriétés physiques de la matière.

C. Les substances pures et les mélanges ont un impact sur la société et sur l'environnement.

D. Une compréhension des propriétés de la matière nous permet de faire un choix éclairé quant à son utilisation.

Les attentes

À la fin de ce module, tu sauras :

- analyser l'utilisation courante de solutions et de mélanges mécaniques ainsi que les processus associés à leur séparation et à leur mise au rebut, et évaluer leur incidence sur la société et l'environnement.

- examiner, à partir d'expériences et de recherches, les propriétés et les applications de différentes substances pures et de différents mélanges.

- démontrer ta compréhension des caractéristiques des substances pures et des mélanges à l'aide de la théorie particulaire.

Dans une usine spécialisée dans la fabrication de produits médicaux, un technicien (au centre, à droite) surveille les procédés qui utilisent des substances pures et des mélanges.

Exploration

On fait bouillir l'eau d'érable sur un feu à ciel ouvert pour concentrer le sucre qu'elle contient.

Pour fabriquer du sirop d'érable, il faut séparer par évaporation l'eau du sucre contenu dans la sève. Cette étape permet d'obtenir un mélange de sucre plus concentré. Selon certains historiens, ce sont des membres des Premières Nations algonquines qui auraient découvert les propriétés nutritives de l'eau d'érable. Pour la récolter, ils pratiquaient une entaille en forme de V dans le tronc des érables et laissaient s'écouler le précieux liquide dans des récipients en écorce de bouleau. Après leur rencontre avec les explorateurs européens, c'est dans des chaudrons de fonte que les Premières Nations, dont les Algonquins, faisaient bouillir l'eau d'érable sur un feu à ciel ouvert (voir photo). C'est ainsi qu'ils obtenaient du sirop d'érable.

Partager la technologie

Les Autochtones ont initié les colons français à l'art d'entailler les érables à sucre au début du printemps. À l'aide d'un vilebrequin, ils perçaient un trou dans le tronc des arbres de manière à y insérer un chalumeau (petit tuyau) fabriqué à la main auquel était suspendu un seau en bois (voir photo ci-contre).

Au XVIe et au XVIIe siècle, la fabrication du sirop d'érable occupait une place importante dans la vie des colons. Pour faire bouillir le liquide avec plus d'efficacité, on suspendait au-dessus des foyers des chaudrons en cuivre ou en fonte que l'on remplissait d'eau d'érable. Mais une grande partie de la chaleur du feu s'échappait. Pour réduire les pertes de chaleur, ils ont décidé de faire bouillir l'eau d'érable à l'intérieur d'un bâtiment. Ils ont alors construit des *cabanes à sucre* pour mettre les feux à l'abri du vent et en conserver la chaleur. Aussi, grâce aux murs et aux plafonds de ces bâtiments, l'eau d'érable risquait moins d'être contaminée par des feuilles ou par des insectes.

Les premiers colons recueillaient l'eau d'érable dans des seaux en bois.

Les répercussions de la technologie

Quelques innovations ont marqué les deux siècles suivants. Grâce à des chaudières beaucoup plus efficaces, la chaleur est mieux conservée. La fabrication d'évaporateurs larges et dont le fond est plat offre une plus grande surface d'évaporation. Les évaporateurs sont faits de tôle en fer-blanc ou en acier. Toutefois, pour fabriquer 1 l de sirop, il faut transporter et verser environ 40 l d'eau d'érable dans l'évaporateur, ce qui représente beaucoup de travail.

Au XXe siècle, la collecte de l'eau d'érable s'est beaucoup raffinée. Les érables entaillés sont désormais reliés à des conduits qui acheminent directement la sève dans des réservoirs d'entreposage ou dans des évaporateurs. Ce système fonctionne par gravité. Plus tard, des pompes à vide ont été reliées aux conduits. Cette technologie permet de recueillir une encore plus grande quantité d'eau d'érable (voir photo à droite).

L'eau d'érable est recueillie par un réseau de tubes relié à un système de pompes à vide.

La technologie des évaporateurs a aussi évolué. Le processus, qui consiste d'abord à faire bouillir la sève brute dans une grande cuve relativement profonde a pour effet de réduire sa teneur en eau et de concentrer le sucre qu'elle contient. À mesure que l'eau s'évapore, le mélange plus concentré est transvidé dans une cuve plus petite et peu profonde. Le mélange, plus concentré encore, est ensuite transféré dans une troisième cuve très peu profonde, où la teneur en sucre du sirop est contrôlée minutieusement.

EXPLORATION (suite)

La concentration d'un mélange — Une simulation

Le sirop d'érable est fabriqué à partir de l'eau d'érable que l'on fait bouillir pour réduire sa teneur en eau. Dans cette activité, tu vas simuler ce procédé avec du sable et des billes, le sable représentant l'eau et les billes, le sucre.

Objectif

Simuler la concentration d'un mélange.

Matériel

- Un bécher de 100 ml
- Du sable
- Des billes
- Une balance

Démarche

1. Mesure la masse du bécher, puis note-la.

2. Dépose les billes dans le bécher. Mesure la masse du bécher et des billes. Soustrais la masse du bécher. Note ensuite la masse des billes dans un tableau, comme il est indiqué à droite.

3. Ajoute le sable dans le bécher. Mesure maintenant la masse du bécher. Soustrais la masse du bécher et des billes, puis note la masse du sable.

4. Retire une petite quantité de sable, puis mesure la masse du bécher. Refais cette étape deux fois.

Tableau C.1 Comparer la concentration de différents mélanges

Masse du bécher (g)	Masse des billes (g)	Masse du sable (g)	Masse des billes divisée par la masse du sable

Questions

5. En quoi la concentration des billes dans le mélange change-t-elle à mesure que le sable est retiré?

6. Comment le rapport entre la masse des billes et la masse du sable change-t-il à mesure que le sable est retiré?

C2 *Réflexion sur les sciences, la technologie, la société et l'environnement*

L'impact de la fabrication du sirop d'érable sur l'environnement

1. Dresse une liste des effets positifs et négatifs de la fabrication du sirop d'érable sur la société et l'environnement.

2. Discute de l'importance de chacun de ces effets avec une ou un camarade ou avec toute la classe.

3. Considérant ce que tu sais maintenant, devrions-nous continuer à fabriquer du sirop d'érable?

MODULE C

Sommaire

Projet du module

Plusieurs sources d'eau contiennent des mélanges de substances et de contaminants naturels. Dans le projet du module, tu vas examiner des échantillons d'eau prélevés dans un certain nombre de sources d'eau de surface. Tu utiliseras les connaissances acquises au cours de ce module pour purifier ces échantillons. Tu pourras aussi déterminer les origines possibles de contamination à partir des échantillons.

Question essentielle

Nomme quelques exemples de substances pures et de mélanges provenant de certaines activités commerciales et industrielles qui, mélangés à de l'eau de surface, rendent celle-ci impropre à la consommation.

Préparation à la lecture

Stratégies Littératie

Des mots à connaître

Le présent module te fera découvrir les mots suivants :

- Substance pure
- Mélange
- Concentration
- Solution
- Particule

Quels mots de la liste précédente peux-tu définir ? Quels mots te font hésiter ? À partir de ce que tu sais déjà, essaie de prédire en une phrase ou deux ce que tu apprendras dans ce module.

Le mélange de certaines substances pures permet de fabriquer du pain.

Ce que tu vas apprendre

Dans ce chapitre, tu vas :

- distinguer les substances pures des mélanges ;
- expliquer les principaux éléments de la théorie particulaire ;
- utiliser la théorie particulaire pour distinguer les substances pures des mélanges.

Les habiletés à utiliser

Dans ce chapitre, tu vas :

- utiliser de manière appropriée la terminologie propre aux sciences et à la technologie, oralement et par écrit ;
- respecter les consignes de sécurité et utiliser adéquatement les substances chimiques et les appareils mis à ta disposition.

Pourquoi est-ce important ?

Tout ce que tu vois, touches, goûtes et sens est fait de particules. Ton corps est un mélange complexe de particules qui, pour rester en vie, doit consommer des aliments nutritifs, eux-mêmes faits de particules.

Avant la lecture

Stratégies
Littératie

Fais des prédictions

Faire des prédictions avant de commencer la lecture t'aidera à activer tes connaissances antérieures et à aborder le contenu du chapitre. Avant de commencer à lire, regarde les titres et les légendes. Note-les dans un tableau et ajoute tes commentaires au sujet du contenu à l'étude. Revois tes prédictions en cours de chapitre pour confirmer ou réviser ta compréhension du sujet.

Mots clés

- chaleur
- énergie cinétique
- mélange mécanique
- mélange
- particule
- substance pure
- solution
- température

Figure 7.1 Le pétrole brut est un mélange de substances pures qui adhère à tout, ce qui complique les opérations de nettoyage.

Lorsque du pétrole brut se déverse dans un environnement naturel à la suite de dommages causés à un pétrolier ou de la rupture d'un pipeline, il laisse derrière lui une substance noire très collante. Tout change alors dans l'environnement immédiat qui est maintenant contaminé.

En juillet 2007, à Burnaby, en Colombie-Britannique, la rupture accidentelle d'un pipeline (figure 7.1) a provoqué le déversement de plus de 240 000 l de pétrole brut dans l'environnement. La substance noire a contaminé une zone résidentielle et s'est finalement retrouvée dans l'océan Pacifique.

Des citoyennes et des citoyens ont constaté que leur pelouse et leur jardin étaient couverts de mazout. Selon certains spécialistes de l'environnement, la chimie du sol et de l'eau souterraine pouvait être affectée pendant très longtemps. Les oiseaux, les mammifères et la faune marine pouvaient aussi être gravement affectés et certains d'entre eux risquaient de mourir. Bien des gens se sont alors demandé ce qu'il faudrait faire pour retirer ce pétrole brut polluant le sol, les plantes et les animaux.

Il fallait comprendre les propriétés des substances qui composent ce mélange huileux pour mettre en œuvre les opérations de nettoyage. En étudiant les propriétés des substances, les spécialistes de l'environnement sont en mesure d'élaborer de nouvelles méthodes de décontamination de l'environnement (figure 7.2).

Tu voudras, toi aussi, apprendre à utiliser diverses substances. Tu souhaiteras peut-être construire un modèle réduit à l'aide d'une colle particulière, appliquer un produit capillaire dans tes cheveux ou enlever la boue de ton vélo. Pour ce faire, il te faudra comprendre certains concepts clés associés aux substances. Dans ce chapitre, tu vas classer certaines substances à l'aide de la théorie particulaire de la matière.

Figure 7.2 L'étude des propriétés des substances peut contribuer à sauver des espèces sauvages, comme cette loutre de mer, d'une contamination certaine.

C3 *Laboratoire*

Les matières animales, végétales ou minérales

Même si tu y prêtes peu d'attention, tu effectues instinctivement des classifications plusieurs fois par jour. Les automobiles, la musique et les aliments que tu consommes appartiennent tous à des catégories de produits. Grâce aux classifications, il est plus facile de comprendre la nature et la fonction des objets. Dans cette activité, tu vas classer certains objets de ta classe par catégories.

Objectif

Classer des objets présents dans la classe selon qu'ils sont composés de matière animale, végétale ou minérale.

Matériel
■ du papier ■ un stylo ou
■ un aimant (facultatif) un crayon

Démarche

1. Copie le tableau ci-dessous. Laisse suffisamment d'espace pour pouvoir y noter 10 objets.

Tableau 7.1 La matière animale, végétale ou minérale

Objet	Matière animale	Matière végétale	Matière minérale
Crayon	Non	Oui	Oui

2. Choisis 10 objets qui se trouvent dans ta classe. Avec une ou un camarade, détermine si l'une de leurs parties est composée de matière animale, végétale ou minérale (par exemple, des métaux et des matières plastiques).

3. Remplis le tableau, puis réponds aux questions suivantes.

Questions

4. Est-il toujours facile de déterminer de quoi une chose est composée? Assure-toi d'expliquer ta réponse en détail à l'aide d'au moins un exemple.

5. Y a-t-il des objets qui appartiennent à plus d'une catégorie? Trouve un objet qui appartient à deux ou trois catégories à la fois.

6. Il est parfois difficile de classer des objets dans des catégories, parce qu'elles ne fournissent pas suffisamment d'information ou parce qu'elles sont restrictives. Réfléchis à d'autres catégories qui t'aideraient à la classification des objets de ta classe. De quelle façon utiliserais-tu ces catégories dans un système de classification?

Voici un résumé de ce que tu apprendras dans cette section :

- Tout est composé de matière.
- La matière peut être classée sous forme de substances pures ou de mélanges.
- Les mélanges peuvent être classés sous forme de solutions ou de mélanges mécaniques.

Figure 7.3 Les biscuits aux pépites de chocolat et le lait sont faits de matière.

Les biscuits aux pépites de chocolat, le lait, le verre qui contient le lait, l'assiette dans laquelle sont placés les biscuits et l'air que tu respires ont quelque chose en commun (figure 7.3) : ils sont tous faits de matière. La **matière** est une substance qui possède une masse et qui occupe un espace. La **masse** est la quantité de matière d'un objet. Elle est généralement exprimée en grammes ou en kilogrammes.

La matière peut être classée selon son état physique (solide, liquide ou gazeux). Un **solide** est constitué de matière ayant une forme et un volume définis. Le **volume** est la partie de l'espace qu'occupe un corps. Les manuels, les arbres, les véhicules automobiles et les chaussures de course sont tous composés de matière solide. Un **liquide** est constitué de matière n'ayant pas de forme précise mais dont le volume est défini. Il adopte la forme du contenant dans lequel il se trouve. L'eau de pluie, le jus d'orange, le rince-bouche et l'essence sont tous faits de matière liquide. Un **gaz** est constitué de matière n'ayant ni forme ni volume. L'air est composé de diverses matières gazeuses, dont l'oxygène et l'azote. Bien comprendre les composantes de la matière peut t'aider à classer les substances selon leur composition.

C4 *Point de départ*   Habiletés

Des substances à classer

Recherche les ressemblances et les différences physiques qu'il y a entre 5 à 10 substances courantes (par exemple, du pain, du jus, une tablette de chocolat, du beurre, des céréales). À l'aide de ton propre système de classification et d'un tableau comme celui de droite, explique pourquoi tu as classé chaque substance ainsi. Donne un titre descriptif à ton tableau.

Tableau 7.2 La classification de quelques substances

Substance	Classification	Explication de ta classification
Lait	Liquide	Le lait adopte la forme du contenant dans lequel il se trouve

Classifier la matière selon sa composition

On peut classer la matière de plusieurs façons : selon son état physique (solide, liquide ou gazeux) ou en deux catégories, les substances pures et les mélanges.

Les substances pures

Une **substance pure** est une substance dont toutes les particules sont identiques. Le sucre, l'eau distillée et les fils de cuivre sont tous des substances pures. Toutes les particules du sucre de la figure 7.4 sont identiques, tout comme les particules de l'eau distillée et des fils de cuivre. Toutes les parties d'une substance pure sont semblables.

Les substances pures sont uniformes, ou **homogènes.** Ce dernier mot sert à désigner une substance dont l'apparence et les propriétés sont de même nature. Ainsi, chacune des particules d'une substance comme le sel ou l'eau distillée sont identiques.

Les mélanges

Un **mélange** est une combinaison de deux ou de plusieurs types de substances. Une pizza cuite au four (figure 7.5), par exemple, est un mélange de divers ingrédients comestibles déposés sur une pâte, qui est elle-même un mélange de farine, de levure et d'eau. Les boissons gazeuses sont généralement des mélanges de dioxyde de carbone et de sucre, deux substances pures, et d'eau.

Chaque substance d'un mélange conserve ses propriétés, même si celles-ci sont parfois difficiles à déterminer. Lorsque tu regardes un bol de salade, par exemple, tu peux voir les légumes qui composent le mélange. Tu peux aussi goûter l'huile et le vinaigre dont est faite la vinaigrette. Par contre, quand tu verses une boisson gazeuse dans un verre, il t'est impossible de voir le sucre qui compose le mélange, même si tu le goûtes.

Figure 7.4 Toutes les particules du sucre sont identiques.

Figure 7.5 Cette pizza est un mélange de plusieurs ingrédients.

Sais-tu qu'une hypothèse est une prédiction?

L'idée de formuler une prédiction bien fondée et qui repose sur des connaissances antérieures porte plusieurs noms. En sciences, cette activité consiste à *formuler des hypothèses*.

À la page suivante, tu vas classer des substances d'usage courant, comme le papier d'aluminium, le bicarbonate de sodium, l'eau, le sel, le sucre, le vinaigre, l'huile d'olive et la farine destinée à la pâtisserie, dans la catégorie des substances pures ou des mélanges.

Réfléchis à tout ce que tu sais des substances pures, des mélanges et de ces substances d'usage courant. Détermine si chaque substance est une substance pure ou un mélange. Explique brièvement chacune de tes réponses. Voilà! Tu viens de formuler une hypothèse scientifique!

Figure 7.6 Les grignotines constituent un mélange mécanique, car elles sont composées de plusieurs substances.

L'IMPORTANCE DES MOTS

Le préfixe *hétéro-* vient du mot grec *heteros,* qui signifie « autre ».

Figure 7.7 Le thé sucré est une solution composée de sucre et de plusieurs substances chimiques extraites des feuilles de thé.

La classification des mélanges

Les mélanges peuvent aussi être classés en deux catégories : les mélanges mécaniques et les solutions.

Les **mélanges mécaniques** n'ont pas tous la même apparence quand tu les examines de près. Tu peux voir leurs différences à l'œil nu. Ils contiennent des substances différentes en quantité différente. Les grignotines constituent un bon exemple de mélange mécanique (figure 7.6), car elles contiennent plusieurs substances. On désigne aussi ce type de mélange par l'expression ***mélange hétérogène*** ; ce dernier mot se dit d'un mélange constitué de diverses substances, chacune ayant une apparence et des propriétés différentes.

Les **solutions,** quant à elles, sont des mélanges d'au moins deux substances qui paraissent homogènes. Lorsque tu mélanges une substance avec une autre pour en faire un **mélange homogène,** tu fais une **dissolution**. Toutes les solutions sont des mélanges homogènes puisqu'elles ont une apparence uniforme même si elles sont composées de substances différentes. Par exemple, lorsque tu dissous du sucre dans du thé, l'apparence de cette boisson semble toujours être la même (figure 7.7).

C6 *Activité synthèse*   Boîte à outils 2

HABILETÉS À UTILISER
- Collecter et organiser des données
- Tirer des conclusions

La classification des substances selon leur composition

Figure 7.8 Pour t'aider à déterminer si une substance est une substance pure ou un mélange, examine-la de plus près.

Tout ce qui t'entoure est composé de matière, y compris les aliments que tu consommes, l'air que tu respires et les liquides que tu bois. Dans cette activité, tu vas explorer les propriétés de substances d'usage courant. En te reportant à ces propriétés, tu vas classer chaque substance selon qu'il s'agit d'une substance pure ou d'un mélange.

Question

Parmi les substances ci-dessous, lesquelles sont des substances pures? Lesquelles sont des mélanges?

Matériel

- des substances d'usage courant (par exemple, du papier d'aluminium, du bicarbonate de sodium, de l'eau, du sel, du sucre, du vinaigre, de l'huile d'olive et de la farine destinée à la pâtisserie)
- une loupe (facultatif)
- un microscope (facultatif)

MISE EN GARDE: Manipule les substances d'usage courant en respectant les consignes que t'a données ton enseignante ou ton enseignant.

MISE EN GARDE: Tu ne dois pas goûter les substances.

Démarche

1. Note tes observations dans un tableau comme celui qui apparaît ci-dessous.

Tableau 7.3 La classification de quelques substances d'usage courant selon leur composition

Substance	Apparence	Substance pure ou mélange
Sel	Blanche, granuleuse	Substance pure

2. Examine chaque substance fournie par ton enseignante ou ton enseignant. Décris l'apparence de chacune, comme dans l'exemple ci-dessus. À l'aide de tes observations et de toute autre information, détermine si chaque substance est une substance pure ou un mélange.

3. Remets les substances à ton enseignante ou à ton enseignant et nettoie ton aire de travail selon les consignes. Lave-toi bien les mains après l'activité.

Analyse et interprétation

4. Comment as-tu pu déterminer qu'une substance était un mélange formé de plus d'une substance?

5. Était-il possible de déterminer si une substance était pure uniquement en examinant son apparence? Explique ta réponse.

Développement des habiletés

6. Quels résultats as-tu utilisés pour tirer tes conclusions?

Pour conclure

7. Que doit-on savoir au sujet d'une substance pour la classer dans la catégorie des substances pures?

Révise les concepts clés

1. En quoi l'apparence d'une substance pure est-elle différente de l'apparence d'un mélange?

2. En quoi les composantes d'un mélange sont-elles différentes des composantes d'une substance pure?

3. En quoi le sable et le terreau sont-ils différents? S'agit-il de deux mélanges? Comment le sais-tu?

4. Détermine les principales différences qu'il y a entre une solution et un mélange mécanique. Donne deux exemples pour chacun.

5. Détermine si chacun des éléments de la liste ci-dessous appartient à la catégorie des substances pures ou des mélanges.

a) Une crème dessert au chocolat

b) Une chaîne en or

c) De l'eau de Javel

d) De l'hélium

e) De l'eau du robinet non filtrée

Fais des liens

6. De nombreux bâtons de hockey sont faits de matériaux composites au lieu de bois. Comment classerais-tu chaque type de bâton?

7. Pourquoi la plupart des aliments et des boissons appartiennent-ils à la catégorie des mélanges?

Utilise tes habiletés

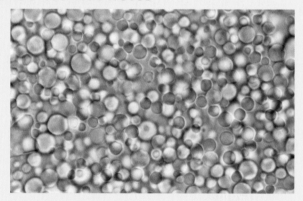

8. La photo ci-dessus montre du lait homogénéisé vu au microscope. Détermine si cette substance est un mélange mécanique ou une solution. Explique ta réponse.

C7 Réflexion sur les sciences et la technologie

Classer des substances d'usage courant

Au début du chapitre, tu as classé quelques substances d'usage courant à l'aide de ton propre système de classification. Cette fois-ci, utilise le schéma ci-contre pour classer de 5 à 10 substances d'usage courant (figure 7.9). Explique à quoi sert couramment chacune d'entre elles.

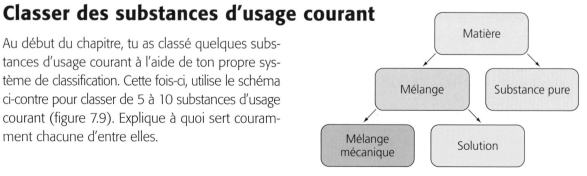

Figure 7.9 Un schéma de classification type

Voici un résumé de ce que tu apprendras dans cette section :

- La théorie particulaire de la matière sert à expliquer les propriétés physiques de la matière.
- La distance entre les particules d'un solide est faible ; elle est plus grande entre les particules d'un liquide et plus grande encore entre les particules d'un gaz.
- Les changements d'énergie s'accompagnent de changements d'état.

Tout ce que tu vois (par exemple, les céréales, le lait) est fait de particules, ainsi que tout ce que tu ne peux pas voir (par exemple, l'air, le dioxyde de carbone). Une **particule** est un élément constitutif de la matière, qui est invisible à l'œil nu. Un ballon, par exemple, est composé de particules (figure 7.10). L'air qu'il contient aussi. À mesure que le ballon se remplit d'air, il grossit. Les particules d'air et les particules du ballon se heurtent, ce qui permet au ballon de se gonfler. Le ballon qui contient une trop grande quantité de particules d'air finit par éclater.

Figure 7.10 Tu ne peux pas voir les particules d'air contenues dans un ballon, mais cette élève en ressent les effets.

C8 *Point de départ*   Habiletés R C

Les cubes de sucre et les particules

Les particules sont si petites que tu ne peux pas les voir à l'œil nu. Un cube de sucre t'aidera cependant à mieux comprendre les particules, car ses granules, eux, sont visibles à l'œil nu.

Fais équipe avec une ou un camarade. Demande à ton enseignante ou ton enseignant de te remettre un cube de sucre et une petite quantité de pellicule plastique. Enveloppe le cube de sucre dans cette pellicule, puis dépose-le sur une table. Tapote légèrement le cube de sucre jusqu'à ce qu'il se brise. Observe ce qui se produit.

À deux, discutez des questions suivantes. Préparez-vous à faire part de vos idées au reste de la classe.

Réfléchis

1. En quoi les granules de sucre et les particules se ressemblent-ils ?

2. Lorsque tu as tapoté le cube de sucre, tu as sans doute provoqué quelque chose pour qu'il se brise. Que s'est-il produit pour que les granules de sucre réagissent ainsi ?

3. Si tous les granules sont encore présents après que tu as tapoté le cube de sucre, occupent-ils le même espace, moins d'espace ou plus d'espace qu'au début ?

La théorie particulaire de la matière

La **théorie particulaire de la matière** permet de décrire la matière et d'expliquer le comportement des solides, des liquides et des gaz. Voici les concepts clés de cette théorie.

1. Toute matière est faite de particules.
2. Toutes les particules d'une même substance pure sont identiques.
3. Les particules sont toujours en mouvement.
4. La température agit sur le mouvement des particules.
5. Les particules sont soumises à des forces d'attraction.
6. Il y a des espaces entre les particules.

La matière et les particules

Toute matière est faite de particules (figure 7.11). Toutes les substances différentes sont constituées de particules différentes.

Toutes les particules d'une même substance pure sont identiques. Les substances A et B de la figure 7.12 sont toutes deux des substances pures, parce que chacune est composée d'un seul type de particules. L'eau distillée, par exemple, est faite de particules d'eau qui sont toutes identiques. Les particules qui composent les mélanges sont différentes les unes des autres. Les mélanges contiennent des quantités variables de particules. Une boisson gazeuse, par exemple, est un mélange de particules de sucre, de particules d'arôme, de particules d'eau et de particules de gaz.

Les particules en mouvement

Les particules sont continuellement en mouvement (figure 7.13): elles bougent et vibrent sans arrêt. Vibrer signifie effectuer un mouvement de va-et-vient rapide. Les particules de matière sont animées d'un mouvement incessant parce qu'elles renferment de l'énergie cinétique. L'**énergie cinétique** est associée à un corps en mouvement ou au mouvement de ses particules. Dans un solide, les particules vibrent, mais ne peuvent se déplacer librement. Dans un liquide, elles glissent les unes sur les autres. Le liquide prend alors la forme du contenant dans lequel il se trouve. À l'état liquide, l'énergie cinétique et le mouvement des particules de la substance sont plus grands qu'à l'état solide. Dans un gaz, les particules se déplacent dans toutes les directions jusqu'aux limites de leur contenant. À l'état gazeux, l'énergie cinétique et le mouvement des particules de la substance sont plus grands qu'à l'état liquide.

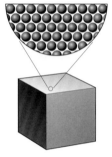

Figure 7.11 Toute matière est faite de particules.

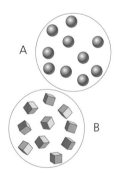

Figure 7.12 Toutes les particules d'une même substance pure sont identiques. Les substances pures A et B sont différentes.

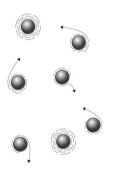

Figure 7.13 Les particules de matière sont continuellement en mouvement.

Réflexion sur la théorie particulaire

Complète chacune des phrases suivantes à l'aide des mots ci-dessous.

- différentes
- mélanges
- substances pures
- identiques

1. Les particules d'une substance pure sont…

2. Les particules d'un mélange sont…

3. La plupart des aliments appartiennent à la catégorie des…

4. L'oxygène et le dioxyde de carbone sont classés dans la catégorie des…

La température, la chaleur et le mouvement

Pour comprendre ce qu'est le mouvement des particules, tu dois d'abord connaître les concepts de chaleur et de température. La **température** est l'énergie cinétique moyenne des particules d'une substance. Elle sert à mesurer la chaleur d'une substance. La **chaleur** est l'énergie thermique transférée d'une matière solide, liquide ou gazeuse plus chaude à une matière solide, liquide ou gazeuse plus froide.

La température agit sur le mouvement des particules (figure 7.14). Comme tu le sais, les particules de matière sont continuellement en mouvement. Lorsque la chaleur est transférée d'une substance plus chaude à une substance plus froide, le mouvement des particules qui constituent cette dernière accélère.

Tu peux observer les effets de ce mouvement en plongeant une cuillère dans une tasse de chocolat chaud ; tu constateras que la température du manche de l'ustensile augmente (figure 7.15). La cuillère va devenir entièrement chaude, même si son manche n'est pas plongé dans le chocolat chaud. La chaleur du chocolat chaud est transférée aux particules de la cuillère, qui se mettent à bouger plus rapidement, et la température de la cuillère augmente. Si tu la plonges ensuite dans un verre d'eau froide, la température de la cuillère va diminuer. Ses particules vont alors bouger plus lentement, parce que la chaleur sera transférée de la cuillère à l'eau qui est plus froide.

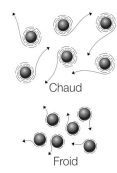

Figure 7.14 La température agit sur le mouvement des particules.

Figure 7.15 Les particules de cette cuillère bougent plus vite sous l'effet de la chaleur du chocolat chaud.

Les espaces et les forces d'attraction entre les particules

Il y a des espaces et des forces d'attraction entre les particules. Comme l'illustre la figure 7.16, ces espaces et ces forces varient selon l'état de la substance, soit : solide, liquide ou gazeux.

Les particules d'un solide sont plus rapprochées et soumises à de plus grandes forces d'attraction quand on les compare à celles d'un liquide. La distance qu'il y a entre les particules d'un bloc de plomb, par exemple, sera plus petite que celle qu'il y a entre les particules d'un échantillon de plomb que l'on a chauffé jusqu'à ce qu'il fonde. C'est aussi vrai pour les particules d'un liquide comparées aux particules d'un gaz. Les particules d'eau dans un verre, par exemple, sont plus rapprochées et soumises à de plus grandes forces d'attraction que les particules de l'air d'un ballon.

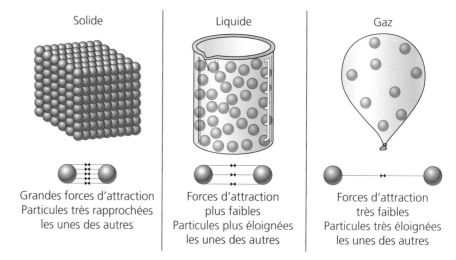

Figure 7.16 Il y a des espaces et des forces d'attraction entre les particules.

La température et les changements d'état

Les variations de température peuvent aussi causer des changements d'état. Un **changement d'état** est une transformation de la matière d'un état (solide, liquide, gazeux) à un autre par un transfert de chaleur. Toute matière peut exister sous forme liquide, solide ou gazeuse. Une simple variation de température peut changer l'état de la matière. La figure 7.17, à la page suivante, montre que la chaleur agit sur les forces d'attraction qui s'exercent entre les particules de matière et qu'elle produit un changement d'état.

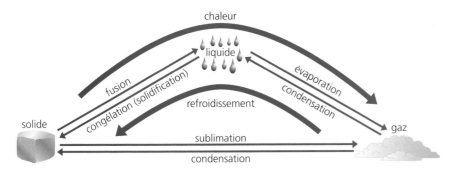

Figure 7.17 L'énergie agit sur les forces d'attraction qui sont exercées entre les particules et entraîne le passage de l'état solide à l'état liquide, de l'état liquide à l'état gazeux ou le passage direct de l'état solide à l'état gazeux. Une certaine quantité d'énergie est libérée lorsque la substance passe de l'état gazeux à l'état liquide, de l'état liquide à l'état solide ou directement de l'état gazeux à l'état solide.

La **fusion** est le passage d'un solide à l'état liquide sous l'action de la chaleur. La cire d'une bougie (figure 7.18), par exemple, est solide à la température ambiante. Toutefois, quand la mèche brûle, la chaleur de la flamme fait augmenter la température et fondre la cire. La cire passe alors de l'état solide à l'état liquide.

L'**évaporation** est le passage d'une substance de l'état liquide à l'état gazeux sous l'action de la chaleur. Lorsque tu fais bouillir de l'eau, il y a de la vapeur à la surface du liquide. Cette eau se présente sous la forme d'un gaz (vapeur). On dit alors que l'eau liquide s'évapore.

La **condensation** est le passage de la matière de l'état gazeux à l'état liquide. Ce changement d'état résulte d'une diminution de la température d'un gaz. Tu peux observer ce phénomène après une douche bien chaude, lorsque la vapeur d'eau, au contact de la surface du miroir, qui est plus froide que l'air, forme de la condensation. Ce terme désigne aussi le passage direct de l'état gazeux à l'état solide. L'effet de la chaleur produit ce changement d'état.

La **sublimation** est le passage direct d'un corps de l'état solide à l'état gazeux. Tu peux parfois observer ce phénomène lors d'une journée chaude et ensoleillée de printemps, quand la neige disparaît sans fondre. L'eau solide (la neige) se transforme alors directement en gaz (vapeur). À l'inverse, l'élimination de la chaleur entraîne la condensation, soit un changement de l'état gazeux à l'état solide.

La **congélation**, ou **solidification**, est le passage de la matière de l'état liquide à l'état solide. Lorsque tu éteins une bougie, par exemple, la cire liquide se refroidit et se solidifie. L'élimination de la chaleur fait diminuer la température de la cire, ce qui cause sa solidification.

Figure 7.18 Les changements d'état de la cire à bougie résultent des variations de température.

Activité suggérée • • • • • • • • • • •
C11 Activité synthèse, page 205

Pour aller
Plus loin

La sublimation est un changement d'état qui suscite peu d'attention. Par exemple, les cubes de glace laissés plus d'une semaine au congélateur diminueront de volume de façon importante. Réfléchis à ce changement et à ce qui arrive à l'eau.

C10 *Activité synthèse* | **Boîte à outils 2**

HABILETÉS À UTILISER
- Poser des questions
- Évaluer une démarche

ED Activité d'ancrage

Se mettre dans la peau des particules

Il est difficile d'imaginer à quoi ressemblent les particules solides, liquides et gazeuses. Si tu pouvais visualiser leur disposition et leur mouvement, tu comprendrais mieux leur fonctionnement. Dans cette activité, tes camarades et toi représenterez des particules à l'état solide, liquide et gazeux.

Question

Que pourriez-vous faire, tes camarades et toi, pour représenter la disposition et les mouvements des particules solides, liquides et gazeuses?

Matériel
- une feuille de papier
- un stylo ou un crayon

Démarche

1. Effectuez cette activité en équipe. Chaque groupe occupe une aire de la classe, chaque aire représentant un grand contenant.

2. Avec les membres de ton groupe, déterminez une façon de représenter un solide. Décidez de la position que vous occuperez afin d'imiter la disposition et le mouvement des particules.

3. Imaginez que, sous l'effet de la chaleur, vous changez de position et de mouvement et que vous formez maintenant des particules liquides.

4. Imaginez que la chaleur augmente encore. Changez de position et de mouvement, cette fois pour représenter les particules gazeuses.

5. Poursuivez l'activité jusqu'à ce que vous soyez entièrement satisfaits de votre travail. Présentez l'un des états de la matière au reste de la classe, sans toutefois le nommer. Représentez aussi le passage de cet état à un autre état, par exemple, de l'état solide à l'état liquide.

6. Dessine deux rectangles sur une feuille de papier. Ces rectangles représentent des contenants. Sers-toi de ces contenants pour illustrer les deux états de la matière que ton groupe a représentés. Trace des flèches pour illustrer le mouvement que tu as effectué. Décris comment tu bougeais et la vitesse à laquelle tu bougeais.

Analyse et interprétation

7. Tes camarades et toi devez évaluer chaque présentation à partir des critères suivants:
   - À quel point était-il facile de deviner l'état de la matière qui était représenté? Quels indices étaient les plus évidents? Le groupe a-t-il réussi à bien représenter l'état de la matière?
   - À quel point le groupe a-t-il réussi à illustrer avec précision la quantité d'énergie cinétique des particules?
   - À quel point le groupe a-t-il réussi à illustrer les changements de volume?

Développement des habiletés

8. Quels critères t'ont été utiles pour évaluer et choisir un mode de représentation des états de la matière?

Pour conclure

9. Revois les notes que tu as attribuées aux présentations de tes camarades. En trois paragraphes, décris la meilleure présentation de chaque état de la matière: solide, liquide et gazeux.

Faire fondre et faire congeler des blocs désodorisants

Comme toute autre matière, les blocs désodorisants des toilettes publiques sont composés de particules. Tu observeras maintenant attentivement la fonte et la congélation d'un échantillon d'un tel bloc. Tu ne pourras pas voir les minuscules particules de cet échantillon, mais tu pourras imaginer ce qui se produit dans l'éprouvette.

Question

Qu'advient-il des particules d'un échantillon de bloc désodorisant lorsqu'il fond et lorsqu'il est congelé ?

Matériel

- un échantillon de bloc désodorisant de 5 ml
  OU
- un échantillon de 5 ml de salol
- une éprouvette munie de son bouchon
- un bain-marie contenant de l'eau chauffée à 50 °C

MISE EN GARDE : Il est interdit de manger et de boire au cours de cette activité. Lave-toi bien les mains après l'étape 6.

Démarche

1re partie – Faire fondre un échantillon

1. Demande à ton enseignante ou à ton enseignant de te remettre le matériel nécessaire. Prends soin de tenir fermement l'éprouvette par le rebord.

2. Observe l'échantillon très attentivement. Note son apparence dans ton cahier (par exemple, des cristaux blancs qui ressemblent à de la glace).

3. Dépose l'échantillon dans l'éprouvette. Place le bouchon de façon à ce qu'il ne soit pas trop ajusté. Identifie ton éprouvette selon les consignes que t'a données ton enseignante ou ton enseignant.

4. Dépose l'éprouvette dans le bain-marie. Dans ton cahier de notes, décris la réaction des cristaux.

2e partie – Congeler un échantillon

5. Retire l'éprouvette du bain-marie. Tiens-la par le rebord. **Ne saisis pas l'éprouvette par le bouchon.**

6. Tiens l'éprouvette à la verticale. Note l'apparence de l'échantillon et indique tout changement d'état.

Analyse et interprétation

7. Comment les cristaux ont-ils réagi une fois que tu les as plongés dans le bain-marie ?

8. Comment le liquide a-t-il réagi une fois que tu l'as retiré du bain-marie ?

9. L'éprouvette semblait-elle refroidie lorsque le liquide s'est solidifié ?

Développement des habiletés

10. Quelle information te sera utile pour tirer tes conclusions ?

Pour conclure

11. Comment les particules du bloc désodorisant ont-elles réagi lors du passage de l'état solide à l'état liquide ?

12. Qu'est-il advenu des forces d'attraction qui s'exercent entre les particules lors du passage de l'état liquide à l'état solide ?

Révise les concepts clés

1. Pourquoi une même substance occupe-t-elle moins d'espace à l'état solide qu'à l'état gazeux?

2. Pourquoi les particules d'un liquide sont-elles capables de s'écouler dans un contenant et de prendre la forme de celui-ci?

3. Qu'advient-il des particules d'une substance qui passe de l'état liquide à l'état gazeux?

4. Pourquoi les cubes de glace laissés au congélateur deviennent-ils de plus en plus petits au fil du temps?

Fais des liens

5. À l'aide de la théorie particulaire de la matière, explique en quoi les particules de glace et d'eau sont différentes.

6. À l'aide de la théorie particulaire de la matière, explique ce qui arrive aux particules d'une boisson chaude quand elle refroidit.

7. À l'aide de la théorie particulaire de la matière, explique pourquoi il faut de la chaleur pour faire bouillir de l'eau.

Utilise tes habiletés

8. Regarde la photo ci-dessous. Comme tu peux le constater, les particules d'iode du premier liquide présentent une solution de couleur ambrée et celles du second liquide, une solution de couleur violette. Lorsqu'elles sont combinées à d'autres substances, qu'est-ce qui change: les particules d'iode ou la disposition des particules? Explique ta réponse à l'aide de la théorie particulaire de la matière.

C12 *Réflexion sur les sciences et la technologie*

L'utilisation de modèles

Nous nous expliquons les choses que nous ne pouvons pas observer à l'aide de modèles. La théorie particulaire de la matière, par exemple, est un modèle qui nous aide à comprendre la structure de la matière.

Avec une ou un camarade, décris un modèle que tu as vu ou utilisé pour t'aider à comprendre quelque chose. Les manuels qui expliquent la révolution des planètes autour du Soleil constituent un bon exemple.

Dioxyde de carbone, glace sèche et gaz à effet de serre

Figure 7.19 Le dioxyde de carbone est une substance pure qui se sublime, c'est-à-dire qui passe directement de l'état solide à l'état gazeux. C'est pourquoi on l'appelle *glace sèche*.

Chaque jour, il est question du dioxyde de carbone aux nouvelles, parce que l'augmentation de sa concentration dans l'atmosphère est considérée comme l'une des principales causes des changements climatiques. Le dioxyde de carbone est l'un des sous-produits de la combustion des combustibles fossiles, tels que le charbon, le pétrole et le gaz naturel. Tu vas examiner de plus près le dioxyde de carbone parce que certaines de ses propriétés chimiques sont très intéressantes.

Les sources

Comme tu le sais, le dioxyde de carbone est l'un des produits de la combustion de substances organiques, telles que le papier, le bois et le sucre. Le dioxyde de carbone est aussi l'un des sous-produits de la respiration des plantes et des animaux, l'autre sous-produit étant l'eau. Chaque fois que tu respires, tu rejettes du dioxyde de carbone et de la vapeur d'eau. Les plantes aussi absorbent le dioxyde de carbone au moment de la photosynthèse et libèrent une certaine quantité d'eau et d'oxygène.

À quoi sert le dioxyde de carbone?

Dans l'industrie, le dioxyde de carbone est le plus souvent utilisé comme gaz réfrigérant. Il passe à l'état solide à des températures inférieures à −78 °C. Sous cette forme, on l'appelle communément *glace sèche* (figure 7.19). À température et pression atmosphérique normales, le dioxyde de carbone se sublime, c'est-à-dire qu'il passe directement de l'état solide à l'état gazeux. Il est alors utile pour conserver des aliments et d'autres substances à des températures inférieures au point de congélation de l'eau.

Il existe aussi des extincteurs au dioxyde de carbone. Comme celui-ci est plus dense que l'air, il étouffe les flammes en privant le feu d'oxygène.

Les gaz à effet de serre

On sait depuis quelques années que le dioxyde de carbone et d'autres gaz dits à effet de serre ont la capacité de piéger l'énergie et de retenir la chaleur à la surface de la Terre, ce qui est nécessaire à la vie sur cette planète. Cependant, la quantité de dioxyde de carbone dans l'atmosphère augmente progressivement depuis environ 1860. On note aussi une hausse de la température moyenne. Selon certains environnementalistes, la quantité de dioxyde de carbone dans l'atmosphère aura doublé d'ici à 2050, comparativement à ce qu'elle était au début du siècle dernier. On s'entend pour dire que la température moyenne à la surface de la Terre augmentera. Cette hausse pourrait atteindre 5 °C et avoir des conséquences désastreuses, car elle provoquerait davantage de changements climatiques.

Questions

1. Comment le dioxyde de carbone se forme-t-il de façon naturelle?
2. En quoi la glace sèche est-elle utile?
3. Pourquoi l'atmosphère terrestre doit-elle contenir une certaine quantité de dioxyde de carbone?

Révise les concepts clés

1. Parmi les liquides ci-dessous, lesquels sont des substances pures ? Lesquels sont des mélanges ? Explique chacune de tes réponses. *cc*

   a) Du jus de pomme

   b) Du punch aux fruits

   c) De l'eau distillée

   d) De la limonade

2. Une substance pure est une substance dont toutes les particules sont identiques, alors qu'un mélange est composé de particules différentes. À l'aide d'un schéma, illustre un mélange d'eau distillée, de vinaigre et d'huile d'olive. *cc*

3. Qu'advient-il d'un sac de croustilles sous l'effet de la chaleur du Soleil ? *cc*

4. Qu'advient-il des particules d'un solide qui passe à l'état liquide ? *cc*

Fais des liens

5. À l'aide de la théorie particulaire de la matière, explique pourquoi un gaz, à la suite d'un simple refroidissement, se condense sous forme liquide. *m*

6. Si toute matière est faite de particules, qu'y a-t-il entre les particules ? *h*

7. À l'aide d'un schéma, explique pourquoi les particules d'une substance liquide libèrent de la chaleur lors de leur passage à l'état solide. *m*

8. La formation de givre est visible par temps froid. Tout est alors recouvert d'une substance blanche. Quelle est cette substance ? Pourquoi n'apparaît-elle que quand il fait froid ? *h*

9. À quoi ressembleraient les particules d'un bloc de chocolat comparativement à la même quantité de chocolat sous forme liquide ? Illustre ta réponse à l'aide d'un schéma. *m*

Après la lecture · Stratégies Littératie

Réfléchis et évalue

Revois les prédictions que tu as faites au début du chapitre. Quelle prédiction as-tu faite au sujet de la théorie particulaire ? Cette prédiction était-elle juste ? Est-ce que tu as dû la modifier au fil de ta lecture ?

À l'aide de tes connaissances, conçois un schéma pour illustrer clairement les principaux éléments du comportement de la matière. Quel est l'élément le plus important de la théorie particulaire de la matière ? Explique ta réponse.

COMPÉTENCES DE LA GRILLE D'ÉVALUATION DU RENDEMENT
cc Connaissance et compréhension   *h* Habiletés de la pensée   *c* Communication   *m* Mise en application

10. Quand tu souffles dans un ballon, pourquoi devient-il plus gros ? Explique ta réponse à l'aide d'un schéma particulaire. (h)

11. Donne un exemple de mélange mécanique ou de solution qui combine : (m)

a) deux ou plusieurs solides

b) deux ou plusieurs liquides

c) un solide et un liquide

Utilise tes habiletés

12. Prépare un tableau à deux colonnes. Donne le titre suivant à ton tableau : *Les substances pures et les mélanges sous forme d'aliments*. Nomme ensuite les colonnes *Les substances pures* et *Les mélanges*. Dresse une liste de cinq substances pures et de cinq mélanges que tu pourrais manger ou boire chaque jour. Pour te donner un coup de pouce, voici quelques exemples : sel, poivre, huile d'olive et eau. (h)

13. Lorsque l'eau se refroidit et devient de la glace, il y a perte d'énergie. Si cette perte d'énergie se produit dans le congélateur d'un réfrigérateur, qu'advient-il de la chaleur ? Explique ta réponse à l'aide d'un schéma. Utilise des flèches pour indiquer la direction suivie par la chaleur. (h)

Lien avec le projet du module

Dans le projet du module, tu vas examiner des échantillons d'eau provenant de diverses sources. Les procédés commerciaux et industriels consistent en partie à isoler des particules et à mélanger des particules de plusieurs substances. Ces étapes sont nécessaires à la formation des mélanges. Au cours de ces procédés, des particules peuvent cependant s'introduire dans le système d'approvisionnement en eau sous forme de déchets. À l'aide de la théorie particulaire de la matière, suis de près la source des particules de déchets susceptibles de contaminer l'eau. Réfléchis aux interactions entre les particules de déchets et les particules d'eau.

C13 *Réflexion sur les sciences et la technologie*

L'air pollué

L'air est un mélange de plusieurs gaz et de substances, comme de la poussière, des poils d'animaux et des grains de pollen. De nombreuses activités humaines, telles que la conduite automobile, chargent l'air de substances nocives pour notre santé. L'air qui contient de telles substances est pollué. Ces substances sont particulièrement nuisibles aux jeunes enfants et aux personnes âgées. L'asthme est un problème respiratoire qui est devenu commun chez les enfants, alors qu'il était très rare autrefois. Les asthmatiques sont particulièrement sensibles à la pollution.

Ce que tu dois faire

1. Certaines de tes activités sont-elles affectées par la pollution atmosphérique ? Explique ta réponse.

Réfléchis

2. Y a-t-il des mesures qui auraient pu permettre d'éviter la pollution de l'air ?

3. En quoi la théorie particulaire t'aide-t-elle à comprendre pourquoi la qualité de l'air des grandes villes se détériore lorsqu'il fait chaud et que les vents sont calmes ?

4. Partage ta réflexion avec une ou un camarade ou avec toute la classe.

Les chimistes peuvent déterminer la solubilité et la concentration d'une solution à partir de sa couleur.

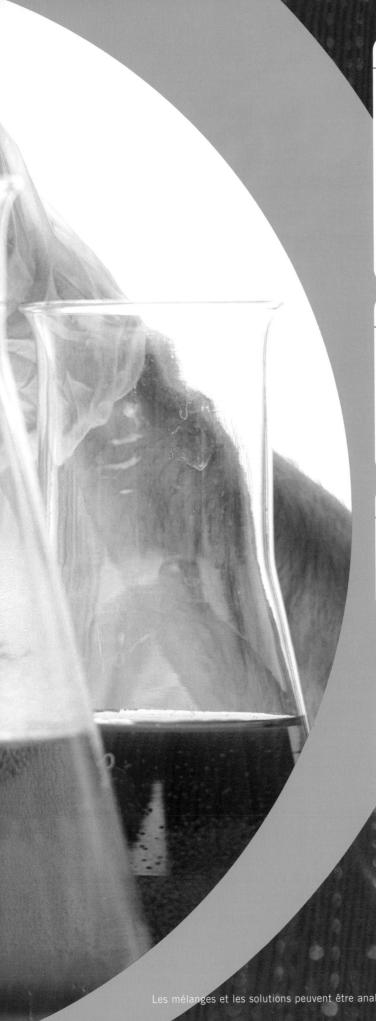

Ce que tu vas apprendre

Dans ce chapitre, tu vas :

- identifier les composantes (le soluté et le solvant) de diverses solutions solides, liquides et gazeuses ;
- décrire la concentration d'une solution en termes qualitatifs et en termes quantitatifs ;
- décrire la différence qu'il y a entre une solution saturée et une solution non saturée ;
- décrire différentes techniques de séparation des mélanges ou des solutions.

Les habiletés à utiliser

Dans ce chapitre, tu vas :

- utiliser la démarche expérimentale pour déterminer les facteurs qui influent sur la solubilité d'une substance et sa rapidité de dissolution ;
- utiliser la démarche expérimentale pour explorer les propriétés des mélanges et des solutions.

Pourquoi est-ce important ?

Pour préparer ton repas préféré, il te serait utile de comprendre les propriétés des mélanges, car la concentration et la solubilité influent sur le goût et la qualité d'un repas.

Avant la lecture

Stratégies Littératie

Surveiller sa compréhension

Un tableau **SQA** est constitué des colonnes *Ce que je **S**ais*, *Les **Q**uestions que je me pose* et *Ce que j'ai **A**ppris*. Sers-toi de ce type de tableau pour les propriétés des mélanges. Ajoutes-y des précisions au fil de ta lecture pour surveiller ta compréhension.

Mots clés

- concentration
- distillation
- évaporation
- filtration
- saturé
- solubilité
- soluté
- solvant

Figure 8.1 Sept résidants de la ville de Walkerton sont morts après avoir consommé de l'eau contaminée.

Selon toi, boire un simple verre d'eau pourrait-il te rendre malade? La population de la ville de Walkerton, en Ontario, croyait bien que son eau potable ne présentait aucun danger pour sa santé (figure 8.1). Pourtant, de mai à juillet 2000, sept résidants de cette ville sont morts après avoir consommé de l'eau contaminée et plus de 2000 personnes sont tombées malades. Depuis cette tragédie, le gouvernement de l'Ontario a fait de la qualité de l'eau potable l'une de ses priorités.

Pour purifier l'eau potable, il faut séparer et éliminer les constituants présents dans l'eau non traitée. Les processus associés à leur séparation sont complexes et s'effectuent en plusieurs étapes, dont des traitements qui consistent à trier les particules en fonction de leur taille. L'eau est ensuite mélangée à des substances chimiques pour tuer les bactéries et les autres organismes vivants qui présentent un danger pour la santé (figure 8.2 de la page suivante).

Grâce à leurs recherches sur la séparation des mélanges, les spécialistes de l'épuration de l'eau ont pu améliorer les procédés de traitement de l'eau potable. De nombreux procédés industriels se fondent aussi sur la compréhension des mélanges et des solutions. Parmi ces procédés, on trouve la séparation des métaux, des minéraux et des minerais ainsi que la séparation du pétrole brut en sous-produits. Un grand nombre de produits et d'articles ménagers que tu emploies tous les jours, comme le détergent pour lave-vaisselle, le gel pour cheveux et les grignotines, résultent de diverses utilisations industrielles des mélanges.

Notre compréhension des concepts clés des mélanges et des solutions nous permet de faire une utilisation responsable des produits de consommation. Dans ce chapitre, tu exploreras divers aspects des techniques de séparation des mélanges mécaniques et des solutions.

Figure 8.2 Il faut séparer et éliminer les constituants présents dans l'eau non traitée.

C14 *Laboratoire*

La préparation d'une solution

De nombreuses solutions résultent du mélange d'une substance et d'un liquide jusqu'à la dissolution complète de la substance. Par exemple, tu peux mélanger des cristaux de saveur en sachet avec de l'eau pour obtenir une boisson rafraîchissante.

Objectif

Vérifier les constituants d'une solution.

> **Matériel**
> - Un cylindre gradué de 50 ml ou de 100 ml
> - De l'eau à la température ambiante
> - Un bécher
> - Une cuillère à mesurer de 5 ml
> - Des cristaux de saveur en sachet
> - Un bâtonnet

> **MISE EN GARDE :** Tu ne dois rien goûter pendant cette activité.

Démarche

1. À l'aide du cylindre gradué, verse 50 ml d'eau dans le bécher.

2. À l'aide de la cuillère à mesurer, ajoute 5 ml de cristaux en sachet.

3. Mélange le tout pour obtenir la dissolution complète de la substance. Copie le tableau ci-dessous pour y noter tes observations.

Tableau 8.1 La préparation d'une solution

Quantité ajoutée	Observations
5 ml	

4. Continue d'ajouter des cristaux en sachet, 5 ml à la fois, jusqu'à ce qu'ils ne puissent plus se dissoudre.

Questions

Discute des questions ci-dessous avec une ou un camarade ou avec toute la classe.

5. Comment as-tu découvert qu'il n'était plus possible de dissoudre davantage de cristaux ?

6. En quoi l'agitation de l'eau a-t-elle influé sur la dissolution des cristaux ?

Résumé de ce que tu apprendras dans cette section :

- La concentration d'une solution peut être décrite en termes qualitatifs et en termes quantitatifs.
- Les composantes (le soluté et le solvant) de divers types de solutions peuvent être identifiées.
- On appelle l'eau le *solvant universel*.

Figure 8.3 Mélangés à de l'eau, des ingrédients courants peuvent former des solutions.

Les cuisinières professionnelles et les cuisiniers professionnels suivent à la lettre les recettes qu'ils préparent et respectent les quantités d'ingrédients qui y sont indiquées (figure 8.3). Convenablement mélangés, ces ingrédients permettent de cuisiner des plats très savoureux. Ainsi, comme tout bon chef le sait, une quantité précise de sel dissous dans l'eau permet d'obtenir le goût recherché. Par contre, en trop grande quantité, le sel peut ne pas se dissoudre complètement dans l'eau ou donner un goût trop salé à l'ensemble du plat. Pour préparer des mets attrayants, il faut donc comprendre les concepts de concentration et de solubilité.

C15   *Point de départ*

Dissoudre quelques ingrédients courants dans de l'eau

Le sel, le bicarbonate de sodium et le sucre sont couramment utilisés pour la préparation des aliments. Leur dissolution dans l'eau est cependant variable quand on les compare les uns aux autres.

Fais équipe avec une ou un camarade. L'un de vous réalisera l'expérience, alors que l'autre mesurera le temps de dissolution de chaque ingrédient pour l'écrire dans un cahier de notes. Demandez à votre enseignante ou à votre enseignant de vous remettre un bécher ou un verre contenant 50 ml d'eau à la température ambiante. Versez-y 5 ml de l'un des ingrédients ci-dessus. Mesurez ensuite le temps de dissolution de l'ingrédient.

Notez la couleur et la clarté de la solution. Répétez l'expérience avec les autres ingrédients. Répondez ensuite aux questions suivantes.

1. Quel ingrédient a mis le moins de temps à se dissoudre ?

2. Quel ingrédient a mis le plus de temps à se dissoudre ?

3. Les solutions étaient-elles identiques en apparence ? Sinon, en quoi étaient-elles différentes ?

Fais une pause et vérifie

Lorsqu'un concept te semble moins clair, tu peux faire plusieurs choses. La page que tu es en train de lire porte sur les composantes d'une solution : le soluté et le solvant. Pourras-tu les distinguer ? Concentre-toi d'abord sur le soluté. Prépare un tableau à deux colonnes intitulées *Ce que c'est* et *Ce que ce n'est pas*. Ajoutes-y de l'information tirée de ton manuel. Que remarques-tu au sujet des énoncés de la seconde colonne de ton tableau ? Qu'est-ce qu'on y décrit ?

Les solutions

Au chapitre précédent, tu as vu qu'une solution est un mélange homogène, parce que l'apparence et les propriétés de la substance sont de même nature. Une solution est solide, liquide ou gazeuse. Une solution solide est un **alliage** (figure 8.4). Les solutions liquides et gazeuses sont tout simplement appelées **solutions**.

Les solutions consistent en des solutés et des solvants. Un **soluté** est une substance qui se dissout. Une substance capable de dissoudre un soluté est un **solvant**. En général, le solvant est présent en plus grande quantité. L'air que tu respires, par exemple,

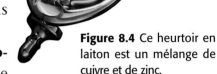

Figure 8.4 Ce heurtoir en laiton est un mélange de cuivre et de zinc.

est composé en majeure partie d'azote. C'est le solvant dans lequel des solutés, tels que l'oxygène, l'argon et le dioxyde de carbone, se dissolvent. Dans l'eau de mer, le sel et les autres substances (les solutés) se dissolvent dans l'eau (le solvant). Le tableau 8.2 présente quelques exemples de solutions courantes.

Tableau 8.2 Quelques exemples de solutions courantes

Soluté	Solvant	Solution
Zinc (solide)	Cuivre (solide)	Laiton
Sel, minéraux (solide)	Eau (liquide)	Eau de mer
Benzène (liquide)	Caoutchouc (solide)	Colle de caoutchouc
Ethylène glycol (liquide)	Eau (liquide)	Antigel
Dioxyde de carbone (gaz)	Eau (liquide)	Boisson gazeuse
Oxygène, argon (gaz)	Azote (gaz)	Air

L'eau : le solvant universel

On appelle l'eau le *solvant universel* parce que la plupart des solides, des liquides et des gaz y sont solubles et peuvent former des solutions dans l'eau. L'eau de mer, par exemple, est une solution d'eau composée de plusieurs matières dissoutes : des solides (sel, magnésium) et des gaz (oxygène, dioxyde de carbone).

Les substances ne sont pas toutes solubles dans l'eau. C'est le cas de nombreux gras et huiles. Il est cependant possible d'éliminer le gras et l'huile sur les vêtements et la vaisselle à l'aide d'une solution de savon ou de détergent et d'eau. Car cette solution a la capacité de dissoudre le gras et l'huile, puis de les éliminer.

Les composantes des solutions

1. Nomme une solution solide, une solution liquide et une solution gazeuse.

2. Nomme trois solutions que l'on utilise couramment dans la cuisine. Énumère les solutés et les solvants de chaque solution.

3. Nomme une substance qui se dissout dans l'eau. Comment peux-tu démontrer que cette substance est soluble dans l'eau?

4. Dresse une liste de trois substances qui ne peuvent se dissoudre dans l'eau. Identifie un solvant qui a le pouvoir de dissoudre chacune de ces substances.

Activité suggérée •··········
C18 Laboratoire, page 218

Pour aller Plus loin

Nous lavons la plupart de nos vêtements à l'aide d'un mélange d'eau et de détergent à lessive. Certains détergents sont plus efficaces en eau chaude. L'eau chaude et l'air chaud d'une sécheuse peuvent cependant endommager certains tissus comme la laine. Les nettoyeurs à sec enlèvent les taches des vêtements à l'aide de divers solvants. Effectue une recherche sur ces solvants.

La solubilité

La **solubilité** est la quantité de soluté qui peut être dissoute dans une quantité donnée de solvant pour former une solution. La solubilité se définit aussi comme la quantité maximale de soluté qui peut être ajoutée à une quantité déterminée de solvant à une température donnée. Pour former une solution, les particules du soluté doivent être attirées par les particules du solvant, ce qui leur permet de se répandre uniformément dans la solution. Par exemple, le sel se dissout dans l'eau parce que ses particules sont attirées par les particules d'eau (figure 8.5, à gauche). Ce mélange forme une solution saline.

Par contre, le sel ne se dissout pas dans l'huile d'olive, parce que ses particules ne sont pas attirées par les particules d'huile (figure 8.5, à droite). Quand une substance ne peut se dissoudre dans un solvant, on dit qu'elle est **insoluble**. Une solution ne peut être formée par la combinaison de deux substances quand l'une d'elles est insoluble dans l'autre substance.

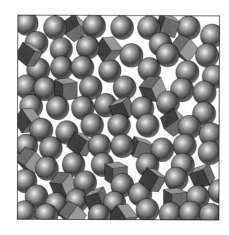
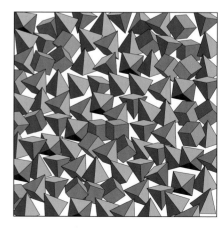

Figure 8.5 (À gauche) Le sel (en brun) se dissout dans l'eau (en bleu) parce que ses particules sont attirées par les particules d'eau. (À droite) Les particules de sel (en brun) forment des amas de matière et ne peuvent se dissoudre dans l'huile d'olive (en vert) parce qu'elles ne sont pas attirées par les particules d'huile.

Décrire la concentration d'une solution en termes qualitatifs

On peut décrire la concentration d'une solution en termes qualitatifs. Une **solution concentrée** contient une grande quantité
de soluté dissous et une petite quantité de solvant. Un concentré
de jus congelé, par exemple, est une solution concentrée de solides
de jus d'orange (le soluté) et d'une petite quantité d'eau (le
solvant). Une **solution diluée** contient très peu de soluté dissous
dans un solvant. L'ajout d'eau (le solvant) au concentré de jus
congelé (le soluté) a pour effet de dissoudre le jus d'orange congelé,
ce qui forme une solution diluée de jus d'orange (figure 8.6).

Décrire la concentration d'une solution en termes quantitatifs

La **concentration** d'une solution est la proportion de soluté
dissous dans un solvant. Par exemple, si l'on dissout 5 g de sel
dans 500 ml d'eau, la concentration de la solution est de
5 g/500 ml (ou de 1 g/100 ml), soit 5 grammes par 500 millilitres
ou un gramme par 100 millilitres. Cette solution pourrait être
nommée *solution de 1 %*. Par exemple, une concentration de
1 g/100 ml équivaut à une quantité de 100 ml de solvant contenant 1 g de soluté dissous.

La saturation

Dans toutes les solutions, une quantité maximale de soluté peut
être dissoute dans un volume déterminé de solvant à une température donnée. C'est ce qu'on appelle la *saturation*. Une **solution** est **saturée** quand elle ne peut plus dissoudre de soluté à une
température donnée. Le **point de saturation** est le niveau
auquel un volume déterminé de solvant ne peut plus dissoudre un
soluté à une température donnée. Chaque solution a un point
de saturation.

S'il est possible de dissoudre encore plus de soluté à une température donnée, il s'agit d'une **solution non saturée**. Tu peux
dissoudre plus de soluté dans une solution non saturée. Dans certaines conditions, on peut refroidir une solution saturée à une
température critique pour former une **solution sursaturée**.
Une solution sursaturée contient plus de soluté que ce qu'elle
pourrait normalement dissoudre à une température donnée.

Figure 8.6 Dilué dans de l'eau, le
jus d'orange congelé forme une
solution de jus d'orange.

L'IMPORTANCE DES MOTS

Le préfixe *in-* est un élément du latin qui
signifie « à valeur négative ». L'élément
du latin *sur* signifie « au-dessus ou trop ».
Par exemple, une solution *in*saturée signifie qu'elle n'est pas saturée. Généralement, on utilise l'expression *non saturée*
pour décrire ce type de solution. Une
solution *sur*saturée dépasse la concentration normale qu'elle peut avoir.

Soluble ou insoluble?

Même si le sel et le sucre semblent en apparence identiques, ils n'ont pas les mêmes caractéristiques de solubilité. Dans cette activité, tu détermineras si le sucre et le sel sont solubles ou insolubles dans deux solvants: l'eau et l'huile végétale.

Objectif

Déterminer si le sel et le sucre possèdent les mêmes caractéristiques de solubilité dans des solvants différents.

Matériel

- Quatre béchers
- Un stylo ou un marqueur
- Quatre étiquettes
- Des cuillères à mesurer
- De l'eau
- De l'huile végétale
- Du sel
- Du sucre
- Quatre bâtonnets

Démarche

1. Copie le tableau ci-dessous pour y noter tes observations.

Tableau 8.3 Solvants, solutés et solubilité

Contenant	Solvant	Soluté	Observations
A			
B			
C			
D			

2. Étiquette chaque contenant.

3. À l'aide de la cuillère à mesurer, ajoute 5 ml d'eau dans les contenants A et B.

4. Essuie la cuillère. Verse ensuite 5 ml d'huile végétale dans les contenants C et D.

5. Prédis dans quels solvants se dissoudra chaque soluté. Enregistre tes prédictions dans ton cahier de notes.

6. À l'aide de la cuillère à mesurer, ajoute 2 ml de sel dans les contenants A et C et la même quantité de sucre dans les contenants B et D.

7. Remue les mélanges à l'aide d'un bâtonnet différent. Observe-les attentivement pour déterminer si chacun des solutés s'est dissous. Note tes observations dans le tableau.

8. Respecte les consignes que t'a données ton enseignante ou ton enseignant pour nettoyer tout ce que tu as utilisé. Lave-toi bien les mains après l'activité.

Questions

9. Quels solutés étaient solubles? Dans quels solvants?

10. Tes prédictions étaient-elles justes?

11. Quel solvant s'est révélé le plus efficace?

12. À l'aide de la théorie particulaire de la matière, explique pourquoi les solutés se sont dissous ainsi.

13. À l'aide de la théorie particulaire de la matière, explique pourquoi l'eau constitue un excellent solvant pour de nombreux solutés.

Révise les concepts clés

1. Comment un alliage métallique forme-t-il une solution? Donne un exemple de ce type d'alliage.

2. Comment peux-tu transformer une solution diluée en une solution concentrée?

3. Explique la signification des mots *saturée*, *non saturée* et *sursaturée* en fonction de la quantité de soluté et de solvant présente dans les solutions.

4. Calcule la concentration d'une solution en g/100 ml, en supposant que tu dissous 25 g de soluté dans 40 ml d'eau.

5. Pourquoi appelle-t-on l'eau *solvant universel*? Cette façon de décrire l'eau est-elle précise?

Fais des liens

6. À l'aide de ta compréhension des mots *soluble* et *insoluble*, explique pourquoi il faut agiter une bouteille de vinaigrette composée d'huile et de vinaigre avant d'en verser sur la salade.

7. À l'aide de ta compréhension des solutés et des solvants, explique pourquoi un soluté en solution sursaturée a tendance à être instable. Pourquoi le soluté est-il plus susceptible de se séparer rapidement de la solution quand il est agité ou perturbé?

Utilise tes habiletés

8. Lors d'une expérience en classe, on ajoute 5 g de sucre à 50 ml d'eau. Calcule la concentration de la solution de sucre en g/100 ml.

C19 *Réflexion sur les sciences et l'environnement*

Les solutés et les solvants

Le chocolat et le beurre d'arachide sont des solutés qui ont du mal à se dissoudre dans l'eau. Les ustensiles et les vêtements tachés par ces substances sont difficiles à nettoyer. Des solvants tels que l'huile et la térébenthine tachent les vêtements.

Dans ton cahier de notes, nomme deux solutés et deux solvants qui sont difficiles à nettoyer ou à éliminer en toute sécurité. Détermine au moins deux façons de les nettoyer ou de les éliminer de manière à minimiser leur impact sur l'environnement.

Résumé de ce que tu apprendras dans cette section:

- La théorie particulaire de la matière permet d'expliquer la dissolution des solutés dans les solvants.
- La température, le type de soluté ou de solvant, la taille des particules et l'agitation influent tous sur la solubilité.

Figure 8.7 Le sel gemme (photo du haut) met plus de temps à se dissoudre que le sel de table (photo du bas).

Le sel se présente sous diverses formes et ses nombreuses utilisations sont bien connues. Le sel gemme, présent dans les adoucisseurs d'eau, aide à éliminer les particules indésirables des minéraux dissous dans l'eau (figure 8.7, photo du haut), alors que le sel de table rehausse la saveur des aliments (figure 8.7, photo du bas). Ces deux substances sont solubles dans l'eau parce que leurs particules sont attirées par les particules d'eau. Le sel de table se dissout toutefois plus rapidement que le sel gemme.

La solubilité est l'une des propriétés intéressantes des particules de soluté et de leur interaction avec les particules de solvant. Les pinceaux pour les peintures à base d'eau, par exemple, peuvent très facilement être nettoyés avec de l'eau. Par contre, les peintures à base d'huile sont insolubles dans l'eau. Le nettoyage de ces pinceaux est plus difficile, parce que seuls certains solvants, comme la térébenthine, peuvent dissoudre ce type de peinture.

C20   *Point de départ*   Habiletés **R** **C**

Un cube de sucre ou deux cuillères à thé de sucre?

Le sucre se présente, lui aussi, sous plusieurs formes. On le vend dans des sacs sous forme granulée, en vrac, en sachets ou encore sous forme de cubes. Dans cette activité, tu détermineras quel échantillon se dissout le plus rapidement dans l'eau: un cube de sucre ou deux cuillères à thé de sucre granulé.

Fais équipe avec une ou un camarade. Verse 50 ml d'eau dans deux contenants incolores et transparents. Ajoute un cube de sucre dans le premier contenant, pendant que ta ou ton camarade ajoute deux cuillères à thé de sucre granulé dans le second. N'agitez pas les contenants et n'y touchez pas non plus. Déterminez ensuite l'échantillon qui se dissout le plus rapidement.

La solubilité et la théorie particulaire

Au chapitre 7, tu as vu que toute matière est composée de particules. Selon la théorie particulaire de la matière, ces particules sont continuellement en mouvement. Elles tournent, vibrent et bougent sans arrêt. Dans une solution, cela signifie que les particules de soluté entrent en contact les unes avec les autres, tout comme les particules de solvant.

Comme l'illustre la figure 8.8, le cristal de sel commence à se dissoudre quand il est en contact avec les particules d'eau. Les particules d'eau et les particules de sel s'attirent mutuellement. Étant continuellement en mouvement, les particules d'eau libèrent une à une les particules du cristal de sel. Les particules de sel, une fois libérées, s'éloignent alors du cristal à mesure qu'elles sont attirées par d'autres particules d'eau. L'eau peut alors atteindre de nouvelles particules qui sont toujours attachées au cristal de sel et les libérer à leur tour. Le processus se poursuit ainsi jusqu'à ce que toutes les particules de sel soient entourées par des particules d'eau et réparties uniformément dans l'eau.

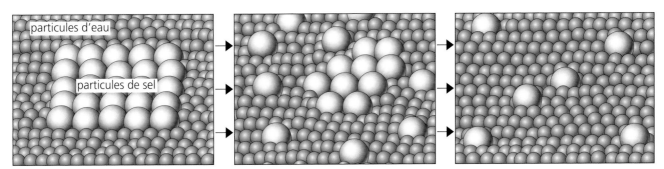

Figure 8.8 Le sel est soluble dans l'eau parce que les particules sont continuellement en mouvement et que les particules d'eau sont attirées par les particules de sel.

La dissolution

La dissolution d'une substance dans un solvant dépend de divers facteurs. Une cuillerée à thé de sucre, par exemple, se dissout rapidement dans une boisson chaude (figure 8.9), alors que la même quantité de sucre met beaucoup plus de temps à se dissoudre dans un verre d'eau glacée. Dans le même ordre d'idées, le sel se dissout rapidement dans l'eau à la température ambiante. Les gros cristaux de sel, comme le sel gemme utilisé dans les adoucisseurs d'eau domestiques, se dissolvent beaucoup plus lentement. Ce sel est tout désigné pour ce genre d'appareil, car il met beaucoup de temps à se dissoudre. L'agitation, la température et la taille des particules ont toutes un effet sur la dissolution.

Figure 8.9 Une cuillerée à thé de sucre se dissout rapidement dans une boisson chaude.

Activité suggérée •·········
C24 Activité synthèse, page 225

L'agitation

Le simple fait d'agiter une solution augmente la vitesse de dissolution d'un soluté. As-tu déjà préparé une boisson rafraîchissante en dissolvant des cristaux de saveur en sachet dans un pichet d'eau (figure 8.10) ? Les cristaux en sachet sont le soluté et l'eau, le solvant. Les cristaux commencent à se dissoudre dès que le contenu du sachet est versé dans l'eau. Des grumeaux peuvent cependant se former. Tu as peut-être brassé l'eau et les cristaux à l'aide d'une cuillère pour accélérer la dissolution et obtenir un mélange homogène de cristaux et de particules d'eau. Le brassage permet de répartir les cristaux uniformément et plus rapidement dans l'eau. Il est possible d'observer les cristaux jusqu'à leur dissolution complète. Le résultat final est une solution dans laquelle toutes les parties du mélange semblent uniformes.

Le schéma particulaire de la figure 8.11 montre des particules d'eau entourant des particules de sel. Comme tu peux le constater, les particules de sel se dissolvent plus rapidement lorsque l'eau est brassée. Comme l'illustre la figure de gauche, les particules d'eau situées à l'extrémité d'un cristal de sel ont tendance à demeurer près de cette extrémité, limitant le nombre de particules d'eau qui peuvent interagir avec les particules de sel et ralentissant la dissolution des cristaux de sel. Comme l'illustre la figure de droite, l'agitation a pour effet d'éloigner quelques particules de sel de l'extrémité du cristal et d'augmenter le nombre de particules qui peuvent interagir avec les particules de sel. Il y a ainsi un plus grand nombre de particules de sel en contact, ou en mesure de l'être, avec les particules d'eau, ce qui accélère le processus de dissolution.

Figure 8.10 L'agitation accélère la dissolution des cristaux de saveur en sachet.

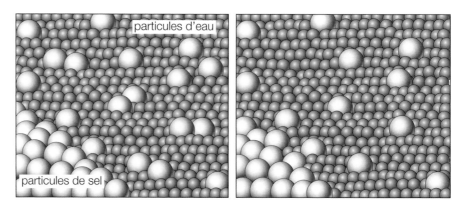

Figure 8.11 (À gauche) Des particules d'eau entourant des particules de sel. Les particules d'eau situées à l'extrémité d'un cristal de sel ont tendance à demeurer près de cette extrémité. (À droite) Sous l'effet de l'agitation de l'eau, un plus grand nombre de particules d'eau entrent en contact avec les particules de sel et les entourent.

C21 *Fais le point!*

Expliquer la dissolution à l'aide d'un schéma à particules

Chimiste, météorologue et physicien, John Dalton (1766-1844) est surtout connu pour ses théories sur les particules. Ses premiers travaux contiennent les schémas à particules qu'il a utilisés pour représenter les substances chimiques qu'il étudiait.

Dans ton cahier de notes, dessine un schéma à particules pour expliquer pourquoi, sous l'effet de l'agitation, la dissolution des cubes de sucre a tendance à s'accélérer (figure 8.12).

Figure 8.12 Un schéma à particules peut t'aider à expliquer pourquoi, sous l'effet de l'agitation, la dissolution des cubes de sucre a tendance à s'accélérer.

La température

Au chapitre 7, tu as vu que la température influe sur le mouvement des particules. À des températures plus élevées, les particules bougent plus rapidement, le transfert de chaleur étant assuré par le mouvement des particules. La dissolution est relative au nombre de particules de soluté qui entrent en contact avec les particules de solvant. Lorsque la température du solvant est élevée, ses particules bougent plus rapidement. Elles ont donc plus d'interactions avec les particules de soluté. Les forces d'attraction qui maintiennent les particules de soluté ensemble seront plus facilement brisées et les particules se répandront plus rapidement dans le solvant. À une température plus élevée, une grande partie des solutés se dissout plus rapidement dans la plupart des solvants. C'est ce qui explique pourquoi, par exemple, une cuillerée à thé de sucre se dissout plus rapidement dans un thé chaud que dans un thé glacé.

La taille des particules

La taille des particules influe, elle aussi, sur la dissolution. Les grosses particules d'une même substance mettent plus de temps à se dissoudre que les petites particules. Les cubes de sucre, par exemple, se dissolvent plus lentement que le sucre granulé. Le sel gemme met aussi plus de temps à se dissoudre que le sel de table, qui est fait de très petits cristaux. Les particules de solvant doivent entrer en contact avec les particules de soluté pour que la dissolution se produise. Dans le cas d'un bloc ou d'un cristal de soluté, le solvant entre d'abord en contact avec les particules situées à la surface. Par conséquent, un gros soluté devra d'abord être brisé par le solvant pour permettre aux particules du solvant d'entrer en contact avec toutes les particules du soluté et de les dissoudre.

Pour aller **Plus loin**

Les poissons survivent grâce à l'oxygène dissous dans l'eau. La température influe sur la quantité de gaz qui se dissout dans les liquides. À des températures plus élevées, la quantité d'oxygène dissous dans l'eau diminue. En raison du changement climatique et du réchauffement planétaire, on s'attend à une augmentation de la température des cours d'eau. Détermine en quoi ce changement aura des répercussions sur les populations de poissons de l'Ontario et du monde entier.

HABILETÉS À UTILISER
- Concevoir une démarche expérimentale
- Collecter et organiser des données

La croissance des cristaux

Il est possible de fabriquer des cristaux à partir de solutions préparées à l'aide de solutés couramment utilisés et d'eau. Comme la croissance des cristaux s'effectue particule par particule, il s'agit donc d'un long processus. Pour assurer cette croissance, un cristal d'ensemencement doit être mis en suspension dans une solution sursaturée. En général, les cristaux qui en résultent présentent des couleurs magnifiques et dévoilent quelques-unes des formes caractéristiques des particules de soluté à partir desquelles ils se sont formés.

Question

Comment faire grossir un cristal à partir d'une solution ?

Conçois et mène ta propre enquête

1. Forme une équipe de recherche avec une ou un camarade.

2. Choisissez l'un des solutés suivants :
- sucre
- sel
- sulfate d'aluminium et de potassium
- sulfate de cuivre
- sel de Rochelle

3. Choisissez le lieu de l'expérience.

4. Déterminez le matériel dont vous aurez besoin.

5. Préparez un plan de recherche dans lequel vous préciserez la façon dont vous mènerez votre expérience, y compris le temps que vous consacrerez au suivi des progrès.

6. Discutez de votre plan avec votre enseignante ou votre enseignant. Après avoir reçu son approbation, commencez l'expérience.

7. Une fois l'expérience terminée, apportez votre cristal en classe pour le comparer à ceux de vos camarades.

C23 *Laboratoire*

La taille des particules et la dissolution

Objectif

Examiner l'effet de la taille des particules sur la dissolution.

Matériel

- 5 ml de sucre granulé
- 5 ml de sucre à glacer
- Un bécher de 50 ml ou un petit contenant
- Une cuillère à table
- Une cuillère à thé
- De l'eau
- Un chronomètre

MISE EN GARDE : Tu ne dois goûter à rien pendant cette activité.

Démarche

1. Mesure 5 ml de sucre granulé à l'aide de la cuillère.

2. Verse le sucre granulé dans le bécher ou dans le petit contenant.

3. Ajoute trois cuillerées à thé d'eau. À l'aide du chronomètre, mesure la durée de dissolution du sucre.

4. Refais les étapes précédentes, cette fois avec le sucre à glacer.

Questions

Discute des questions suivantes avec une ou un camarade ou avec toute la classe.

5. Quel sucre s'est dissous le plus rapidement ?

6. Tes résultats sont-ils semblables à ceux du reste de la classe ?

7. À l'aide d'un schéma à particules, explique en quoi la taille des particules influe sur le taux de dissolution.

C24 *Activité synthèse* Boîte à outils 2

Les facteurs qui influent sur la dissolution

Question

En quoi la température, l'agitation et la taille des particules influent-elles sur la dissolution ?

Matériel

- Du sel gemme
- Huit béchers ou huit verres de petite taille
- Du ruban-cache
- Un petit sac en plastique résistant
- De l'eau froide du robinet
- De l'eau chaude du robinet
- Des bâtonnets

Démarche

1. Lis toute la démarche. Dans ton cahier de notes, formule des prédictions au sujet des effets de la température, de l'agitation et de la taille des particules sur la dissolution des échantillons de sel gemme. Utilise la théorie particulaire pour te guider.

2. Copie le tableau ci-dessous dans ton cahier de notes.

Tableau 8.4 Les facteurs qui influent sur la dissolution

	Durée de la dissolution			
	Eau froide		Eau chaude	
Traitement	Agitée	Non agitée	Agitée	Non agitée
Échantillons sous forme de blocs				
Échantillons broyés				

3. Fabrique huit étiquettes à l'aide de ruban-cache. Prévois quatre étiquettes portant la mention *Eau froide* et quatre autres la mention *Eau chaude*, puis colle-les sur les contenants.

4. Procure-toi huit blocs de sel gemme. Dépose un bloc dans deux des contenants étiquetés *Eau froide* et un bloc dans deux des contenants étiquetés *Eau chaude*.

5. Dépose deux blocs de sel gemme dans un sac de plastique et écrase-les avec tes pieds. Divise le contenu du sac et verse-le dans les deux autres contenants étiquetés *Eau froide*. Répète cette étape avec les deux derniers blocs de sel gemme et verse le contenu dans les deux autres contenants étiquetés *Eau chaude*.

6. Verse 50 ml d'eau froide dans l'un des contenants pour l'eau froide et 50 ml d'eau chaude dans l'un des contenants pour l'eau chaude.

7. N'agite pas les solutés. Note la durée de dissolution de chaque échantillon.

8. Répète les étapes 5 et 6 avec les autres contenants, cette fois en agitant les solutés.

Analyse et interprétation

Réponds aux questions 9 à 11 à l'aide de la théorie particulaire.

9. Ta prédiction de l'effet de la température était-elle juste ?

10. Ta prédiction de l'effet de la taille des particules était-elle juste ?

11. Ta prédiction de l'agitation était-elle juste ?

Développement des habiletés

12. Quel instrument as-tu utilisé pour mesurer la durée de l'expérience ? À ton avis, ces mesures étaient-elles précises ?

Pour conclure

13. Suggère trois façons d'accélérer la dissolution du sel de déglaçage des routes dans l'eau. Utilise la théorie particulaire pour expliquer chacune de tes suggestions.

Révise les concepts clés

1. Détermine deux facteurs associés aux particules qui favorisent la formation de solutions.

2. Détermine trois facteurs qui influent sur la dissolution.

3. À l'aide de la théorie particulaire de la matière, explique pourquoi le sel de table se dissout plus rapidement que le sel gemme.

4. À l'aide de la théorie particulaire de la matière, explique pourquoi la poudre aromatisée au chocolat se dissout plus rapidement dans l'eau chaude que dans l'eau froide.

Fais des liens

5. À l'aide de la théorie particulaire de la matière, explique pourquoi plusieurs détergents à lessive semblent plus efficaces en eau chaude qu'en eau froide.

6. À l'aide de la théorie particulaire de la matière, explique pourquoi le sucre à glacer se dissout plus rapidement que le sucre granulé.

Utilise tes habiletés

7. À l'aide de la théorie particulaire de la matière et des diagrammes ci-dessous, explique pourquoi les solides et les gaz sont solubles dans les liquides.

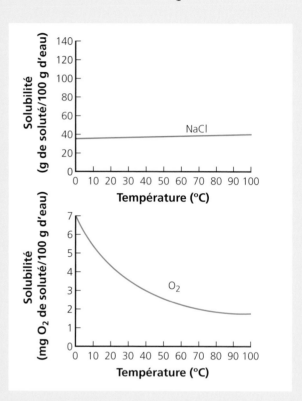

C25 *Réflexion sur les sciences et l'environnement*

La sécurité routière et le déglaçage des routes

Par temps froid, on répand du sel sur les routes pour faire fondre la neige et la glace. Cette opération rend la conduite plus sécuritaire. Plus tard, cependant, ce sel est dissout par l'eau de pluie et finit par s'infiltrer dans les milieux humides, les rivières, les ruisseaux et les lacs.

1. Avec une ou un camarade, échange des idées sur les problèmes environnementaux que peut causer cette pratique, puis inscris-les dans ton cahier de notes.

2. Avec ta ou ton camarade, échange des pistes de solution, puis inscris-les dans ton cahier de notes.

La séparation des solutions et des mélanges mécaniques

Résumé de ce que tu apprendras dans cette section :

- Les composantes des solutions peuvent être séparées par filtration, par chromatographie, par évaporation ou par distillation.
- Les composantes des mélanges mécaniques peuvent être séparées par tri, par tamisage ou par magnétisme.

La fabrication du fromage fait appel à la séparation des éléments solides et liquides du lait, lequel est un mélange mécanique. L'ajout de certaines substances chimiques favorise la formation de petits caillots de lait qui seront ensuite séparés de la partie liquide appelée *petit-lait*. Ce processus porte le nom de *caillage*. Les solides peuvent par la suite être traités de différentes façons. À cette étape, on retire l'eau du caillé (partie solide) pour fabriquer plusieurs variétés de fromage (figure 8.13).

Figure 8.13 Le fromage est obtenu en séparant le lait en plusieurs substances.

C26 *Point de départ* — Habiletés Ⓐ Ⓒ

Chromatographie sur papier filtre

Demande à ton enseignante ou à ton enseignant de te remettre une bande de filtre à café d'une longueur de 10 cm. À l'aide d'une règle et d'un crayon, trace une ligne à 2 cm de l'une des extrémités. Fais ensuite un point au centre de la ligne à l'aide d'un marqueur de couleur noire. Dans un récipient contenant 1 cm d'eau, insère la bande en travers de l'ouverture pour que l'extrémité de la bande touche à l'eau, mais pas jusqu'au point. Fixe la bande à un crayon à l'aide de ruban adhésif (figure 8.14)

1. Quelle couleur a parcouru la distance la plus longue ? Quelle couleur a parcouru la distance la plus courte ?

2. Pourquoi les couleurs se séparent-elles et parcourent-elles des distances différentes ? Explique tes réponses à l'aide de la théorie particulière de la matière.

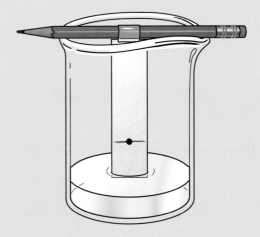

Figure 8.14 Détermine les couleurs qui parcourent les distances les plus longues.

Vérifier la signification des mots clés

Ralentir le rythme de lecture, relire ou faire une pause pour réfléchir sont toutes des stratégies efficaces pour surveiller la compréhension d'un texte ; vérifier la signification des mots clés en est une autre.

Pendant que tu lis cette section, note les mots que tu ne comprends pas. Utilise des cartes de vocabulaire pour t'aider à comprendre leur signification (figure 8.15). Pour te donner un coup de pouce, voici quelques mots de la première partie de la section :

- chromatographie
- distillation
- filtration
- évaporation

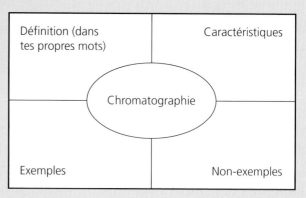

Figure 8.15 Les cartes de vocabulaire sont utiles pour comprendre les mots.

Des méthodes pour séparer les composantes des solutions

Les propriétés et les caractéristiques des composantes d'une solution se ressemblent vraiment beaucoup. Voilà pourquoi il est difficile de séparer ces composantes. La stratégie la plus courante consiste à provoquer un changement d'état du soluté ou du solvant (par exemple, faire passer le soluté de l'état solide à l'état liquide) de façon à pouvoir l'extraire de la solution.

La chromatographie sur papier

Dans la **chromatographie sur papier**, une petite quantité de solution très concentrée est placée en un point précis du papier et absorbée par celui-ci. Le papier est ensuite trempé dans un solvant, tel que l'eau, en plaçant le point contenant la solution au-dessus du solvant. Le solvant monte ensuite le long du papier parce que ses particules sont attirées par les particules de papier (figure 8.16). Les substances qui composent l'échantillon se dissolvent et sont entraînées par le solvant. La distance parcourue par chacune des substances varie selon la solubilité de la substance dans le solvant et selon son niveau d'interaction avec le papier. Les substances parcourent différentes distances pour finalement se séparer.

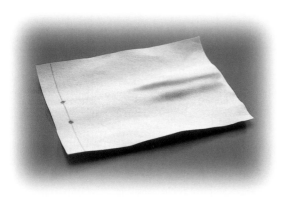

Figure 8.16 La distance parcourue varie selon la solubilité de la substance dans le solvant et selon son niveau d'interaction avec le papier.

L'évaporation

Pendant le processus d'**évaporation**, les particules d'eau se transforment en vapeur et se mélangent aux particules de l'air ambiant. La figure 8.17 montre que les particules d'eau qui s'échappent ont plus d'énergie et bougent plus rapidement que les particules qui demeurent en suspension, car elles ont suffisamment d'énergie pour s'échapper de la surface du liquide. Lorsque le liquide est une solution, la concentration du soluté augmente parce que le nombre de particules de soluté demeure constant, alors que le nombre de particules d'eau diminue. Si toutes les particules d'eau finissent par s'échapper de la solution, seules les particules de soluté sont laissées derrière, puisqu'elles ont été séparées de l'eau. Ainsi l'évaporation permet de conserver le soluté, mais pas le solvant.

Tu as vu que, pour fabriquer du sirop d'érable, il faut séparer par évaporation l'eau du sucre contenu dans la sève et que cette étape permet d'obtenir un mélange de sucre plus concentré.

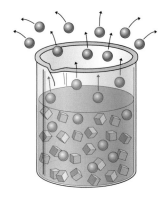

Figure 8.17 Les particules de solvant qui s'évaporent s'échappent de la solution, alors que la concentration des particules de soluté augmente.

La distillation

La **distillation** est un procédé qui consiste à séparer les éléments d'une solution par une ébullition suivie d'une condensation de la vapeur. Pendant le procédé de distillation, une solution est chauffée. Le solvant se vaporise (il se transforme en gaz) et se sépare du reste de la solution (figure 8.18). Le soluté reste dans le contenant initial. Le gaz solvant se condense alors sur une surface relativement froide pour être finalement récupéré. Cette technique de séparation est très utile quand les substances ont des points d'ébullition très différents.

Il existe de l'eau embouteillée obtenue par distillation. La distillation est un procédé qui est couramment employé pour transformer l'eau salée en eau potable, car elle permet d'extraire le sel contenu dans l'eau.

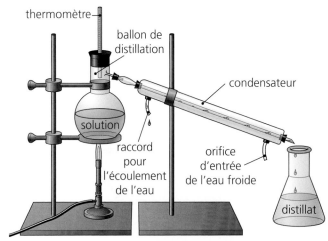

Figure 8.18 La distillation permet de séparer les éléments d'une solution par une ébullition suivie d'une condensation de la vapeur. Dans cet appareillage, on utilise de l'eau froide pour refroidir la vapeur présente dans le condensateur.

La séparation des composantes des mélanges mécaniques

En général, il est plus facile de séparer les composantes d'un mélange mécanique que les composantes d'une solution, parce que ses constituants sont habituellement très différents les uns des autres.

La filtration

La **filtration** est un procédé mécanique qui sépare les matières solides des liquides ou des gaz lorsqu'ils traversent un milieu poreux (comme du papier) ou une masse (comme du sable). Le papier filtre de la figure 8.19 sert à séparer les particules solides d'un mélange composé d'eau et de saletés. Le filtre retient les parties solides, alors qu'il laisse l'eau s'écouler. Le sel ou les autres minéraux dissous dans l'eau passeront à travers le filtre, mais resteront en suspension.

Les cafetières à filtre, comme leur nom l'indique, sont munies d'un filtre. L'eau passe à travers les grains de café moulus, ce qui permet d'obtenir la solution de café et de laisser la mouture dans le filtre.

Le tri

Dans certains cas, les composantes des mélanges mécaniques sont facilement repérables et identifiables. Le **tri** est une technique qui consiste à séparer les substances en fonction de leur apparence : couleur, taille, texture ou composition.

La figure 8.20 montre un bac de récupération rempli de matières recyclables. Dans le cadre de certains programmes de collecte domestique des matières recyclables, c'est la chauffeuse ou le chauffeur du véhicule de collecte qui trie les matières recyclables dans les compartiments appropriés. Le métal est séparé du verre, tout comme le plastique est séparé du papier. Tous sont ensuite recyclés. Par exemple, on fabrique de nouvelles canettes d'aluminium à partir de canettes d'aluminium que l'on fait fondre et du papier journal à partir de papier recyclé.

Figure 8.19 L'eau passe à travers le filtre. Les plus grosses particules de saleté sont cependant retenues par le filtre.

Figure 8.20 Il est possible de trier les matières recyclables dans plusieurs bacs pour en faciliter la récupération.

Le tamisage

Le **tamisage** consiste à séparer les solides, selon la grosseur des morceaux, à l'aide d'un tamis ou d'un crible. Les chefs pâtissières et les chefs pâtissiers, par exemple, tamisent la farine pour en éliminer les grumeaux et confectionner des pâtisseries légères qui gonflent à la cuisson (figure 8.21). Les composantes des matières solides qui sont assez petites pour passer à travers les ouvertures du tamis sont séparées des matières grossières qui ne peuvent passer à travers ces mêmes ouvertures.

Le tamisage est différent de la filtration, même si ces deux techniques de séparation des mélanges semblent similaires. Les ouvertures des filtres sont généralement plus petites que celles du treillis des tamis. Un solide qui passe à travers un tamis ne passera pas nécessairement à travers un filtre. De plus, la filtration consiste à séparer les solides des liquides ou des gaz, alors que le tamisage sert à séparer des solides.

Figure 8.21 Les chefs pâtissières et les chefs pâtissiers tamisent la farine pour en éliminer les grumeaux et confectionner des pâtisseries légères qui gonflent à la cuisson.

Le magnétisme

Certains métaux ont la propriété d'attirer d'autres métaux ; ils sont **magnétiques**. Le fer, l'acier et le nickel, de même que certains composés, sont tous magnétiques, contrairement à la plupart des autres substances. La séparation des matériaux magnétiques, tels que les pièces d'automobile faites de fer, des matériaux qui ne le sont pas, tels que les tableaux de bord en plastique, la mousse isolante et les pneus, peut ainsi se faire à l'aide d'un aimant (figure 8.22).

Figure 8.22 Un aimant permet de récupérer certains types de métaux, mais pas tous.

Pour aller Plus loin

Des programmes de recyclage sont implantés partout au Canada et dans le monde. Ces programmes réduisent le volume de déchets solides destinés aux sites d'enfouissement. Chaque jour, tu utilises de nombreux produits faits de matériaux recyclés. Effectue une recherche sur les sources de matériaux recyclés.

C28 *Activité de résolution de problème*

Boîte à outils 3

HABILETÉS À UTILISER
- Concevoir, construire et évaluer
- Enregistrer des résultats

Concevoir une technique pour séparer un mélange

Reconnaître un besoin

Plusieurs applications industrielles et manufacturières nécessitent la séparation des composantes d'un mélange constitué de plusieurs substances. L'extraction de pierres précieuses, de minerais et de métaux de certaines matières premières est un exemple de séparation ; de même que l'obtention de fromage par séparation des parties liquides (le petit-lait) et solides (le caillé). En équipe, concevez une technique pour séparer les composantes d'un mélange que déterminera votre enseignante ou votre enseignant.

Problème

Comment pouvez-vous séparer ce mélange en chacune de ses composantes ?

> ### Matériel
> - Déterminé par votre enseignante ou votre enseignant

Critères de réussite

- La méthode de séparation doit être approuvée par votre enseignante ou votre enseignant.
- Chacune des composantes du mélange doit être séparée.

Remue-méninges

1. Classez chaque substance connue présente dans le mélange selon les critères suivants :
   - substance pure ou mélange
   - soluble dans l'eau ou insoluble dans l'eau
   - magnétique ou non magnétique
   - particule de grande taille ou particule de petite taille
2. Déterminez les méthodes de séparation appropriées.

Faites un dessin

3. Sur un organigramme, montrez quand et comment chaque substance se sépare du mélange.
4. Faites approuver votre méthode de séparation.
5. Revoyez votre méthode au besoin. Répétez les étapes 3 et 4 jusqu'à ce que votre organigramme soit approuvé.

Testez et évaluez

6. Procédez maintenant à la séparation du mélange. Servez-vous de votre organigramme pour vous guider.
7. Faites une démonstration de votre méthode de séparation à l'aide d'un schéma. Autant que possible, utilisez des exemples de la vie de tous les jours. Inspirez-vous du raisonnement que vous avez utilisé pour concevoir votre méthode de séparation.
8. Une fois l'activité terminée, nettoyez votre aire de travail et lavez-vous bien les mains.

Communiquez

9. Préparez une présentation d'environ deux minutes pour expliquer votre méthode de séparation. Assurez-vous que tous les membres de votre équipe y participent.
10. Utilisez des exemples simples pour bien vous faire comprendre. Essayez de trouver des applications de votre méthode qui permettraient à d'autres élèves, groupes ou secteurs industriels de s'en servir.

C29 *Activité synthèse*   Boîte à outils 2

HABILETÉS À UTILISER
■ Évaluer une démarche
■ Tirer des conclusions

Séparer un mélange de clous, de sel, de sable, d'huile et d'eau

Question

Quelles méthodes sont nécessaires pour séparer et filtrer toutes les composantes d'un mélange mécanique ?

Figure 8.23 Tu élaboreras une méthode pour séparer ce mélange de clous, de sel, de sable, d'huile et d'eau.

Matériel

- Un petit bocal muni de son couvercle
- De 5 à 10 petits clous
- 5 ml de sel de table
- 5 ml de sable fin
- 50 ml d'eau du robinet
- 50 ml d'huile végétale
- Deux béchers de petite taille
- Un agitateur magnétique
- Des essuie-tout
- Un plateau de métal

Démarche

1. Fais équipe avec une ou un camarade. Combinez les clous, le sel de table, le sable, l'eau et l'huile dans le bocal.

2. Vissez le couvercle fermement. Agitez suffisamment le bocal pour dissoudre et mélanger toutes les composantes. Attention à ne pas briser le bocal !

3. En équipe, discutez de la façon dont il serait possible de séparer **et de conserver** toutes les composantes du mélange.

4. Discutez de votre démarche avec votre enseignante ou votre enseignant. Faites-lui approuver votre méthode avant de poursuivre l'activité.

Analyse et interprétation

5. Quelle composante avez-vous séparée en premier ?

6. En quoi ce choix a-t-il influé sur le choix de la composante à séparer ensuite ?

7. De quelle façon vous êtes-vous assurés de filtrer la quantité maximale de chaque composante ?

8. Vérifiez auprès de vos camarades s'ils ont tous séparé les composantes dans le même ordre.

9. Expliquez l'efficacité de votre démarche à l'aide de la théorie particulaire de la matière.

10. Une fois l'activité terminée, lavez-vous bien les mains.

Développement des habiletés

11. Pourquoi avez-vous choisi cette méthode de séparation ?

Pour conclure

12. Quelle propriété des solutions a été la plus utile pour séparer les composantes du mélange ?

13. Quelle propriété des solides a été la plus utile pour séparer les composantes du mélange ?

Révise les concepts clés

1. Utilise les mots *dilué* et *concentré* pour expliquer la différence qu'il y a entre la sève d'érable et le sirop d'érable.

2. En quoi l'évaporation et la distillation sont-elles différentes ? Donne un exemple de chaque technique de séparation.

3. Pourquoi est-il généralement plus facile de séparer les composantes d'un mélange solide que les composantes d'une solution ?

4. La plupart des farines vendues dans le commerce sont tamisées avant d'être mises en sac. Quel est l'effet de cette opération sur la qualité de la farine ?

5. De quelle façon la chromatographie sur papier permet-elle de séparer un mélange d'encres de couleurs différentes ?

Fais des liens

6. Quelle mesure pourrais-tu prendre pour purifier l'eau potable dont tu doutes de la qualité ?

7. Pourquoi les jardiniers tamisent-ils la terre qu'ils utilisent pour aménager des jardins ?

Utilise tes habiletés

8. On te remet un mélange de bâtons de craie pour écrire au tableau, de poussière de craie, de trombones et de sel. À l'aide d'un organigramme clairement annoté, explique de quelle façon tu séparerais chaque substance de ce mélange.

C30 *Réflexion sur les sciences et l'environnement*

Le piégeage du dioxyde de carbone et l'environnement

En Ontario, quatre centrales au charbon produisent de l'électricité. Le mélange de gaz de combustion qui en résulte contient une grande quantité de dioxyde de carbone. À l'avenir, il sera possible de séparer le dioxyde de carbone des gaz de combustion et de l'enfouir sous terre, probablement dans des mines abandonnées.

Fais équipe avec une ou un camarade. Réfléchissez à quelques avantages et désavantages du piégeage du dioxyde de carbone. Écrivez vos idées dans votre cahier de notes. Discutez de vos observations avec quelques camarades ou avec le reste de la classe.

Faire carrière dans le domaine de la sécurité des produits de consommation

Figure 8.24 Les personnes qui travaillent dans le domaine de la sécurité des produits de consommation mettent à l'essai plusieurs produits pour s'assurer qu'ils ne présentent aucun danger pour le grand public.

L'utilisation inappropriée ou dangereuse de produits de consommation blesse ou tue des centaines de personnes chaque année. Santé Canada, grâce à l'organisme Sécurité des produits de consommation, veille à protéger les Canadiennes et les Canadiens contre tout produit mal fabriqué (figure 8.24).

Prestation des services de sécurité

Sur son site Web, Santé Canada explique la mission de l'organisme Sécurité des produits de consommation pour mieux servir les Canadiennes et les Canadiens. Voici quelques exemples :

- fixer des normes et des lignes directrices en matière de sécurité ;

- appliquer la loi au moyen d'enquêtes, d'inspections, de saisies et de poursuites ;

- effectuer des analyses et de la recherche sur les produits de consommation.

Les exigences scolaires

Pour bien remplir cette mission, les personnes engagées doivent être solidement formées. Pour faire carrière dans le domaine de la sécurité des produits de consommation, il faut obtenir un diplôme d'études secondaires et suivre des cours de mathématiques et de sciences chaque année.

Il faut ensuite obtenir un diplôme d'études collégiales ou universitaires en biologie, en chimie, en physique ou en sciences de la santé. Des compétences supplémentaires peuvent aussi être exigées, y compris une formation clinique. Les gens qui s'occupent de superviser et de former le personnel doivent aussi posséder une vaste expérience dans leurs domaines respectifs.

Questions

1. Quel organisme du gouvernement veille à la sécurité des produits de consommation au Canada ? Pourquoi son travail est-il nécessaire ?

2. Nomme trois rôles que joue cet organisme gouvernemental. En quoi la connaissance des substances pures et des mélanges peut-elle l'aider à remplir ces rôles ?

3. Une carrière dans le domaine de la sécurité des produits de consommation suppose d'avoir beaucoup de contacts avec les gens. Réfléchis aux types d'aptitudes en relations humaines et aux qualités que tu devrais posséder pour faire carrière dans ce domaine.

Révise les concepts clés

1. Quelle est la différence entre un soluté et un solvant ? Donne un exemple de chacun. ⓒⓒ

2. Décris les composantes de l'air qui t'entoure à l'aide des mots *soluté* et *solvant*. ⓒⓒ

3. a) Pourquoi appelle-t-on l'eau le *solvant universel* ? ⓒⓒ

b) Donne deux exemples de substances qui sont solubles dans l'eau. ⓗ

c) Donne deux exemples de substances qui sont insolubles dans l'eau. Pourquoi cette insolubilité présente-t-elle des avantages ? ⓗ

4. À l'aide d'un diagramme de Venn, détermine deux facteurs qui influent sur la dissolution d'un soluté dans un solvant. Explique pourquoi ces facteurs exercent une telle influence. ⓒⓒ

5. Compare les propriétés d'une solution diluée et celles d'une solution concentrée. ⓒⓒ

Fais des liens

6. Une solution est composée de 50 g de sucre et de 500 ml d'eau. Quelle est la concentration de la solution en unités de : ⓜ

a) g/ml ?

b) g/1000 ml ?

7. Utilise la théorie particulaire de la matière pour expliquer l'effet de la taille des particules sur la dissolution. Illustre ton explication à l'aide d'un schéma à particules. ⓗ

8. Le sel se dissout plus vite dans l'eau chaude que dans l'eau froide. Pourquoi ? Explique ta réponse à l'aide de la théorie particulaire de la matière. ⓗ

9. Plusieurs espèces de poissons préfèrent vivre en eau froide, certaines ne pouvant survivre à une température supérieure à 20 °C. À l'aide de ta compréhension de la solubilité des solides et des gaz, explique pourquoi ces poissons ne peuvent survivre en eau chaude. ⓗ

Après la lecture Stratégies Littératie

Réfléchis et évalue

Ton enseignante ou ton enseignant va écrire quatre énoncés sur quatre feuilles. En petits groupes, réagissez à chacun des énoncés suivants à tour de rôle. À l'aide du marqueur de couleur qui vous a été donné, répondez au premier énoncé. Au signal de votre enseignante ou de votre enseignant, passez à l'énoncé suivant. Lisez ce que vos camarades ont écrit. Au besoin, faites des modifications ou des ajouts pour surveiller la compréhension des concepts de vos camarades. Quelles stratégies avez-vous utilisées pour surveiller la compréhension des autres membres de la classe ?

• Toutes les solutions contiennent de l'eau et un soluté.

• Une solution concentrée est une solution saturée.

• La distillation n'est pas différente de l'évaporation.

• Une grande partie des matières récupérées dans le cadre des programmes de recyclage sont triées à la main.

COMPÉTENCES DE LA GRILLE D'ÉVALUATION DU RENDEMENT
ⓒⓒ Connaissance et compréhension　ⓗ Habiletés de la pensée　ⓒ Communication　ⓜ Mise en application

Utilise tes habiletés

10. Alors que tu ajoutes du sel à une salade, le couvercle de la salière tombe accidentellement et une grande quantité de sel se répand dans le mélange de laitue, de poivre et de vinaigre. À l'aide de ta compréhension des solutions et des mélanges, explique de quelle façon tu pourrais séparer le sel du reste du contenu du bol de salade. *m*

11. Regarde la figure 8.19 à la page 230. Elle montre la filtration d'une quantité d'eau souillée. Dessine un croquis de la filtration. Illustres-y les particules d'eau et de saleté présentes dans l'eau souillée, ainsi que les particules de liquide au fond du contenant. Explique pourquoi il s'agit d'une séparation d'un mélange mécanique et non d'une séparation de solutions. *h*

C31 *Réflexion sur les sciences et la technologie*

Des couleurs dans ton assiette

Tous les aliments sont des mélanges. Certains mélanges sont plus complexes que d'autres. Tu as peut-être remarqué que les mots *colorants artificiels* apparaissent parfois sur les étiquettes des aliments. L'utilisation de colorants alimentaires est approuvée par le gouvernement canadien. Le colorant rouge est extrait d'un insecte appelé *cochenille* ou de goudron de houille, un produit du charbon. On ajoute du colorant rouge aux aliments pour améliorer leur apparence de fraîcheur et en rehausser la couleur. Les cerises en conserve, le ketchup, certaines céréales pour petit-déjeuner et la viande rouge en sont des exemples. L'utilisation de ces types de mélanges a un impact sur notre société. Lequel?

Ce que tu dois faire

1. Trouve des étiquettes alimentaires de produits auxquels on a ajouté du colorant rouge. Recherche les mots *couleur artificielle*, *rouge Allura AC*, *colorant alimentaire rouge*, *E129*, *carmin* ou *extrait de cochenille*. Examine les étiquettes que ton enseignante ou ton enseignant te remettra si l'occasion se présente.

Réfléchis

Discute des questions ci-dessous avec une ou un camarade ou avec toute la classe.

2. La présence de colorant rouge dans certains aliments était surprenante dans quelques cas et moins dans d'autres. Dresse deux listes de ces aliments.

3. Le simple ajout de colorant alimentaire peut-il améliorer certains produits? Si oui, lesquels?

4. La réglementation gouvernementale au sujet de l'utilisation de colorants dans les aliments est-elle acceptable ou sert-elle uniquement à satisfaire les consommatrices et les consommateurs? Pour la société, y a-t-il des enjeux plus importants que l'utilisation de ces colorants? Si oui, dresse une liste de ces enjeux alimentaires.

9.0

L'utilisation courante des mélanges et des solutions a un impact sur la société et l'environnement

Le procédé de fabrication du sirop d'érable a un impact sur la société et l'environnement.

Ce que tu vas apprendre

Dans ce chapitre, tu vas :

- identifier les applications industrielles des techniques de séparation des mélanges mécaniques ou des solutions ;
- évaluer l'incidence, sur la société et sur l'environnement, de divers procédés industriels qui font appel à la séparation des mélanges ;
- évaluer les répercussions environnementales, positives ou négatives, de la mise au rebut des substances pures et des mélanges.

Les habiletés à utiliser

Dans ce chapitre, tu vas :

- explorer des techniques de séparation des mélanges ;
- utiliser une variété de formes et de médias pour communiquer des idées et de l'information à différents auditoires et à diverses fins.

Pourquoi est-ce important ?

Les procédés industriels qui sont employés pour séparer et éliminer les mélanges et les solutions peuvent avoir des effets désastreux sur notre milieu de vie et sur notre mode de vie, ainsi que des effets à long terme sur l'environnement.

Avant l'écriture

Stratégies Littératie

Approche par étapes/approche chronologique

Certains types de textes présentent des consignes précises étape par étape ou une série séquentielle d'événements. Lis ce chapitre en diagonale pour trouver des exemples de ces procédés. Quand dois-tu utiliser ces procédés lorsque tu écris ?

Mots clés

- aération
- herbicide
- insecticide
- site d'enfouissement
- morts-terrains
- radioactif
- marais salant
- exploitation de mines à ciel ouvert

Figure 9.1 L'utilisation de pesticides permet de récolter des fruits et des légumes impeccables, mais à quel prix !

Le rayon des produits frais de ton épicerie contient des fruits et des légumes qui semblent savoureux et éclatants de fraîcheur (figure 9.1). Certains de ces aliments, cependant, sont traités avec des pesticides. Un **pesticide** est un produit chimique qui détruit les organismes nuisibles aux cultures. Un **herbicide** est un pesticide qui détruit certains végétaux comme les mauvaises herbes. Un **insecticide** est un produit chimique qui détruit les insectes nuisibles aux plantes cultivées. Ces produits chimiques n'affectent pas instantanément la qualité des aliments que tu consommes. Par contre, l'utilisation et l'élimination de ces produits dangereux peuvent contaminer les rivières, les lacs et les eaux souterraines.

Les exemples de dangers pour l'environnement qui sont associés à l'élimination inappropriée des substances pures et des mélanges sont malheureusement trop nombreux (figure 9.2). Il est possible de réduire ces dangers, notamment en se renseignant davantage sur les méthodes d'élimination sécuritaire des substances pures et des mélanges qui sont utilisés dans le secteur industriel.

Dans ce chapitre, tu exploreras les utilisations industrielles de quelques techniques de séparation des mélanges, ainsi que leur effet sur la société et l'environnement. Tu prendras en considération les effets sur l'environnement de l'utilisation et de l'élimination de certaines substances pures et de certains mélanges. Pendant ta lecture du chapitre, réfléchis à la façon dont tu utilises les produits de consommation et à l'influence que tu exerces sur l'environnement.

Figure 9.2 La prolifération des algues est en partie causée par les usines de production de pétrole. Ces algues ont pour effet de diminuer la quantité d'oxygène dans l'eau et nuisent à la respiration des poissons. Les taches vertes visibles sur la photo sont en fait des algues.

C32 *Laboratoire*

Le tamisage des métaux précieux

L'exploitation minière consiste à extraire le minerai des substances minérales. Le minerai contient des métaux précieux tels que l'or et l'argent. Tu simuleras le processus du tamisage dans la classe.

Objectif

Séparer les pièces d'un cent, de cinq cents et de vingt-cinq cents d'un mélange de pièces de monnaie, de sable et de cailloux.

Matériel

- Plusieurs feuilles de papier de bricolage
- Du sable
- Des cailloux
- Des ciseaux
- Une assiette
- Des pièces de monnaie différentes

Démarche

1. Demande à ton enseignante ou ton enseignant de te fournir des ciseaux, du papier, des pièces de monnaie ainsi que du sable et des cailloux.

2. Découpe dans une feuille des trous assez grands pour faire passer le sable et les cailloux, mais assez petits pour empêcher les pièces de monnaie de passer.

3. Mesure le diamètre de chaque pièce pour t'assurer que la grosseur des trous est légèrement inférieure à celle d'une pièce de monnaie. Tu devras donc utiliser plus d'une feuille de papier et tamiser le mélange plus d'une fois.

4. Tamise doucement le mélange au-dessus d'une assiette pour permettre au sable et aux cailloux de passer dans les trous, mais pas les pièces de monnaie.

Questions

5. De quelle grosseur sont les trous que tu as découpés?

6. As-tu réussi à tamiser le mélange et à séparer chaque pièce de monnaie en un seul essai?

7. Comment les compagnies minières pourraient-elles améliorer leurs méthodes de tamisage? Donne quelques exemples.

Voici un résumé de ce que tu apprendras dans cette section :

- Plusieurs méthodes permettent de séparer les composantes des mélanges.
- Il existe de nombreuses utilisations industrielles des techniques de séparation des solutions et des mélanges mécaniques.

Figure 9.3 De nombreux produits de consommation sont fabriqués à partir de matières obtenues par la séparation de métaux qui proviennent des profondeurs de la Terre.

De nombreux types de substances et de produits de consommation sont fabriqués chaque jour grâce à l'utilisation de techniques de séparation des substances pures et des mélanges. Les bicyclettes, les ordinateurs et même les téléphones cellulaires sont fabriqués à partir de matières obtenues par la séparation de métaux qui proviennent des profondeurs de la Terre (figure 9.3). Le pétrole entre dans la composition de l'essence, des matières plastiques et des produits comestibles faits à base d'huile, tels que les imitations de crème fouettée. Plusieurs aliments et boissons que tu consommes chaque jour, du sirop d'érable au cola diète, sont fabriqués à l'aide de procédés de séparation des mélanges.

C33 *Point de départ* **Habiletés Ⓐ Ⓒ**

La distillation de l'antigel

L'antigel aide à protéger les moteurs des véhicules contre certains dommages. Il empêche l'eau du radiateur de geler ou de bouillir. L'antigel est principalement composé d'eau, de méthanol et d'éthylène glycol. Le tableau 9.1 présente les points d'ébullition de ces composantes.

1. Fais équipe avec une ou un camarade. À l'aide du tableau, essayez de prédire ce qui arriverait à une solution d'antigel si elle était progressivement chauffée jusqu'à son point d'ébullition.

2. Le point d'ébullition de l'antigel s'élève à 188 °C. Le gaz (la vapeur) contiendrait-il plus de méthanol que d'eau quand il commencera à s'évaporer ? Expliquez votre réponse.

3. Pourquoi le point d'ébullition d'une substance serait-il plus élevé que le point d'ébullition d'une autre substance ? **Indice :** Expliquez chacune de vos réponses à l'aide de la théorie particulaire de la matière.

Tableau 9.1 Les points d'ébullition de trois composantes de l'antigel

Substance	Point d'ébullition (°C)
Eau	100
Méthanol	65
Éthylène glycol	197

Séparer des mélanges par distillation

La **distillation fractionnée** est un procédé qui consiste à séparer les substances du pétrole brut en fonction de leur point d'ébullition (figure 9.4). Le pétrole brut à l'état liquide est pompé dans un ensemble de tubes pour être acheminé dans un four où il est chauffé et où il se change en gaz. Les gaz très chauds qui en résultent s'élèvent ensuite dans une colonne de fractionnement ou de distillation. En s'éloignant de la chaleur, le mélange de gaz se refroidit. Les substances dont le point d'ébullition est plus élevé, comme la paraffine, se condensent et sont pompées à la base de la colonne, où la température est plus élevée. Les substances dont le point d'ébullition est moins élevé, comme l'essence, demeurent sous forme de gaz alors qu'elles s'élèvent dans la colonne, jusqu'à ce qu'elles se condensent et soient pompées à des hauteurs différentes.

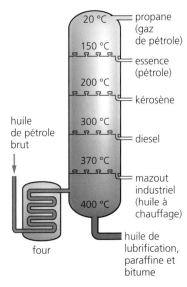

Figure 9.4 Le pétrole brut est séparé en ses diverses composantes.

Séparer des mélanges par évaporation

Chaque printemps, des millions de litres d'eau d'érable sont recueillis dans l'est du Canada pour être transformés en sirop. On fait bouillir l'eau d'érable jusqu'à ce qu'elle s'évapore presque complètement (figure 9.5). Il en résulte un mélange savoureux de sucre, d'eau et de sucs provenant de l'arbre qui confèrent au sirop d'érable son goût unique.

Pendant des milliers d'années, les populations vivant près des océans se sont servies de la chaleur du Soleil pour évaporer l'eau de mer et ainsi obtenir du sel. L'eau de mer s'écoule dans une vaste étendue située sous le niveau de la mer. Cette vaste étendue, entourée de digues, s'appelle ***marais salant (ou saline)***. Une fois l'eau évaporée, la matière solide recueillie se compose d'environ 96 % de sel de mer.

Figure 9.5 Il faut environ 40 l d'eau d'érable pour obtenir 1 l de sirop.

C34 *Fais le point!*

La distillation fractionnée

1. Le pétrole brut est un mélange de substances liquides et solides. Ce pétrole est-il une solution ou un mélange mécanique? Explique ta réponse.

2. Qu'ont en commun l'essence, le kérosène et le pétrole brut?

3. Pourquoi les substances dont le point d'ébullition est bas sont-elles recueillies au sommet de la colonne de fractionnement?

Figure 9.6 Ce filtre à eau élimine les particules de saleté et un certain nombre de bactéries.

Figure 9.7 Cet aimant, qui est utilisé dans une usine de recyclage des métaux, sépare l'acier et le fer des autres métaux.

Pour aller Plus loin

Le lavage de l'or à la batée est un procédé de séparation qui a été mis au point par les premiers chercheurs d'or. Le principe de base consistait à séparer l'or du sable et du gravier présents dans les ruisseaux. Pour que l'or se dépose au fond, les chercheurs d'or secouaient une batée qui contenait de l'eau et une petite quantité de sable et de gravier. Effectue une recherche sur le lavage de l'or à la batée et sur d'autres techniques minières.

Séparer des mélanges par filtration

La purification de l'eau s'effectue au moyen de filtres très fins. Ces filtres éliminent les particules de saleté et un certain nombre de bactéries. Ils rehaussent aussi le goût et la pureté de l'eau du robinet (figure 9.6). Des filtres à eau industriels sont fréquemment utilisés pour éliminer les impuretés de l'eau pendant la production de divers produits alimentaires.

Les systèmes de ventilation des édifices et des salles stériles sont habituellement dotés de filtres pour assurer que l'air ne contient aucune poussière ni substance. Des ventilateurs font circuler l'air à travers des microfiltres. Les pores de ces microfiltres emprisonnent les particules de poussière, de pollen et de matière.

Séparer des mélanges par magnétisme

En général, les recycleurs de déchets solides utilisent des aimants pour séparer les métaux (par exemple, le fer et l'acier) des autres déchets. Comme l'illustre la figure 9.7, le fer et l'acier sont attirés par un aimant et séparés des substances non magnétiques telles que le bois et les matières plastiques. L'acier et le fer ainsi récupérés sont ensuite fondus pour être transformés en d'autres produits utiles. Les petits morceaux de fer et d'acier, comme les trombones et les agrafes, peuvent aussi être récupérés à l'aide d'un aimant parmi les rebuts de papier et de carton, avant leur transformation en produits de papier recyclé.

Séparer des mélanges par tamisage

Les roches qui contiennent des métaux (le minerai) sont tamisées, puis les métaux sont fondus pour en extraire le minerai. Le procédé de tamisage sépare les roches les plus lourdes qui contiennent le plus de métaux (les petites roches en contiennent très peu). Cette opération facilite l'extraction des métaux.

Le tamisage de la farine améliore la cuisson des aliments. La plupart des farines du commerce sont déjà tamisées afin d'éliminer les grumeaux et de mesurer les quantités de farine requises avec précision. La farine tamisée est plus aérée et légère. Ainsi, lorsque la farine est mélangée avec des ingrédients liquides, tels que des œufs ou de l'eau, elle s'humecte facilement et uniformément. Une fois cuits, les produits sont très légers et moelleux.

Séparer des métaux recyclés par magnétisme

La valeur de recyclage des canettes en aluminium est très élevée. Malheureusement, cette valeur est souvent diminuée en raison de la contamination causée par la présence de boîtes de conserve composées de fer et d'acier. Les centres de tri utilisent de gros aimants pour attirer le fer et l'acier, retirer les autres métaux et ainsi augmenter la valeur de l'aluminium recyclé. Dans cette activité, tu vas séparer les matériaux magnétiques des métaux non magnétiques.

Objectif

Séparer les boîtes de conserve des canettes en aluminium de ton bac à recyclage.

Matériel

- Des boîtes de conserve et des canettes en aluminium propres destinées au recyclage
- Un aimant permanent (plus il est gros, le mieux c'est)

Démarche

1. Copie le tableau ci-dessous dans ton cahier de notes.

Tableau 9.2 Les propriétés magnétiques des canettes destinées au recyclage

Type de contenant	Attiré par l'aimant (oui ou non)
Canette de boisson gazeuse	

2. Sélectionne de quatre à six contenants métalliques provenant de ton bac à recyclage.
3. Approche l'aimant de chacun des contenants.
4. Note quels contenants sont attirés par l'aimant.

Questions

5. Quels types de contenants étaient attirés par l'aimant?
6. Pourquoi ces métaux étaient-ils attirés par l'aimant?
7. Décris un procédé qui permettrait de séparer à grande échelle les boîtes de conserve et les canettes en aluminium.
8. Selon toi, pourquoi faut-il séparer certains types de métaux de certains autres avant de les chauffer?

Indice : Pense aux propriétés magnétiques du métal lorsque celui-ci est chauffé.

Révise les concepts clés

1. Trouve deux utilisations industrielles de la distillation et détermine les composantes des mélanges qui sont séparées au cours de chacune.

2. Nomme trois produits commerciaux qui pourraient avoir été séparés par tamisage.

3. Nomme au moins trois types de produits dont la séparation des composantes est obtenue par filtration.

4. De quelle façon un centre de tri pourrait-il utiliser un aimant pour séparer des métaux de types différents ?

Fais des liens

5. De quelle façon peut-on obtenir du sel au moyen de l'évaporation de l'eau de mer ? Explique ta réponse à l'aide de la théorie particulaire de la matière.

6. Pourquoi faut-il changer régulièrement les filtres à air des automobiles et des appareils de chauffage central ? Explique ta réponse à l'aide de la théorie particulaire de la matière.

7. Pourquoi l'essence et le propane sont-ils recueillis au sommet d'une colonne de distillation, alors que le diesel et le mazout industriel sont recueillis à la base de cette même colonne ?

Utilise tes habiletés

8. Sous forme de consignes, invente une méthode pour séparer un mélange composé de clous en fer, de cristaux de sel, de copeaux de bois et de pièces de monnaie en cuivre.

C36 Réflexion sur les sciences, la technologie, la société et l'environnement

La séparation des mélanges industriels

Les industries comme celles du secteur de l'exploitation minière se concentrent principalement sur la séparation des métaux des mélanges de pierre. Ces métaux entrent dans la fabrication de nombreux produits allant des automobiles aux avions. La plupart des industries font appel à la technologie pour améliorer leurs méthodes d'extraction et pour réduire les coûts et les effets de leurs activités sur l'environnement.

Fais équipe avec une ou un camarade pour répondre aux questions suivantes.

1. Quels avantages directs votre école et vous tirez-vous de l'exploitation minière ?

2. L'exploitation minière génère des coûts sur le plan économique et environnemental. Nommez-en quelques-uns.

L'effet des techniques industrielles de séparation des mélanges et des solutions

Voici un résumé de ce que tu apprendras dans cette section :

- Certaines techniques de séparation des mélanges ont des effets négatifs sur l'environnement.
- Certaines techniques de séparation des mélanges, telles que la filtration, ont des effets positifs sur l'environnement.

Plusieurs produits d'usage commercial courant, dont l'essence et les matières plastiques, sont fabriqués dans des raffineries. Une **raffinerie** est une usine destinée à l'épuration de substances brutes comme le pétrole ou le sucre. Comme tu l'as vu dans la section précédente, les mélanges comme le pétrole brut y sont séparés en plusieurs substances (figure 9.8). Les raffineries sont généralement éloignées des villes, car elles répandent habituellement une odeur très désagréable durant leur production. Leur processus de production génère aussi des sous-produits qui peuvent contaminer l'air et l'eau souterraine. Plusieurs procédés industriels de séparation ont des effets sur l'environnement et sur les gens, ce qui oblige ceux-ci à s'installer dans certains secteurs précis.

Figure 9.8 Les raffineries de pétrole séparent le pétrole brut en plusieurs substances.

C37 *Point de départ*  Habiletés

Les techniques de séparation des substances pures et des mélanges et leurs applications industrielles

Grâce à l'exploitation minière, à l'extraction des métaux, au raffinage du pétrole et à plusieurs autres procédés industriels, il est possible de séparer les substances pures et les mélanges utiles d'autres mélanges et solutions. Chaque méthode ou procédé procure certains avantages à la société ou à l'économie. Fais équipe avec une ou un camarade pour déterminer ce que vous savez déjà au sujet de ces procédés et pour noter les interrogations que vous avez à l'aide des énoncés suivants.

1. Déterminez au moins deux procédés industriels qu'utilisent les entreprises de votre communauté.

2. Quels produits de consommation proviennent de chaque procédé ?

3. Trouvez quels déchets résultent de chaque procédé.

4. Où sont situées les installations industrielles par rapport aux plans d'eau et à l'ensemble des habitations ?

L'exploitation minière

L'**exploitation à ciel ouvert** permet d'extraire les substances naturelles du sol en creusant les couches supérieures de terre et de roche sur de vastes étendues. Le minerai situé à la surface du sol s'appelle ***morts-terrains***. L'exploitation à ciel ouvert peut détruire presque complètement l'environnement si les morts-terrains ne sont pas replacés afin de rétablir le milieu perturbé.

L'**exploitation de mines à ciel ouvert** est une méthode d'exploitation qui consiste à creuser profondément jusqu'aux dépôts de minéraux. Ce type d'exploitation est employé lorsque les dépôts des minéraux exploités sont distribués en couches dans le sol et présentent une forme relativement régulière. Les mines à ciel ouvert servent également pour extraire les métaux situés près de la surface (figure 9.9). L'**exploitation de surface** consiste à enlever les longues bandes de morts-terrains en suivant des veines de minéraux. On utilise ce type d'exploitation lorsque les morts-terrains se trouvent à flanc de colline ou dans une vallée. Ce genre d'exploitation ressemble beaucoup au procédé d'extraction des sables bitumineux en Alberta.

Figure 9.9 Exploitation d'une mine à ciel ouvert dont on a extrait le minerai de fer.

L'exploitation du charbon

Le charbon est présent surtout sous forme de gisements ou près de la surface de la Terre. Dans les Appalaches et dans l'est des États-Unis, le charbon se présente sous forme de couches au sommet des montagnes. Des compagnies minières spécialisées dans l'extraction de la houille utilisent une technique d'exploitation appelée *décapitation des montagnes*. Elle a un effet dévastateur sur l'environnement (figure 9.10).

La **décapitation des montagnes** est une technique d'exploitation d'une mine de charbon qui consiste à couper complètement la forêt située au sommet d'une montagne, à retirer la couche de sol, puis à dynamiter la zone à exploiter pour en extraire le charbon. Les morts-terrains sont déversés dans une vallée située tout près pour en remplir la cavité. De gros véhicules transportent ensuite le charbon aux usines de lavage et de traitement. Aucune végétation ne peut survivre à ce type d'extraction.

Durant ce processus, des millions de litres d'eaux usées reposent dans des bassins formés par la construction de barrages en terre. Après l'extraction du charbon, il est possible de recouvrir la surface rasée d'une couche de terre et de reboiser.

Figure 9.10 Ce type d'exploitation porte le nom de *décapitation des montagnes*.

Procéder par étapes ou de façon séquentielle

Les rédactrices et les rédacteurs font parfois appel à l'écriture par étapes ou à l'écriture séquentielle pour préciser les éléments d'information de certains paragraphes. Relis les deux derniers paragraphes qui portent sur la décapitation des montagnes à la page précédente. Quels mots-indicateurs signalent la présence d'un exemple de procédé d'écriture par étapes ou d'écriture séquentielle? Peux-tu donner d'autres exemples de mots-indicateurs?

De quelle façon pourrais-tu illustrer les étapes de la méthode de la décapitation des montagnes? Pour ce faire, conçois un organisateur graphique. Réfléchis à l'organisation des boîtes et aux types de traits qui les relieront. Présente tes idées à une ou un camarade.

L'extraction des métaux du minerai

La plupart des métaux présents dans l'écorce terrestre sont combinés à d'autres substances et doivent être séparés au moyen de produits chimiques. Le procédé chimique de la cyanuration, par exemple, permet d'extraire l'or du minerai et de le dissoudre en y ajoutant de l'eau. Le cyanure est un composé chimique très toxique. Exposé au Soleil, il perd cependant de sa toxicité.

Plusieurs usines spécialisées dans l'extraction de l'or sont dotées de **bassins à résidus** (figure 9.11) dans lesquels des composés cyanurés, mélangés à de la pierre concassée, se décomposent sous l'action du Soleil. Ce type de bassin peut cependant déborder pendant les périodes de fortes chutes de neige, de pluies abondantes ou de crue. Les produits chimiques qui s'en échappent et qui s'infiltrent dans l'eau souterraine sont susceptibles de causer des dommages environnementaux.

Figure 9.11 Le processus d'affinage de l'or s'effectue avec du cyanure. Ce composé chimique peut empoisonner les habitats aquatiques.

Le raffinage du pétrole

Le raffinage du pétrole rejette de grandes quantités de gaz dans l'atmosphère. Ces gaz dégagent de mauvaises odeurs. C'est pourquoi les raffineries sont généralement situées loin des secteurs à forte densité de population. Le **brûlage à la torche** (figure 9.12) est une opération qui consiste à brûler les gaz, comme le méthane et le gaz naturel, qui résultent du procédé de raffinage. Le méthane constitue l'un des plus importants gaz à effet de serre. Sa capacité à retenir la chaleur dans l'atmosphère est 25 fois supérieure à celle du dioxyde de carbone. Certaines raffineries cherchent des moyens de récupérer et de recycler ce gaz pour en faire du carburant.

Figure 9.12 Les gaz résiduels sont éliminés au moyen du brûlage à la torche.

L'évaporation et l'environnement

Presque tous les procédés industriels de séparation qui font appel à l'évaporation, comme la fabrication de certains carburants, d'alcool distillé et de plusieurs types de plastique, se servent de la chaleur dégagée par les combustibles pour accélérer l'évaporation. Par exemple, il faut environ 40 l d'eau d'érable pour obtenir 1 l de sirop (figure 9.13). Pour y arriver, il faut faire brûler du bois d'érable, par exemple, ou une autre forme de combustible. Ce procédé dégage une quantité considérable de dioxyde de carbone et peut avoir un effet négatif sur l'environnement.

Les filtres et l'environnement

Certaines techniques de séparation des mélanges, comme la filtration, ont un effet positif sur l'environnement. Les deux types de filtres les plus répandus sont les filtres à air et les filtres à eau.

La filtration des liquides

Le traitement des eaux usées consiste à éliminer les impuretés de l'eau au moyen de filtres. Grâce à ce procédé, les municipalités fournissent de l'eau potable à des fins domestiques à l'ensemble de la population. Les filtres à eau sont particulièrement utiles lorsque la qualité de l'eau est insuffisante ou que l'on veut consommer une eau encore plus pure à la maison (figure 9.14). Dans ce cas, le procédé industriel de séparation des mélanges (la filtration de l'eau) a un effet positif sur la société et l'environnement.

La filtration de l'air

Un grand nombre de personnes souffrent d'asthme ou d'allergies. Leur état peut s'aggraver quand l'air qu'elles respirent contient des particules de poussière et de pollen ou d'autres particules de matière issues de la combustion de combustibles. Certaines personnes s'empêchent même de sortir de chez-elles quand il y a du smog. La présence de filtres, à l'intérieur et à l'extérieur de la maison, améliore grandement la qualité de l'air. L'air est ainsi beaucoup plus respirable et donc meilleur pour la santé. Les filtres à air des appareils de chauffage à air chaud et des purificateurs d'air, par exemple, aident à débarrasser l'air de ses impuretés à l'intérieur de la maison (figure 9.15). Ce procédé industriel (la filtration de l'air) a lui aussi un effet positif sur la société et l'environnement.

Figure 9.13 Des quantités considérables de combustible sont nécessaires à l'évaporation de l'eau d'érable.

Figure 9.14 Ce filtre à eau purifie l'eau potable.

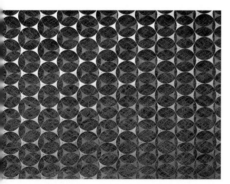

Figure 9.15 Le filtre d'un appareil de chauffage à air chaud élimine les particules de poussière et de pollen qui sont présentes dans l'air.

Pour aller Plus loin

Un filtre à air permet au moteur d'un véhicule de *respirer*. Effectue une recherche sur le fonctionnement de ce type de filtre.

Les effets bénéfiques des filtres à air sur la qualité de l'air à l'intérieur

Les filtres à air ont des effets particulièrement positifs sur l'environnement, car ils améliorent la qualité de l'air ambiant. Ces filtres éliminent les impuretés de l'air que tu respires, notamment les particules de poussière et de pollen et les sous-produits de la combustion. Comme dans la plupart des procédés de filtration, les particules grossières sont retenues par le filtre, alors que les plus petites passent à travers ses minuscules ouvertures.

Objectif

Montrer les effets positifs d'un filtre à air sur la qualité de l'air à l'intérieur.

Matériel

- Deux pailles en plastique
- Un papier-mouchoir
- Du ruban adhésif
- Une gomme à effacer
- Du coton à fromage (facultatif)

Démarche

1. Découpe une partie du papier-mouchoir tout juste assez grande pour couvrir l'une des extrémités d'une paille.

2. Insère le papier-mouchoir entre les extrémités des deux pailles. Colle les extrémités des deux pailles.

3. Souffle maintenant dans les pailles pour vérifier si l'air passe à travers le filtre en papier-mouchoir.

Effectue les ajustements nécessaires pour t'assurer que l'air passe sans difficulté.

4. Frotte la gomme à effacer sur ton bureau ou sur une feuille de papier à quelques reprises pour produire des petites pelures.

5. Essaie d'aspirer les pelures à l'aide des pailles. Fais attention de ne pas les inhaler.

6. Après plusieurs essais, retire le papier-mouchoir pour vérifier s'il a réussi à retenir les pelures.

7. (Facultatif) Répète les étapes précédentes, cette fois avec le coton fromage.

Questions

Discute des questions ci-dessous avec une ou un camarade ou avec toute la classe.

8. Pourquoi l'air circulait-il librement dans les pailles et le papier-mouchoir ?

9. Pourquoi les petites pelures n'ont-elles pas réussi à passer à travers le papier-mouchoir ?

10. De quelle façon pourrais-tu améliorer ce système de filtration pour empêcher le passage de plus petites particules ?

11. Qu'est-ce que cette expérience t'apprend au sujet de l'efficacité des filtres à air qui améliorent la qualité de l'air à l'intérieur ?

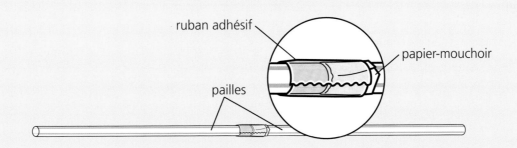

ruban adhésif

papier-mouchoir

pailles

C40 *Activité synthèse*

Boîte à outils 2

HABILETÉS À UTILISER
- Poser des questions
- Collecter et organiser des données

Comment éliminer le dioxyde de carbone présent dans l'air

Quand tu respires, tu aspires de l'air. L'air est un mélange de gaz. L'eau de chaux est une solution d'hydroxyde de calcium produite en mélangeant de la chaux et de l'eau distillée. Ce mélange peut servir à détecter la présence de dioxyde de carbone.

Matériel

- Une solution de 50 ml d'eau de chaux
- Un bécher ou un bocal de 100 ml
- Une paille en plastique
- Une feuille de papier de couleur noire

MISE EN GARDE : Tu ne dois rien goûter ni boire pendant cette activité.

Question

Comment détecter le dioxyde de carbone présent dans l'air ?

Démarche

1. Verse la solution d'eau de chaux dans le bécher.

2. Observe la couleur et la clarté de la solution. Écris tes observations dans ton cahier de notes.

3. Dépose le contenant sur la feuille de papier de couleur noire.

4. Plonge la paille dans la solution. Souffle doucement dans la paille pour faire des bulles. Observe la solution et note tout changement

5. Lave-toi bien les mains après l'activité.

Analyse et interprétation

6. Décris les changements qui se sont produits dans la solution d'eau de chaux lorsque tu faisais des bulles.

7. Quelles sont les substances présentes dans l'air que tu expires ?

8. Quelque chose dans l'air que tu as expiré en soufflant dans la paille a eu pour effet de modifier l'apparence de la solution de chaux. Comment le sais-tu ?

9. Suggère une façon de modifier cette expérience pour savoir si la respiration fait augmenter la quantité de dioxyde de carbone présent dans l'air ou si ce composé chimique y est déjà présent.

Développement des habiletés

10. Comment pourrais-tu structurer tes observations pour présenter clairement tes résultats ?

Pour conclure

11. Réponds maintenant à la question présentée au début de l'activité.

12. Qu'advient-il du dioxyde de carbone que tu expires ?

Révise les concepts clés

1. a) Distingue les termes *exploitation de mines à ciel ouvert* et *exploitation de surface*.

b) Pourquoi considère-t-on qu'il s'agit de deux formes d'exploitation des couches supérieures du sol?

2. Le raffinage permet de séparer les substances pures et les mélanges qui entrent dans la composition du pétrole brut par distillation fractionnée.

a) Trouve deux effets positifs du raffinage sur la société et l'environnement.

b) Trouve deux effets négatifs du raffinage sur la société et l'environnement.

c) Indique deux stratégies qui sont employées par les raffineries de pétrole pour réduire leur effet néfaste sur la société et l'environnement.

Fais des liens

3. Toutes les technologies de filtration sont munies d'au moins un filtre. Ce filtre sert à séparer certaines particules d'autres particules. En quoi l'utilisation de filtres est-elle bonne pour toi ou un membre de ta famille? Explique ta réponse en donnant trois exemples.

Utilise tes habiletés

4. Les purificateurs d'air, comme celui qui est illustré ci-dessous, réduisent considérablement la concentration de polluants à l'intérieur des bâtiments. Illustre le fonctionnement de l'un de ces appareils à l'aide d'un schéma simple. Assure-toi d'y inscrire les mots *air non filtré*, *air filtré*, *filtre* et *ventilateur*.

C41 **Réflexion sur les sciences, la technologie, la société et l'environnement** S T S E

Les purificateurs d'air

De nombreuses maisons sont équipées d'un chauffage à air pulsé doté de filtres qui emprisonnent la poussière, le pollen et d'autres polluants présents dans l'atmosphère. D'autres habitations sont chauffées au moyen d'un poêle à bois, de radiateurs électriques ou de radiateurs à eau chaude. Aucun d'entre eux n'est cependant muni de filtres à air. Devrait-on inciter les personnes qui privilégient ces technologies à installer des purificateurs d'air dans leur maison? Fais équipe avec une ou un camarade. Selon vous, la présence d'un purificateur d'air devrait-elle être obligatoire dans toutes les habitations? Préparez-vous à présenter vos observations au reste de la classe.

Les répercussions environnementales de l'utilisation et de la mise au rebut des substances pures et des mélanges

Voici un résumé de ce que tu apprendras dans cette section :

- L'utilisation et la mise au rebut négligentes de pesticides ont des effets nuisibles sur l'environnement.
- Le déversement des eaux d'égout brutes a des effets négatifs sur les cours d'eau.
- La mise au rebut des substances et des mélanges industriels, ainsi que des sous-produits issus des procédés industriels, a un impact négatif sur l'environnement.

La nouvelle a fait la manchette : «Déchets polluants et eaux d'égout brutes dans les ruisseaux de la région de Toronto. » Cet événement imprévu a beaucoup inquiété la population. Tout le monde se demandait comment un tel incident avait pu se produire. Les eaux d'égout brutes peuvent causer des maladies de même que des dommages à l'environnement. Après vérification, les autorités se sont rendu compte que les villes canadiennes traitent leurs eaux d'égout brutes de façons différentes. On déverse régulièrement des eaux d'égout brutes partiellement traitées dans les cours d'eau situés près des grands centres urbains du Canada.

C42 *Point de départ* Habiletés

La dilution pour contrer la pollution

Un grand nombre de substances pures et de mélanges ont peu d'effet lorsqu'ils sont présents en petite concentration. Ainsi, le chlore ne présente aucun danger pour les baigneuses et les baigneurs quand il est dilué en petite quantité dans l'eau d'une piscine. Par contre, d'autres substances demeurent très toxiques même si elles ne se trouvent qu'en très petite concentration.

Pour effectuer l'expérience suivante, tu auras besoin de colorant alimentaire bleu contenant 87 % de teinture bleue par volume.

- Ajoute 1 ml de colorant alimentaire bleu à 99 ml d'eau du robinet (figure 9.16).
- Prélève 1 ml de la solution. Ajoute ce prélèvement à 99 ml d'eau comme dans l'étape précédente.
- Répète cette opération jusqu'à ce que le mélange devienne incolore.

Réfléchis

1. Combien de dilutions ont été nécessaires pour rendre le mélange incolore ?

2. Certaines substances sont toxiques à des niveaux inférieurs à une partie par million. Si la teinture bleue était toxique, sa dissolution dans l'eau serait-elle une méthode de traitement efficace ?

Figure 9.16 Le colorant alimentaire bleu représente une substance toxique.

Le traitement des eaux usées

Les **eaux usées** se composent des eaux évacuées d'une toilette, d'une baignoire, d'une douche ou d'un évier; elles comprennent aussi l'eau qui provient d'une toiture, les eaux de ruissellement des espaces verts urbains, celles qui coulent sur la chaussée et les déchets liquides industriels. Ces eaux sont traitées et nettoyées dans une usine d'épuration des eaux d'égout, puis réacheminées dans le milieu naturel. Comme l'illustre la figure 9.17, l'épuration des eaux usées est un processus en trois étapes. Ce processus comporte un traitement mécanique, un traitement biologique et un traitement chimique.

Figure 9.17 L'épuration des eaux usées comporte un traitement mécanique, un traitement biologique et un traitement chimique.

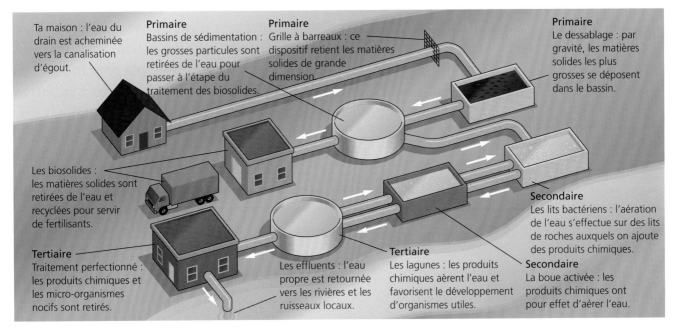

Ta maison : l'eau du drain est acheminée vers la canalisation d'égout.

Primaire
Bassins de sédimentation : les grosses particules sont retirées de l'eau pour passer à l'étape du traitement des biosolides.

Primaire
Grille à barreaux : ce dispositif retient les matières solides de grande dimension.

Primaire
Le dessablage : par gravité, les matières solides les plus grosses se déposent dans le bassin.

Les biosolides : les matières solides sont retirées de l'eau et recyclées pour servir de fertilisants.

Secondaire
Les lits bactériens : l'aération de l'eau s'effectue sur des lits de roches auxquels on ajoute des produits chimiques.

Tertiaire
Traitement perfectionné : les produits chimiques et les micro-organismes nocifs sont retirés.

Les effluents : l'eau propre est retournée vers les rivières et les ruisseaux locaux.

Tertiaire
Les lagunes : les produits chimiques aèrent l'eau et favorisent le développement d'organismes utiles.

Secondaire
La boue activée : les produits chimiques ont pour effet d'aérer l'eau.

Les traitements primaire, secondaire et tertiaire

Les eaux acheminées vers la station d'épuration sont composées de matières solides qui doivent être retirées avant de subir d'autres transformations. Le **traitement primaire** est un procédé mécanique. Il consiste à trier et à retirer d'importantes quantités de matière en suspension, comme des roches, du sable et du gravier. À cette étape, les matières plus lourdes que l'eau se déposent dans un bassin de sédimentation. On appelle ces matières solides *boues de station d'épuration*.

Le **traitement secondaire** est réalisé à l'aide de procédés biologiques et fait appel à l'**aération**, laquelle consiste à mélanger les eaux usées à de grands volumes d'air. Des organismes vivants, tels que des bactéries et des protozoaires, aident à dégrader les plus grosses particules. Ces particules sont ensuite déposées dans des bacs de rétention pour être retirées.

Activité suggérée • • • • • • • • • •
C44 Analyse de la prise de décision,
page 260

Le **traitement tertiaire** est réalisé au moyen de produits chimiques, tels que le chlore, pour tuer les germes, enlever les phosphates et désinfecter. D'autres traitements, comme l'exposition aux rayons ultraviolets (UV) de haute intensité et le traitement à l'ozone, servent eux aussi à tuer les microbes.

Toutes les boues des stations d'épuration doivent être éliminées par l'action bactérienne, enfouies ou brûlées.

L'effet sur l'environnement

Au Canada, les eaux traitées ne présentent généralement aucun danger une fois qu'elles ont été réacheminées dans le milieu naturel. Cependant, en période de grande consommation ou par temps pluvieux, les stations de traitement d'eau ne peuvent répondre à la demande, de sorte que les eaux usées ne se sont pas filtrées efficacement. Il en résulte généralement une eau contaminée. La réfection récente des usines d'épuration des eaux d'égout en Ontario a grandement amélioré la capacité de traitement et de stockage de ces usines.

Les pesticides

Comme tu l'as vu au début du chapitre, les agricultrices et les agriculteurs protègent leurs cultures au moyen de pesticides, tels que des insecticides et des herbicides. Ces produits détruisent les mauvaises herbes et permettent de tirer le maximum des cultures (figure 9.18). Quant à eux, certains propriétaires de maisons entretiennent leur pelouse et leur potager à l'aide d'insecticides. L'usage généralisé de pesticides a cependant des répercussions importantes sur l'environnement.

Figure 9.18 Les insecticides et les herbicides permettent de lutter contre les organismes nuisibles et les mauvaises herbes.

Les résidus

Selon certaines études environnementales, presque tous les lacs, rivières et ruisseaux situés dans les zones très peuplées de l'Amérique du Nord contiennent, à divers degrés, des **résidus**. Ces produits chimiques proviennent des pesticides. Les niveaux de résidus de pesticides sont très bas dans certaines régions, mais très élevés dans la région des Grands Lacs, par exemple. Selon le ministère de l'Environnement de l'Ontario, les femmes en âge d'avoir des enfants et les jeunes de moins de 15 ans devraient limiter leur consommation de poisson appartenant à des espèces pêchées dans cette province, et même éviter de consommer certains poissons d'eau douce.

Il est difficile d'empêcher les pesticides de s'infiltrer dans nos sources d'approvisionnement en eau. Comme l'illustre la figure 9.19, ces produits chimiques s'y retrouvent de diverses façons. Certains produits chimiques atteignent les sources d'approvisionnement en eau par **percolation** ; ces produits s'infiltrent d'abord dans le sol avant d'atteindre la source. Lorsque des produits chimiques sous forme liquide s'infiltrent dans le sol, les constituants solubles se dissolvent. Ce processus s'appelle *lessivage*. La dérive des pesticides constitue un autre exemple. Les pesticides vaporisés sur les cultures sont transportés par le vent. Les particules chimiques drainées par les cours d'eau présentent des concentrations dangereuses qui peuvent causer des dommages à l'environnement pendant de nombreuses années.

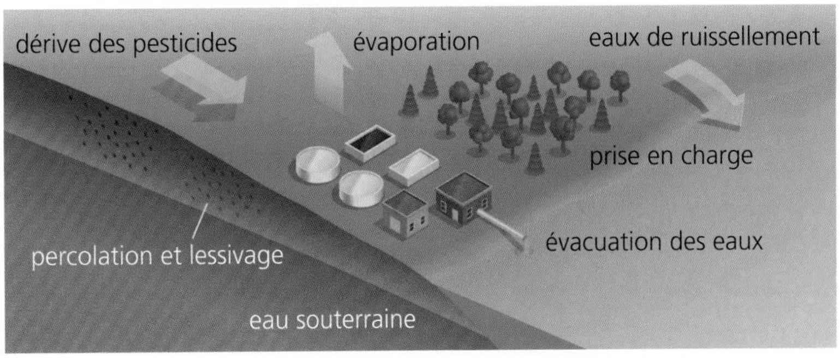

Figure 9.19 Les pesticides et les résidus de pesticides empruntent divers moyens pour s'infiltrer dans les cours d'eau.

L'effet des pesticides sur la santé

On a remarqué certains effets des pesticides sur l'environnement et sur certains aliments. Des agricultrices et les agriculteurs sont aussi affectés. Ils disent souffrir de maux de tête, de vertiges et de nausées parce qu'ils ont utilisé des pesticides pourtant jugés inoffensifs. Ils ont également des problèmes de santé à long terme d'ordre respiratoire, digestif, visuel ou cutané, ainsi que des troubles de la mémoire.

La contamination environnementale attribuable aux pesticides a aussi des effets sur les populations d'organismes présents dans le sol et les cours d'eau. Les populations de plantes et d'animaux indigènes y sont maintenant moins nombreuses ou ont complètement disparu. Aussi, plusieurs fruits et légumes peuvent contenir des résidus de pesticides ou présenter des résidus sur leur surface.

C43 *Pendant la rédaction*

Stratégies Littératie

Utiliser un procédé d'écriture séquentiel ou par étapes

Dresse une liste, par ordre séquentiel, des substances et des mélanges que tu as utilisés depuis ton réveil. Presque tout ce que nous utilisons quotidiennement produit des déchets, par exemple, du papier et des eaux usées. Revois ta liste. De quelle façon pourrais-tu réduire la quantité de déchets que tu produis ? Dans un paragraphe présenté sous forme de consignes, établis un plan pour réduire la quantité de déchets que produit ton école. Rappelle-toi d'y inclure des mots-indicateurs appropriés à ce type de texte.

Figure 9.20 La ville de Burlington Bay est l'un des principaux centres de sidérurgie du Canada.

Figure 9.21 Des produits chimiques issus de certains procédés industriels sont parfois rejetés dans l'environnement.

Figure 9.22 Les déchets domestiques sont généralement expédiés vers des sites d'enfouissement.

L'élimination des substances pures et des mélanges

Située dans le nord-ouest de la région du lac Ontario, la ville de Burlington Bay offre un bon exemple de paysage façonné par l'industrie (figure 9.20). Les fabricants d'acier y ont pollué l'eau, l'air et l'environnement pendant de nombreuses années. L'industrie sidérurgique a déversé une quantité importante de déchets industriels dans l'environnement. Cette pratique est née il y a environ 100 ans à Hamilton. La quantité de déchets déversés depuis est très élevée, mais on commence tout juste à en connaître les effets sur l'environnement et sur la santé humaine.

La ville de Sudbury reflète, elle aussi, la dévastation causée par l'élimination des mélanges de déchets dangereux issus du secteur industriel. Les pluies acides y ont endommagé la majorité des terres. Le rejet de soufre dans l'environnement est à l'origine de ces précipitations (figure 9.21). De plus, des **scories** ont été relâchées dans l'atmosphère pour ensuite retomber sur de vastes étendues de la région du Grand Sudbury. Les scories consistent en un mélange de stériles, un sous-produit de la fusion du nickel et du cuivre. L'environnement en est grandement affecté.

Les sites d'enfouissement

Les déchets domestiques, dont les ordures ménagères et les résidus de jardin et de pelouse, sont généralement expédiés vers des sites d'enfouissement (figure 9.22). Un **site d'enfouissement** est un endroit où les déchets sont déposés entre des couches de terre. Un grand nombre de déchets ne présentent aucun danger. Par contre, plusieurs liquides dangereux ne conviennent pas à ces sites et doivent être éliminés autrement. Certaines peintures à base d'huile, par exemple, contiennent du plomb, une substance pure très toxique. Les peintures au latex, par contre, sont exemptes de plomb et peuvent être éliminées dans un site d'enfouissement.

Les produits chimiques dangereux doivent être entreposés dans des sites expressément conçus pour eux. Mentionnons, par exemple, le mercure, une substance pure qui entre dans la composition des ampoules fluorescentes, et le cadmium, une substance pure utilisée pour la fabrication des piles rechargeables. Les sites de traitement des déchets dangereux abritent uniquement les matières et les substances liquides dangereuses. Ils sont scellés pour empêcher les liquides dangereux de migrer vers les puits et les autres sources d'eau potable.

L'énergie nucléaire et l'uranium

Les centrales nucléaires utilisent généralement de l'uranium pour produire de l'électricité (figure 9.23). L'uranium n'est pas brûlé de la même façon que les combustibles fossiles. Il ne produit donc aucune forme de pollution atmosphérique ni de dioxyde de carbone. L'énergie est plutôt produite par une réaction nucléaire contrôlée. L'utilisation de l'uranium en tant que combustible est cependant lourde de conséquences sur la société et l'environnement.

Figure 9.23 Les centrales nucléaires utilisent généralement de l'uranium pour produire de l'électricité.

L'uranium est relativement abondant dans l'écorce terrestre. En fait, on le trouve dans la plupart des roches et des sols, de même que dans les océans. Pour utiliser l'uranium en tant que combustible, il faut au préalable le concentrer et le purifier. L'uranium est radioactif. Une substance radioactive libère de l'énergie sous forme de rayonnement, et ce rayonnement est dangereux. On doit produire le combustible à uranium avec prudence pour éviter de causer du tort aux travailleuses et aux travailleurs ainsi qu'à l'environnement.

Le stockage et l'élimination de l'uranium

Habituellement, la durée de vie du combustible d'uranium est d'environ six ans. Les grappes de combustible épuisé sont ensuite entreposées dans des réservoirs remplis d'eau. L'eau refroidit les grappes et absorbe une partie des radiations qu'elles émettent. Au bout d'environ cinq ans, le combustible épuisé (l'uranium) est complètement refroidi. Il est alors assez stable pour être transporté dans une usine de retraitement. Près de 95 % de l'uranium peut être traité de nouveau et réutilisé comme combustible. Malheureusement, la portion résiduelle de 5 % demeure fortement radioactive et doit être traitée avec prudence lors de l'entreposage à long terme.

Les déchets d'uranium issus de la production d'électricité nucléaire demeurent hautement radioactifs pendant de nombreuses années. Selon certains spécialistes, le combustible épuisé constituera un risque pendant au moins 10000 ans. Étant donné qu'une centrale électronucléaire produit en moyenne jusqu'à 30 tonnes de déchets de grappes de combustible par an, leur entreposage constitue un gros problème. Certains spécialistes de la surveillance radiologique et de l'environnement recommandent le stockage du combustible épuisé dans des dépôts souterrains dotés d'un système de détection des fuites. Les déchets de combustible nucléaire devraient être entreposés dans des tonneaux en acier et scellés dans des conteneurs de stockage en béton, puis stockés à des kilomètres de profondeur.

> ## Pour aller *Plus loin*
>
> Utilisé en Ontario, le réacteur CANDU est le fruit d'une technologie canadienne. L'acronyme *CANDU* signifie **CAN**ada **D**euterium **U**ranium. Ce type de réacteur nucléaire affiche des résultats plutôt impressionnants sur le plan de la sécurité. Effectue une recherche sur les réacteurs CANDU.

ED Activité d'ancrage

C44 *Analyse de la prise de décision* | Boîte à outils 4 |

HABILETÉS À UTILISER
- Recueillir de l'information
- Organiser l'information

Le traitement des eaux usées dans ta communauté

Question

De quelle façon les eaux usées sont-elles traitées dans ta communauté ?

Quelques faits

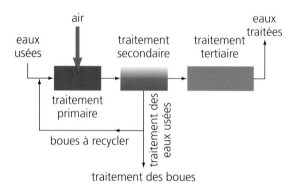

On trouve des usines de traitement des eaux usées dans plusieurs municipalités partout en Ontario. Dans quelle partie de ta région ces usines sont-elles situées ? Comment fonctionnent-elles ? Renseigne-toi sur ces questions. Au cours de cette activité, tu auras l'occasion d'en apprendre davantage sur les eaux usées et sur la façon dont elles sont traitées dans ta communauté. S'il est impossible de visiter l'usine de traitement invitez une personne-ressource qui peut vous donner ces informations.

Avant la visite

1. Trouve quelle est la population actuelle de ta communauté.

2. Apporte le matériel exigé par ton enseignante ou ton enseignant.

Après la visite

3. Trouve quel est le volume d'eau traitée par jour par l'usine que tu as visitée.

4. Calcule le volume d'eau traitée par habitant (la quantité totale d'eau traitée divisée par la population de ta municipalité).

5. À l'aide des connaissances que tu as acquises lors de ta visite, énumère deux ou trois éléments qui ont pour effet de compliquer le processus de traitement des eaux usées.

Analyse et évaluation

6. De quelle façon les gens peuvent-ils réduire leurs rejets d'eaux usées ?

7. En quoi une grosse tempête peut-elle compromettre la capacité de fonctionnement d'une usine de traitement des eaux usées ?

8. Indique trois façons de réduire la quantité d'eau consommée et la quantité d'eaux usées à ton école.

9. À l'aide des informations que tu as recueillies, réponds aux questions suivantes. Présente tes découvertes à la classe ou sous la forme suggérée par ton enseignante ou ton enseignant.

   a) De quelle façon les eaux usées de ta communauté sont-elles traitées ?

   b) Trouve la principale source ou les sources d'eau brute, le volume d'eau traitée et la durée moyenne du traitement de l'eau.

   c) Trouve les principales composantes physiques qui sont associées aux traitements primaire, secondaire et tertiaire.

C45 *Analyse de la prise de décision* Boîte à outils 4

HABILETÉS À UTILISER
- Recueillir de l'information
- Déterminer les biais

Que faire face aux méthodes d'élimination jugées dangereuses?

Question

Comment peux-tu déterminer qu'un mélange de cellulose constitue un déchet dangereux ou un conditionneur de sol qui peut être bon pour les terres agricoles?

Quelques faits

Le **coulis** est un produit de récupération de la production de pâtes et papiers ou un mélange de cellulose, de produits chimiques, de métaux lourds et de solutions inconnues. Les fabricants de papier doivent donc être en mesure d'éliminer ce mélange en toute sécurité. Autrement, il serait potentiellement dangereux pour les sols et l'environnement. Selon quelques spécialistes de l'environnement, le coulis est bon pour les sols lorsqu'il est appliqué dans certaines conditions et en quantité limitée.

Analyse et évaluation

1. Effectue une recherche pour connaître d'autres utilisations des déchets de cellulose.

2. Trouve des solutions de rechange à l'épandage de coulis sur les terres agricoles.

3. Essaie de déterminer la composition des déchets de cellulose.

4. Trouve quels sont les avantages potentiels de l'épandage de coulis ou d'autres déchets de papier sur les terres agricoles.

5. À l'aide de l'information que tu as recueillie, élabore un plan expliquant l'utilisation et l'élimination sécuritaires des déchets de cellulose.

6. Dresse une liste des précautions à prendre pour assurer l'efficacité de ton plan.

7. Serais-tu en mesure de prendre une décision éclairée au sujet des méthodes d'élimination appropriées, en te fondant sur l'information que tu as recueillie? Si oui, comment peux-tu savoir que cette information est véridique et complète? Si non, comment pourrais-tu trouver de l'information fiable et complète?

8. Partage les résultats de ta recherche avec tes camarades.

Révise les concepts clés

1. Qu'est-ce qu'un pesticide? Pourquoi utiliserait-on des pesticides en agriculture?

2. Comment les pesticides réussissent-ils parfois à s'infiltrer dans les cours d'eau? Identifie trois façons.

3. En quoi le traitement primaire des eaux usées est-il différent du traitement secondaire?

4. Trouve deux produits chimiques qui, pendant le traitement des eaux usées, tuent les microbes et désinfectent.

5. Pourquoi les émissions d'une cheminée industrielle sont-elles des mélanges et non des solutions?

Fais des liens

6. En quoi les bassins de sédimentation contribuent-ils à l'élimination des déchets solides pendant le traitement des eaux usées? Explique ta réponse à l'aide de la théorie particulaire de la matière.

7. Une pluie abondante peut nuire à l'efficacité d'une usine de traitement des eaux usées. Nomme au moins deux façons dont cela est possible.

8. Fais des liens entre la pollution atmosphérique et l'élimination des déchets industriels. Explique ta réponse à l'aide de la théorie particulaire de la matière.

Utilise tes habiletés

9. Suppose que tu représentes un groupe de citoyens de ta communauté. Une compagnie minière prévoit y construire une raffinerie dotée d'une cheminée industrielle. Dresse une liste de questions que tu poseras à cette compagnie pour déterminer si son projet est sans danger pour l'environnement.

C46   *Réflexion sur les sciences, la technologie, la société et l'environnement*

Les coûts liés à la production d'électricité

En 2007, le gouvernement de l'Ontario s'est engagé à fermer toutes les centrales électriques au charbon d'ici 2014. Les élus étaient préoccupés par les polluants, comme le mercure, qui pénètrent dans l'environnement, et par les grandes quantités de dioxyde de carbone qui contribuent aux changements climatiques. Les adversaires du projet suggéraient plutôt la modernisation ou la construction de centrales électriques au charbon qui soient propres. Les partisans du projet, eux, souhaitaient qu'on utilise des sources d'énergie non polluantes. Ces deux options sont très coûteuses. Selon toi, quel serait le meilleur choix? Discute de ton point de vue avec une ou un camarade, puis présente-le au reste de la classe.

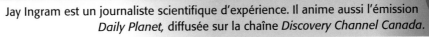

Fais des liens

Jay Ingram

Jay Ingram est un journaliste scientifique d'expérience. Il anime aussi l'émission *Daily Planet*, diffusée sur la chaîne *Discovery Channel Canada*.

L'effet *noix du Brésil*

La prochaine fois que tu ouvriras une boîte de noix mélangées, regarde bien comment elles sont disposées avant de commencer à les manger. Quelles noix se trouvent sur le dessus? Les grosses! Mais les grosses noix sont plus lourdes et, en raison de la gravité, elles devraient plutôt se trouver au fond. Cet étrange phénomène s'appelle *l'effet noix du Brésil*.

Parmi toutes les arachides et les noix de cajou, ce sont les noix du Brésil qui sont les plus grosses. Elles constituent aussi la plus impressionnante démonstration de cet effet qui défie toutes les lois de la gravité. Pourquoi ces noix finissent-elles par se retrouver sur le dessus? Crois-le si tu veux, mais des physiciennes et des physiciens essaient de comprendre et d'expliquer ce phénomène depuis les années 1930!

Tout d'abord, on doit supposer que le contenant a été secoué très souvent depuis qu'il a été scellé à l'usine jusqu'à ce que tu l'ouvres. Voilà la clé du mystère. Par conséquent, les plus petites noix, ou morceaux de noix, sont secouées, descendent et remplissent les espaces minuscules qui se forment sous les plus grosses. Avec le temps, les grosses noix finissent par se retrouver sur le dessus. Mais cela n'explique pas tout.

Les secousses déclenchent aussi un mouvement à l'intérieur du contenant, car les noix remontent lentement à la surface par le centre et redescendent par les côtés. Les petites noix continuent de se déplacer dans un mouvement circulaire, alors que les grosses restent coincées sur les côtés. Les noix du Brésil tassent les noix les plus petites lorsqu'elles remontent à la surface, mais elles sont incapables de les coincer lorsqu'elles redescendent, leur mouvement vers le bas étant trop faible. C'est pourquoi les noix du Brésil ont tendance à rester sur le dessus.

Ce n'est pas tout. Une chose est vraiment étrange: les scientifiques de l'Université de Chicago ont découvert que la densité de la noix est très importante. Suppose que tu disposes de trois grosses noix, toutes de la même taille, mais de poids différents. La noix la plus légère et la noix la plus lourde remonteront à la surface le plus rapidement, alors que la noix du centre sera la plus lente à remonter. La découverte selon laquelle l'air présent dans la boîte serait à l'origine de ce phénomène est encore plus étrange. Si la boîte est scellée sous vide, ces noix de densités différentes se déplaceront toutes à la même vitesse. Les scientifiques ne sont toujours pas parvenus à expliquer complètement ce phénomène.

Tente toi-même l'expérience: ouvre un contenant de noix mélangées, retires-en tout le contenu, mélange les noix, remets-les dans leur contenant et secoue le tout. Je te parie que les noix du Brésil se retrouveront sur le dessus. Mais imagine: les scientifiques ne sont toujours pas certains de leurs explications du phénomène!

Révise les concepts clés

1. Pendant la fabrication du sirop d'érable, quelle substance est séparée du mélange ? Que reste-t-il dans le mélange ? ⓒⓒ

2. Nomme cinq techniques de séparation des mélanges qui sont utilisées dans le secteur industriel. ⓒⓒ

3. a) Quel constituant, parmi les suivants, affiche le point d'ébullition le plus bas : le kérosène, le propane ou l'essence ? ⓒⓒ

   b) Comment le point d'ébullition influe-t-il sur l'emplacement où l'on prélève une substance dans une colonne de fractionnement ? ⓒⓒ

4. Détermine les techniques de séparation qui sont associées au traitement des eaux usées. ⓒⓒ

5. Les filtres servent à séparer les composantes d'un mélange. Pour les trois éléments ci-dessous, donne des exemples de filtres, puis identifie les substances séparées et les mélanges dont elles sont séparées. ⓒⓒ

   a) Une automobile

   b) Un appareil de chauffage à air chaud

   c) Un robinet de cuisine

Fais des liens

6. Dans certaines communautés, la qualité de l'eau n'est pas toujours la même. Lorsqu'il pleut beaucoup, les eaux de ruissellement peuvent permettre à des particules de sol et à des bactéries de s'infiltrer dans les systèmes d'approvisionnement en eau. Que recommanderais-tu à ces communautés pour optimiser leurs méthodes de traitement de l'eau potable ? ⓗ

7. L'extraction du sel de mer par évaporation est courante en région tropicale. Pourquoi ce procédé n'est-il pas largement utilisé en Amérique du Nord ? ⓜ

Utilise tes habiletés

8. Une solution de peroxyde d'hydrogène est un antiseptique appliqué directement sur la peau pour tuer les bactéries qui sont à l'origine de l'acné. Pour ne présenter aucun danger pour la peau, la concentration de peroxyde d'hydrogène dans l'eau ne doit pas excéder 3 %. Quelle solution de peroxyde d'hydrogène, parmi les suivantes, répond à ce critère ?

a) 6 g dans 200 ml

b) 5 g dans 100 ml

c) 20 g dans 200 ml

d) 3 g dans 50 ml

> ### Lien avec le projet du module
>
> Dans ton projet du module, tu vas examiner des échantillons d'eau provenant de diverses sources. Réfléchis à la façon dont les procédés industriels et commerciaux utilisés dans ta région sont susceptibles d'affecter la qualité de l'eau. Vois comment tu peux faire des liens avec ce que tu viens tout juste d'aborder au sujet des techniques de séparation qui sont utilisées dans le secteur industriel et de l'élimination des mélanges et des substances pures.

C47 Réflexion sur les sciences, la technologie, la société et l'environnement — STSE

L'eau embouteillée

Plusieurs conseils scolaires ontariens ont diminué la consommation d'eau embouteillée dans leurs locaux et leurs écoles. Certains autres en ont même interdit la vente.

Plusieurs raisons expliquent cette décision. Les conseils scolaires considèrent que la quantité de combustible nécessaire à la préparation du mélange de matière plastique et à la fabrication des bouteilles est un véritable gaspillage de ressources. De plus, l'élimination des bouteilles génère une grande quantité de déchets car, selon certaines personnes, plus de 90 % d'entre elles finissent dans un site d'enfouissement. Enfin, les conseils scolaires sont préoccupés par l'identité des propriétaires de la source d'eau dont ils puisent le précieux liquide. Ils se demandent aussi si les embouteilleurs de boissons gazeuses paient à juste prix pour les sources d'eau qu'ils exploitent. Selon d'autres personnes, la qualité de l'eau embouteillée, laquelle peut simplement être traitée par filtration, n'est pas meilleure au goût que l'eau du robinet ; dans certains cas, elle pourrait même présenter un goût douteux.

Fais équipe avec une ou un camarade. Dressez la liste des avantages de l'eau embouteillée. Ajoutez-y des exemples tirés de votre expérience pour appuyer votre opinion. Dressez aussi une liste des coûts qui sont associés à la consommation d'eau embouteillée. Ces coûts devraient comprendre des exemples tirés de votre expérience et des opinions que vous pourriez avoir sur le sujet.

Utilisez ces listes lorsque vous discuterez des questions ci-dessous. Préparez-vous à présenter vos découvertes à vos camarades.

1. Votre école ou votre conseil scolaire devrait-il interdire la vente d'eau embouteillée ?

2. Dans l'affirmative, quelle solution de remplacement permettrait de fournir de l'eau potable aux élèves et au personnel de votre école ?

3. Dans la négative, de quelle façon pourriez-vous faire face aux problèmes mentionnés précédemment ?

MODULE C *Résumé*

7.0 La théorie particulaire de la matière sert à décrire les substances pures et les mélanges.

CONCEPTS CLÉS

- Un mélange peut être classé en tant que solution ou en tant que mélange mécanique.
- La théorie particulaire de la matière comprend six principes clés, dont les deux suivants : *Toute matière est faite de particules* et *Il y a des espaces entre les particules*.

RÉSUMÉ DU CHAPITRE

- Tout est composé de matière.
- La matière peut être classée en tant que substance pure ou en tant que mélange.
- Les mélanges peuvent être classés en tant que solutions ou en tant que mélanges mécaniques.
- La théorie particulaire de la matière permet de décrire les caractéristiques de la matière.

8.0 Les mélanges et les solutions peuvent être analysés par la concentration, la solubilité et la séparation.

CONCEPTS CLÉS

- Les solutions consistent en des solutés et des solvants.
- Les solutions peuvent être diluées, concentrées, saturées, non saturées ou sursaturées.
- La concentration d'une solution est la proportion de soluté qui est dissoute dans un solvant.

RÉSUMÉ DU CHAPITRE

- La concentration d'une solution peut être décrite en termes qualitatifs et en termes quantitatifs.
- Les composantes de divers types de solutions (le soluté et le solvant) peuvent être identifiées.
- La température, le type de soluté et le type de solvant sont tous des facteurs qui influent sur la solubilité.
- La température, la taille des particules et l'agitation sont tous des facteurs qui influent sur la dissolution.
- Les composantes des solutions et des mélanges mécaniques peuvent être séparées de plusieurs façons.
- On appelle aussi l'eau le *solvant universel*.

9.0 L'utilisation courante des mélanges et des solutions a un impact sur la société et l'environnement.

CONCEPTS CLÉS

- Les composantes des produits commerciaux, lesquels consistent en des solutions et des mélanges mécaniques, peuvent être séparées de plusieurs façons.
- L'utilisation et la mise au rebut négligentes des substances pures et des mélanges ont des effets nuisibles sur la société et sur l'environnement.

RÉSUMÉ DU CHAPITRE

- Il existe de nombreuses utilisations industrielles des techniques de séparation des solutions et des mélanges mécaniques.
- Plusieurs techniques de séparation des mélanges qui sont utilisées dans le secteur industriel ont des effets nuisibles sur l'environnement.
- Certaines techniques de séparation des mélanges, telles que la filtration, ont des effets positifs sur l'environnement.
- La mise au rebut inappropriée des substances et des mélanges industriels, ainsi que des sous-produits issus des procédés industriels, a un effet négatif sur la société et sur l'environnement.

266 **MODULE C** Les substances pures et les mélanges

Que ce soit clair : tu peux boire cette eau

Mise en contexte

Il n'y a pas si longtemps, nous pouvions boire l'eau directement des sources, des ruisseaux et des rivières sans aucune crainte. Mais aujourd'hui, ce serait impensable, car presque tous les plans d'eau de surface sont pollués d'une façon ou d'une autre.

Dans ce module, tu as acquis des habiletés qui sont utiles aux spécialistes de l'approvisionnement en eau potable. Tu sais maintenant différencier les substances pures des mélanges et tu connais quelques-unes des techniques qui permettent de les séparer. La plupart des biens de consommation sont fabriqués à partir de substances pures et de mélanges. Ces biens représentent toutefois un risque, car lorsqu'ils ne sont plus nécessaires et qu'ils ne sont pas récupérés de façon appropriée, leurs composantes se retrouvent parfois dans l'environnement.

Cette eau semble bonne à boire, mais à y regarder de plus près, celle du ruisseau de droite est impropre à la consommation.

Ton objectif

Tu examineras des échantillons d'eau de quelques sources de surface. Tu feras appel à tes capacités d'observation et à tes habiletés de recherche pour essayer de purifier chaque échantillon au maximum. Tu feras aussi des liens entre les composantes présentes dans chaque échantillon et l'environnement à proximité de sa source. C'est ce qu'on appelle faire un *profil de ruisseau*.

Ce dont tu as besoin

- Le matériel dont tu t'es servi pour séparer des mélanges tout au long du module
- Des échantillons d'eau de chaque ruisseau
- Des fiches pour établir les *profils de ruisseau*

Les étapes de la réussite

1. En groupe, passez en revue les techniques de séparation des substances pures et des mélanges.

2. En petits groupes, passez en revue les propriétés des solutions et des mélanges mécaniques.

3. Préparez un tableau d'observation pour y noter vos résultats.

4. Séparez les impuretés de chaque échantillon. Mettez-les de côté pour les identifier plus tard.

5. À l'aide de votre connaissance de la théorie particulaire de la matière, formulez une hypothèse sur la nature des impuretés.

6. Inscrivez le résultat de vos analyses sur les fiches d'identification de chacun des échantillons.

Bilan

7. Avez-vous pu vérifier la pureté de vos échantillons ? Quel test avez-vous réalisé en dernier lieu ?

8. Quel matériel, autre que celui que vous avez utilisé, vous aurait permis d'améliorer vos analyses ?

9. Avez-vous pu déterminer précisément la provenance de chaque échantillon ?

10. Écrivez un bref compte rendu des étapes nécessaires au traitement de l'eau avant qu'elle n'atteigne les consommatrices et les consommateurs.

Révision des mots clés

1. Crée un arbre conceptuel pour montrer ta compréhension des mots suivants. *cc*

- aération
- chaleur
- concentré
- distillation
- énergie cinétique
- évaporation
- exploitation de mines à ciel ouvert
- filtration
- herbicide
- insecticide
- marais salant
- mélange
- mélange mécanique
- morts-terrains
- particule
- radioactif
- saturé
- site d'enfouissement
- solubilité
- soluté
- solution
- solvant
- substance pure
- température

Révision des concepts clés

7.0

2. Explique la différence qu'il y a entre un mélange mécanique et une solution. *m*

3. Énumère les six concepts clés de la théorie particulaire de la matière. *cc*

4. Si toute matière est faite de particules, qu'y a-t-il entre les particules? *cc*

5. En quoi la chaleur influe-t-elle sur la vitesse de mouvement des particules et sur la distance qui les sépare? *cc*

6. Comment une augmentation de la chaleur est-elle responsable du changement d'état d'une substance? *m*

7. À l'aide de la théorie particulaire de la matière, explique la différence qu'il y a entre une substance pure et un mélange. *cc*

8. Comment la chaleur participe-t-elle à la sublimation du dioxyde de carbone (la glace sèche) quand celui-ci passe de l'état solide à l'état gazeux? *cc*

9. Décris les changements d'état de la matière qui surviennent quand tu allumes une bougie sur un gâteau d'anniversaire et que tu la souffles un peu plus tard. *cc*

10. Le corps humain est composé d'au moins 70 % d'eau. Pourquoi peut-on dire qu'il s'agit d'un mélange mécanique? *h*

8.0

11. Utilise les mots *soluté* et *solvant* pour expliquer la différence qu'il y a entre une solution diluée et une solution concentrée. *cc*

12. À l'aide de la théorie particulaire de la matière, explique la différence qu'il y a entre une solution saturée et une solution non saturée. *cc*

13. Pourquoi les particules de soluté doivent-elles être attirées par les particules de solvant pour former une solution? *cc*

14. L'eau peut-elle dissoudre tous les solutés? Illustre ta réponse à l'aide d'exemples. *cc*

15. L'acier est un alliage de fer et de carbone. Pourquoi considère-t-on le fer comme le solvant et le carbone comme le soluté? *m*

16. Pourquoi l'agitation accélère-t-elle la dissolution? Explique ta réponse à l'aide de la théorie particulaire. *cc*

17. Pourquoi la peinture au latex se dissout-elle dans l'eau? Explique ta réponse à l'aide de la théorie particulaire. *m*

COMPÉTENCES DE LA GRILLE D'ÉVALUATION DU RENDEMENT
cc Connaissance et compréhension   *h* Habiletés de la pensée   *c* Communication   *m* Mise en application

18. Décris une méthode qui sert à séparer les canettes en aluminium des boîtes de conserve. (cc)

19. Explique la différence qu'il y a entre la distillation et l'évaporation. (cc)

20. De quelle façon les filtres à air permettent-ils d'éliminer les particules de poussière? (cc)

21. Le minerai est tamisé avant d'être chauffé et fondu pour en extraire les métaux. Pourquoi le tamisage rend-il ce procédé plus efficace? (m)

22. Pourquoi les raffineries de pétrole sont-elles situées loin des secteurs très peuplés? (cc)

23. Détermine au moins un effet négatif qu'ont l'exploitation de surface et l'exploitation de mines à ciel ouvert sur l'environnement. (cc)

24. Pourquoi l'exploitation de surface convient-elle à l'extraction des sables bitumineux en Alberta? (cc)

25. Pourquoi la décapitation des montagnes a-t-elle un effet dévastateur sur l'environnement? (cc)

26. Pourquoi l'or est-il soluble dans l'eau lorsqu'il est combiné au cyanure? Explique ta réponse à l'aide de la théorie particulaire de la matière. (m)

27. Évalue l'utilisation de la cyanuration en tant que méthode d'extraction de l'or du minerai. Justifie ton point de vue sur la question. (h)

28. Les bassins à résidus sont conçus pour empêcher la contamination de l'environnement. Ces bassins laissent cependant parfois s'échapper des contaminants dans les ruisseaux et les rivières. De quelle façon les compagnies minières pourraient-elles minimiser ce risque? (h)

Fais des liens

29. Pourquoi un détergent à lessive liquide est-il particulièrement efficace en eau froide? (m)

30. Certaines peintures peuvent se dissoudre dans l'eau, alors que d'autres doivent être dissoutes dans un solvant à base d'huile. Comment pourrais-tu déterminer quel est le solvant à utiliser? Explique au moins deux façons. (h)

31. En quoi les bassins de sédimentation contribuent-ils à l'élimination des déchets solides pendant le traitement des eaux usées? Explique ta réponse à l'aide de la théorie particulaire de la matière. (m)

32. En quoi les filtres pour robinet permettent-ils d'obtenir une eau plus pure que l'eau embouteillée? (h)

33. Les pesticides ont tendance à éliminer tous les types d'insectes, y compris ceux qui se nourrissent d'espèces parasites. Décris deux méthodes qui permettraient de limiter l'utilisation de pesticides sur la pelouse et dans le jardin. (m)

34. Pourquoi les femmes en âge d'avoir des enfants et les jeunes de moins de 15 ans devraient-ils restreindre leur consommation de poisson? (h)

35. La majorité des gens ne jettent pas de pesticides ni d'herbicides dans les cours d'eau. Pourtant, ces mélanges sont présents dans de nombreux lacs et rivières. Pourquoi? (m)

36. Après un orage, on observe une augmentation marquée de la contamination bactérienne de plusieurs lacs et rivières. Pourquoi ? *m*

37. Pourquoi un ballon rempli d'air a-t-il tendance à demeurer gonflé plus longtemps qu'un ballon gonflé à l'hélium ? Explique ta réponse à l'aide de la théorie particulaire de la matière. **Indice :** les particules d'hélium sont plus petites que la plupart des particules d'air. *h*

38. Les vinaigrettes composées d'huile et de vinaigre ont tendance à se séparer. C'est pourquoi il faut en agiter le contenant avant de les utiliser. À l'aide de la théorie particulaire de la matière, explique pourquoi l'huile ne se dissout pas dans l'eau. *h*

39. Les raquettes de tennis ont beaucoup évolué ces dernières années. Les raquettes faites de matériaux composites ont amélioré le jeu des joueuses et des joueurs moins puissants. À l'aide de la théorie particulaire de la matière, explique ta classification des matériaux qui entrent dans la composition des nouvelles raquettes. *m*

40. Pourquoi considère-t-on la pizza comme un mélange et le sel comme une substance pure ? Explique ta réponse à l'aide de la théorie particulaire de la matière. *h*

41. Pourquoi considère-t-on que la vapeur, la glace et l'eau sont une même substance ? Explique ta réponse à l'aide de la théorie particulaire de la matière. *h*

42. Par une chaude journée d'été, un verre d'eau froide se réchauffe rapidement. Cependant, si l'on y ajoute un cube de glace, la même quantité d'eau ne se réchauffera pas tant que le cube ne sera pas complètement fondu. Pourquoi ? Explique ta réponse à l'aide de la théorie particulaire de la matière. *h*

43. Pourquoi 5 g d'eau occupent-ils un espace équivalant à 5 ml à l'état liquide, mais remplissent entièrement une pièce au moment de leur évaporation ? Explique ta réponse à l'aide de la théorie particulaire. *h*

44. Décris une situation où les sciences et la technologie peuvent aider à comprendre les substances pures et les mélanges. *h*

Utilise tes habiletés

45. Dessine un schéma conceptuel pour faire des liens entre les mots *solution*, *soluté*, *solvant*, *évaporation* et *distillation*. *cc*

46. Conçois un diagramme en arbre. Donne-lui pour titre *La séparation des mélanges*. Illustres-y les techniques de séparation des mélanges mécaniques et des solutions. *cc*

47. Le dichloro-diphényl-trichloréthane (DDT) est un pesticide. Un seul millilitre de DDT dans un million de litres d'eau peut être dommageable à la santé. Si 1 ml de DDT a une masse de 1 g, quelle est la concentration d'une telle solution de DDT en g/1000 ml ? *h*

48. Conçois un tableau de comparaison. Donne-lui pour titre *Exploitation de mines à ciel ouvert*. Compares-y l'exploitation de mines à ciel ouvert, l'exploitation de surface et la décapitation des montagnes en tenant compte de la destruction des habi-

COMPÉTENCES DE LA GRILLE D'ÉVALUATION DU RENDEMENT
cc Connaissance et compréhension *h* Habiletés de la pensée *c* Communication *m* Mise en application

tats, de la quantité d'eau consommée et de la concentration en minerai des veines souterraines. (h)

Rappel des idées maîtresses

49. Choisis cinq aliments ou boissons qui se trouvent dans ton réfrigérateur. Pour chacun, indique s'il s'agit d'une substance pure ou d'un mélange. (cc)

50. En quelques lignes, montre en quoi les mots *distillation*, *filtration* et *évaporation* sont intimement liés. (c)

51. Explique dans tes propres mots la signification des mots *distillation*, *filtration* et *évaporation*. (cc)

52. À l'aide de la théorie particulaire de la matière, explique les différences qu'il y a entre une substance pure et un mélange. Donne des exemples de chacun. (cc)

53. En quoi la température agit-elle sur les changements d'état de la matière? Explique ta réponse à l'aide de la théorie particulaire de la matière. (cc)

54. « L'exploitation minière consiste à récupérer et à séparer les substances pures des mélanges. » Es-tu d'accord avec cet énoncé? Donne ton avis en quelques lignes. (h)

55. Une solution sursaturée contient plus de soluté que ce qu'elle peut normalement dissoudre à une température donnée. Pourquoi? Explique ta réponse à l'aide de la théorie particulaire de la matière. (h)

56. Certaines municipalités interdisent les pesticides qui sont destinés à l'entretien des pelouses et des jardins. Es-tu pour ou contre l'interdiction universelle des pesticides? Réponds à la question en un paragraphe. Assure-toi de donner des exemples pour appuyer ton point de vue. (h)

57. La couleur du ketchup semble uniformément rouge et de texture consistante. Pourtant, on le considère comme mélange mécanique plutôt que comme une solution. Pourquoi? Explique ta réponse à l'aide de la théorie particulaire de la matière. (h)

C48 *Réflexion sur les sciences, la technologie, la société et l'environnement*

Changer tes habitudes de consommation

Nous utilisons des substances pures et des mélanges chaque jour. Pense à ce que tu as mangé aujourd'hui, à l'air que tu as respiré et aux substances que tu as produites en expirant ou en utilisant un article quelconque (par exemple, du dioxyde de carbone et des déchets). Imagine maintenant qu'environ six milliards de personnes font la même chose que toi.

Si tu pouvais changer quelque chose, quels moyens prendrais-tu pour modifier ta consommation et ta production de substances pures et de mélanges à l'école, à la maison, dans ta communauté ou au Canada? Échange quelques idées avec une ou un camarade, puis préparez-vous à les présenter au reste de la classe.

D

La *chaleur* dans l'*environnement*

Survol du module

Le cours de sciences et technologie de 7e année présente six concepts. Ce module étudie trois de ces concepts :

- L'énergie
- La durabilité et l'intendance environnementale
- Les systèmes et les interactions

Les idées maîtresses

À mesure que tu progresseras dans ce module, tu comprendras mieux les notions suivantes :

A. La chaleur est une forme d'énergie qui peut être transformée et transférée.

B. Les processus de transfert de chaleur d'un corps à un autre peuvent être expliqués à l'aide de la théorie particulaire.

C. La chaleur provient de plusieurs sources.

D. La chaleur a des effets positifs et négatifs sur l'environnement.

Les attentes générales

À la fin de ce module, tu sauras :

- démontrer ta compréhension de la chaleur en tant que forme d'énergie associée au mouvement des particules de matière et à de nombreux processus s'opérant dans les systèmes terrestres ;

- examiner, à partir d'expériences et de recherches, l'effet de la chaleur sur diverses substances et décrire le procédé de transfert de chaleur ;

- évaluer les coûts et les avantages des technologies qui réduisent les pertes de chaleur ou l'effet de la chaleur sur l'environnement.

Une éruption sur la couronne, couche externe du Soleil.

Exploration

L'augmentation de la température a un effet sur les ours polaires de l'Arctique canadien.

L'habitat des ours polaires de l'image ci-dessus change rapidement. La glace de l'Arctique canadien fond plus vite qu'auparavant à cause de l'augmentation de la température. Pour les ours polaires, il est devenu plus difficile de chasser et de vivre dans leur habitat naturel.

Dans les médias, il est souvent question de problèmes environnementaux tels que la pollution et les changements climatiques. Pouvons-nous lutter contre ces changements? Les écologistes ont adopté un slogan inspirant: Penser mondialement, agir localement. Cela signifie de réfléchir aux grands problèmes mondiaux, mais de trouver des solutions locales. Agir localement veut dire faire des changements dans nos activités, à la maison et à l'école.

Dans ce module, tu vas étudier la chaleur et les problèmes environnementaux mondiaux qui sont liés à la chaleur et aux changements climatiques. Tu verras pourquoi, par exemple, nous devons réduire notre utilisation de certains types de combustibles pour le chauffage et pour la production d'électricité.

Les bâtiments écoénergétiques

L'une des solutions pour réduire notre consommation d'énergie est de construire des bâtiments qui utilisent moins d'énergie pour le chauffage et la climatisation. Le Centre de la faune Earth Rangers, de Woodbridge, en Ontario, montre, par sa construction, de quelle façon le choix des matériaux et des technologies de construction favorise l'économie d'énergie. Ce bâtiment est aussi un centre éducatif sur l'environnement pour les élèves comme toi, en plus d'être un hôpital où l'on soigne des animaux sauvages. Conçu pour utiliser très peu d'énergie, il doit demeurer confortable pour les êtres humains et les animaux.

Ses murs en béton épais retiennent la chaleur du Soleil. Lorsque la température de l'air diminue durant la nuit, ils dégagent la chaleur accumulée. Les chauffe-eau fonctionnent à l'énergie solaire et les puits de lumière laissent entrer la lumière et la chaleur du Soleil.

Hailey, la mouffette rayée, et Scarlett, la buse à queue rousse, sont les animaux ambassadeurs du Centre de la faune Earth Rangers. Le bâtiment d'Earth Rangers est un environnement confortable pour les animaux et les êtres humains.

Un toit vert

Les activités se déroulant au Centre de la faune Earth Rangers en font un endroit unique. Pourtant, d'autres édifices, comme des écoles, peuvent conserver l'énergie. Le collège Fleming, de Lindsay en Ontario, est doté d'une nouvelle aile de technologie environnementale couverte d'un toit vert. Le toit est vert parce que des plantes y poussent, ce qui permet à l'édifice de conserver sa chaleur l'hiver et de rester plus frais l'été. Pour chauffer cette nouvelle aile, le collège utilise la chaleur provenant du sous-sol terrestre, 122 mètres plus bas. Des puits apportent de l'eau naturellement chaude des profondeurs de la Terre et la font circuler dans des tuyaux.

Plantes cultivées sur le toit vert du collège Fleming.

Économiser de l'énergie à la maison

Les nouvelles technologies sont importantes aujourd'hui et pour l'avenir, mais même sans elles, nous pouvons réduire nos besoins en chauffage. Il suffit de diminuer la température sur le thermostat de la maison durant la nuit ou quand personne n'est à la maison. En été, on peut aussi réduire l'utilisation de la climatisation au minimum. Ces petits efforts locaux contribuent à aider le monde entier.

La lumière provenant des puits de lumière éclaire un espace commun du collège Fleming.

EXPLORATION (suite)

La chaleur dans ta maison

La chaleur produite dans nos maisons contribue au réchauffement de l'environnement.

Objectif

Collecter de l'information sur la chaleur produite et utilisée dans les maisons.

Matériel

- crayon ou stylo
- papier
- règle

Démarche

1. Imagine que tu es dans ta cuisine. Réfléchis aux appareils ménagers de ta cuisine qui produisent ou utilisent de la chaleur.

2. Fais le tour de ton logement mentalement. Énumère les appareils ménagers qui produisent ou utilisent de la chaleur dans chaque pièce.

3. Conçois un tableau pour identifier ces appareils et la pièce où ils se trouvent. Donne des informations précises.

4. Ajoute ces appareils, pièce par pièce, à ton tableau. Tu peux également dessiner un plan qui montre chaque pièce et les appareils qui s'y trouvent.

Questions

5. Quelle pièce contient le plus d'appareils ménagers qui produisent ou utilisent de la chaleur?

6. Classe les articles de ton tableau. L'une des catégories peut être, par exemple, *appareils utilisés pour cuire ou réchauffer des aliments*. Sous ton tableau, indique les noms de ces catégories. Associe un symbole (icône) ou une lettre à chaque catégorie. Complète ton tableau en ajoutant ces symboles ou ces lettres vis-à-vis de chaque appareil.

L'environnement dans les médias

Que fais-tu pour penser mondialement et agir localement? Dans ce module, tu vas étudier les problèmes qui sont liés à la chaleur dans l'environnement et en discuter.

Ce que tu dois faire

1. Trouve plusieurs journaux, magazines ou articles qui traitent des notions de réflexion mondiale, d'action locale et d'intendance environnementale (responsabilité écologique) ou utilise les articles qui ont été distribués en classe.

2. Choisis un article. Résume-le dans tes propres mots.

Réfléchis

3. Partage ton article et ton résumé avec tes camarades. Demande-leur de le commenter. Ajoute leurs commentaires à ton résumé.

MODULE D

Sommaire

Projet du module

Les matériaux d'isolation permettent d'éviter que les habitations perdent trop de chaleur. Ceci permet de réduire la quantité d'énergie nécessaire pour garder la maison chaude. Dans ce projet du module, tu vas utiliser divers matériaux d'isolation qui sont utilisés comme revêtement isolant afin de tester leur capacité à éviter qu'une bouteille de plastique remplie d'eau chaude perde sa chaleur. Tu classeras ensuite ces matériaux du meilleur isolant au moins efficace.

Question essentielle

Quels matériaux contribuent à conserver la chaleur d'une maison en hiver?

Préparation à la lecture
Stratégies Littératie

Activation des connaissances antérieures

Lis le sommaire présenté dans cette page. Sans parcourir le module, prends note des éléments que tu connais relativement à chaque sujet. Dans un paragraphe distinct, indique quels sujets sont nouveaux pour toi.

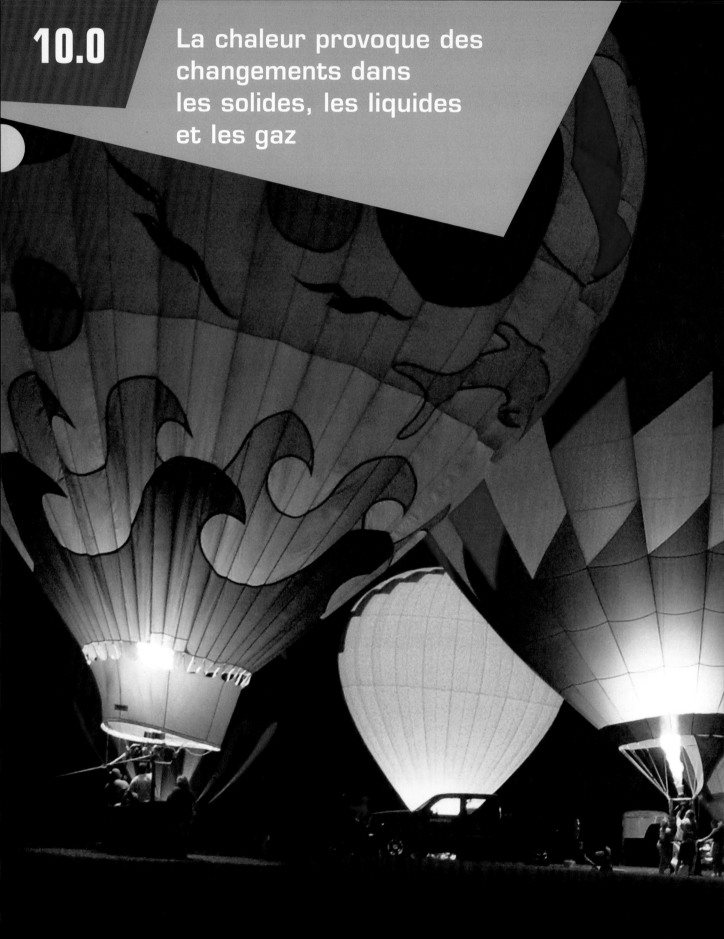

Ballons colorés, gonflés et prêts à s'envoler au petit matin.

Dans ce chapitre, tu vas :

- utiliser la théorie particulaire pour comparer l'effet de la chaleur sur les solides, les liquides et les gaz ;
- reconnaître les types de production de chaleur ;
- expliquer de quelle façon la chaleur se transmet par la conduction, la convection et le rayonnement.

Les habiletés à utiliser

Dans ce chapitre, tu vas :

- respecter des mesures de sécurité appropriées ;
- étudier les effets du réchauffement et du refroidissement ;
- étudier les transferts de chaleur par conduction, convection et rayonnement.

Pourquoi est-ce important ?

Le réchauffement et le refroidissement sont à la base d'un grand nombre de variations auxquelles nous faisons face quotidiennement. En comprenant ces changements, tu peux prédire leurs impacts sur ta vie et sur l'environnement.

Avant la lecture

Stratégies Littératie

Est-ce important ?

Quand tu lis, tu dois souvent décider si une information est importante ou seulement intéressante. Ton manuel te propose des façons pour t'aider à faire cette distinction. Parcours le début de cette page ainsi que les encadrés de résumé qui se trouvent au début de chaque section du chapitre. Identifie les procédés qui permettent de déterminer ce qui est important. Crée une carte conceptuelle des principaux concepts de ce chapitre : la théorie particulaire, la production et le transfert de la chaleur.

Mots clés

- l'énergie thermique
- la chaleur
- la théorie particulaire de la matière
- la conduction
- la convection
- le rayonnement

Figure 10.1 L'astronaute Dave Williams détient le record canadien du nombre d'heures passées hors de la Station spatiale internationale.

Figure 10.2 Le froid est utile lors de certaines activités de plein air.

Ton environnement comprend l'atmosphère, cette épaisse couche d'air qui te protège de l'énergie puissante du Soleil, et d'autres objets venant de l'espace. Pour travailler dans l'espace, à l'extérieur de la navette spatiale, l'astronaute canadien Dave Williams doit emporter avec lui son environnement (figure 10.1).

La combinaison spatiale protège l'astronaute de la chaleur et du froid extrêmes de l'espace. La surface de la combinaison qui fait face au Soleil peut être exposée à une température pouvant atteindre 120 °C. La température de l'autre face, exposée à l'obscurité de l'espace, peut descendre à –160 °C.

Ces températures extrêmes n'existent pas sur Terre, où la température varie d'environ –89 °C à environ 57 °C. La température la plus basse enregistrée au Canada a été de –63 °C, à Snag, au Yukon, le 3 février 1947. Le record de chaleur, au Canada, a été enregistré en Saskatchewan le 5 juillet 1937, quand la température a atteint 45 °C.

Les conditions météorologiques ont un effet sur nos activités quotidiennes (figures 10.2 et 10.3). En tout temps, tu dois pouvoir te protéger du froid et des chaleurs intenses.

Les gens du monde entier doivent leur survie à leur capacité de contrôler, de produire et d'utiliser la chaleur. Il en va de même dans le domaine industriel. Cependant, certaines méthodes de production de chaleur peuvent nuire aux plantes, aux animaux et aux autres organismes vivant dans l'environnement. Une partie de la population canadienne s'efforce de réduire les effets néfastes de la chaleur sur l'environnement. Pour contribuer à cet effort, tu dois comprendre ce qu'est la chaleur ainsi que son effet sur notre planète. Dans ce chapitre, tu étudieras la chaleur, l'énergie thermique et la température.

Figure 10.3 Une journée chaude et ensoleillée est idéale pour faire des activités à l'extérieur.

D3 *Laboratoire*

Qu'est-ce qui est chaud ? Qu'est-ce qui est froid ?

Objectif

Comparer les sensations de chaleur et de froid dans diverses conditions.

Matériel

- 3 seaux ou autres récipients
- un chronomètre ou une horloge
- de l'eau : froide, tiède et à température ambiante

Figure 10.4

a)

b)

Démarche

1. Plonge, au même moment, une main dans le récipient d'eau froide et l'autre dans le récipient d'eau tiède (figure 10.4a)).

2. Garde tes mains ainsi immergées pendant 1 min.

3. Pendant cette minute, prédis ce que tes mains ressentiront lorsque tu les placeras dans un troisième récipient d'eau à température ambiante. Demande à une ou un camarade de prendre note de ta prédiction.

4. Une fois la minute écoulée, place tes deux mains dans le troisième récipient d'eau à température ambiante (figure 10.4b)).

Question

5. La prédiction que tu as faite à l'étape 3 était-elle juste ? Essaie d'expliquer par écrit ce qui s'est passé.

Résumé de ce que tu apprendras dans cette section :

- Il existe de nombreuses formes d'énergie.

- L'énergie peut passer d'une forme à une autre. Cela s'appelle une transformation énergétique.

- L'énergie thermique est l'énergie totale des particules en mouvement dans un solide, un liquide ou un gaz.

Tu descends de ton vélo et tu l'appuies le long de la maison. En entrant dans la maison, tu te diriges immédiatement vers le réfrigérateur et y prends une collation. Une note est placée sur la porte du réfrigérateur te rappelant de retirer ton repas du soir du congélateur pour le faire dégeler. Tu ouvres le congélateur et retires l'emballage du repas. Pendant ce temps, tu écoutes la bonne musique de ton lecteur MP3.

Au cours de cette scène, tu as participé à plusieurs transformations énergétiques. En fait, de l'énergie passe d'une forme à une autre dans chacun des exemples donnés ci-dessus et tout autour de toi pendant que tu lis ce paragraphe ! Quelles sont ces formes d'énergie ? Qu'est-ce qu'une transformation énergétique ?

D4 *Point de départ* Habiletés

Diverses formes d'énergie

Une pomme et une pointe de pizza sont des aliments délicieux remplis d'énergie. L'énergie des aliments est une énergie chimique. Tu sais déjà qu'il existe de nombreuses autres formes d'énergie.

Étudie la figure 10.5. Énumère les diverses formes d'énergie qui sont représentées dans cette figure. Montre ta liste à une ou un camarade. Vérifie tes réponses après avoir lu la section suivante.

Figure 10.5 Plusieurs formes d'énergie sont représentées dans cette scène.

Des formes d'énergie

L'**énergie** est la capacité de faire bouger des objets. L'énergie emmagasinée, par exemple, dans les combustibles tels que l'essence, peut être utilisée pour propulser une automobile. L'énergie que renferme l'essence est appelée énergie chimique. La figure 10.6 te présente dix de ces formes d'énergie.

Pour aller
Plus loin

Choisis l'un des types d'énergie mentionnés ci-dessous. Fais des recherches sur l'utilisation de ce type d'énergie dans la vie quotidienne.

Figure 10.6 a) L'énergie thermique est l'énergie totale des particules en mouvement dans un solide, un liquide ou un gaz.

Figure 10.6 b) L'énergie chimique est l'énergie emmagasinée dans la matière telle que les aliments, les combustibles et les vêtements.

Figure 10.6 c) L'énergie magnétique (le magnétisme) est l'énergie qui cause l'attraction ou la répulsion entre certains types de métaux, tels que le fer.

Figure 10.6 d) L'énergie lumineuse est la forme d'énergie que tes yeux peuvent détecter.

Figure 10.6 e) L'énergie gravitationnelle est l'énergie emmagasinée dans tous les objets sur Terre.

Figure 10.6 f) L'énergie nucléaire est l'énergie présente au centre des particules de matière. Les centrales électriques nucléaires produisent de l'électricité à partir de l'énergie nucléaire.

Figure 10.6 g) L'énergie électrique (électricité) est l'énergie des particules qui se déplacent dans un fil ou dans un appareil électrique.

Figure 10.6 h) L'énergie élastique est l'énergie emmagasinée dans un objet qui est étiré, comprimé, plié ou tordu.

Figure 10.6 i) L'énergie sonore est la forme d'énergie que l'on peut entendre.

Figure 10.6 j) L'énergie mécanique (cinétique) est l'énergie des objets en mouvement.

Dix formes épatantes d'énergie

1. Énumère dix formes d'énergie.

2. Quelles formes d'énergie sont utilisées et produites quand tu:

 a) écoutes ton lecteur MP3?

 b) navigues dans Internet?

 c) prépares ton repas à l'aide de la cuisinière qui fonctionne au gaz naturel?

3. Reconnais la ou les forme(s) d'énergie qui sont décrites dans les situations suivantes. Dans certaines situations, plusieurs formes d'énergie sont utilisées.

 a) jouer du violon

 b) lancer une balle de baseball

 c) étirer un élastique

Figure 10.7 Chaque appareil de la cuisine peut transformer l'énergie électrique en d'autres formes d'énergie.

Les transformations énergétiques

Une **transformation énergétique** est le passage d'une forme d'énergie à une autre. Quand tu manges une banane, ton corps décompose les composants chimiques de l'aliment. Ce processus dégage l'énergie chimique emmagasinée dans ces aliments. Ton corps peut transformer l'énergie chimique en énergie thermique, laquelle te fournit chaleur et confort.

L'énergie se transforme constamment autour de toi. Les lampes au plafond transforment l'énergie électrique (électricité) en lumière. Les automobiles en mouvement transforment l'énergie chimique de l'essence en énergie mécanique. Tous les appareils de la figure 10.7 transforment une forme d'énergie en une autre.

L'énergie cachée

Réfléchis aux transformations énergétiques qui ont lieu dans un ordinateur (figure 10.8). Pour tourner, le disque dur transforme l'électricité en énergie mécanique. Une partie de cette énergie mécanique produit de l'énergie thermique. C'est l'une des raisons qui font que le boîtier extérieur de ton ordinateur devient chaud. Le disque dur transforme également l'électricité en énergie magnétique pour enregistrer les données importantes. Tu peux entendre le ronronnement du ventilateur de l'ordinateur qui convertit l'énergie électrique en énergie mécanique et en son. Le lecteur de DVD ou de CD utilise l'énergie lumineuse d'un petit faisceau laser pour lire ou graver de l'information. Tous ces exemples de transformations énergétiques sont cachés.

Activité suggérée •·········
D6 Activité synthèse page 285

Figure 10.8 Les dispositifs d'un ordinateur transforment l'énergie électrique en énergie mécanique, en énergie lumineuse, en énergie magnétique, en énergie sonore et en énergie thermique.

HABILETÉS À UTILISER
- Poser des questions
- Utiliser le matériel et les outils appropriés

Des transformations étonnantes

Question

Quelles transformations énergétiques peux-tu observer dans cette activité ?

> ### Matériel
> - un bloc de bois avec six clous
> - trois élastiques
> - une bouillotte instantanée
> - une pile
> - trois fils de fer
> - un interrupteur
> - une ampoule

Démarche

1. Visite chacun des postes suivants et effectue les étapes décrites ci-dessous.

Poste 1 Les sons

2. Ce poste dispose de trois élastiques et d'un bloc de bois doté de six clous (figure 10.9). Étire chaque élastique entre deux clous. Dessine ta propre disposition des élastiques.

3. Pince doucement chaque élastique. Décris ce que tu entends chaque fois. Indique les transformations énergétiques que tu observes.

4. Replace les élastiques et le bloc de bois doté de clous comme ils l'étaient auparavant.

Poste 2 Le réchauffement

5. Ce poste dispose d'une bouillotte instantanée. Ton enseignante ou ton enseignant activera la bouillotte. Décris ce que tes mains ressentent quand tu tiens la bouillotte.

6. Identifie la transformation énergétique que tu observes quand tu tiens la bouillotte. Replace la bouillotte où elle se trouvait au départ.

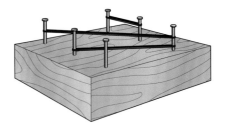

Figure 10.9 Disposition du bloc au poste 1.

Poste 3 Une idée lumineuse

7. Ce poste dispose d'une pile, d'un interrupteur, de trois fils et d'une ampoule. Actionne l'interrupteur. Dessine et nomme l'équipement installé. Décris ce qui se passe quand l'interrupteur est mis en position *marche*.

8. Identifie les transformations énergétiques que tu observes quand la lumière est allumée. Ferme l'interrupteur et assure-toi que l'ampoule est éteinte quand tu quittes le poste.

Analyse et interprétation

9. Dresse la liste des diverses transformations énergétiques que tu as observées.

10. Quelles transformations énergétiques ont produit de la chaleur ?

Développement des habiletés

11. Réfléchis à une transformation énergétique dont tu n'as pas discuté en classe, mais que tu pourrais observer à un poste similaire aux trois postes de cette activité. Rédige une démarche que tes camarades pourraient suivre pour observer cette transformation énergétique.

Pour conclure

12. À l'aide d'un tableau ou d'une autre forme de représentation visuelle, résume ce que tu as observé à chaque poste. Ton compte rendu devrait inclure le nom du poste, une description de ce que tu y as observé et une description des transformations énergétiques qui y ont eu lieu.

Révise les concepts clés

1. Quelles formes d'énergie sont utilisées quand:

   a) tu te déplaces en automobile?

   b) tu fais rebondir un ballon de basket-ball?

   c) tu fais bouillir de l'eau pour préparer un chocolat chaud?

Fais des liens

2. Un élève pense qu'il pourrait facilement vivre sans énergie électrique. Rédige un paragraphe pour décrire ce à quoi ressemblerait sa vie dans cette situation.

Utilise tes habiletés

3. Examine la scène de rue typique présentée à droite. Reproduis et remplis un tableau comme celui ci-contre. Dans la colonne A, nomme cinq activités de cette scène où des transformations énergétiques ont lieu. Dans la colonne B, indique la forme *initiale* de l'énergie qui est transformée. Dans la colonne C, indique la forme de l'énergie qui est *produite* au cours de cette activité.

A Activité dans la scène de rue	B Énergie initiale	C Énergie produite
1		
2		
3		
4		
5		

D7 Réflexion sur les sciences et la technologie

Une énergie étonnante

Pense à tes activités quotidiennes, depuis ton réveil jusqu'à ce que tu te couches le soir. Réfléchis aux activités qui nécessitent une transformation énergétique. Dans ton cahier, note autant d'activités que tu le peux en trois minutes. Crée des catégories pour regrouper les activités. Pour chaque activité, identifie la forme d'énergie au début et à la fin de la transformation. Tu peux ajouter un dessin ou une image pour représenter ces catégories. Présente ta liste à tes camarades.

Quelles technologies utilises-tu au cours de ces activités? Quelles sont leurs sources d'énergie?

Qu'est-ce qui est chaud ?
Qu'est-ce qui est froid ?

Résumé de ce que tu apprendras dans cette section :

- La température est une mesure de l'énergie moyenne des particules en mouvement dans un solide, un liquide ou un gaz.
- La chaleur est l'énergie thermique transférée d'une zone à température supérieure à une zone à température inférieure.
- Un thermomètre permet de mesurer la température des solides, des liquides et des gaz.
- Le transfert de chaleur peut faire augmenter la température d'un solide, d'un liquide ou d'un gaz.

Nous devons produire une énorme quantité de chaleur pour être à l'aise dans un édifice, pour cuire nos aliments et pour fabriquer tous les produits de consommation que nous utilisons. Nous obtenons cette chaleur du Soleil et d'un grand nombre de combustibles, tels que le bois, le charbon, le pétrole et le gaz naturel. En lisant cette section sur la chaleur, réfléchis à l'importance de la chaleur dans ta vie.

D8 *Point de départ*

Le réchauffement et le refroidissement

Examine les photographies de la figure 10.10. Lesquelles montrent un solide, un liquide ou un gaz qui se réchauffe ? Inscris tes réponses sur une feuille sous le titre *Réchauffement*. Écris une phrase pour chaque photographie qui explique de quelle façon tu le sais.

Lesquelles montrent un solide, un liquide ou un gaz qui se refroidit ? Inscris tes réponses sous le titre *Refroidissement*. Écris une phrase pour chaque photographie qui explique de quelle façon tu le sais.

Ajoute une description de toutes les photographies.

a)

c)

b)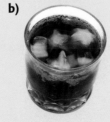

Figure 10.10

d)

Figure 10.11 L'activité physique extrême produit de grandes quantités de chaleur corporelle.

La production de chaleur

Tu attends l'autobus par un jour frais tout en essayant de te tenir chaud en bougeant. Plus tu bouges, plus tu te réchauffes. Comme tu l'as vu à la section 10.1, ton corps produit de la chaleur. Il transforme l'énergie chimique des aliments que tu consommes en énergie mécanique (cinétique) et en chaleur (figure 10.11). La chaleur de ton corps et tes vêtements ne sont pourtant pas suffisants pour te tenir constamment au chaud. Tu as besoin de diverses sources de chaleur pour que ta maison et d'autres édifices conservent une température agréable. Des sources de chaleur sont également nécessaires pour cuisiner, fabriquer des produits, etc.

Les combustibles fossiles

Notre principale source de chaleur provient des **combustibles fossiles** : le pétrole, le gaz naturel ou le charbon. Tu as peut-être une chaudière au mazout ou au gaz naturel chez toi. Si ton habitation est chauffée à l'électricité, celle-ci peut provenir d'un processus de combustion du charbon, du pétrole ou du gaz naturel. Ces combustibles fossiles proviennent du sous-sol. Ils se sont formés il y a des millions d'années à partir des restes de plantes et d'animaux. Une fois ces combustibles utilisés, nous ne pouvons pas les remplacer ; ils sont donc appelés sources d'énergie ***non renouvelables***.

Les sources d'énergie renouvelables

Une source d'énergie **renouvelable** est une source qui peut être réutilisée ou remplacée, c'est-à-dire *renouvelée*. L'énergie solaire, éolienne (le vent) et marémotrice (les courants d'eau) sont toutes des formes d'énergie renouvelables. La chaleur du Soleil peut servir à chauffer une partie des habitations, des serres et des piscines. L'énergie du vent et celle des courants d'eau peuvent produire de l'électricité pour chauffer des édifices et pour d'autres usages, tels que faire la cuisine et fabriquer des produits (figure 10.12).

Figure 10.12 L'énergie du vent peut être convertie en électricité grâce à des éoliennes comme celles-ci.

La chaleur *perdue*

Toute la chaleur qui se trouve autour de nous n'est pas produite volontairement. Par exemple, lorsque tu allumes une lampe pour lire. Si tu places tes mains près de l'ampoule, tu sens la chaleur provenant de celle-ci (figure 10.13). Une ampoule transforme l'énergie électrique en lumière et en chaleur. La chaleur de l'ampoule est considérée comme étant *perdue*, car elle n'est pas nécessaire.

De la chaleur est produite au cours de toute transformation énergétique, qu'elle soit voulue ou non. Chaque fois que de l'énergie se transforme, de la chaleur est produite. Au chapitre 12, tu étudieras l'effet de cette production de chaleur sur notre environnement global.

Figure 10.13 Une ampoule produit plus de chaleur que d'énergie lumineuse utile.

D9 *Pendant la lecture*

Stratégies Littératie

Une information importante ou intéressante?

Lire de grandes quantités d'information peut être exigeant, mais certaines stratégies peuvent t'y aider. Les pages suivantes te fournissent des renseignements sur la température, l'énergie thermique et la chaleur. Crée une fiche d'information sur la chaleur, semblable à celle de la figure 10.14. Dans chaque section de la fiche, trace un tableau à deux colonnes intitulées *Information importante* et *Information intéressante*. Au cours de ta lecture, ajoute des renseignements dans la colonne appropriée du tableau. Une fois la lecture terminée, compare tes tableaux à ceux d'une ou un camarade. Avez-vous noté les mêmes renseignements dans les colonnes *Information importante*? En quoi est-ce une manière efficace de déterminer quelle information est importante?

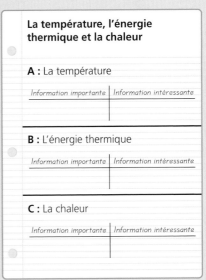

Figure 10.14 Fiche d'information sur la chaleur.

La température

Il est important que tu saches s'il fait chaud ou froid dans ton environnement. Tu peux savoir s'il fait chaud dehors en sortant. Toutefois, si tu veux savoir s'il fait chaud dehors avant de sortir, tu peux écouter les informations météorologiques à la radio. Tu sauras alors si tu dois porter un manteau ou non en fonction de la température extérieure. La température indique le degré de chaleur ou de froid de la matière. Qu'est-ce que la température indique réellement?

Figure 10.15 Ce thé est chaud en raison du mouvement rapide de ses particules.

Pour comprendre la notion de température, il faut réfléchir aux particules qui constituent la matière. Chaque chose est constituée de particules en mouvement constant. Ce mouvement crée de l'énergie. Tout comme un athlète qui court rapidement et qui dégage beaucoup de chaleur, les particules d'eau dans la bouilloire de la figure 10.15 se déplacent vite, ce qui fait que le thé est chaud !

La **température** est une mesure de l'énergie moyenne de toutes les particules d'un solide, d'un liquide ou d'un gaz. Les particules dans la tasse de thé de la figure 10.15, par exemple, se déplacent plus rapidement que celles d'une tasse de thé glacé. La température du thé chaud est supérieure à celle du thé glacé. À mesure que le mouvement des particules de thé chaud ralentit dans la tasse, le thé refroidit et sa température diminue.

Mesurer la température

Tu peux mesurer la température du thé à l'aide d'un thermomètre (figure 10.16). Un **thermomètre** est un instrument qui sert à mesurer la température des solides, des liquides et des gaz. Les scientifiques ont inventé une large gamme de thermomètres pour mesurer des températures allant de centaines de degrés en dessous de 0 °C à des milliers de degrés au-dessus de 0 °C.

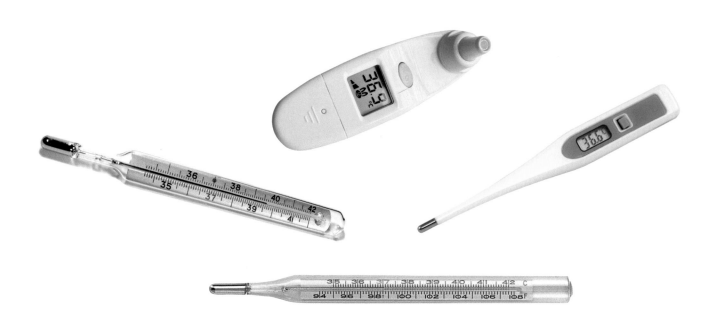

Figure 10.16 Les thermomètres au mercure et à l'alcool et les thermomètres numériques sont des types courants d'appareils domestiques qui servent à mesurer la température corporelle.

L'énergie thermique et la chaleur

Tu dois connaître trois mots importants pour bien comprendre la chaleur. L'un est *température*, notion dont traitent les paragraphes précédents, un autre est *énergie thermique* et le troisième est le terme scientifique *chaleur*.

À la section 10.1, tu as appris que l'énergie thermique est une forme d'énergie. L'**énergie thermique** est l'énergie totale de toutes les particules en mouvement dans un solide, un liquide ou un gaz. Plus un échantillon de matière comprend de particules en mouvement, plus son énergie thermique est élevée.

Suppose que tu disposes d'une théière de thé chaud et que tu en verses dans une tasse. Si tu mesures rapidement la température du thé de la théière et celle de la tasse, tu obtiendras des températures identiques. Cela signifie que les énergies *moyennes* des particules de thé de la théière et de la tasse sont les mêmes. Le thé de la théière présente pourtant une énergie thermique supérieure à celle du thé de la tasse, car la théière comprend davantage de particules de thé que la tasse (figure 10.17). Par conséquent, l'énergie *totale* de toutes les particules dans la théière est supérieure à l'énergie totale de toutes les particules dans la tasse.

Pour aller Plus loin

Les thermomètres ont des usages différents qu'ils soient utilisés chez toi, à l'école, dans un milieu de travail ou dans un lieu où tu pratiques un loisir. Fais des recherches sur l'utilité et l'utilisation de plusieurs types de thermomètres.

Le transfert d'énergie thermique

Quand nous faisons bouillir de l'eau pour faire du thé, nous disons que nous faisons *chauffer* de l'eau. En fait, nous transférons de l'énergie à *toutes* les particules d'eau. Ainsi, nous augmentons l'énergie totale de l'ensemble des particules. Par conséquent, le mouvement des particules s'accélère et la température de l'eau augmente.

Suppose que tu verses du thé bien chaud de la théière à la tasse (figure 10.17). Si tu touches la tasse du doigt, tu constateras qu'elle est devenue plus chaude, peut-être suffisamment chaude pour te brûler le doigt. L'énergie thermique du thé s'est transférée à la tasse, puis à ton doigt. Ce transfert d'énergie thermique s'appelle la **chaleur**. La chaleur est l'énergie thermique transférée d'un solide, d'un liquide ou d'un gaz dont la température est plus élevée, à un solide, un liquide ou un gaz dont la température est plus basse. Le terme chaleur fait également référence à l'énergie thermique qui se transmet à l'intérieur d'un solide, d'un liquide ou d'un gaz.

Figure 10.17 Une théière pleine de thé a une énergie thermique supérieure à une tasse de thé à la même température.

Le réchauffement

Dans cette activité, tu vas observer la vitesse de réchauffement de deux liquides.

Question

Quelle eau bout le plus rapidement? L'eau du robinet ou l'eau salée?

> **ATTENTION:** Manipule les objets chauds et l'eau chaude avec précaution.

Matériel

- une solution de sel (10 g de sel par 250 ml de solution)
- 2 béchers
- un agitateur
- une plaque chauffante
- du papier quadrillé
- 250 ml d'eau du robinet
- 2 thermomètres
- des pinces ou une mitaine isolante
- un chronomètre

Démarche

1. Dans ton cahier, crée un tableau de données semblable au tableau ci-dessous.

Tableau 10.1 Le réchauffement de deux liquides

Eau du robinet		Eau salée	
Temps (s)	Température (°C)	Temps (s)	Température (°C)
0		0	

2. Verse 250 ml d'eau du robinet dans un bécher. Mesure la température de l'eau et inscris cette valeur de *Température* dans ton tableau vis-à-vis la valeur 0 (zéro) de la colonne *Temps*.

3. Ajoute 250 ml de solution salée dans le deuxième bécher. Mesure la température de l'eau et inscris cette valeur de *Température* dans ton tableau vis-à-vis la valeur 0 (zéro) de la colonne *Temps*.

4. Place les deux récipients sur une plaque chauffante. Allume la plaque chauffante. Prédis quel liquide bouillira le premier.

5. Mesure la température de l'eau de chaque bécher toutes les 30 secondes. Dans ton tableau de données, inscris le moment où chaque liquide commence à bouillir. Prends deux mesures de température supplémentaires après que chaque liquide aura atteint son point d'ébullition.

6. Éteins la plaque chauffante et laisse les deux liquides refroidir. Ton enseignante ou ton enseignant t'indiquera quand tu pourras verser l'eau sans risque dans l'évier. Saisis chaque bécher à l'aide de pinces ou d'une mitaine isolante.

Analyse et interprétation

7. Trace un diagramme à l'aide des données collectées pour montrer la vitesse du réchauffement des deux liquides. L'axe vertical présentera la température et l'axe horizontal, le temps. La ligne réunissant chaque mesure de température (il y en a une pour chaque liquide), s'appelle la courbe d'échauffement de ce liquide.

8. Existe-t-il une différence entre les deux courbes d'échauffement? Si oui, décris-la.

9. Comment ton diagramme indique-t-il qu'un liquide a atteint son point d'ébullition? La prédiction que tu as faite était-elle juste?

Développement des habiletés

10. Suppose que tu doives répéter cette expérience avec une solution salée contenant 20 g de sel par 250 ml de solution. Formule une prédiction avant de faire l'expérience et ajoute ensuite la courbe d'échauffement de ce liquide dans ton diagramme.

Pour conclure

11. Rédige un court texte qui répond à la question de cette expérience. Utilise les données que tu as collectées et le diagramme que tu as tracé pour formuler ta réponse.

Révise les concepts clés

1. Quelle est la différence entre l'énergie thermique et la chaleur ?

2. Qu'est-ce que la température ?

3. Comment mesure-t-on la température ?

4. Indique lesquels des éléments suivants sont des sources d'énergie : le bois, une bicyclette, le pétrole, l'essence, le papier et une ampoule. Explique pourquoi chaque élément est ou n'est pas une source d'énergie.

5. Quelles sont les différences entre des sources d'énergie renouvelables et non renouvelables ? Donne deux exemples de chaque type de source d'énergie.

Fais des liens

6. Par le passé, une grande partie de la population canadienne utilisait des poêles à bois ou des foyers pour chauffer les habitations. De nos jours, la plupart des habitations canadiennes sont chauffées au pétrole, au gaz naturel ou à l'électricité. Suggère plusieurs raisons expliquant ce changement.

7. Les gens du nord de l'Ontario connaissent des températures basses pendant de longues périodes en hiver. Selon toi, leurs maisons sont-elles construites différemment de celles du sud de l'Ontario ? Comment ?

8. Plusieurs appareils électriques de ta maison sont conçus pour maintenir une température constante. Nomme au moins trois de ces appareils. Suggère pourquoi il est important que la température demeure constante.

Utilise tes habiletés

9. La photographie ci-dessous montre un homme qui fait du camping. Explique ce qu'il essaie de faire.

Les technologies de la chaleur dans ta vie

Dans cette section, tu as étudié la température, l'énergie thermique et la chaleur. Tu as également vu en quoi le fait de comprendre ces trois concepts permet de combler des besoins. Comprendre la façon de produire de la chaleur, par exemple, permet aux gens de bien vivre dans leurs habitations pendant des hivers froids. Décris une situation dans laquelle cette compréhension de la température, de l'énergie thermique ou de la chaleur a mené à la création d'une technologie qui améliore ta vie et celle de tes camarades. Précise toute situation où cette technologie peut avoir un impact négatif sur l'environnement ou sur ta communauté.

Résumé de ce que tu apprendras dans cette section :

- La théorie particulaire décrit le mouvement des particules des solides, des liquides et des gaz.
- La théorie particulaire décrit la façon dont la matière peut passer d'un état à un autre.
- La chaleur accélère le déplacement des particules.
- La théorie particulaire explique l'expansion et la contraction des solides, des liquides et des gaz.

Figure 10.18 La crème glacée est délicieuse, même quand elle fond.

Quand tu manges de la crème glacée par une chaude journée d'été, la crème glacée fond rapidement (figure 10.18). Pourquoi se met-elle à fondre ? D'où provient la chaleur qui provoque ce passage de l'état solide à l'état liquide ?

Ces changements qui ont lieu dans la crème glacée peuvent être expliqués à l'aide de la théorie particulaire de la matière. La **théorie particulaire de la matière** explique le comportement des solides, des liquides et des gaz. Dans cette section, tu vas étudier les changements de la matière et les raisons de ces changements.

D12 *Point de départ*

Habiletés **R** **C**

Les particules et les changements de la matière

Ta compréhension des particules peut t'aider à expliquer les changements qui ont lieu dans la matière qui t'entoure.

Regarde les photographies de la figure 10.19. Dans ton cahier, décris les changements que l'eau a dû subir pour produire ce que tu vois sur ces photographies. Construis des diagrammes pour représenter les espaces entre les particules d'eau de chaque image.

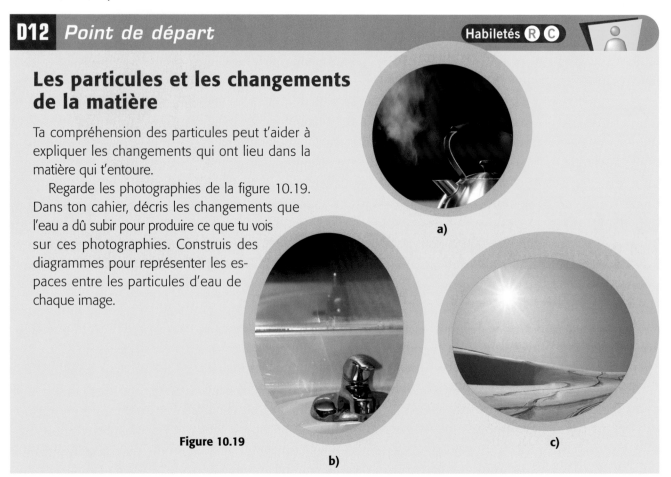

Figure 10.19

a)

b)

c)

La matière peut se transformer

Tu sais peut-être déjà que *solide*, *liquide* et *gaz* sont les noms des trois **états de la matière**. La glace qui fond est un exemple de changement d'état. L'eau solide (la glace) se transforme alors en eau liquide. Le changement d'état est le passage de l'un des trois états de la matière à un autre de ces états.

Il existe six changements d'état, tels qu'indiqués dans la figure 10.20. La transformation d'un solide en liquide est la **fusion** (fonte). La transformation d'un liquide en gaz est l'**évaporation** (ou vaporisation). La transformation d'un gaz en liquide est la **condensation** et celle d'un liquide en solide est la **congélation** (ou la solidification). Un solide peut également se transformer directement en gaz. Ce processus s'appelle la ***sublimation***. Le processus qui transforme un gaz directement en solide s'appelle la ***condensation***.

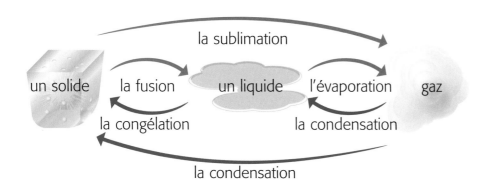

Figure 10.20 Les changements des états de la matière. Les flèches rouges indiquent une température qui augmente. Les flèches bleues indiquent une température qui diminue.

La théorie particulaire et les changements d'état

La théorie particulaire permet d'expliquer chacun des changements d'état. Le tableau de la figure 10.21 de la page suivante présente ce qui se passe avec les particules d'un solide lors d'un apport de chaleur. Ces particules se déplacent plus rapidement et se dispersent à mesure que le solide fond doucement. En ajoutant de la chaleur, les particules du liquide ont davantage d'énergie et se déplacent encore plus rapidement, jusqu'à ce qu'elles se détachent du liquide pour former un gaz.

Activité suggérée • · · · · · · · · · ·
D13 Activité synthèse, page 298

La théorie particulaire

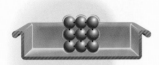

1. Un solide
- Les particules d'un solide sont serrées les unes contre les autres.
- De fortes attractions, ou liaisons, maintiennent les particules ensemble.
- Les solides ont une forme fixe.
- Les particules vibrent dans une position fixe.

2. Chauffer un solide
- Transférer de la chaleur à un solide fait vibrer les particules plus énergiquement.
- Certaines particules s'éloignent les unes des autres.
- Le solide s'étend/se dilate — son volume augmente.

3. Faire fondre un solide
- Si davantage de chaleur est transmise au solide, les particules vibrent encore plus.
- Les particules s'entrechoquent.
- Certaines particules se détachent/se libèrent.
- La structure solide se désintègre/se décompose — le solide fond.

4. Un liquide
- Les particules ont davantage d'énergie pour se déplacer.
- Les liaisons qui maintiennent les particules ensemble sont faibles.
- Les liquides prennent la forme de leur récipient.

5. Chauffer un liquide
- Transférer de la chaleur à un liquide fait bouger les particules plus vigoureusement.
- Les particules s'éloignent les unes des autres.
- Le liquide se répand — son volume augmente.

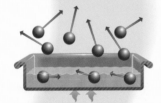

6. Faire bouillir un liquide
- Si davantage de chaleur est transmise à un liquide, les particules s'entrechoquent et rebondissent encore plus.
- Certaines particules sont expulsées du liquide.
- Le liquide bout — il se change en gaz.

7. Un gaz
- Les particules de gaz se déplacent très vite dans toutes les directions.
- Le fait qu'elles s'entrechoquent et rebondissent les maintient éloignées les unes des autres.
- Les particules de gaz remplissent l'espace de tout récipient.
- Si la chaleur continue d'augmenter, les particules de gaz se dispersent encore plus — le gaz se répand.

Figure 10.21 Les étapes du passage de l'état solide à l'état gazeux.

La chaleur a un effet sur le volume des solides, des liquides et des gaz

Tu décides de préparer, avec une amie, une pizza faite maison garnie d'olives tranchées. Tu prends le pot d'olives, mais même en forçant tu n'arrives pas à dévisser le couvercle métallique (figure 10.22). Ton amie te suggère de réchauffer le couvercle avec de l'eau chaude. Tu places avec précaution le pot sous le robinet d'eau chaude pour que l'eau coule sur le couvercle. Une fois le pot essuyé, tu réussis facilement à enlever le couvercle.

La théorie particulaire t'aide à expliquer ce qui s'est passé avec le couvercle. De l'énergie thermique a été transférée de l'eau chaude aux particules du couvercle. Cela a augmenté la vibration des particules de métal du couvercle, qui se sont éloignées les unes des autres. La taille du couvercle a alors augmenté légèrement, suffisamment pour qu'il se desserre un peu. Quand la taille d'un solide augmente, on dit qu'il **se dilate** (il s'étend). Le verre du pot aussi se dilate à cause de la chaleur, mais pas autant que le métal.

L'expansion et la contraction des liquides et des gaz

Un thermomètre démontre bien l'expansion et la contraction d'un liquide. Un liquide se trouve dans l'étroit tube de verre. Quand ce liquide chauffe, il se dilate et monte dans le tube. Lorsqu'il refroidit, il se contracte et descend.

Les mêmes principes peuvent être observés lors de la variation de l'énergie thermique d'un gaz. Prends l'exemple d'une fête en janvier. À la fin de la fête, tu rentres à pied en emportant des ballons gonflés à l'hélium attachés à des rubans. Il fait très froid et plus tu avances, plus les ballons rétrécissent. Ils ne tiennent plus dans les airs, mais tombent sur tes épaules. Une fois que tu es rendu chez toi, les ballons sont tout petits et fripés (figure 10.23). Après avoir passé une heure dans ta chambre, ils ont repris l'apparence qu'ils avaient avant que tu quittes la fête. Ils ont subi une contraction, suivie d'une expansion.

Figure 10.22 La théorie particulaire explique la raison pour laquelle chauffer le couvercle d'un pot permet de le dévisser plus facilement.

Pour aller
Plus loin

Lors de la construction d'un pont, des espaces sont laissés à la surface de la route. Quelle est l'utilité de ces espaces ?

Figure 10.23 L'air chaud à l'intérieur et l'air froid à l'extérieur ont un effet sur le gaz contenu dans les ballons.

Fondre comme neige au Soleil

Tu as souvent vu des glaçons en train de fondre. Dans cette activité, tu vas prédire puis mesurer le temps nécessaire pour faire fondre un glaçon complètement.

Question

Combien de temps faut-il pour qu'un glaçon fonde complètement ?

> **ATTENTION :** Lâche le glaçon si tu as trop froid à la main.

Matériel

- un glaçon par élève
- une balance électronique ou à fléau
- du papier ciré
- une montre numérique ou une horloge
- un pot de margarine ou un petit bécher
- des serviettes de papier ou de tissu
- du papier quadrillé et une règle

Démarche

1. Reproduis le tableau 10.2 sur une feuille de papier ou dans ton cahier de laboratoire.
2. Prédis le temps (en minutes) qu'il faudra pour qu'un glaçon fonde dans ta main. Prends ta prédiction en note.
3. À l'aide de la balance, mesure la masse de ton glaçon (figure 10.24). Note-la dans ton tableau.
4. Enveloppe le glaçon dans du papier ciré et prends-le dans ta main.
5. Tiens le glaçon dans ton poing fermé pendant 2 min. Laisse l'eau s'écouler dans le pot ou le bécher.
6. Après 2 min, essuie rapidement tout liquide à la surface du glaçon. Mesure la masse du glaçon et note-la.

Figure 10.24 Installation pour l'activité

7. Répète les étapes 4 à 6 pendant 2 autres minutes. Cette fois, utilise ton autre main.
8. Répète les étapes 4 à 6 deux autres fois (ce qui fera 8 min en tout).
9. Verse l'eau dans l'évier. Essuie ton espace de travail.

Tableau 10.2 La fonte d'un glaçon

Temps (min)	Masse du glaçon (g)
0	

Analyse et interprétation

10. Calcule la perte totale de masse, en grammes, de ton glaçon une fois les huit minutes écoulées. Indique de quelle façon tu as calculé cette variation de masse.
11. Calcule la vitesse à laquelle le glaçon a fondu. Note la formule suivante et calcule la vitesse de la fonte du glaçon.

$$\text{vitesse de la fonte (g/min)} = \frac{\text{variation totale de masse du glaçon (g)}}{8 \text{ min}}$$

12. Évalue le temps qu'il faudrait au glaçon pour fondre complètement dans ta main. Note la formule suivante et calcule ensuite la durée prévisible de fonte du glaçon entier.

$$\text{durée de fonte prévue du glaçon entier} = \frac{\text{masse de départ du glaçon intact (g)}}{\text{vitesse de la fonte (g/min)}}$$

Développement des habiletés

13. Sur une feuille de papier, à l'aide d'une règle et d'un crayon, trace les axes des *x* et des *y* d'un diagramme. L'axe des *x* représente le temps, alors que l'axe des *y* représente la masse de ton glaçon. Indique le nom des axes des *x* et des *y* (figure 10.25).

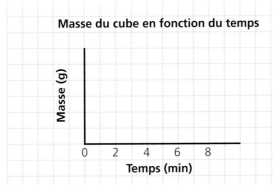

Figure 10.25

14. Reporte les données du tableau 10.2 dans ton diagramme.

Pour conclure

15. Ta prédiction quant à la durée de la fonte était-elle proche de la valeur calculée à l'étape 12 ?

16. Prolonge la droite de ton diagramme de fonte jusqu'à l'axe des *x* (entièrement fondu). Quelle est alors la valeur de temps ? Compare cette valeur à celle calculée à l'étape 12.

17. Suggère une ou plusieurs raisons expliquant pourquoi la durée calculée de la fonte complète du glaçon est différente de la valeur du diagramme.

18. Utilise la théorie particulaire pour expliquer la raison pour laquelle un glaçon fond. Utilise des mots tels que *énergie*, *mouvement* et *espace* dans ta réponse.

Un changement rapide

Objectif

Observer l'effet du refroidissement d'un gaz

Matériel

- une cannette d'aluminium
- de l'eau
- une cuillère à mesurer de 5 ml
- une plaque chauffante
- un grand bol transparent
- des glaçons
- des pinces

Démarche

1. Verse 5 ml d'eau dans une cannette d'aluminium et place la cannette sur une plaque chauffante. Allume la plaque chauffante.

2. Verse de l'eau dans un grand bol transparent. Ajoute les glaçons. Les glaçons refroidiront l'eau.

3. Quand l'eau de la cannette d'aluminium bout, retire avec précaution la cannette de la plaque chauffante à l'aide des pinces.

4. D'un geste rapide, retourne la cannette pour l'immerger dans l'eau glacée à une profondeur d'environ 2 cm.

Questions

5. Décris ce que tu observes au sujet de la cannette d'aluminium une fois qu'elle est immergée dans l'eau glacée.

6. Comment la théorie particulaire te permet-elle d'expliquer tes observations ?

7. Le même effet se produirait-il si la cannette d'aluminium était immergée dans de l'eau chaude ? Explique ta réponse.

Révise les concepts clés

1. Énumère les six changements d'état.

2. Pour chacun des six changements d'état, indique les états initial et final de la matière. Construis ton propre tableau pour illustrer tes réponses.

3. Que se passe-t-il avec les particules des solides, des liquides et des gaz quand ceux-ci sont chauffés ?

4. Que se passe-t-il avec les volumes des solides, des liquides et des gaz quand ceux-ci sont chauffés. Construis ton propre tableau pour illustrer tes réponses.

5. a) Prédis ce qui se passerait avec la taille d'un ballon bien gonflé s'il était placé dans un réfrigérateur ou un congélateur.

b) Si possible, vérifie ton hypothèse du point a). Inclus des dessins annotés décrivant cette expérience.

Fais des liens

6. Des bouteilles non ouvertes de jus ou d'autres boissons ne sont pas remplies jusqu'au bord. Utilise la théorie particulaire pour tenter d'en expliquer la raison.

7. Quand le personnel des entreprises d'électricité de l'Ontario installe des câbles électriques en été, il laisse les câbles pendre un peu. Suggère une raison pouvant expliquer cela. Dans ta réponse, fais référence à la théorie particulaire. (Conseil : Pense à ce qui se passe en hiver.)

Utilise tes habiletés

8. Compare le mouvement des particules dans un solide, un liquide et un gaz. Illustre tes descriptions et ajoute une légende à tes dessins.

9. Comment la théorie particulaire permettrait-elle d'expliquer la situation de la photo ci-dessous ?

Cette tasse à café s'est fissurée au contact de l'eau bouillante.

D15 *Réflexion sur les sciences et la technologie*

Garder l'air chaud

Pense aux entrées de ton école. À l'intérieur, la porte est chaude du fait de la chaleur de l'air intérieur. À l'extérieur, en hiver, la porte est froide du fait de l'air extérieur. La porte se dilate et se contracte en fonction de ces variations de température. C'est vrai pour toutes les portes extérieures de tous les édifices.

Si possible, va observer l'une des portes d'entrée de ton école. Dessine un schéma, accompagné d'une légende, du dispositif qui empêche l'air chaud de s'échapper par l'espace situé entre le cadre de la porte et la porte.

Résumé de ce que tu apprendras dans cette section :

- La chaleur se transmet à l'environnement par la conduction, la convection et le rayonnement.
- La conduction est le transfert de la chaleur dans un solide ou entre un solide et un autre solide, un liquide ou un gaz avec lequel il est en contact.
- La convection est le transfert de la chaleur dans un fluide (un liquide ou un gaz).
- Le rayonnement (l'énergie rayonnante) est le transfert de la chaleur sous forme d'ondes.

En ouvrant ton sac à repas par une chaude journée d'été, tu découvres que ta boisson est chaude et que ton sandwich au fromage est tout ramolli. Il serait bien plus appétissant que cette boisson et ce sandwich soient à la bonne température ! Comprendre les transferts de chaleur entre les matériaux est la première étape pour t'assurer d'avoir une boisson et un sandwich frais pour dîner.

Ce dîner trop chaud est l'un des nombreux exemples de situations où la chaleur n'est pas souhaitable. Souvent, le transfert d'énergie est très utile. Quand un transfert de chaleur est-il utile ? Que pouvons-nous faire pour limiter un transfert de chaleur inutile ? La figure 10.26 présente des exemples de transfert de chaleur.

d)

a)

b)

c)

Figure 10.26 La chaleur est transmise de diverses manières dans ces situations.

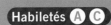 **D16** *Point de départ* Habiletés **A** **C**

Réflexion

Tu as appris que la chaleur était l'énergie thermique transmise d'une zone à température plus élevée à une zone à température moins élevée. Réfléchis maintenant à des situations courantes dans lesquelles la chaleur est utile. Sur une feuille, note un titre et cinq situations, au moins, où la chaleur est utile à la maison, à l'école, au travail ou dans tes loisirs. Puis, sous un autre titre, énumère cinq situations, au moins, où la chaleur est *inutile* ou même nuisible. Illustre certaines des situations énoncées.

Figure 10.27 La mitaine isolante permet d'éviter le transfert rapide de la chaleur à la main de cette personne.

Figure 10.28 La chaleur se transmet de l'eau chaude au thermomètre.

Trois types de transfert de chaleur

Il existe trois types de transfert de chaleur. Le mot *transfert* signifie déplacer. Quand un transfert de chaleur a lieu, l'énergie se déplace d'un solide, d'un liquide ou d'un gaz à un autre. Dans la section suivante, tu vas étudier ces trois types de transfert de chaleur : la conduction, la convection et le rayonnement.

La conduction

Si tu as déjà essayé de retirer une plaque de biscuits chauds d'un four, tu sais que la chaleur se transmet rapidement d'un solide, la plaque à biscuits, à un autre solide, la mitaine isolante qui couvre ta main (figure 10.27). C'est un exemple de transfert de chaleur rapide dû au réchauffement d'un solide, la mitaine isolante.

La **conduction** est le transfert de la chaleur à travers un solide ou entre un solide et un autre solide, liquide ou gaz qui est en contact avec lui. L'utilisation d'une mitaine isolante est un exemple où des solides sont en contact. La conduction se produit également quand l'énergie est transférée d'un liquide à un solide ou d'un gaz à un solide (figures 10.28 et 10.29). Remarque que la conduction n'a lieu que dans un sens, d'une région plus chaude à une région plus froide.

La figure 10.30 montre une casserole de soupe chauffant sur l'élément d'une cuisinière. Les particules de l'élément de la cuisinière se déplacent rapidement. Elles vibrent énergiquement et percutent les particules voisines — les particules qui composent le fond de la casserole. Une partie de l'énergie des particules de l'élément chauffé au rouge se transmet à la casserole de métal. Cela fait vibrer plus rapidement les particules de la casserole. Une partie de cette énergie se transmet aux particules de la soupe se trouvant au fond de la casserole, ce qui réchauffe la soupe. La conduction a joué deux fois son rôle dans cet exemple. Quel est le résultat ? Un bol de délicieuse soupe chaude, grâce à la conduction.

Figure 10.30 Une casserole de soupe chauffant sur l'élément d'une cuisinière.

Figure 10.29 La chaleur se transmet au bébé par conduction de l'air chaud.

Dans l'exemple du bol de soupe chaude, un autre type de transfert de chaleur a eu lieu. La chaleur s'est d'abord transmise de l'élément chaud au fond de la casserole par conduction. Ensuite, elle passe du fond chaud de la casserole à la soupe se trouvant au fond de la casserole, encore par conduction. Puis les particules de soupe se trouvant au fond de la casserole se mettent à bouger plus rapidement en s'entrechoquant et se dispersant, tout comme des pierres de curling entrant en collision avec d'autres pierres sur la glace (figure 10.31). En d'autres mots, la soupe chaude se trouvant au fond de la casserole se dilate (ses particules se déplacent vers l'extérieur et le haut).

Figure 10.31 Les pierres de curling illustrent bien la façon dont les particules en mouvement rapide transfèrent de l'énergie quand elles se percutent. La collision transmet l'énergie de la pierre de curling jaune, au centre, aux pierres de curling rouges à sa droite et à sa gauche.

La convection

Le mouvement des particules

La soupe chaude commence à s'élever vers la surface, poussant les particules plus froides de la surface vers les bords de la casserole. Là, les particules plus froides s'enfoncent vers le fond prenant ainsi la place des particules chaudes qui montent. Quand les particules plus froides atteignent le fond de la casserole, elles se réchauffent et le mouvement circulaire se poursuit (figure 10.32).

Quand le liquide chaud en circulation atteint la partie supérieure de la casserole, l'énergie des particules du liquide se transmet aux particules de l'air. Par conséquent, ces particules de liquide se refroidissent. Elles sont poussées vers les bords de la casserole à mesure que le liquide chaud monte à la surface. Quand elles descendent vers le fond, elles transmettent à nouveau de l'énergie aux parois de la casserole qui sont en contact avec l'air ambiant plus froid. Ce mouvement continu se poursuit tant que la casserole est chauffée.

Figure 10.32 a) La soupe est d'abord froide. La chaleur de l'élément chaud atteint les particules de soupe se trouvant au fond par conduction.

Figure 10.32 b) Les particules de soupe se trouvant au fond de la casserole vibrent rapidement et percutent les particules de soupe plus froides situées au-dessus d'elles. La soupe chaude monte, repoussant la soupe plus froide vers les bords de la casserole.

Figure 10.32 c) Les particules de la soupe plus froides s'enfoncent vers le fond de la casserole et commencent à circuler.

Figure 10.32 d) Quand les particules atteignent le fond de la casserole, elles sont chauffées et commencent à monter au milieu, créant ainsi un courant de convection.

Activité suggérée •··········
D18 Laboratoire, page 306

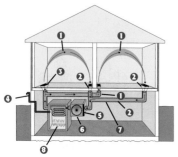

LÉGENDE

1. Air réchauffé
2. Air plus froid
3. Grille à registre
4. Orifice d'évacuation
5. Filtre
6. Ventilateur
7. Conduit
8. Chaudière (source de chaleur)

Figure 10.33 Le chauffage à air pulsé crée des courants de convection.

Ce transfert d'énergie thermique par des particules en mouvement a lieu dans les **fluides** (les liquides et les gaz). On l'appelle **convection**. Le mouvement circulaire des particules au sein des fluides s'appelle **courant de convection**. Un courant de convection transmet la chaleur d'une région plus chaude à une région plus froide, comme le fait la conduction.

Les courants de convection ont un effet sur ta vie

Des courants de convection existent dans de nombreuses parties de la nature et dans des structures telles que des édifices. Ils peuvent faire une grande différence pour notre confort.

Imagine que tu es dans une pièce froide équipée d'un radiateur ou d'un conduit de ventilation au sol (figure 10.33). Quand tu allumes le radiateur ou quand la chaudière propulse de l'air chaud par le système de ventilation, la première partie de la pièce qui se réchauffe est celle qui est située près des sorties d'air chaud. À mesure que les particules d'air se déplacent plus rapidement, elles s'éloignent de la source de chaleur et montent vers le plafond. En touchant le plafond, une partie de l'énergie s'y transfère. L'air se refroidit alors et descend le long des murs. Un courant de convection est ainsi créé dans la pièce jusqu'à ce que celle-ci soit entièrement chaude, tout comme la casserole de soupe.

D17 *Fais le point !*

Reconnaître les transferts de chaleur

Voici une occasion de mettre en pratique tes habiletés de rédaction pour présenter ce que tu as appris au sujet du transfert de chaleur. Réfléchis à des manières intéressantes et amusantes de transmettre tes connaissances à tes camarades.

1. Décris le transfert de chaleur qui a lieu quand tu places ta main dans un évier plein d'eau.

2. Pourquoi la convection n'a-t-elle pas lieu dans les solides ?

3. Comment la chaleur circule-t-elle dans les situations suivantes ?

   a) un œuf dans une poêle à frire chaude

   b) une bougie dans l'air

Pour aller Plus loin

Les personnes qui marchent pieds nus sur du charbon ardent sans se brûler ont un secret ! Fais une petite recherche pour le découvrir.

Le transfert de chaleur par rayonnement

La conduction et la convection sont deux types de transfert de chaleur entre les solides, les liquides et les gaz. Le rayonnement est le troisième type de transfert de chaleur. La conduction et la convection font intervenir le mouvement des particules. Ce n'est pas le cas du rayonnement. Le **rayonnement** (énergie rayonnante) est le transfert d'énergie par des ondes invisibles émises par une source d'énergie.

L'énergie thermique est l'une des nombreuses formes d'énergie émises par le Soleil et les autres étoiles. L'énergie thermique du Soleil atteint la Terre par rayonnement. La chaleur est l'énergie rayonnante que tu sens sur ta peau. Aux pages 272 et 273, la photographie du Soleil révèle des détails que tes yeux ne peuvent percevoir. La chaleur se transmet par des ondes invisibles appelées **ondes infrarouges**. Tous les solides chauds (toi y compris), les liquides et les gaz émettent des ondes de chaleur invisibles (figure 10.34). Les images prises à l'aide d'un appareil photo pouvant enregistrer les ondes infrarouges fournissent des renseignements que tu n'obtiendrais pas avec des photographies standards.

Les scientifiques utilisent les ondes infrarouges pour détecter de nombreux phénomènes naturels qui ne pourraient pas être observés autrement. Des satellites en orbite autour de la Terre, par exemple, peuvent détecter les ondes infrarouges que la Terre émet dans l'espace. Ces images infrarouges permettent d'observer la propagation de la pollution, les endroits où les insectes endommagent les forêts et les conditions météo (figure 10.35).

Figure 10.34 Cette image montre une vue inhabituelle d'un chat. Elle a été prise à l'aide d'un appareil photo capable d'enregistrer les ondes infrarouges. Les zones orangées sont les plus chaudes, et les zones les plus froides sont en bleu.

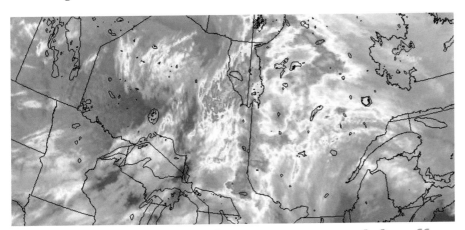

Figure 10.35 Cette image infrarouge de l'Ontario aide à prédire le temps qu'il fera. Les nuages en altitude sont très froids. Ils sont composés de cristaux de glace. Les couleurs indiquent la variation de température, dans ce cas-ci, les zones rouge orangé étant les plus froides.

La façon dont l'énergie rayonnante réchauffe les objets

Quand des ondes invisibles d'énergie rayonnante entrent en contact avec un solide, les particules du solide vibrent plus rapidement. Le solide se réchauffe et peut à son tour émettre une partie de cette énergie dans la zone où il se trouve (figure 10.36).

Suppose que tu ouvres les portières de la voiture familiale par un jour ensoleillé d'hiver. L'air de la voiture peut être relativement chaud. Touche le tableau de bord situé sous le pare-brise. Il peut être chaud, pourtant le pare-brise et la vitre de la voiture peuvent être presque aussi froids que l'air autour du véhicule. Cet exemple montre que les solides de couleur peuvent absorber et émettre à leur tour des ondes infrarouges, mais que les solides, les liquides et les gaz transparents les laissent facilement passer.

Figure 10.36 Même par une journée froide, le rayonnement du Soleil peut réchauffer le sol et les objets se trouvant à l'intérieur.

De toutes les couleurs

Objectif

Observer la convection à l'aide d'eau colorée.

Matériel

- 4 bouteilles de plastique transparent identiques
- du ruban adhésif ou des étiquettes
- un marqueur
- de l'eau
- du colorant alimentaire
- 2 fiches de carton

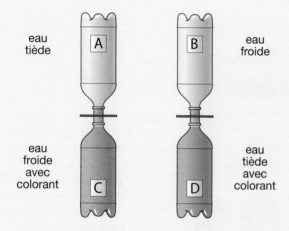

eau tiède — A — B — eau froide

eau froide avec colorant — C — D — eau tiède avec colorant

Figure 10.37 Montage pour le laboratoire.

Démarche

1. Identifie les bouteilles à l'aide d'une étiquette A, B, C, D.

2. Remplis les bouteilles A et D d'eau tiède.

3. Remplis les bouteilles B et C d'eau froide.

4. Ajoute suffisamment de colorant alimentaire dans les bouteilles C et D pour pouvoir le voir facilement. Secoue bien la bouteille.

5. Recouvre le goulot des bouteilles A et B avec des fiches. Place les bouteilles A et B sens dessus dessous sur les bouteilles C et D. Assure-toi que les bouteilles sont bien centrées, directement au-dessus l'une de l'autre.

6. Pendant qu'une ou un camarade tient la bouteille A et qu'une ou un autre tient la bouteille B, retire avec précaution les fiches. Continuez de bien tenir les bouteilles au-dessus les unes des autres.

7. Observe ce qui se passe avec l'eau colorée.

Questions

8. Au début, dans quelles bouteilles les particules d'eau se déplaçaient-elles le plus rapidement ?

9. Décris ce qui est arrivé à la couleur de chacune des paires de bouteilles.

10. Construis deux diagrammes représentant les quatre bouteilles. Intitule l'un d'eux *Avant de retirer la fiche* et l'autre, *Après avoir retiré la fiche*.

11. Écris un court texte pour rendre compte de tes observations. Utilise les mots *convection* et *courant de convection* dans tes descriptions.

D19 *Activité synthèse*

Boîte à outils **2**

HABILETÉS À UTILISER
- Faire des prédictions
- Organiser des données

Tu chauffes !

Dans cette activité, tu vas observer et mesurer les effets de l'énergie rayonnante.

Objectif

Observer et mesurer les variations de température dues à l'énergie rayonnante.

Matériel

- 2 grandes éprouvettes
- du ruban adhésif
- du papier noir et du papier blanc
- un support à anneau
- 2 pinces pour éprouvette
- de l'eau
- 2 bouchons à un trou
- 2 thermomètres
- une ampoule puissante, la lumière du Soleil ou une lampe à infrarouge
- une horloge ou une montre

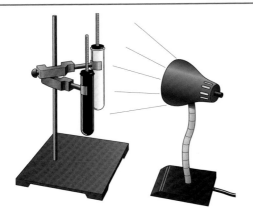

Figure 10.38 Montage pour l'activité.

Hypothèse

Prédis ce qui se passe quand une forte lumière éclaire des objets foncés et des objets pâles.

Démarche

1. Reproduis le tableau 10.3 sur une feuille.

2. Recouvre complètement une éprouvette de papier blanc à l'aide du ruban adhésif ; recouvre de la même manière l'autre éprouvette de papier noir. Installe les éprouvettes sur le support.

3. Verse des volumes égaux d'eau dans les deux éprouvettes, bouche-les à l'aide des bouchons troués et insère les thermomètres dans les bouchons.

4. Mesure la température de départ de l'eau de chaque éprouvette. Inscris ces résultats dans le tableau.

5. Allume la lumière. Laisse la lumière éclairer de manière égale les deux éprouvettes.

6. Mesure et note la température de l'eau chaque minute pendant 20 min.

7. Éteins la lumière quand tu as terminé de prendre tes mesures.

Tableau 10.3 Variation de température.

Temps (min)	Température de l'eau de l'éprouvette blanche (°C)	Température de l'eau de l'éprouvette noire (°C)
0		
1		

Analyse et interprétation

8. Est-ce que les résultats de l'expérience confirment ton hypothèse ? Suggère une explication des variations de température observées au cours de cette activité.

Développement des habiletés

9. À l'aide des données collectées dans le tableau, construis un diagramme présentant deux droites de couleurs différentes. L'une représentera l'éprouvette noire, l'autre, l'éprouvette blanche. Utilise du papier quadrillé. Indique l'axe des *x* et l'axe des *y* et donne un titre à ton diagramme. Ajoute une légende expliquant les couleurs utilisées.

Pour conclure

10. Suggère une façon de modifier cette activité pour savoir de quelle manière les ondes infrarouges sont absorbées par d'autres couleurs.

Révise les concepts clés

1. Dans quel état de la matière la conduction peut-elle avoir lieu?

2. La convection peut-elle avoir lieu dans les liquides et les gaz? Explique ta réponse à l'aide de la théorie particulaire.

3. Donne deux exemples de ce qui se passe quand des ondes invisibles d'énergie rayonnante entrent en contact avec un solide.

Fais des liens

4. Réfléchis à la manière dont un four à micro-ondes chauffe la nourriture. Penses-tu que ce type de réchauffement fait intervenir la conduction, la convection ou le rayonnement?

5. Décris une situation, autre que celles qui sont mentionnées dans cette section, dans laquelle un important transfert d'énergie par conduction se produit.

Utilise tes habiletés

6. Une lampe infrarouge éclaire deux éprouvettes d'eau, comme à l'activité synthèse D19. Les éprouvettes sont couvertes de papier noir ou de papier blanc. Le tableau suivant présente les données collectées durant l'expérience. Identifie la colonne de données qui représente l'éprouvette noire et celle qui représente l'éprouvette blanche. Explique ta réponse.

Temps (min)	Température de l'eau de l'éprouvette A (°C)	Température de l'eau de l'éprouvette B (°C)
0	20	20
3	22	21
6	25	22
9	28	23
12	30	24
15	33	25

D20 Réflexion sur les sciences et la technologie

Chaud ou pas?

Figure 10.39 a) b)

Discute des questions suivantes:

1. Quelles différences de sensation cette élève ressentira-t-elle dans les conditions des figures 10.39 a) et 10.39 b)?

2. Comment ta réponse changerait-elle si le carton de la figure 10.39 b) était remplacé par une vitre?

Phil Nuytten — Ingénieur et explorateur des fonds marins

Figure 10.40 Phil Nuytten, ingénieur spécialisé en recherches sous-marines.

Si tu as déjà nagé dans l'océan ou dans un lac, tu sais qu'il peut être difficile de conserver sa chaleur dans l'eau froide. Les scientifiques qui explorent les profondeurs des océans au nord du Canada sont encore plus touchés par ce problème. Le Canadien Phil Nuytten a souhaité résoudre ce problème.

Phil Nuytten est un ingénieur spécialisé en recherches sous-marines, inventeur et plongeur qui vit à Vancouver. Il gère l'entreprise Nuytco Research Ltd., chef de file mondial du développement des technologies sous-marines. Nuytten a développé des véhicules submersibles, petits sous-marins qui servent à l'exploration et à d'autres tâches. Il est pourtant surtout célèbre grâce à son invention de la combinaison Newt, scaphandre souple qui protège celle ou celui qui le porte jusqu'à une profondeur de 300 m (figure 10.41). Sa plus récente invention, Exosuit, est encore plus légère.

Ces combinaisons sont utilisées au cours d'exploration et de travaux de construction sous l'eau. Elles font partie de l'équipement de base utilisé par les forces navales de nombreux pays. Les astronautes de l'Agence spatiale canadienne utilisent les combinaisons de plongée de Nuytten pour s'exercer à leur travail sur la Station spatiale internationale.

Questions

1. L'un des objectifs de Phil Nuytten est de concevoir et de fabriquer du matériel d'exploration qui assure la sécurité des plongeuses et plongeurs. Suggère au moins deux manières dont la combinaison Newt protège les personnes qui plongent.
2. Quel aspect du travail de Phil Nuytten trouves-tu le plus intéressant? Pourquoi?
3. Effectue des recherches sur les carrières en exploration sous-marine. Identifie quelles études ou formations sont nécessaires pour y parvenir.

Figure 10.41 La combinaison Newt

Révise les concepts clés

1. Que suggère la théorie particulaire au sujet du mouvement des particules des solides, des liquides et des gaz quand ils sont chauffés ? *cc*

2. Que se passe-t-il avec le volume (la taille) des solides, des liquides et des gaz quand ils sont chauffés ? *cc*

3. Que se passe-t-il avec le volume (la taille) des solides, des liquides et des gaz quand ils refroidissent ? *cc*

4. Nomme trois types de transfert d'énergie et donne un exemple de chacun. *cc*

Fais des liens

5. Suggère une raison expliquant pourquoi les poêles à frire ont un manche en plastique. *h*

6. Le diagramme, à gauche ci-dessous, montre deux béchers d'eau à la même température. Quel bécher aurait l'énergie thermique la plus élevée ? Pourquoi ? *h*

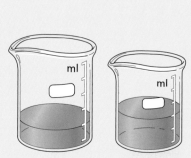

Ces béchers contiennent le même volume d'eau.

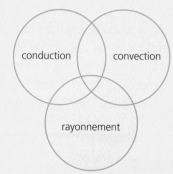

Diagramme de Venn à trois cercles.

7. Reproduis le diagramme de Venn de la figure ci-dessus. Complète-le à l'aide de ce que tu as appris dans ce chapitre. *h*

8. Décris au moins trois manières dont les scientifiques utilisent le rayonnement infrarouge. Suggère ensuite au moins une autre utilisation possible non mentionnée dans ce chapitre. *m*

9. Copie les phrases et expressions liées à la chaleur de la colonne A du tableau suivant. Fais-leur correspondre la description

Après la lecture — *Stratégies Littératie*

Réflexion et évaluation

Réexamine la carte conceptuelle créée à l'activité *Avant la lecture*, à la page 279. Ajoutes-y tous les renseignements nouveaux que tu as découverts. Explique ta carte conceptuelle à une ou un camarade qui te présentera aussi la sienne. Dois-tu ajouter à la tienne certains renseignements importants que t'a présentés ta ou ton camarade ? Quelles stratégies et procédés textuels t'ont permis, pendant ta lecture, de déterminer ce qui était important ?

COMPÉTENCES DE LA GRILLE D'ÉVALUATION DU RENDEMENT
CC Connaissance et compréhension *h* Habiletés de la pensée *C* Communication *m* Mise en application

appropriée de la colonne B du tableau. Rassemble les phrases A et B qui sont en lien. **m**

Colonne A: Phrases et expressions liées à la chaleur	Colonne B: Descriptions (dans le désordre)
Mettre le feu aux poudres	Lentement et en faisant souffrir
À chaud	Ne pas attendre
Avoir eu chaud	Se montrer imprudent, prendre des risques
Ne faire ni chaud ni froid	Échapper de peu à un danger et en être conscient
Battre le fer quand il est chaud	En pleine crise
Point chaud	Au plus fort d'une activité
Sujet brûlant	Ne pas être très enthousiaste par rapport à quelque chose
Tête brûlée	Endroit dangereux
Dans le feu de l'action	S'enthousiasmer pour quelque chose
À petit feu	Déclancher une réaction très forte
Être tout feu tout flamme	Quelqu'un qui n'a peur de rien
Faire feu de tout bois	Tout le monde en parle avec émotion
Jouer avec le feu	Employer tous les moyens mis à sa disposition

Utilise tes habiletés

10. Observe la scène de droite. Identifie autant d'exemples que tu le peux de chacun des trois types de transfert d'énergie. **h**

11. Suggère une façon d'utiliser des cuillères de métal ou de plastique pour déterminer lequel de ces matériaux conduit le mieux la chaleur. **c**

D21 *Réflexion sur les sciences et la technologie*

La chaleur au fil du temps

Où et comment utilisons-nous les notions relatives à la chaleur et à la théorie particulaire pour faciliter nos vies? Crée ta propre fiche d'information sur un dispositif quelconque. Dans la section A, dresse une liste des cinq appareils, machines ou dispositifs se rapportant aux idées de ce chapitre. Dans la section B, suggère quels appareils étaient utilisés (le cas échéant) avant l'invention des appareils de la section A. Dans la section C, décris les avantages de l'utilisation de chaque appareil de la section A. Dans la section D, propose de nouveaux dispositifs qui pourraient être inventés au cours des vingt prochaines années.

Lien avec le projet du module

L'isolation est l'opposé de la conduction. Un bon isolant ne conduit pas bien la chaleur.

En présence d'un adulte, discute avec un membre du personnel d'une quincaillerie ou d'un magasin de matériaux de construction. Trouve des informations sur les types de matériaux d'isolation que tu pourrais utiliser pour garder au frais le contenu d'une bouteille de plastique de deux litres.

La chaleur joue un rôle important dans la nature

Cette belle image de l'ouragan Katrina, vu de l'espace, ne montre pas les dégâts qu'il a causés sur Terre.

Ce que tu vas apprendre

Dans ce chapitre, tu vas :

- identifier les couches de l'atmosphère terrestre ;
- décrire les effets de l'énergie de rayonnement sur les grandes étendues d'eau et de terre ;
- expliquer la relation qui existe entre la chaleur, le cycle de l'eau et les phénomènes météorologiques.

Les habiletés à utiliser

Dans ce chapitre, tu vas :

- utiliser le matériel et les outils adéquats ;
- collecter et organiser des données ;
- analyser des tendances et présenter des résultats.

Pourquoi est-ce important ?

Les événements naturels ont un effet sur la vie des gens. Mieux connaître la structure de la Terre et les processus environnementaux t'aidera à comprendre les événements et les changements qui influent sur ta vie et sur celle des membres de ta famille et de ta communauté.

Avant la lecture

Stratégies Littératie

Poser des questions

Poser des questions avant de commencer à lire donne un but à la lecture et permet de mieux comprendre le texte. Parcours les images, les diagrammes et les encadrés de résumé de ce chapitre pour te faire une idée des sujets, comme la chaleur et les phénomènes météorologiques, qui y sont traités. Prends note des questions que tu te poses sur ces sujets. Passe en revue tes questions en cours de lecture pour noter les réponses que le texte y apporte.

Mots clés

- atmosphère
- courant océanique
- volcan
- cycle de l'eau
- vent
- cycle des roches (ou cycle géologique)

Figure 11.1 Les orages violents peuvent endommager considérablement les systèmes naturels et mécaniques.

Le 2 août 2006 est une journée dont un grand nombre d'Ontariennes et d'Ontariens se souviendront longtemps. Ce jour-là, des orages violents et des vents furieux ont frappé une grande partie de l'Ontario, provoquant des inondations et des coupures de courant. Ces conditions météorologiques spectaculaires suivaient trois jours de chaleur et d'humidité extrêmes dans le sud et le centre de l'Ontario. Des arbres ont été déracinés (figure 1.1) et des lignes électriques renversées, causant des coupures de courant de Toronto à Bracebridge dans le nord et à Tweed dans l'est. Environ 150 000 personnes ont été touchées. Il a fallu plusieurs jours pour rétablir le courant dans toutes les maisons et les entreprises.

Minden a été la zone la plus touchée par l'orage, mais Tweed, Barrie, Orillia, Huntsville, Newmarket, Peterborough, Kingston, Walkerton, Simcoe, Guelph et Orangeville ont également été balayées par des vents atteignant 120 km/h (figure 11.2). Une tornade a été signalée en milieu d'après-midi près des autoroutes 401 et 6.

Tu te demandes peut-être ce qui cause de tels orages. Les scientifiques qui étudient l'effet de la chaleur sur l'atmosphère se posent également cette question. En effet, la chaleur est un élément important de l'environnement et peut influer sur le temps qu'il fait.

Les gens produisent et utilisent une grande quantité de chaleur au cours de leurs activités. La production de chaleur rejette divers polluants chimiques dans l'environnement. La population canadienne fait partie de toutes celles qui, dans le monde entier, s'inquiètent de l'effet de ces polluants sur l'environnement, sur leur santé et celle des autres organismes vivants.

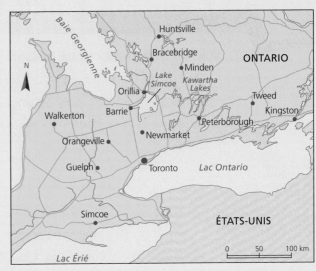

Figure 11.2 L'orage d'août 2006 a frappé une vaste zone du sud et de l'est de l'Ontario.

D22 *Laboratoire*

Le cycle de l'eau et de la chaleur

Le Soleil influe sur les systèmes naturels de la Terre, y compris le cycle de l'eau et le temps qu'il fait. Un modèle est un dispositif, un objet ou une idée qui sert à expliquer ou à visualiser quelque chose qui est difficile à voir. Dans cette activité, tu vas créer un modèle pour montrer le rôle que joue la chaleur dans le cycle de l'eau.

Objectif

Créer un modèle du cycle terrestre de l'eau

> **Matériel**
> - plaque chauffante et bécher (ou bouilloire)
> - eau
> - moule à gâteau
> - cubes de glace
> - mitaines isolantes

> **ATTENTION :** La vapeur d'eau est très chaude. Porte des mitaines isolantes. Ne laisse pas ta peau entrer en contact avec la vapeur.

Démarche

1. Place le bécher d'eau sur la plaque chauffante ou remplis et branche la bouilloire.

2. Mets les cubes de glace dans le moule à gâteau. Attends quelques minutes.

3. Quand l'eau bout, tiens le moule à gâteau froid avec les mitaines isolantes au-dessus du bécher.

4. Observe la face inférieure du moule à gâteau.

Questions

5. Décris ce que tu as observé sur la face inférieure du moule à gâteau quand tu le tenais au-dessus de l'eau bouillante.

6. Dessine un diagramme annoté pour représenter le matériel ainsi que les résultats que tu as observés.

Figure 11.3 Installation pour l'expérience.

Voici un résumé de ce que tu apprendras dans cette section :

- Les activités humaines dépendent de l'atmosphère.
- L'atmosphère est constituée de plusieurs couches ; les êtres humains vivent dans la troposphère.
- Le temps qu'il fait dépend des transferts de chaleur provenant du Soleil.

Prends une grande inspiration puis expire. Pendant que tu lis ces pages, tu respires facilement. Tu te rends probablement compte que tu ne peux pas faire cela n'importe où ; tu dois en effet te trouver dans un endroit où il y a de l'air propre.

As-tu déjà réfléchi à ce que tu respires et à ce qui t'entoure ? Cela s'appelle l'***atmosphère terrestre*** : la couche de gaz qui entoure la Terre. Que tu lises ces pages à l'école, chez toi ou ailleurs, partout l'atmosphère t'enveloppe.

Elle comprend l'air dont les êtres humains ont besoin pour vivre. Elle contient également un mélange d'impuretés, de poussière et d'autres substances, dont certaines proviennent de l'activité humaine. Elles sont rejetées dans l'air sous forme de pollution. Quand tu respires, tu inspires dans tes poumons de l'air et un mélange d'autres substances. L'un des gaz présents dans l'air, l'oxygène, est le gaz dont les animaux (toi y compris) ont besoin pour vivre.

D23 *Point de départ*

Habiletés A C

Reprendre son souffle

La figure 11.4 montre des gens dont la respiration se fait dans des conditions particulières. Individuellement ou en équipe de deux, donne un titre à chacune de ces photographies. Fournis brièvement des informations sur ce qu'elles décrivent. Mentionne toute expérience personnelle liée à ces activités.

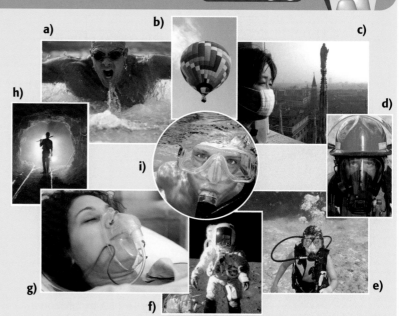

Figure 11.4 Les êtres humains ont besoin d'air dans toutes ces situations.

Types de questions

Quand les lectrices et les lecteurs se posent des questions et cherchent les réponses dans le texte qu'ils lisent, ils interagissent avec celui-ci d'une manière significative. Voici divers types de questions qu'ils peuvent alors se poser :

- Des questions littérales ou *dans le texte* ; les réponses se trouvent dans le texte.

- Des questions déductives ou *entre les lignes* ; la lectrice ou le lecteur interprète l'information du texte en utilisant ses connaissances contextuelles pour trouver les réponses.

- Des questions d'évaluation ou *au-delà du texte* ; les réponses peuvent ne pas se trouver dans le texte. Il faut alors que la lectrice ou le lecteur utilise ses connaissances contextuelles et ses expériences personnelles pour les trouver.

Passe de nouveau en revue tes questions du début de ce chapitre. Sers-toi de l'information ci-dessus pour déterminer si elles sont des questions littérales, déductives ou d'évaluation. Où trouveras-tu la réponse à chacune de tes questions ?

Les couches d'air

Que tu te trouves à la surface de la Terre ou au-dessus d'un océan, le mélange de gaz constituant l'atmosphère terrestre t'enveloppe. Les êtres humains vivent dans la couche inférieure de l'atmosphère. Bien sûr, de nombreux types d'oiseaux, tels que les faucons pèlerins, et d'autres animaux qui vivent dans les arbres passent une partie de leur temps dans une atmosphère plus élevée que celle où vivent les êtres humains. Les arbres comme le pin blanc (figure 11.5) s'élèvent à plusieurs mètres dans l'atmosphère.

Les conditions atmosphériques, y compris la pluie, le vent et la température, influent sur la vie humaine. Pense aux orages et aux blizzards. Pense également aux journées ensoleillées passées près d'un lac et aux plantes qui poussent au printemps. Tous ces exemples te montrent que les changements qui se produisent à la surface de la Terre sont importants ; tant d'un point de vue scientifique, que dans notre vie quotidienne.

Les scientifiques qui étudient l'atmosphère la divisent en cinq couches principales, selon les variations de température à mesure que l'on s'élève au-dessus de la surface de la Terre (figure 11.6 de la page suivante) :

- la troposphère : de 0 à 20 km
- la stratosphère : de 20 à 50 km
- la mésosphère : de 50 à 85 km
- la thermosphère : de 85 à 690 km
- l'exosphère : de 690 à 10 000 km

Figure 11.5 Le pin blanc est l'arbre emblématique de l'Ontario. Il est le plus grand arbre de l'est de l'Amérique du Nord. Le record de hauteur de cette espèce est de plus de 60 m.

Figure 11.6 L'atmosphère est divisée en cinq couches à partir de la surface de la Terre : la troposphère, la stratosphère, la mésosphère, la thermosphère et l'exosphère. Ces données proviennent de la NOAA (Administration nationale des océans et de l'atmosphère) du Département du commerce des États-Unis.

Les couches de l'atmosphère
L'atmosphère est divisée en cinq couches à partir de la surface de la Terre : la troposphère, la stratosphère, la mésosphère, la thermosphère et l'exosphère.

690 km

L'exosphère
(de 690 à 10 000 km)
Dans l'exosphère, de petites particules se déplaçant rapidement peuvent s'échapper dans l'espace. Les satellites placés en orbite autour de la Terre se trouvent dans cette couche.

600 km

500 km

La thermosphère
(de 85 à 690 km)
La thermosphère s'appelle également haute atmosphère. La Station spatiale internationale y est en orbite à une altitude moyenne de 340 km au-dessus de la surface de la Terre.

400 km

300 km

La mésosphère (de 50 à 85 km)
La plupart des météores venant de l'espace brûlent dans la mésosphère, y laissant des traces étincelantes que l'on appelle *étoiles filantes*.

200 km

La troposphère (de 0 à 20 km)
Presque tous les phénomènes météorologiques ont lieu dans la troposphère. La température y diminue en fonction de l'altitude.

100 km
85 km
50 km
20 km

La stratosphère
(de 20 à 50 km)
La couche d'ozone de la stratosphère nous protège des rayons ultraviolets (UV).

La troposphère

Les êtres humains vivent dans la couche inférieure de l'atmosphère terrestre, c'est-à-dire la **troposphère**. Pratiquement toutes les activités humaines, y compris les voyages en avion, ont lieu dans cette couche. Des variations constantes s'y produisent. En fait, c'est là où les phénomènes météorologiques ont lieu. Quels sont ces phénomènes météorologiques ? Il s'agit des conditions de l'atmosphère à un moment donné, en un endroit donné. L'étude de ces conditions et tendances atmosphériques, c'est-à-dire du temps qu'il fait, s'appelle la ***météorologie***.

Le transfert de chaleur et les conditions météorologiques de la Terre

Qu'est-ce qui provoque les changements météorologiques ? Pour répondre à cette question, il faut non seulement considérer la Terre, mais également la source de la majeure partie de l'énergie terrestre : le Soleil. L'énergie solaire qui atteint la Terre contribue à la variation des phénomènes atmosphériques de la planète et influe sur le temps qu'il fait dans ta région.

Bien que le Soleil ne soit qu'une étoile de taille moyenne, il produit une immense quantité d'énergie. Seule une petite fraction de cette énergie nous atteint. Elle représente tout de même plus de 6000 fois la quantité d'énergie utilisée par toute la population terrestre en une journée. Que devient cette énergie ? Observe la figure 11.7 pour le découvrir.

Pour aller Plus loin

Les scientifiques savent beaucoup d'autres choses sur l'atmosphère terrestre. Fais une petite recherche pour en apprendre davantage.

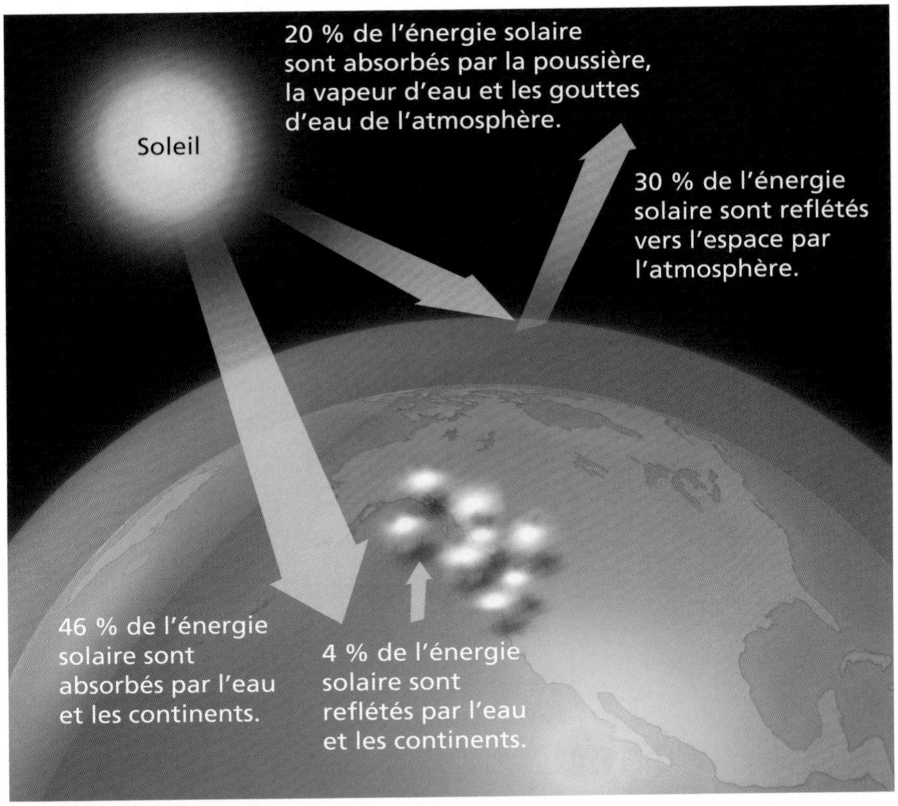

Soleil

20 % de l'énergie solaire sont absorbés par la poussière, la vapeur d'eau et les gouttes d'eau de l'atmosphère.

30 % de l'énergie solaire sont reflétés vers l'espace par l'atmosphère.

46 % de l'énergie solaire sont absorbés par l'eau et les continents.

4 % de l'énergie solaire sont reflétés par l'eau et les continents.

Figure 11.7 Les scientifiques estiment que moins d'un milliardième de la production énergétique totale du Soleil atteint la Terre chaque jour. Cette infime portion représente toutefois une immense quantité d'énergie.

D25 Fais le point !

Réflexion sur le Soleil

Reproduis le tableau à deux colonnes ci-contre (tableau 11.1) dans ton cahier. Reporte-toi à la figure 11.7 pour le remplir. Résume ce que devient l'énergie qui atteint la Terre.

Tableau 11.1 L'énergie solaire qui atteint la Terre

Que devient l'énergie solaire ?	Pourcentage de l'énergie solaire

D26 *Activité synthèse*   Boîte à outils 2

HABILETÉS À UTILISER
■ Collecter et organiser des données
■ Analyser des tendances

D'étranges bougies

L'air contient un mélange de gaz, dont l'oxygène. Pendant combien de temps une bougie peut-elle rester allumée dans un récipient fermé? Quel est le lien entre la taille du récipient et le temps durant lequel la mèche brûlera?

Dans cette activité, tu vas utiliser plusieurs béchers pour observer l'effet du réchauffement de divers volumes d'air contenus dans des béchers de diverses tailles.

Question

Pendant combien de temps une bougie peut-elle rester allumée sous des béchers de diverses tailles?

ATTENTION : Ne touche pas le bécher chaud une fois la bougie éteinte.

Matériel

- assiette à tarte
- petite bougie
- allumettes
- béchers de diverses tailles
- mitaines isolantes
- pâte à modeler
- eau
- montre ou chronomètre

Hypothèse

Trouve de quelle façon la taille des béchers peut influer sur le temps durant lequel la mèche brûlera. Prends note de ta réponse.

Démarche

1. Reproduis le tableau 11.2 dans ton cahier.

2. Place un petit morceau de pâte à modeler au centre de l'assiette à tarte.

3. Place la bougie debout sur la pâte à modeler.

4. Remplis l'assiette d'eau.

5. Ton enseignante ou ton enseignant allumera la bougie.

6. Démarre le chronomètre quand tu places le plus petit bécher au-dessus de la bougie. Observe attentivement le bec du bécher et note tes observations.

7. Quand la bougie s'éteint, note le temps, en minutes et en secondes, dans ton tableau.

8. Sers-toi d'une mitaine isolante pour retirer le bécher de l'assiette. Ne fais pas tomber d'eau sur la bougie.

9. Répète les étapes 5 à 8 en remplaçant le petit bécher par le bécher moyen.

10. Répète les étapes 5 à 8 en utilisant le plus grand bécher.

Figure 11.8 Installation pour l'expérience.

Tableau 11.2 L'importance de la taille du bécher.

	Taille du bécher (ml)	Durée de la flamme (min et s)
petit bécher		
bécher moyen		
grand bécher		

Analyse et interprétation

11. Compare les trois résultats que tu as inscrits dans ton tableau. Prends note de cette comparaison.

12. Pourquoi devais-tu commencer cette activité en mettant de l'eau dans l'assiette?

Développement des habiletés

13. Prédis pendant combien de temps la bougie brûlerait sous un bécher qui serait deux fois plus grand que le grand bécher utilisé à l'étape 10.

Pour conclure

14. Quel est l'effet de la taille d'un bécher sur la durée de la flamme d'une bougie?

Révise les concepts clés

1. Définis le mot *atmosphère* dans tes mots.

2. Nomme deux endroits où les humains ont besoin d'une aide technologique pour respirer.

3. Place dans le bon ordre les cinq couches de l'atmosphère, de la surface terrestre en montant.

4. Dans quelle couche atmosphérique ont lieu la plupart des activités humaines?

5. Quel pourcentage de l'énergie solaire atteignant la Terre est absorbé par l'eau et les continents?

Fais des liens

6. Un ami te dit: «L'atmosphère, c'est juste de l'air.» Es-tu en accord avec son affirmation? Justifie ta réponse.

7. Invente une phrase mnémotechnique pour te souvenir des cinq couches atmosphériques en utilisant les lettres T — S — M — T — E.

8. Le mot *atmosphère* vient d'«atmo» (vapeur, fumée) et «sphère» (circulaire). Pourquoi est-ce un nom adéquat pour désigner la couche d'air qui nous entoure?

9. Une comparaison est une phrase qui contient le mot *comme*. Écris des phrases qui comparent certains éléments de ta vie aux couches atmosphériques. Reporte-toi à la description de l'atmosphère qui est fournie dans cette section. Commence tes phrases comme suit: «L'atmosphère est comme ..., car ...»

10. Les scientifiques estiment que moins d'un milliardième de la production totale d'énergie solaire atteint chaque jour la Terre. Selon toi, que devient le reste de cette énergie? (**Conseil**: Pense à la taille de la Terre.)

Utilise tes habiletés

11. Trace un diagramme à bandes pour représenter les données de l'énergie solaire de la figure 11.7. Utilise du papier quadrillé, une règle et des crayons de couleur.

12. Crée une petite affiche utilisant ta phrase mnémotechnique de la question 7. Sur ton affiche, place cette phrase ainsi que les noms des cinq couches atmosphériques correspondantes. Ajoute une illustration colorée de chaque couche. Trouve un titre original et créatif pour ton affiche.

D27 *Réflexion sur les sciences et l'environnement*

Cartographier l'atmosphère

D'abord, tu as appris ce que devient l'énergie solaire qui atteint la Terre. Ensuite, tu as découvert que l'activité humaine rejette dans l'air des gaz et de petites particules qui peuvent emprisonner la chaleur et réchauffer l'atmosphère. Conçois un schéma de conséquences de ce phénomène ayant comme question centrale «Quelles sont les conséquences de l'ajout de gaz et d'autres substances à l'atmosphère terrestre par les êtres humains?» Dans le premier niveau de ton schéma, inscris les conséquences négatives et positives possibles de ces ajouts. Les deuxième et troisième niveaux de ton schéma donneront d'autres informations sur chaque conséquence positive ou négative.

Voici un résumé de ce que tu apprendras dans cette section :

- Dans la nature, l'eau se déplace continuellement et change constamment d'état.
- La chaleur crée le cycle de l'eau et influe sur les conditions atmosphériques.
- Le cycle de l'eau et les courants océaniques reposent sur le phénomène de la convection.

L'air et l'eau sont des ressources précieuses dont les êtres humains ont besoin et qu'ils utilisent tous les jours. La santé de ta famille et le succès de nombreuses entreprises dépendent de ces ressources naturelles fondamentales. Leur utilisation ou leur gaspillage peut même avoir un impact sur les gens et les activités humaines qui se passent loin de nous. Tout comme l'air, l'eau sur Terre est une ressource commune. Réfléchis à ton utilisation quotidienne de l'eau. La liste est longue, car ta survie en dépend.

L'eau est importante pour les exploitations agricoles du monde entier (figure 11.9). Une ferme ne peut fonctionner sans eau pour les cultures et les animaux. Jadis, les gens qui travaillaient dans les fermes étaient peut-être moins attentifs à la quantité d'eau qu'ils utilisaient. Aujourd'hui, grâce à des technologies comme les ordinateurs et les satellites, les agricultrices et les agriculteurs peuvent surveiller et contrôler attentivement la consommation d'eau de leur exploitation. De plus, les nouvelles techniques agricoles permettent de doser la quantité d'eau qui est nécessaire pour faire pousser les récoltes.

L'eau utilisée en Ontario et partout sur Terre dépend du **cycle de l'eau**, c'est-à-dire du mouvement naturel de l'eau entre la surface de la Terre et l'atmosphère. La manière dont les populations agricoles utilisent et recyclent l'eau influe sur la quantité d'eau qui pénètre dans le sol, qui s'écoule à la surface et qui s'évapore des terres.

Figure 11.9 L'eau est un élément important pour les exploitations agricoles.

D28 *Point de départ*

 Habiletés A C

L'eau merveilleuse

Il est temps de rédiger rapidement quelques lignes. Prends un stylo ou un crayon. Note le titre de cette activité, puis écris sans t'arrêter pendant deux minutes ou plus. Le sujet est : «De quelle manière est-ce que je dépends de l'eau?» À vos marques ! Prêts ? Écrivez.

Le flux de chaleur dans le cycle de l'eau

L'énergie solaire est directement responsable de trois systèmes naturels importants qui influent sur la vie terrestre : le cycle de l'eau, les phénomènes météorologiques et les courants océaniques. Réfléchis au cycle de l'eau. Tu as vu qu'ajouter de la chaleur à l'eau en la portant à ébullition la fait passer de l'état liquide à l'état gazeux. Il n'est toutefois pas nécessaire de faire bouillir l'eau pour que l'évaporation se produise. Ajouter une plus petite quantité de chaleur engendre le même résultat, mais plus lentement. La figure 11.10 illustre ce phénomène.

L'eau d'une flaque disparaît lentement, même par temps couvert. En fait, elle s'évapore, donc se transforme en vapeur d'eau invisible. En revanche, quand la vapeur chaude entre en contact avec une surface froide, elle se condense, se transformant en eau liquide qui peut recouvrir la surface ou s'en égoutter (figure 11.11).

Ce phénomène dévoile un **cycle**, c'est-à-dire un mouvement continu de matière dans la nature. La buée sur le miroir de la salle de bains est la version domestique d'une partie du cycle terrestre de l'eau, c'est-à-dire le mouvement continu de l'eau entre la surface terrestre et l'atmosphère (figure 11.12).

L'eau en suspension dans l'atmosphère n'est pas toujours visible. Plus on s'éloigne de la Terre en altitude, plus la température se refroidit. En refroidissant, les gouttes d'eau se rassemblent et grossissent jusqu'à former un nuage visible. À mesure que les gouttes grossissent, elles deviennent plus lourdes et tombent sous forme de pluie ou de **précipitations**.

Les flaques d'eau s'évaporent sous l'effet de la chaleur. Quand la température baisse, cette eau évaporée se condense et forme des nuages. Les gouttes d'eau des nuages tombent sous forme de pécipitations. La chaleur joue donc un rôle dans ces deux changements d'état :

- l'évaporation (l'eau liquide de la Terre absorbe la chaleur et se transforme en vapeur d'eau) ;
- la condensation (la vapeur d'eau invisible de l'atmosphère se rafraîchit et se retransforme en gouttes d'eau qui tombent sous forme de précipitations).

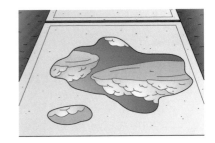
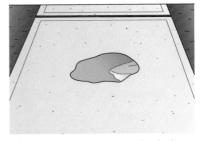

Figure 11.10 Il y a assez de chaleur dans l'air par une journée chaude pour évaporer l'eau d'une flaque.

Figure 11.11 La buée est due à la vapeur d'eau qui se condense sur un miroir froid.

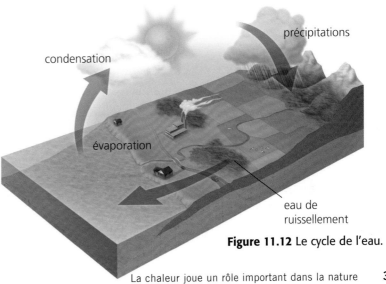

précipitations

condensation

évaporation

eau de ruissellement

Figure 11.12 Le cycle de l'eau.

La météorologie et le cycle de l'eau

Reproduis le tableau 11.3 dans ton cahier. Dans la colonne A, écris les trois questions à se poser. Dans la colonne B, essaie de répondre à ces questions. Après avoir lu la section *La météorologie et le cycle de l'eau*, remplis la colonne C.

Questions à se poser

1. Comment le Soleil brille-t-il sur les diverses parties de la Terre?

2. À quoi sont dus les courants océaniques?

3. Quel est l'effet des courants océaniques sur les espèces qui vivent dans les océans?

Tableau 11.3 La météorologie et le cycle de l'eau.

Colonne A Questions sur la météorologie et le cycle de l'eau	Colonne B Ce que je sais avant la lecture	Colonne C Ce que j'ai appris en lisant

La météorologie et le cycle de l'eau

Puisque la Terre est pratiquement une sphère, l'énergie de rayonnement du Soleil n'atteint pas le sol et les étendues d'eau partout de la même manière (figure 11.13). Durant l'année, même si la Terre se déplace dans l'espace, le Soleil brille plus directement sur les régions qui sont situées près de l'équateur, ce qui réchauffe ces régions de façon constante et régulière.

L'Ontario et le reste du Canada se trouvent au nord de l'équateur. Cela signifie qu'au Canada les rayons du Soleil tombent moins directement qu'à l'équateur. La même quantité de chaleur est répartie sur une plus grande partie de la surface terrestre. En outre, en hiver, le Canada reçoit beaucoup moins de lumière du Soleil; cela explique pourquoi il fait froid et pourquoi il neige dans la majeure partie du pays.

Les différences de température entre les régions proches de l'équateur et les régions situées au nord et au sud de l'équateur engendrent un mouvement continu de l'air à la surface de la Terre. Ce mouvement distribue la chaleur du Soleil sur toute la planète. Le mouvement de l'air dans la troposphère s'appelle le ***vent***.

Figure 11.13 Près de l'équateur, les rayons du Soleil sont plus directs et donc plus puissants durant toute l'année.

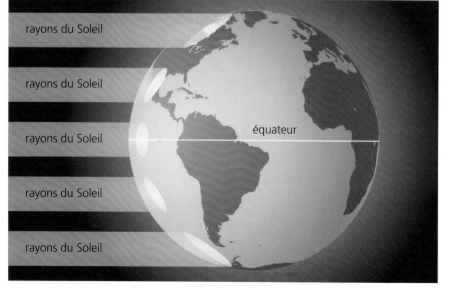

rayons du Soleil

rayons du Soleil

rayons du Soleil

équateur

rayons du Soleil

rayons du Soleil

Quand l'air d'une région est plus chaud que l'air environnant, il devient moins dense et commence à s'élever, ce qui aspire d'autres masses d'air. Un courant de convection s'installe. Pendant la journée, par exemple, la terre se réchauffe davantage que l'eau. L'air au-dessus des terres qui sont proches de grands lacs ou d'un océan se réchauffe et s'élève. L'air plus froid qui se trouve au-dessus de l'eau remplace cet air en ascension, créant une brise marine fraîche. La nuit, les terres se refroidissent plus rapidement que l'eau. L'air chaud au-dessus de l'eau s'élève et l'air plus froid des terres prend sa place, créant une brise terrestre fraîche.

Durant tout ce temps, l'air contient de la vapeur d'eau et des gouttes d'eau qui circulent entre la Terre et l'atmosphère dans ces courants de convection géants. Le cycle de l'eau est l'un des facteurs qui influencent la météorologie dans la région ontarienne et dans le monde entier. Il peut faire chaud et ensoleillé à un endroit, alors qu'à quelques kilomètres de là il pleut et il vente.

La chaleur et les courants océaniques

Un **courant océanique** est un mouvement de l'eau sur une vaste partie d'un océan. Les courants océaniques contribuent au mouvement de l'énergie thermique entre les régions chaudes situées près de l'équateur et les régions plus froides de l'Arctique et de l'Antarctique. En fait, ces courants de convection équilibrent partiellement les températures extrêmes à la surface de la Terre.

Un courant océanique est comme une rivière d'eau chaude ou froide qui se déplace en un mouvement plus ou moins circulaire. Ce mouvement affecte le **climat**. Le climat est l'ensemble des conditions atmosphériques qui touchent de vastes régions terrestres durant une longue période. Les courants océaniques ont un effet sur les terres des côtes de l'ouest, de l'est et du nord du Canada et déterminent les routes maritimes que prennent les navires (figure 11.14).

Les courants océaniques suivent un mouvement de convection qui varie en fonction du vent, des minéraux dissous dans l'eau, de la forme des fonds marins, de la chaleur du Soleil, de l'attraction de la Lune et même de la rotation de la Terre.

Pour aller Plus loin

Deviens météorologue amateur! Suis les tendances météorologiques canadiennes. Environnement Canada publie en ligne des cartes météo des régions du Canada. Tu peux trouver des prévisions de cinq jours pour ta région ainsi que pour l'ensemble du Canada.

Figure 11.14 Les principaux courants océaniques.

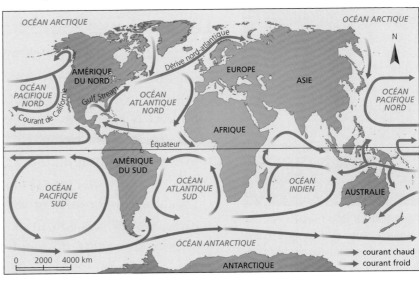

Les scientifiques ont découvert plus de 50 courants océaniques. L'observation des courants océaniques et de leurs caractéristiques permet d'étudier les mouvements de l'air et de l'eau ainsi que les changements climatiques.

Réchauffement et refroidissement

Les courants océaniques circulent de manière circulaire : dans le sens des aiguilles d'une montre dans l'hémisphère Nord, où se trouve le Canada, et dans le sens inverse des aiguilles d'une montre dans l'hémisphère Sud, au sud de l'équateur. Il existe trois catégories de courants océaniques (tableau 11.4).

Tableau 11.4 Les catégories de courants océaniques.

Catégorie de courant	Couche océanique	Direction du mouvement	Facteurs à l'origine du courant
Courant chaud de surface	Au niveau ou près de la surface	De la région équatoriale vers les pôles Nord et Sud	Le vent la rotation de la Terre
Courant froid de surface	Au niveau ou près de la surface	Des régions polaires vers l'équateur	Surtout le vent
Courant océanique profond	En eaux profondes	Se forme aux pôles et circule vers l'équateur tout en remontant à la surface	La densité de l'eau les différences de température entre les couches

Les courants océaniques influent sur la vie marine. L'océan est constitué de plusieurs couches : l'eau y est plus chaude en surface et plus froide en profondeur. La température de l'eau de chaque couche détermine quels organismes y vivent. Les organismes marins sont sensibles aux changements de température. Une variation de température de quelques degrés peut être suffisante pour engendrer leur déplacement. D'autres organismes qui se nourrissent des premiers doivent alors également se déplacer pour survivre.

Les systèmes tourbillonnants

L'atmosphère et les océans sont constamment en mouvement. Ce mouvement continu produit du vent et des orages dans la troposphère. Il est aussi à l'origine des courants océaniques. Des vents forts peuvent être très destructeurs et provoquer des **ouragans** ou des **tornades**. Un ouragan est un système météorologique qui tournoie violemment au-dessus d'un océan. Il génère des vents continus soufflant à plus de 119 km/h. La chaleur des eaux tropicales augmente la force et la taille des ouragans. Quant aux tornades, ce sont des colonnes d'air qui tournoient violemment au-dessus de la terre ferme. Il s'agit d'un phénomène généralement local, imprévisible et de courte durée (figure 11.15).

Figure 11.15 Une tornade peut se former à cause d'un orage, lorsque l'air chaud et humide rencontre l'air froid et sec.

ED Activité d'ancrage

D30 *Activité synthèse*

Boîte à outils **2**

HABILETÉS À UTILISER
- Analyser des tendances
- Présenter des résultats

La météo dans une bouteille — Démonstration de l'enseignante ou de l'enseignant

Une bouteille plastique de 2 l contenant quelques particules de fumée peut permettre de reproduire un événement atmosphérique courant et fréquent.

Question

Comment reproduire la formation d'un nuage?

Matériel

- bouteille de plastique transparent de 2 l ou moins avec bouchon (retirer l'étiquette)
- de l'eau chaude
- des allumettes
- du papier noir

ATTENTION: Manipuler les allumettes avec précaution.

Figure 11.16 Installation pour l'activité.

Hypothèse

Prédis ce qui peut se passer quand tu comprimes une bouteille de 2 l remplie de fumée et de vapeur d'eau.

Démarche

1. Placer juste assez d'eau chaude dans la bouteille pour en recouvrir le fond. Refermer la bouteille avec le bouchon.

2. Secouer la bouteille vigoureusement pendant une minute.

3. Allumer une allumette et la laisser brûler pendant quelques secondes. Éteindre l'allumette et placer immédiatement le bout chaud de l'allumette dans la bouteille. Laisser la fumée remplir la bouteille. Retirer l'allumette.

4. Remarque bien qu'après quelques secondes la fumée semble disparaître.

5. Fermer la bouteille à l'aide du bouchon, en ne laissant pas trop de fumée s'échapper.

6. Tenir la bouteille devant une surface sombre, telle qu'un plan de travail ou du papier noir. Comprimer rapidement et fortement les parois de la bouteille, puis relâcher. Répéter cette opération six ou sept fois (au moins). Maintenir la dernière pression pendant quelques secondes, puis relâcher soudainement. Dès que la pression est relâchée, observer ce qui se passe dans la bouteille.

Analyse et interprétation

7. Penses-tu qu'il y avait de la vapeur d'eau invisible dans la bouteille avant d'y placer la tête de l'allumette? Comment le sais-tu?

8. Interprète les variations qui ont eu lieu tout de suite après avoir comprimé puis relâché la bouteille.

9. Pourquoi penses-tu qu'il est nécessaire de comprimer la bouteille plusieurs fois?

Développement des habiletés

10. Illustre chaque étape de la démarche à l'aide de dessins. Ajoute à tes dessins tes observations au sujet des changements qui ont eu lieu à l'intérieur de la bouteille. Numérote chaque dessin selon le numéro de l'étape de la démarche qu'il représente.

Pour conclure

11. Suggère une façon dont les observations effectuées dans cette activité pourraient expliquer la formation de nuages dans l'atmosphère.

12. Suggère des conditions atmosphériques qui peuvent accroître la formation de nuages.

Révise les concepts clés

1. Pourquoi utilise-t-on l'expression *cycle de l'eau* pour désigner le mouvement de l'eau sur Terre?

2. Comment la chaleur produit-elle les courants océaniques?

3. Suggère une raison qui explique pourquoi les océans sont plus chauds près de l'équateur que près des pôles.

Fais des liens

4. Donne deux exemples d'activités humaines qui ont un effet sur le cycle de l'eau.

5. Compare les étapes du cycle de l'eau à celles d'un autre cycle d'événements de ta vie quotidienne. Tu peux commencer cette comparaison par un énoncé tel que « Le cycle de l'eau est comme ..., car ... »

Utilise tes habiletés

6. Conçois, dessine et annote ta propre illustration du cycle de l'eau. Tu peux également planifier une activité physique pour le représenter.

7. Conçois, dessine et annote une série d'illustrations représentant les six facteurs qui influent sur les courants océaniques. (Voir page 325.)

D31 *Réflexion sur les sciences et l'environnement*

Surveiller les océans — Argo

Le projet international Argo est un réseau mondial de plus de 3000 flotteurs à la dérive qui mesurent la température et la salinité des 2000 premiers mètres de la surface des océans (figures 11.17 et 11.18). Pour la première fois, les scientifiques peuvent surveiller continuellement plusieurs caractéristiques de l'eau des couches supérieures des océans, y compris la température, la direction et la vitesse de l'eau. Toutes les données sont transmises par satellites à des ordinateurs.

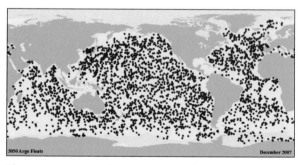

Figure 11.18 Cette image présente la position de nombreux flotteurs Argo à un moment donné.

Réfléchis

Avec une ou un camarade ou en groupe, discute des questions suivantes.

1. Quelles sont les quatre catégories de données que collectent les flotteurs Argo?

2. Pourquoi les données collectées par le projet Argo sont-elles importantes pour les météorologues?

Figure 11.17 Un navire installant des flotteurs Argo.

Voici un résumé de ce que tu apprendras dans cette section :

- La Terre est constituée de plusieurs couches.
- La chaleur a façonné et continue de façonner un grand nombre des caractéristiques terrestres.
- Le cycle des roches nous permet de comprendre de quelle façon la chaleur provoque les changements sur Terre.

Le volcanologue David Johnston est connu en raison de sa tragique annonce radio « Vancouver ! Vancouver ! Ça y est ! », qu'il a faite depuis son poste d'observation de Coldwater, au nord du mont St. Helens dans l'État de Washington, le matin du dimanche 18 mai 1980. Quelques secondes plus tard, le mont St. Helens explosait (figures 11.19 et 11.20).

De la cendre et des gaz brûlants ont été projetés à 19 kilomètres dans le ciel. Le sommet et la face nord du mont ont explosé, réduisant sa hauteur d'environ 400 m. La température a atteint 350 °C et l'explosion a été si forte qu'on l'a entendue de l'autre côté de la frontière canado-américaine, à Vancouver, en Colombie-Britannique. Pendant plusieurs jours, la cendre a été transportée par les vents d'ouest, se déposant sur les voitures, les édifices et les maisons jusqu'à Calgary, Regina et même Winnipeg, à plus de 2200 km de là.

Les éruptions volcaniques attirent notre attention. Les gens se demandent comment des roches en fusion provenant du centre de la Terre peuvent remonter à la surface. Sous la surface, la Terre est constamment en mouvement à cause de l'effet de la chaleur.

Figure 11.19 Éruption du mont St. Helens le 18 mai 1980.

Figure 11.20 Le mont St. Helens se trouve dans l'État de Washington, au sud de Vancouver.

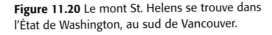

D32 *Point de départ* Habiletés Ⓐ Ⓒ

La mystérieuse histoire de la Terre

Les nombreuses transformations terrestres qui ont eu lieu durant la longue histoire de la Terre sont intimement liées à la chaleur. Il s'agit d'un processus un peu mystérieux. Des changements ont lieu à la surface ou sous la surface de la Terre, mais nous ne les comprenons pas tous. La chaleur engendre, par exemple, la formation des montagnes à la surface de la Terre et dans les fonds marins. Réfléchis à plusieurs raisons qui expliquent pourquoi les scientifiques s'intéressent à l'étude de l'effet de la chaleur sur les transformations terrestres. Discutes-en avec une ou un camarade. Tu peux également décrire ce que tu sais des *manières* dont les scientifiques étudient ces changements.

Données-Questions-Réponses

Les volcans et les tremblements de terre sont intéressants, mais certains renseignements à leur sujet peuvent être complexes. Un tableau DQR peut t'aider à prendre des notes et à mieux comprendre l'information durant ta lecture. Crée un tableau DQR dans ton cahier. Intitule la première colonne *Données*, la deuxième, *Questions* et la troisième, *Réponses* (voir figure 11.21).

À mesure que tu lis les renseignements sur les volcans et les tremblements de terre des pages 329 à 333 (jusqu'aux roches et minéraux), prends note des données qui sont présentées. Pour chacune de ces données, note une question qui te vient à l'esprit. Dans la dernière colonne, inscris les réponses que tu

as trouvées dans le texte. Tu peux aussi noter une idée ou une impression générale par rapport à chacun des faits. Il n'est pas nécessaire d'inscrire une question et une réponse pour chaque fait. Une fois ta lecture terminée, fais part au groupe de certaines des données, des questions et des réponses que tu as notées.

Données	Questions	Réponses
Le mont St. Helens a fait éruption le 18 mai 1980.	Cela a-t-il eu un impact sur la météo en Ontario?	

Figure 11.21 Tableau DQR.

La Terre en question

Les êtres humains vivent sur la croûte externe de la Terre. Pendant des centaines d'années, nous nous sommes posé des questions similaires à celles que tu peux te poser avant de goûter un nouveau fruit (figure 11.22). Quelle est l'épaisseur de l'écorce terrestre? Existe-t-il diverses couches à l'intérieur? Que trouverions-nous au centre? Plusieurs types de fruits sont montrés ici (figures 11.23 à 11.25). D'après toi, lequel pourrait ressembler à la Terre? Pourquoi? Continue ta lecture pour voir si ton choix s'approche des preuves scientifiques.

L'histoire intime de la Terre

Tu vis sur la surface de la Terre. Mais que sais-tu du sol qui se trouve sous tes pieds? Les scientifiques divisent la Terre en quatre couches. À l'aide de la figure 11.26, explore ces couches, à partir de la surface, à bord d'un véhicule imaginaire, l'*Explorateur de la Terre*.

Figure 11.22 Un fruit inhabituel, la carambole.

Figure 11.23 Le modèle 1.

Figure 11.24 Le modèle 2.

Figure 11.25 Le modèle 3.

1 La couche externe de la Terre est la **croûte** ou l'**écorce terrestre**. Tous les éléments qui nous entourent, les montagnes, les vallées, les plaines, les collines, les plateaux, font partie de cette écorce. Tu vas commencer ton voyage à travers la Terre à partir du fond de l'océan, car la croûte y est plus mince, ayant seulement 6 km d'épaisseur.

4 Enfin, tu atteins le noyau interne. Cette couche est solide même si elle est très chaude. Le poids des autres couches a comprimé le **noyau interne** en une boule extrêmement dure. Il reste encore 1250 km à parcourir jusqu'au centre de la Terre. Le noyau interne est si dur que même ton véhicule spécial ne peut y pénétrer.

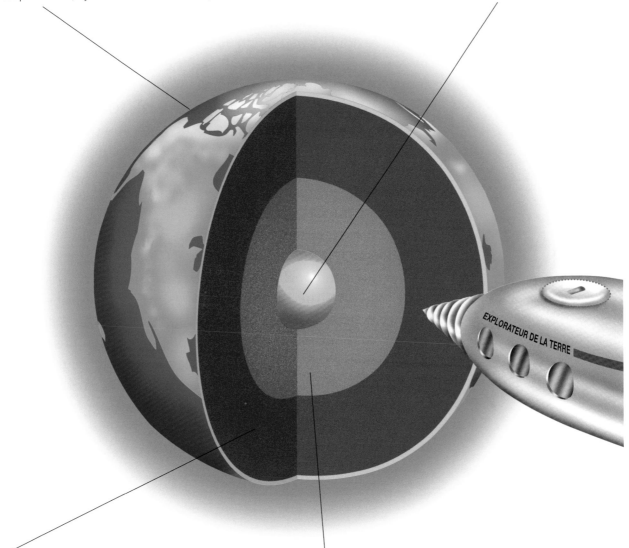

2 Tu es maintenant à l'intérieur de la couche suivante, qu'on appelle le *manteau*. Le manteau a une épaisseur d'environ 2900 km, mais il n'est pas identique partout. La partie supérieure du manteau est solide, comme l'écorce terrestre. Sous la partie supérieure solide du manteau, la température et la pression sont élevées. Cependant, ton véhicule peut se déplacer plus facilement à travers la couche inférieure du manteau, car les roches y sont partiellement fondues et peuvent bouger très lentement.

3 Quand tu quittes le manteau, tu entres dans le **noyau externe**. Dans cette partie de la Terre, les températures sont si élevées que la roche est entièrement liquide. On dit alors que la roche est en fusion. Cette couche est également très épaisse. En effet, avant d'atteindre le noyau interne, il te faudra traverser 2200 km de roche en fusion.

Figure 11.26 Les quatre couches de la Terre.

Une nouvelle écorce est continuellement en formation

Activité suggérée • · · · · · · · · ·
Laboratoire D35, page 336

L'écorce terrestre se transforme continuellement. Les trois types de transferts de chaleur (conduction, convection et rayonnement) jouent un rôle dans les transformations qui ont lieu à la surface ou sous la surface de la Terre. La conduction a lieu dans le noyau interne solide. La chaleur se transmet au noyau externe voisin, qui est en fusion. La roche en fusion (roche fondue) est appelée *magma*. Le **magma** du noyau externe et de la partie la plus profonde du manteau est plus chaud que celui de la partie supérieure, près de l'écorce terrestre. Cette différence de température crée des courants de convection dans la roche en fusion du manteau. Des roches chaudes s'élèvent vers la partie supérieure du manteau et se déplacent vers les côtés (figure 11.27). À cause de ce mouvement latéral, la chaleur se transmet également par conduction et par rayonnement. Parfois, des roches en fusion s'enfoncent à nouveau vers le noyau externe et le cycle se poursuit.

L'écorce terrestre repose sur des sections vastes et épaisses de roches que l'on appelle ***plaques tectoniques***. Parce que le manteau est constitué de roches en fusion, ces grandes plaques rocheuses peuvent s'éloigner ou se rapprocher les unes des autres. Parfois, ce mouvement projette du magma, des cendres et des gaz vers l'écorce à travers des fissures, ce qui produit un grondement sous terre et un éclair dans la nuit lorsqu'un **volcan** entre en éruption (figure 11.27). D'autres fois, le mouvement des plaques provoque le glissement de l'écorce et engendre une énorme vibration qui produit un **tremblement de terre**.

L'IMPORTANCE DES MOTS

En fusion : L'expression *en fusion* signifie « fondu » ou « liquéfié » par la chaleur. *Fusion* vient du mot latin « fusio » *:* action de répandre, de diffuser.

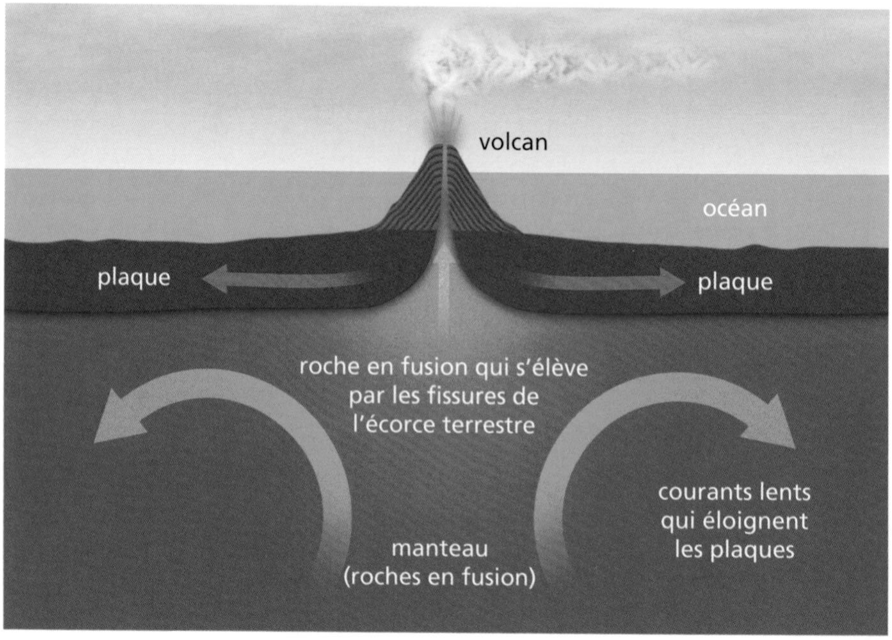

Figure 11.27 Quand deux plaques tectoniques qui reposent sur le manteau s'éloignent l'une de l'autre, la roche en fusion peut être projetée vers le haut à travers la surface terrestre et former un volcan.

Dans les profondeurs des océans, le magma chaud peut s'introduire entre les plaques rocheuses qui s'éloignent l'une de l'autre. Ce magma se dépose alors au fond de l'océan sous forme de **lave** (figure 11.28). Quand elle rencontre l'eau froide de l'océan, la lave commence à refroidir, s'étale et forme une nouvelle écorce ou croûte.

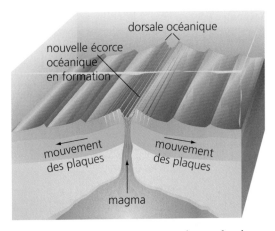

Les roches et les minéraux

La croûte terrestre est constituée de roches de plusieurs types. Les **roches** sont faites de matière solide constituée d'un ou de plusieurs minéraux. Les **minéraux** sont des substances pures à l'état naturel. La première étape pour identifier une roche est d'analyser les minéraux qu'elle contient. Il existe plus de 4000 minéraux connus. Les **cristaux** sont des minéraux dont les formes particulières proviennent du lent refroidissement de la roche en fusion (magma) qui les compose. Chaque type de minéral a un cristal de forme unique (figure 11.29).

Figure 11.28 Dans les profondeurs des océans, une nouvelle écorce se forme continuellement à mesure que la lave chaude atteint les fonds océaniques, commence à refroidir, s'étale puis durcit.

Des roches ignées, sédimentaires et métamorphiques

Les scientifiques classent les roches en trois grandes catégories (familles).

Les **roches ignées** se forment à partir de roches en fusion qui ont refroidi et durci. Il existe de nombreux types de roches ignées. Celles qui se forment quand le magma refroidit lentement contiennent souvent de gros cristaux. Si le magma atteint la surface de la Terre, on l'appelle lave. La lave refroidit rapidement quand elle est exposée à l'air ou à l'eau. Elle peut parfois contenir de petits cristaux. La figure 11.30 montre trois exemples de roches ignées. L'obsidienne et la pierre ponce se forment à partir de la lave. Le granit se forme à partir du magma.

La catégorie des **roches sédimentaires** comprend les roches qui se forment à partir de petits morceaux de roches, de coquillages ou d'autres matériaux qui s'entassent en couches. Les couches inférieures se compriment sous la pression des couches supérieures, comme quand la neige à la base d'une congère est comprimée par le poids de la neige située au-dessus d'elle. Les couches de roches inférieures durcissent et forment une roche sédimentaire, comme la neige qui, sous plusieurs couches de neige, devient de la glace. Il existe de nombreux types de minéraux qui peuvent s'entasser, donc de nombreux types de roches sédimentaires.

Figure 11.29 Les minéraux ont des cristaux de formes uniques.

Figure 11.30 Des roches ignées a) l'obsidienne b) la pierre ponce c) le granit

Tableau 11.5 Les types de roches.

Nom de la roche	Catégorie (famille) de la roche	Nom de la roche métamorphique qu'elle peut former
Granit	Ignée	Gneiss
Grès	Sédimentaire	Quartzite
Calcaire	Sédimentaire	Marbre
Argile	Sédimentaire	Ardoise

Activité suggérée • • • • • • • • • • •
Activité synthèse D36, page 336

Les **roches métamorphiques** se forment à partir de roches ignées et sédimentaires dont la forme initiale a été transformée par la chaleur (de la Terre) ou par la pression des roches situées au-dessus d'elles. Puisque de nombreux minéraux constituent les roches ignées et sédimentaires, il existe un grand nombre de types de roches métamorphiques. Examine le tableau 11.5 pour connaître les noms de quelques roches métamorphiques. Deux roches peuvent contenir exactement les mêmes minéraux, mais avoir une apparence très différente selon leur mode de formation. La manière dont les minéraux sont combinés dans la roche et la taille des cristaux peuvent indiquer de quelle manière la roche s'est formée.

D34 *Fais le point!*

La formation des roches et des minéraux

Fais correspondre les descriptions suivantes aux nouveaux mots que tu viens d'apprendre.

1. La catégorie de roches qui sont formées par des couches de particules, de coquillages, de plantes ou d'animaux.

2. La catégorie de roches qui sont formées quand la roche en fusion refroidit et durcit.

3. La roche en fusion se trouvant sous la surface de la Terre.

4. La roche en fusion se trouvant à la surface de la Terre.

5. Les formes particulières des minéraux contenus dans les roches qui proviennent du magma qui a refroidi lentement.

6. Une ouverture dans l'écorce terrestre par laquelle les roches solides et les roches en fusion, la cendre et les gaz s'échappent.

Figure 11.31 Des diamants de grande qualité sont extraits, taillés et polis au Canada dans les Territoires du Nord-Ouest.

Les pierres précieuses

Les **pierres précieuses** (ou gemmes) sont des minéraux qui sont précieux ou semi-précieux du fait de leur beauté exceptionnelle, de leur couleur et de leur rareté. Leurs principales propriétés physiques sont la couleur, la brillance (l'éclat), la transparence et la dureté. Les pierres précieuses sont souvent utilisées en bijouterie. Certaines pierres semi-précieuses, comme le quartz et l'améthyste, sont relativement bon marché. D'autres, comme le rubis, l'émeraude, le saphir et le diamant, peuvent être très chères. Bon nombre de pierres précieuses sont utilisées dans les procédés industriels et électroniques.

Comment et où se forment les diamants?

Les diamants, si beaux et si éclatants, sont faits de carbone (figure 11.31). Selon les géologues, les diamants se sont d'abord formés dans le sous-sol terrestre il y a plus de 2,5 milliards d'années. Ils se sont cristallisés dans le manteau à de très grandes profondeurs sous l'écorce terrestre, généralement plus de 150 km. D'après les géologues, des roches provenant du manteau supérieur de la Terre ont été transportées plus profondément dans le manteau, où elles ont fondu, dégageant des particules de carbone. Ces particules de carbone ont alors formé des cristaux à cause de la très haute pression de la roche en fusion se trouvant au-dessus d'elles. Les diamants se sont formés dans ces conditions particulières de chaleur et de pression. Ils sont ensuite remontés vers la surface lors d'éruptions volcaniques de magma coulant dans le manteau. Sous le volcan, des sédiments de roche en forme de carotte (kimberlite) se sont formés. Ces sédiments contiennent des diamants, de la roche volcanique et des fragments du manteau.

Pour aller Plus loin

Les roches les plus récentes sur Terre se trouvent autour des volcans actifs. Tente de déterminer où ces roches se forment et ce qu'elles peuvent contenir.

Le cycle des roches

Au cours d'un printemps ontarien, il est courant que la glace fonde pendant la journée et gèle de nouveau la nuit. Le lendemain, la glace peut de nouveau fondre et geler. Ce phénomène répétitif est un exemple de cycle.

Les roches ont également un cycle. Le **cycle des roches** représente les étapes durant lesquelles une famille de roches se transforme en une autre famille. La figure 11.32 présente le rôle que joue la chaleur dans ce cycle. Le cycle des roches est possible parce que de la chaleur est produite, emmagasinée puis libérée au centre de la Terre. La Terre n'est pas la planète immobile qu'elle semble être. Les roches anciennes sont continuellement poussées vers le manteau, où elles fondent. Le magma chaud atteint l'écorce, refroidit et forme de nouvelles roches. Les roches sont en transformation constante. Par exemple, la pression exercée sur les roches inférieures par le poids des couches de roches supérieures peut transformer une roche en une autre. L'eau, le vent, les substances chimiques et même les organismes vivants **désagrègent** ou usent les roches. C'est la première étape de l'**érosion**, soit la décomposition et le mouvement des roches et du sol sous l'effet du vent, de l'eau ou de la glace.

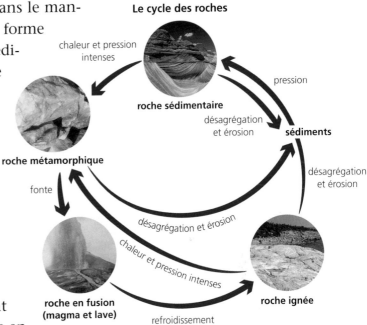

Le cycle des roches

chaleur et pression intenses

roche sédimentaire

pression

désagrégation et érosion

sédiments

désagrégation et érosion

désagrégation et érosion

chaleur et pression intenses

roche métamorphique

fonte

roche en fusion (magma et lave)

refroidissement

roche ignée

Figure 11.32 Le cycle des roches.

De la couleur dans un bécher

Objectif

Créer un modèle des courants de convection qui engendrent le mouvement des roches en fusion dans le manteau de la Terre.

Matériel

- grand bécher
- plaque chauffante
- eau
- colorant alimentaire
- long compte-gouttes médical

Figure 11.33
Installation pour l'activité.

Démarche

1. Remplis le grand bécher d'eau jusqu'à ce qu'il soit à moitié plein.

2. Place le bécher sur la plaque chauffante. Laisse l'eau s'immobiliser.

3. À l'aide d'un long compte-gouttes médical ou d'un tube en verre creux (dont tu boucheras l'extrémité avec ton pouce), prélève un peu de colorant alimentaire. Place le colorant alimentaire au fond du bécher afin qu'il forme une couche de couleur (figure 11.33).

4. Chauffe lentement le bécher d'eau. Observe ce qui arrive au colorant alimentaire.

Questions

5. Qu'as-tu observé pendant que le bécher était en train de chauffer ? Illustre ta réponse par des dessins du bécher et du colorant intitulés *Avant* et *Après* montrant les modifications qui ont eu lieu.

6. Compare les résultats de cette activité à l'information que tu as recueillie sur les courants de convection qui ont lieu dans le manteau de la Terre. Quelles sont les similitudes entre ces informations et cette activité ? Quelles sont les différences ?

Boîte à outils 2

HABILETÉS À UTILISER

- Utiliser le matériel adéquat
- Présenter des résultats

Cristallise tes réflexions

Que se passe-t-il quand la roche en fusion des profondeurs du manteau terrestre s'élève vers l'écorce ? Elle refroidit de deux manières selon l'endroit où elle cesse de circuler. Dans cette activité, tu vas observer ces deux types de refroidissement en utilisant un élément commun, le soufre.

Question

Que se passe-t-il quand la roche en fusion refroidit rapidement ou lentement ?

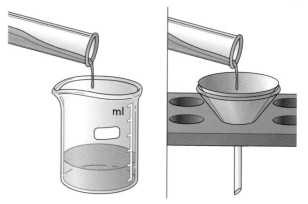

Figure 11.34 Quel est l'effet d'un refroidissement rapide sur l'apparence du soufre solide ?

ATTENTION :
- Utilise une hotte ou un système de ventilation adéquat.
- Utilise la plaque chauffante ou le brûleur Bunsen avec précaution.
- Place l'entonnoir en verre à l'envers pour qu'il ne tombe pas par terre.
- Laisse tous les morceaux de soufre dans la classe

Matériel

- soufre en poudre
- spatule métallique
- support à éprouvettes
- 2 éprouvettes
- plaque chauffante ou brûleur Bunsen
- bécher de 400 ml (dans le cas de l'utilisation d'une plaque chauffante)
- bécher de 250 ml d'eau froide
- cercle de papier filtre
- entonnoir en verre
- essuie-tout
- eau

Hypothèse

Quand le soufre en fusion refroidit rapidement, il a l'apparence de...

Quand le soufre en fusion refroidit lentement, il a l'apparence de...

Démarche

Première partie – Vite ! Vite !

1. À l'aide de la spatule métallique, mets environ 6 cm de soufre en poudre au fond d'une éprouvette.

2. Fais fondre le soufre doucement en suivant les consignes de ton enseignante ou de ton enseignant.

3. Quand le soufre est fondu, verse-le rapidement dans le bécher de 250 ml d'eau froide.

4. Place l'éprouvette sur le support à éprouvettes pour qu'elle refroidisse.

5. Quand le soufre est refroidi, vide l'eau du bécher et place le soufre solide sur un morceau d'essuie-tout.

Deuxième partie – Aussi lentement que possible

6. Forme un cône avec du papier filtre.

7. Place le cône dans l'entonnoir. Ajoute quelques gouttes d'eau pour que le papier colle au verre. Place l'entonnoir sur le support à éprouvettes.

8. À l'aide de la spatule métallique, mets environ 6 cm de soufre en poudre au fond d'une éprouvette. Fais fondre le soufre.

9. Quand le soufre est fondu, verse-le dans le papier filtre. Laisse le soufre refroidir lentement.

10. Place l'éprouvette sur le support à éprouvettes pour qu'elle refroidisse.

11. Compare les deux échantillons de soufre refroidi. Casse-les pour observer l'intérieur de chaque morceau. Prends note de tes observations.

Développement des habiletés

12. Compare l'intérieur des échantillons de soufre solide des deux parties de l'expérience. Fais un dessin annoté de chaque échantillon de soufre refroidi.

13. Nettoie ton plan de travail. Laisse tous les morceaux de soufre dans la classe.

Analyse et interprétation

14. Suggère des raisons qui expliquent les différences qu'il y a entre les deux échantillons de soufre.

Pour conclure

15. Relis tes réponses aux points 12 et 14. Suggère une façon dont tes observations peuvent expliquer les différences observées dans les roches qui se forment dans le manteau ou à la surface de la Terre.

Révise les concepts clés

1. Nomme les quatre couches de la Terre dans l'ordre, de l'extérieur vers le centre.

2. Pourquoi les termes *croûte* et *écorce* s'appliquent-ils bien à la couche terrestre où nous vivons?

3. Comment se nomment les trois catégories de roches?

4. Quelles sont les différences entre le magma et la lave?

5. Suggère des raisons qui expliquent pourquoi les scientifiques s'intéressent à l'étude des couches terrestres.

6. Un élève affirme que la chaleur intervient dans la production des trois catégories de roches. Es-tu d'accord? Explique pourquoi.

7. D'après toi, pourquoi le grenat, l'opale et la topaze sont-ils considérés comme des pierres semi-précieuses?

8. Décris deux différences qui existent entre le noyau interne et le noyau externe de la Terre.

Fais des liens

9. Le schiste, présenté à droite, est un type de roche qui se forme quand certains minéraux sont transformés par la chaleur et la pression. À quelle catégorie de roche le schiste appartient-il?

10. Compare le cycle des roches à un cycle d'événements de ta vie quotidienne. Quelles sont les ressemblances entre ces deux cycles? Quelles sont les différences?

Utilise tes habiletés

11. Trois modèles pouvant représenter les couches de la Terre sont montrés à la page 330. L'un de ces modèles est une comparaison exacte. Lequel? Explique ton choix. Choisis ensuite au moins deux autres exemples que tu pourrais utiliser pour expliquer les couches terrestres à quelqu'un.

12. La figure 11.32 de la page 335 illustre le cycle des roches. Explique de quelle façon la désagrégation, l'érosion et la pression entraînent toutes la transformation des roches. Illustre chaque partie de ton explication.

D37 *Réflexion sur les sciences et l'environnement*

Un volcan dans ton quartier

Des gens de diverses parties du monde (comme Hawaii) vivent sur ou près d'un volcan actif. Selon toi, pourquoi choisissent-ils de vivre à cet endroit? Dresse la liste des avantages et des inconvénients d'un tel choix. Fais part de tes idées à une ou à un camarade, à quelques élèves, puis à toute la classe. Ton enseignante ou ton enseignant peut te demander d'effectuer des recherches sur des communautés où des gens vivent près d'un volcan. Ajoute les résultats de ta recherche à ton analyse de la situation.

L'ouragan Katrina

Figure 11.35 Un ouragan est un système météorologique tournoyant violemment au-dessus d'un océan et produisant des vents continus qui soufflent à plus de 119 km/h. La chaleur des eaux tropicales fait augmenter la force et la taille des ouragans. Cette photographie montre l'ouragan Katrina en août 2005.

Fin août 2005, un énorme ouragan, Katrina, a détruit une partie de la côte états-unienne, du sud-est de la Louisiane à l'Alabama (figure 11.35). Katrina a été l'une des pires catastrophes naturelles de l'histoire de l'Amérique du Nord. Le parcours de Katrina a commencé au sud de la Floride. En se déplaçant en direction du nord, vers les côtes centrales du golfe du Mexique, Katrina est devenue un ouragan de catégorie 5. La catégorie 5 signifie des vents continus soufflant à une vitesse dépassant les 250 km/h.

Les vents qui accompagnaient Katrina se sont affaiblis avant que la tempête n'atteigne le continent, mais ils étaient encore suffisamment forts pour provoquer une vague d'eau de mer dépassant presque tous les records. Les vents et l'eau ont engendré la destruction et la mort. La ville de la Nouvelle-Orléans a été particulièrement touchée quand les digues qui l'entouraient ont cédé. Une partie importante de la ville a été inondée. Plus de 80 % de La Nouvelle-Orléans et de plusieurs communautés voisines se sont retrouvés sous l'eau pendant des semaines.

Au cours de l'ouragan Katrina et de l'inondation qui a suivi, au moins 1836 personnes ont perdu la vie. Les dommages que l'ouragan a causés aux bâtiments et aux terres cultivées sont évalués à plus de 80 milliards de dollars (figure 11.36).

Questions

1. Tu as entendu parler des dégâts causés par l'ouragan Katrina. Propose au moins trois questions au sujet de cet événement et des conséquences qu'il a eues. Note tes questions dans ton cahier.

2. Les ouragans frappent rarement l'Ontario, mais le 16 octobre 1954, l'ouragan Hazel, l'un des plus gros de l'histoire, a pénétré en Ontario sous la forme d'un orage violent venu des États-Unis. Au Canada, les crues des eaux dues à Hazel ont détruit 20 ponts, tué 81 personnes et laissé plus de 2000 familles sans abri. Suggère plusieurs manières dont la population ontarienne peut se protéger d'ouragans d'une telle puissance.

3. Imagine que tu es reporter pour la radio, la télévision ou un journal. Rédige un texte décrivant l'impact d'un puissant ouragan qui frappe ta communauté. Inclus les noms des lieux, des villes et des événements qui sont touchés par cette tempête.

Figure 11.36 Des inondations provoquées par l'ouragan Katrina à La Nouvelle-Orléans.

Après la lecture

Stratégies Littératie

Réfléchis et évalue

Reprends tes questions du début de ce chapitre. As-tu trouvé une réponse à chacune d'entre elles ? À l'aide de l'organiseur suivant, résume les avantages qu'il y a à se poser des questions quand on lit un texte.

Révision 3-2-1

- 3 choses que j'ai apprises au sujet de la stratégie de compréhension et qui supposent de poser des questions.
- 2 manières dont cette stratégie m'aide lors de la lecture.
- 1 question qui me reste au sujet des avantages qu'il y a à se poser des questions.

Échange ta révision 3-2-1 contre celle d'une ou d'un camarade et discute de leurs ressemblances et de leurs différences. Essaie de répondre à la question finale de ta ou de ton camarade.

Révise les concepts clés

1. Suggère trois situations dans lesquelles les activités humaines dépendent de l'atmosphère. *CC*

2. L'atmosphère est un mélange de substances. Nomme deux d'entre elles. *CC*

3. Quel est le nom de la couche de l'atmosphère dans laquelle nous vivons ? *CC*

4. Lequel des énoncés suivants est le plus exact ? Justifie ta réponse. a) Le temps à Sudbury est chaud et nuageux. b) Le temps en Ontario est chaud et nuageux. *c*

5. Quelle est la principale source d'énergie de la Terre ? *CC*

6. Nomme les deux changements d'état qui font partie du cycle de l'eau. *CC*

7. Une camarade te dit qu'un météorologue étudie les météores (morceaux de roches qui traversent l'espace). Explique pourquoi cette affirmation est inexacte. *h*

8. Les rayons du Soleil frappent-ils plus directement l'Ontario que la Floride ? Fais un dessin annoté pour expliquer ta réponse. *h*

9. Comment la chaleur est-elle diffusée sur Terre ? Suggère deux explications.

10. Quelle est la différence entre la météo (conditions météorologiques) et le climat ?

Fais des liens

11. Décris deux situations dans lesquelles on utilise des machines pour filtrer l'air ou dans lesquelles il est important de le filtrer. Pour écrire ta réponse, tu peux t'inspirer des objets qui sont présentés dans cette page.

12. Les courants océaniques circulent d'une certaine manière. Identifie trois facteurs qui influent sur leurs mouvements.

COMPÉTENCES DE LA GRILLE D'ÉVALUATION DU RENDEMENT
CC Connaissance et compréhension   *h* Habiletés de la pensée   *c* Communication   *m* Mise en application

13. Un tableau de nombres, tel que celui qui est présenté ci-dessous, peut t'aider à résumer des informations nouvelles. Reproduis ce tableau et remplis-le à l'aide des informations qui sont fournies dans ce chapitre. Tu peux noter plusieurs informations dans chaque case. La première case te fournit un exemple.

Nombre	Nouvelles informations et descriptions
2	Deux types de roches fondues : le magma (sous terre) et la lave (en surface)
3	
4	

14. Résume les trois catégories de courants océaniques. Reproduis le tableau ci-dessous dans ton cahier.

Types de courants océaniques	Descriptions
Courants chauds de surface	
Courants froids de surface	
Courants océaniques profonds	

Utilise tes habiletés

15. Conçois un tableau pour résumer les activités que tu as effectuées dans ce module. Dans ton tableau, indique :

- le numéro de chaque activité ;
- le nom de chaque activité ;
- une courte description de chaque activité ;
- un résumé des observations que tu as effectuées au cours de chaque activité.

Lien avec le projet du module

Conduire des voitures, produire des biens de consommation et se servir d'appareils électroniques sont toutes des activités qui exigent d'utiliser de l'énergie. L'utilisation d'énergie dégage de la chaleur dans l'air et dans l'eau. Une meilleure isolation des édifices éviterait ou réduirait les pertes de chaleur. Comment ces efforts pourraient-ils limiter la quantité d'énergie qui est consommée ?

D38 *Réflexion sur les sciences et l'environnement*

Se préparer aux catastrophes naturelles

Réfléchis à diverses manières dont les familles et les communautés peuvent se préparer aux catastrophes naturelles, telles que les ouragans, les tempêtes de verglas et les orages violents.

Ce que tu dois faire

1. Trace un tableau à quatre colonnes intitulées *Types d'urgence ou de catastrophe*, *Comment ma famille peut s'y préparer*, *Comment ma communauté peut s'y préparer* et *Pourquoi est-ce important ?*.

2. Remplis le tableau pour plusieurs types d'urgences et de catastrophes.

Réfléchis

Échange ton tableau contre celui d'une ou d'un camarade. Ajoute des informations dans les quatre colonnes. Présente ensuite ton tableau à un groupe ou à la classe. Ton enseignante ou ton enseignant peut te proposer d'utiliser une affiche pour présenter les façons que tu as trouvées pour te préparer à une catastrophe.

Cette photographie est un thermogramme. Le thermogramme indique de quelle façon la chaleur est distribuée sur la surface d'une maison. Les zones qui vont de blanc à jaune sont les plus chaudes. Celles qui vont de rouge à violet et vert sont les plus froides. Ce thermogramme montre que le toit et les fenêtres de la maison sont mal isolés, alors que les murs, mieux isolés, dégagent moins de chaleur dans l'environnement.

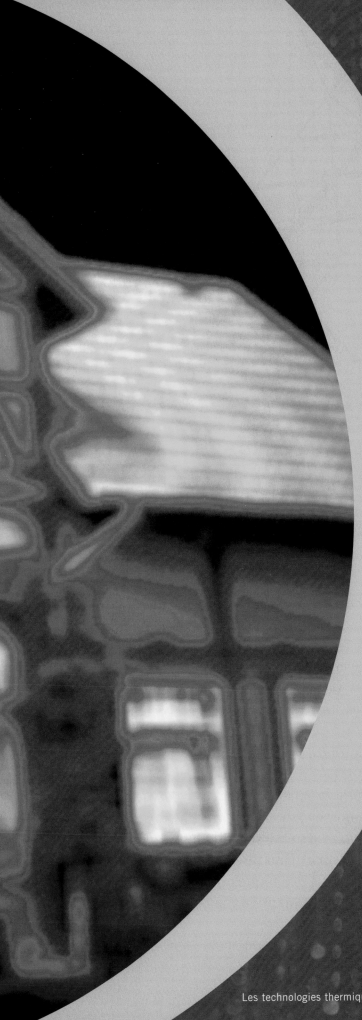

Ce que tu vas apprendre

Dans ce chapitre, tu vas :

- démontrer quelles sont les transformations énergétiques qui font intervenir la chaleur ;
- déterminer de quelle façon tu peux réduire ta consommation énergétique ;
- discuter de diverses manières de réduire le réchauffement planétaire.

Les habiletés à utiliser

Dans ce chapitre, tu vas :

- utiliser des habiletés d'enquête et d'expérimentation scientifiques pour étudier les transferts de chaleur ;
- communiquer avec un public de diverses manières.

Pourquoi est-ce important ?

La chaleur a des effets positifs et négatifs sur l'environnement. Nous avons tous un rôle important à jouer pour protéger l'environnement mondial. La population canadienne doit comprendre de quelle manière la technologie permet de limiter les pertes de chaleur. En réduisant notre consommation énergétique, nous diminuons notre empreinte écologique sur la Terre.

Avant la lecture

Stratégies Littératie

La relation de cause à effet

Les personnes qui écrivent des textes informatifs se servent de diverses méthodes pour structurer clairement leurs idées. La relation de cause à effet est l'une des manières d'organiser l'information. Réfléchis à ce que tu sais de cette méthode et parcours ce chapitre à la recherche de passages qui semblent être écrits de cette façon. Quels autres types de textes sont issus de ce procédé d'écriture ?

Mots clés

- un convertisseur d'énergie
- un îlot de chaleur
- le réchauffement planétaire
- la pollution thermique
- les gaz à effet de serre
- les changements climatiques

Figure 12.1 Ces pylônes électriques et des centaines d'autres ont été détruits lors de la tempête de verglas de 1998.

Les tempêtes de verglas sont un phénomène courant dans l'ensemble du Canada. Elles sont particulièrement fréquentes de l'Ontario jusqu'à Terre-Neuve. Le danger associé à une tempête de verglas dépend de la quantité de glace qui s'accumule sur les structures et de la durée de la tempête. En janvier 1998, la pire tempête de verglas de l'histoire du Canada s'est produite. Elle a duré cinq jours. Du 5 au 10 janvier, de la pluie verglaçante, du grésil et un peu de neige sont tombés pour atteindre 85 mm à Ottawa, 73 mm à Kingston, 108 mm à Cornwall et 100 mm à Montréal.

Cette tempête a touché directement plus de personnes que tout autre phénomène climatique dans l'histoire du Canada. Les dégâts, en Ontario et dans le sud du Québec, ont été si importants qu'une grande partie du réseau électrique a dû être reconstruite (figures 12.1 et 12.2). En quelques heures, la nature a détruit ce que l'on avait mis cinquante ans à construire.

Figure 12.2 La tempête de verglas a également engendré d'autres problèmes dans les grandes villes.

Le secteur agricole, en particulier, a été durement touché. Les coupures d'électricité empêchaient de chauffer les porcheries et de faire fonctionner les trayeuses à vaches. Le verglas a également détruit de nombreuses érablières au Québec.

Qu'est-ce qui a causé cette tempête? Les scientifiques pensent que le phénomène météorologique appelé *El Niño* peut être en cause.

Les catastrophes hivernales telles que cette tempête de verglas perturbent le transport de l'énergie servant à nos activités quotidiennes. Il est devenu important pour la population canadienne de bien se préparer à ce type de catastrophes.

D39 *Laboratoire*

Garder la fraîcheur

Si rien ne la protège des températures plus chaudes, la glace fond rapidement. Il existe différentes manières d'empêcher la glace de fondre.

Objectif

Comparer les manières d'empêcher la glace de fondre

Matériel

- 10 cubes de glace
- un sac-glacière
- des essuie-tout
- une balance à triple fléau ou une balance de cuisine
- une glacière en plastique
- des journaux
- une serviette

Figure 12.3 Ces images montrent quatre manières de protéger la glace de la chaleur du Soleil et de l'air.

Démarche

1. Diviser la classe en cinq groupes qui testeront quatre manières d'empêcher la fonte des cubes de glace.
   A : une glacière   B : un sac-glacière
   C : une serviette   D : aucune protection
   E : trois feuilles de papier journal
2. En groupe, déterminez le poids initial (n° 1) de deux cubes de glace à l'aide de la balance à triple fléau ou de la balance de cuisine. Prenez note de cette masse.
3. Selon ton groupe, place les cubes de glace dans une glacière ou enveloppe-les dans la serviette ou dans les feuilles de papier journal, ou pose-les sur une serviette en papier.
4. Attends de 30 à 45 minutes. Sèche ensuite les cubes de glace à l'aide d'un essuie-tout.
5. Détermine la masse n° 2 des cubes de glace à l'aide de la balance.
6. Calcule le pourcentage de glace restante à l'aide de la formule suivante.

$$\% \text{ de glace restante} = \left(\frac{\text{masse n° 2 (g)}}{\text{masse n° 1 (g)}} \right) \times 100\%$$

Questions

7. Quelle méthode a été la plus efficace pour empêcher la fonte des cubes de glace?
8. Comment le transfert de chaleur s'est-il effectué dans cette expérience?

Voici un résumé de ce que tu apprendras dans cette section :

- De la chaleur se dégage souvent dans l'environnement lors d'une transformation énergétique.
- Produire de l'énergie peut dégager de la chaleur et des gaz dans l'environnement.
- La pollution thermique de la terre, de l'eau et de l'atmosphère influe sur l'environnement.

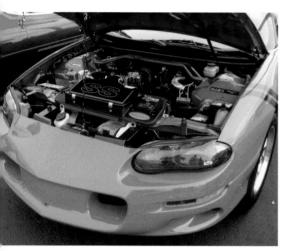

Figure 12.4 Des convertisseurs d'énergie tels que ceux de ce véhicule produisent parfois beaucoup de chaleur qui se dégage dans l'environnement.

Tout dispositif qui transforme de l'énergie d'une forme à une autre s'appelle un ***convertisseur d'énergie***. Le moteur de ton véhicule familial, un sèche-cheveux, le disque dur d'un ordinateur et une ampoule sont des exemples de convertisseurs d'énergie (figure 12.4). Il existe aussi de bien plus gros convertisseurs d'énergie ! La centrale électrique qui alimente ta région, par exemple, est un immense convertisseur d'énergie.

Selon l'endroit où tu vis en Ontario, ta communauté peut obtenir son énergie électrique principalement d'une centrale thermique qui brûle un combustible tel que le charbon ou le gaz naturel, d'une centrale nucléaire qui utilise l'énergie renfermée dans les atomes ou d'une centrale hydro-électrique qui utilise l'énergie d'un courant d'eau.

D40 *Point de départ*

Habiletés **A** **C**

Suivre le courant

Dans les années 1970, la population canadienne a commencé à faire très attention à l'énergie qu'elle utilise (figure 12.5). En 1973, l'Organisation des pays exportateurs de pétrole (OPEP) a augmenté le prix du pétrole de façon spectaculaire en réduisant sa production. Cela a engendré une forte hausse du prix de l'essence : il est passé d'environ 9 cents le litre à 13 cents le litre en quelques semaines. Si tu compares ces chiffres aux prix d'aujourd'hui, tu remarqueras que les coûts énergétiques ont beaucoup augmenté. Recueille et rassemble des images illustrant notre utilisation des combustibles en cherchant dans divers documents.

Figure 12.5 En 1973, les personnes conduisant un véhicule ayant une plaque d'immatriculation à numéro impair pouvaient uniquement acheter de l'essence les jours impairs du mois. Les personnes conduisant un véhicule ayant une plaque d'immatriculation à numéro pair pouvaient le faire les jours pairs du mois.

Les coûts cachés des centrales électriques

Chaque méthode de production d'électricité présente des inconvénients. Toutes les centrales électriques ontariennes qui brûlent du charbon pourraient bientôt être fermées ou reconstruites afin de réduire la pollution de l'air et la pollution thermique (figure 12.6). Les centrales nucléaires, comme celles de Pickering, de Darlington et de Bruce, utilisent l'énergie présente dans les atomes d'uranium pour produire de l'électricité sans polluer l'air (figure 12.7). Toutefois, l'énergie nucléaire pose d'autres problèmes. Le stockage des eaux usées chauffées et la manière de stocker les déchets nucléaires produits par ces centrales sont des problèmes auxquels des solutions à long terme doivent être trouvées.

L'Ontario possède plus d'une trentaine de centrales hydroélectriques. L'hydroélectricité ne pollue pas l'air (figure 12.8). En revanche, les projets hydroélectriques qui comprennent de grands barrages peuvent avoir un effet sur les écosystèmes où ils sont construits. Les coûts cachés des centrales électriques ont stimulé la recherche d'autres sources d'énergie qui nuisent moins à l'environnement.

Figure 12.6 La centrale de Nanticoke, sur le lac Érié, brûle du charbon pour produire de l'électricité. C'est la centrale électrique ontarienne la plus polluante.

Figure 12.7 La centrale nucléaire de Pickering.

Figure 12.8 La station génératrice du lac Seul est une centrale hydroélectrique du nord-ouest de l'Ontario.

D41 *Fais le point!*

La conversion d'énergie

1. Quelle est l'utilité d'un convertisseur d'énergie?

2. Nomme trois convertisseurs d'énergie que ta famille ou toi utilisez régulièrement.

3. Identifie les trois types de centrales électriques existant en Ontario.

4. Décris le moyen de production d'énergie de chacun de ces trois types de centrales électriques.

Les activités humaines produisent de la chaleur

Tu as appris que, dans la plupart des transformations énergétiques, le résultat final est la production de chaleur. La quantité de chaleur produite peut être grande, comme dans le cas d'un moteur de voiture, ou faible, comme dans le cas d'un élève faisant une course. Dans tous les cas, la chaleur provenant de la transformation énergétique est dégagée dans l'environnement.

Certaines activités humaines produisent et dégagent de très grandes quantités de chaleur, en particulier, les usines. En Ontario, le secteur manufacturier produit et expédie des automobiles, des métaux, des plastiques et du caoutchouc, des produits informatiques, chimiques ou pétroliers, de la machinerie et des aliments et des boissons (figure 12.9). Ces activités rapportent des centaines de millions de dollars chaque année.

Figure 12.9 La fabrication de produits de consommation dégage beaucoup de chaleur. **a)** Une chaîne de montage automobile **b)** Le haut-fourneau d'une usine d'acier **c)** Du calcaire concassé stocké pour la fusion de minerai de fer **d)** Une chaîne de fabrication de produits de boulangerie.

Ajouter de la chaleur dans l'atmosphère

L'Ontario possède de nombreuses usines. La manière la plus simple de refroidir une usine est d'expulser directement l'air chaud dans l'environnement. Ceci est possible en amenant de l'air frais à l'intérieur grâce à de grands ventilateurs. L'air frais circule dans le bâtiment et chasse l'air chaud à l'extérieur (figure 12.10).

Un système de climatisation permet aussi de contrôler la température à l'intérieur. Une troisième méthode pour refroidir les immeubles et les machines consiste à faire circuler de l'eau fraîche provenant, par exemple, d'une rivière. En circulant, l'eau fraîche absorbe la chaleur. L'eau ainsi réchauffée ressort du bâtiment pour dégager dans l'air la chaleur stockée. Parfois, l'eau chaude est retournée aux réseaux hydrologiques naturels, comme c'est le cas pour les centrales nucléaires.

Pour aller Plus loin

Réfléchis aux diverses manières de produire de l'énergie pour que fonctionnent nos villes et nos fermes. Puis cherche des renseignements sur les transformations énergétiques qui ont lieu dans chacun des cas.

Figure 12.10 D'immenses ventilateurs tels que celui-ci évacuent l'air chaud de certains immeubles.

Ajouter de la chaleur aux réseaux hydrologiques naturels

Les activités humaines dégagent de la chaleur dans l'environnement. Si la libération de cette chaleur a des effets négatifs sur un écosystème, la chaleur ajoutée peut être appelée ***pollution thermique***. Les êtres vivants sont très sensibles aux changements de température. Ajouter de la chaleur à l'eau d'une rivière ou d'un lac peut fortement perturber les organismes qui y vivent et qui ne peuvent pas facilement trouver un autre endroit où vivre.

L'apport de chaleur à un réseau hydrologique pose un autre problème. Les organismes des réseaux hydrologiques, tout comme toi, respirent de l'oxygène. Ajouter même une petite quantité de chaleur à un réseau hydrologique réduit la quantité d'oxygène présente dans l'eau et dont les organismes dépendent pour survivre. Il en résulte que les organismes peuvent manquer d'oxygène et mourir (figure 12.11).

Figure 12.11 Les poissons et d'autres organismes meurent quand il n'y a pas assez d'oxygène dans une rivière ou dans un lac.

D42 *Laboratoire*

Les transferts de chaleur entre récipients

Objectif

Mesurer et enregistrer les variations de température entre des liquides chauds et froids

> **Matériel**
> - deux béchers de 400 ml ou des petits récipients
> - un seau ou un grand récipient
> - un thermomètre
> - de l'eau chaude et de l'eau froide

Démarche

1. Verse de l'eau chaude dans le seau (quelques centimètres de profondeur). Remplis la moitié du bécher avec de l'eau froide.

2. Conçois un tableau où tu noteras la température de l'eau du seau et celle du bécher toutes les minutes pendant 20 minutes.

3. Prédis les variations de température de l'eau du seau et de l'eau du bécher tout au long de ces 20 minutes. Note tes prédictions.

4. Mesure la température initiale de l'eau de chaque récipient à l'aide d'un thermomètre. Inscris les résultats dans ton tableau de données.

5. Utilise le deuxième bécher pour verser de l'eau froide dans le seau et de l'eau chaude dans le bécher.

6. Mesure et note la température de chaque récipient toutes les minutes pendant 20 minutes.

7. Sur une feuille quadrillée, trace un diagramme représentant la variation de température de l'eau du seau et de celle du bécher. Utilise des couleurs différentes pour tracer la courbe de chaque récipient. Ajoute une légende et un titre à ton diagramme.

Questions

8. Qu'est devenue l'énergie thermique de l'eau chaude versée dans le bécher ?

9. Décris ce qui est arrivé à la température de l'eau du seau.

Révise les concepts clés

1. Que devient la chaleur produite au cours d'une transformation énergétique ?

2. Nomme au moins deux manières de refroidir des immeubles.

3. Quels sont les deux inconvénients de l'utilisation du charbon comme combustible dans les centrales électriques ontariennes ?

Fais des liens

4. Dans quelle mesure un sèche-cheveux agit-il comme convertisseur d'énergie ?

5. Nomme plusieurs transformations énergétiques qui dégagent de la chaleur dans l'environnement.

6. Ajouter de la chaleur aux réseaux hydrologiques peut nuire aux poissons et à d'autres organismes qui y vivent. Nomme deux conséquences pour ces organismes vivants.

7. Pourquoi, selon toi, la population canadienne s'inquiète-t-elle désormais des gaz et de la chaleur qui sont dégagés chaque jour dans l'environnement ?

Utilise tes habiletés

8. Trace un diagramme de Venn pour montrer les similitudes et les différences qu'il y a entre le type de combustible et le type d'énergie dégagée par les trois usines des figures 12.6, 12.7 et 12.8 de la page 347.

D43 *Réflexion sur les sciences et l'environnement*

De l'énergie supplémentaire

Tu as appris que les activités humaines produisent de la chaleur, laquelle se dégage dans l'environnement. Cette libération de chaleur peut avoir un impact sur les organismes vivants.

La population du Canada augmente chaque année. Comment cet accroissement peut-il influer sur la quantité d'énergie utilisée et la quantité de chaleur produite ?

Réfléchis

Avec une ou un camarade ou avec le groupe, discute des questions suivantes.

1. De quelles manières les Canadiennes et les Canadiens peuvent-ils réduire leur consommation d'énergie personnelle ?

2. Comment les individus et les communautés du Canada peuvent-ils être encouragés à consommer moins d'énergie ? Suggère plusieurs manières.

Voici un résumé de ce que tu apprendras dans cette section :

- Les îlots de chaleur ont un effet sur les conditions météorologiques locales.
- Les activités humaines produisent des gaz qui peuvent contribuer au réchauffement planétaire.
- Des changements climatiques ont lieu dans l'environnement.

Les chaudes journées d'été peuvent être un gros problème pour les gens qui vivent en ville. En Amérique du Nord, plus de mille personnes meurent chaque année à cause des températures élevées. Un plus grand nombre encore se présentent dans les hôpitaux à cause de maladies liées à la chaleur.

Chaque année, le service public de santé de Toronto émet des avis de chaleur intense et de canicule. En 2007, par exemple, de mai à août, 15 avertissements de ce type ont été émis. Pour se préparer et réagir à ces situations sérieuses, Toronto a créé un programme particulier : le Programme d'action en cas de canicule (*Hot Weather Response Program*).

Figure 12.12 De l'aide en pleine canicule.

D44 *Point de départ*  Habiletés A C

Les îlots de chaleur

Dans les grandes villes, l'activité humaine peut ajouter une quantité importante de chaleur à l'environnement. De plus, la manière dont une ville est construite influe considérablement sur les températures des régions voisines.

Regarde la figure 12.13. Compare les températures des régions rurales, des banlieues et des parcs à celles du centre-ville. Suggère au moins trois raisons pour expliquer ces différences de température.

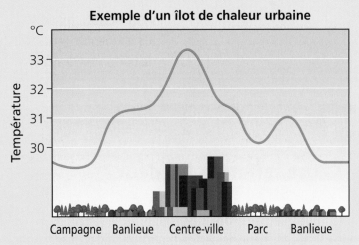

Figure 12.13 Ce graphique montre qu'il fait plus chaud dans une ville typique que dans les régions qui l'entourent. La température de l'air est généralement prise à 1,5 m du sol.

Les îlots de chaleur

Un **îlot de chaleur** est une partie d'une ville où les températures de l'air et du sol sont supérieures à celles des régions environnantes. Cette différence de température est généralement plus élevée la nuit que pendant la journée et plus marquée en hiver qu'en été. Le phénomène est plus fréquent par vent faible.

Les îlots de chaleur apparaissent à mesure que les villes s'étendent et que des immeubles et des routes remplacent la végétation. L'augmentation de la température des îlots de chaleur varie selon la température et le climat naturel de l'endroit, de la proximité d'étendues d'eau comme les lacs et les océans et du relief de la région, tel que la présence de montagnes et de vallées.

Les climatologues utilisent des photographies infrarouges par satellite pour mesurer la taille des îlots de chaleur (figure 12.14). Cette information permet aux personnes en charge de prévoir des mesures d'urgence en cas de canicule d'établir des règlements quant à la taille et à la hauteur des immeubles et de déterminer le nombre de parcs et d'espaces verts dont une ville a besoin.

Les îlots de chaleur influent également sur les régions voisines. D'après les scientifiques, les îlots de chaleur sont responsables de l'augmentation des pluies mensuelles. Elle atteint environ 28 % dans les régions situées de 10 à 20 km sous le vent de ces villes. En hiver, certaines villes au climat froid peuvent bénéficier de l'effet réchauffant des îlots de chaleur. Toutefois, les inconvénients sont plus importants que les avantages que les îlots de chaleur fournissent en hiver.

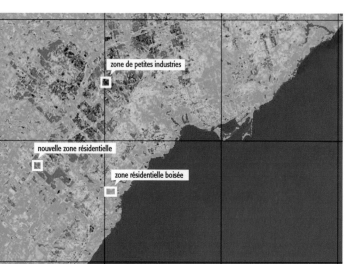

zone de petites industries

nouvelle zone résidentielle

zone résidentielle boisée

Figure 12.14 Une image infrarouge par satellite de Toronto. Les zones jaunes et rouges indiquent les températures les plus élevées.

D45 *Pendant la lecture*

Stratégies Littératie

Cause, effet ou les deux ?

Le procédé de cause à effet explique la raison pour laquelle quelque chose a eu lieu ou est en train de se produire. Tu viens de lire la section portant sur les îlots de chaleur. Quelles caractéristiques des villes engendrent et accroissent ce phénomène ? Crée un organiseur graphique simple pour montrer la relation de cause à effet qu'il y a entre les îlots de chaleur et leurs causes.

Poursuis ta réflexion. Les îlots de chaleur peuvent-ils également engendrer d'autres phénomènes ? Dans un deuxième organiseur, inscris quelques effets des îlots de chaleur sur les conditions météorologiques locales. Relis le dernier paragraphe du texte portant sur les îlots de chaleur pour trouver les mots clés choisis par l'auteure ou l'auteur. Peux-tu penser à d'autres mots clés utilisés dans des procédés d'écriture de cause à effet ?

Contrôler les gaz de l'atmosphère

Chaque fois que tu expires, tu dégages du dioxyde de carbone et d'autres gaz. Chaque fois que tu te rends à l'école ou au centre commercial en voiture, le véhicule dans lequel tu te trouves dégage du dioxyde de carbone et d'autres gaz. Ces gaz dégagés par une personne, une famille et une automobile peuvent ne pas sembler dangereux. Cependant, chacun d'entre nous ajoute des milliers de litres de dioxyde de carbone dans l'atmosphère chaque année. Des millions de Canadiennes et de Canadiens, leurs millions d'automobiles et les milliards de gens sur Terre ajoutent des milliards de litres de dioxyde de carbone dans l'atmosphère chaque année.

Tu peux te demander si cet immense volume de dioxyde de carbone supplémentaire a un impact sur la planète. Un grand nombre de personnes se posent la même question. Les scientifiques de nombreux pays étudient ce problème.

L'atmosphère de la Terre contient différents gaz, dont l'azote, l'oxygène et l'argon. Ces trois gaz constituent environ 99 % de l'air que nous respirons (figure 12.15). Le dioxyde de carbone ne représente généralement que 0,037 % de l'air. Parce que le dioxyde de carbone est naturellement présent dans l'air, il n'est pas considéré comme un polluant. Pourtant, la quantité de dioxyde de carbone présent dans l'air inquiète désormais les scientifiques, les gouvernements, les citoyennes et les citoyens de nombreux pays, dont le Canada.

Qu'est-ce que l'effet de serre ?

Si tu places un récipient fermé en verre au soleil ou sous une forte lumière, l'air à l'intérieur du récipient devient rapidement chaud, tout comme l'air à l'intérieur d'une automobile laissée au soleil, même en hiver (figure 12.16). Ce phénomène se produit également dans une serre, dont les parois et le toit de verre permettent le passage des rayons du Soleil et emprisonnent la chaleur, réchauffant l'air et favorisant la croissance des plantes.

D'une certaine manière, l'atmosphère de la Terre agit comme les parois et le toit de verre d'une serre ou les vitres d'une automobile. L'atmosphère permet aux rayons du Soleil d'atteindre le sol. Certains gaz de l'atmosphère, comme le dioxyde de carbone, emprisonnent la chaleur, ce qui réchauffe le sol et les océans (figure 12.17 de la page suivante).

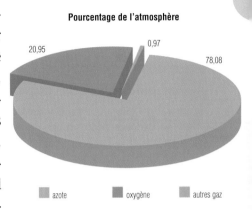

Pourcentage de l'atmosphère

20,95   0,97   78,08

azote   oxygène   autres gaz

Figure 12.15 Les principaux composants de l'air que nous respirons.

Figure 12.16 L'air à l'intérieur de ce véhicule est bien plus chaud que l'air extérieur.

Figure 12.17 L'effet de serre. Une partie de l'énergie de rayonnement du Soleil est emprisonnée près de la surface de la Terre par des gaz qui sont présents dans l'atmosphère et qui agissent comme les vitres d'une serre.

Une partie de l'énergie que la Terre et les océans réfléchissent vers l'atmosphère réchauffe également l'air. Les gaz de l'atmosphère qui emprisonnent la chaleur s'appellent *gaz à effet de serre*. La vapeur d'eau, le dioxyde de carbone, le méthane et les oxydes d'azote sont des exemples de gaz à effet de serre.

L'**effet de serre naturel** explique les variations naturelles de température sur la Terre, parce que les gaz à effet de serre de l'atmosphère emprisonnent l'énergie du Soleil. Sans ces gaz, la chaleur retournerait dans l'espace et la température moyenne sur Terre serait plus froide de 16 °C.

L'effet de serre aggravé

Les activités humaines, telles que brûler des combustibles non renouvelables comme l'essence et le charbon, dégagent des gaz à effet de serre dans l'atmosphère. La plupart des climatologues sont d'avis que ces activités contribuent à l'**aggravation de l'effet de serre** (figure 12.18) qui consiste en l'accumulation, dans l'atmosphère, de quantités de gaz à effet de serre supérieures à la normale.

Le tableau 12.1 présente les sources naturelles de gaz à effet de serre et celles qui sont liées aux activités humaines. Il propose également des manières de réduire l'émission de ces gaz.

Pour aller **Plus loin**

Que fait le Canada pour respecter les engagements qu'il a pris dans le cadre des accords sur les changements climatiques tels que le Protocole de Kyoto ?

Figure 12.18 L'effet de serre aggravé. Les activités humaines ajoutent d'autres gaz à effet de serre dans l'atmosphère. Bon nombre de scientifiques s'entendent pour dire qu'à cause de cela, davantage de chaleur est emprisonnée dans l'atmosphère, ce qui fait augmenter la température de la Terre. C'est ce qu'on appelle le réchauffement planétaire.

Tableau 12.1 Les gaz à effet de serre

Gaz à effet de serre	Origines courantes des rejets de gaz dans l'environnement	Moyens de réduire les émissions
Vapeur d'eau (H_2O)	• Par le cycle de l'eau	• Il n'est pas nécessaire de réduire la vapeur d'eau.
Dioxyde de carbone (CO_2)	• Quand les êtres humains et d'autres animaux expirent. • La consommation de combustibles non renouvelables.	• Diminuer la consommation de combustibles non renouvelables ; augmenter l'utilisation d'autres sources d'énergie
Méthane (CH_4)	• De sources naturelles : marécages, termites • Quand les ruminants digèrent la nourriture. • Quand des combustibles non renouvelables sont extraits du sol par forage.	• Diminuer la consommation de combustibles non renouvelables • Développer des utilisations du méthane naturel
Oxydes d'azote (NO_x)	• De sources naturelles dans le sol • Des engrais agricoles • Quand l'essence est brûlée par les véhicules.	• Utiliser d'autres combustibles pour alimenter les véhicules • Réduire la présence d'engrais dans les eaux d'écoulement

Le réchauffement planétaire

Les données scientifiques indiquent que le climat de la Terre s'est réchauffé au cours des 150 dernières années. Cette augmentation moyenne des températures mondiales de l'atmosphère terrestre, des terres et des océans s'appelle le ***réchauffement planétaire***. Ce réchauffement s'accélère depuis 20 ans, ce qui inquiète désormais la population du Canada et de nombreux autres pays.

La plupart des scientifiques s'entendent pour dire que l'augmentation des températures moyennes est principalement liée à celle des gaz à effet de serre dans l'atmosphère depuis environ 1860 (figures 12.19 et 12.20). Ces scientifiques pensent que nous devons diminuer rapidement et considérablement les activités humaines qui dégagent des gaz à effet de serre ou qui empêchent la nature de réguler ces gaz.

Que faisons-nous ? Que devons-nous faire ?

La plupart des citoyennes et des citoyens du Canada et du reste du monde pensent que nous devons agir sans tarder. Les accords tels que le **Protocole de Kyoto** (1997), qui a été signé par plus de 160 pays, demandent aux pays comme le Canada de réduire toutes leurs sources d'émission de gaz à effet de serre. Malheureusement, les niveaux et les échéances acceptés seront très difficiles à atteindre pour certains pays, dont le Canada.

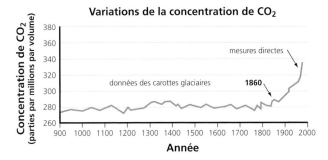

Figure 12.19 Variations du dioxyde de carbone mesurées dans l'atmosphère terrestre.

Figure 12.20 Les scientifiques utilisent les carottes glaciaires de l'Arctique et de l'Antarctique pour obtenir des renseignements sur les niveaux de dioxyde de carbone. Ils analysent les gaz des bulles d'air emprisonnées dans la glace depuis des centaines d'années.

ED
Activité d'ancrage

D46 *Activité synthèse*　　　　Boîte à outils 2

HABILETÉS À UTILISER
- Collecter et organiser des données
- Analyser des tendances

Fabrique ta propre serre

Question

Comment évolue la température à l'intérieur d'un récipient en verre fermé quand il est éclairé par une forte lumière ?

ATTENTION : Ne frappe pas les thermomètres contre d'autres objets.

Matériel

- 2 grands erlenmeyers
- 1 bouchon en caoutchouc troué pour boucher un erlenmeyer
- un thermomètre pouvant passer dans le trou du bouchon en caoutchouc
- un deuxième thermomètre
- une montre ou un chronomètre

Hypothèse

Suggère ce qui peut se passer quand un récipient fermé et un récipient ouvert sont placés sous une forte lumière, puis propose une explication.

Démarche

1. Ton enseignante ou ton enseignant te fournira un bouchon en caoutchouc pour l'un des erlenmeyers. Un thermomètre a été inséré avec précaution dans le trou du bouchon.

2. Ferme délicatement l'un des erlenmeyers à l'aide du bouchon. Le thermomètre doit être enfoncé jusqu'à quelques centimètres au-dessus du fond de l'erlenmeyer.

3. Laisse le deuxième erlenmeyer ouvert (figure 12.21).

4. Prépare un tableau de données semblable au tableau 12.2. Mesure la température de l'air dans l'erlenmeyer fermé. Demande à une ou un camarade de vérifier la mesure, puis inscris cette mesure dans ton tableau de données.

Figure 12.21 Installation de l'activité

5. Tiens le deuxième thermomètre de manière à ce qu'il ne touche pas la surface intérieure de l'erlenmeyer ouvert. Mesure la température de l'air à l'intérieur de l'erlenmeyer ouvert. Demande à une ou un camarade de vérifier la mesure, puis inscris cette mesure dans ton tableau de données.

6. Place les deux erlenmeyers à un endroit stable sous une forte lumière ou au soleil pendant deux minutes.

7. Répète les étapes 4 et 5 sans déplacer les erlenmeyers ni leur faire de l'ombre.

8. Prends d'autres mesures jusqu'à ce que ton tableau de données soit complet.

Développement des habiletés

9. Suis les instructions de ton enseignante ou de ton enseignant pour concevoir un diagramme à l'aide des données collectées.

Tableau 12.2 Température dans les deux erlenmeyers

Temps (min)	Température de l'erlenmeyer fermé (°C)	Température de l'erlenmeyer ouvert (°C)
0 (début)		
2		
4		
6		
8		
10		

Analyse et interprétation

10. Décris les tendances qui sont représentées par les deux droites de ton diagramme.

11. Compare cette activité avec la description de l'effet de serre fournie plus tôt dans cette section. Quels sont les points semblables ?

12. Compare cette activité avec la description de l'effet de serre fournie plus tôt dans cette section. Quelles sont les différences ?

13. Suggère une raison pour expliquer l'utilisation de l'erlenmeyer ouvert dans cette activité.

Pour conclure

14. Suggère une ou plusieurs raisons pour expliquer les deux tendances des températures observées dans cette activité.

D47 *Analyse de la prise de décision* (Boîte à outils 4)

HABILETÉS À UTILISER
- Collecter des informations
- Résumer des informations

Réduire, réutiliser, recycler, récupérer

Problème

Définir les choix personnels qui peuvent influer sur les émissions de gaz à effet de serre. Considérer des manières de réduire le nombre de produits consommés, de déchets produits et la quantité d'énergie utilisée.

Contexte

Chaque jour, les Canadiennes et les Canadiens utilisent et jettent d'énormes quantités de matériaux comme des produits d'usage courant et leur emballage. La fabrication, l'emballage, le transport et l'entreposage de ces produits nécessitent de la chaleur. Ensuite, il faut gérer les déchets qui en résultent. L'Ontario, par exemple, produit plus de neuf millions de tonnes de déchets par an. À elle seule, la ville de Toronto produit plus d'un million de tonnes par an.

1. Fais un remue-méninges pour trouver les manières dont nous produisons des déchets. Inspire-toi d'un schéma conceptuel ou d'un tableau présentant quatre catégories : à la maison, à l'école, au travail et pendant les loisirs.

2. Trace un tableau à deux colonnes. Intitule les *Colonne A : exemple de déchets* et *Colonne B : moyens de réduire les déchets*.

3. Écris les idées générées par le remue-méninges dans la colonne A en utilisant les quatre catégories. Laisse des lignes vides à la fin de chaque catégorie.

4. Dans la colonne B, suggère des façons dont les personnes, les familles, les entreprises et les institutions telles que ton école peuvent réduire leur quantité de déchets.

Analyse et évalue

5. Montre ton tableau à une ou un camarade ou au groupe. Coche les idées communes aux listes des autres élèves. Combien de tes idées de la colonne A ou de la colonne B figurent également dans les listes des autres élèves ?

6. Sur les lignes laissées vides, ajoute d'autres idées pour chaque catégorie de tes colonnes.

7. En groupe, choisissez plusieurs idées de la colonne B. Préparez une courte présentation dans laquelle chaque membre de ton groupe expliquera et présentera les éléments que ton groupe a choisis. Ajoute des images, des exemples ou des clips vidéo à ta présentation.

Révise les concepts clés

1. Suggère des manières dont les îlots de chaleur influencent la température des villes.

2. Comment les îlots de chaleur influent-ils sur les régions voisines?

3. Quels sont les trois gaz qui constituent la majeure partie de l'atmosphère terrestre?

4. Nomme quatre gaz à effet de serre qui sont présents dans l'atmosphère terrestre.

5. Que mesurent les scientifiques pour évaluer le réchauffement planétaire? Plusieurs réponses sont possibles.

6. Quelle est la différence entre l'effet de serre aggravé et l'effet de serre naturel?

Fais des liens

7. Suggère des raisons expliquant pourquoi les zones rurales (loin des villes) refroidissent plus rapidement que les villes.

8. Pourquoi une serre est-elle une bonne représentation de la Terre et de son atmosphère?

9. Contrairement aux êtres humains, les chiens ne transpirent pas par la peau. Comment pouvons-nous aider les chiens à ne pas souffrir de la chaleur quand la température extérieure augmente?

10. Les planificatrices et les planificateurs estiment que, d'ici 2025, les deux tiers de la population mondiale vivront dans les villes. Quel effet cela aura-t-il, selon toi, sur les îlots de chaleur urbains?

11. Si le dioxyde de carbone représente naturellement 0,037 % de l'atmosphère terrestre, pourquoi les scientifiques sont-ils si inquiets du volume de dioxyde de carbone que les êtres humains ajoutent dans l'atmosphère chaque jour?

Utilise tes habiletés

12. Crée un diagramme qui compare l'effet de serre naturel à l'effet de serre aggravé.

D48 *Réflexion sur les sciences et l'environnement*

Tout lire sur un sujet

Dans ce chapitre, tu as étudié les activités humaines qui dégagent de la chaleur et des gaz à effet de serre dans l'atmosphère. Vois maintenant comment cette information a été transmise au grand public. Commence tes recherches sur les gaz à effet de serre dans les journaux locaux. Choisis au moins trois articles et résume cette information dans tes propres mots. Note les références aux articles choisis. Prépare-toi à discuter de ton résumé en classe.

Voici un résumé de ce que tu apprendras dans cette section :

- Le réchauffement planétaire et les changements climatiques ont un impact sur l'environnement.
- Une utilisation responsable de la chaleur et des autres formes d'énergie aide l'environnement.
- L'Ontario développe diverses autres méthodes de production d'énergie.

L'Ontario ainsi que les autres provinces et le gouvernement du Canada s'inquiètent de l'utilisation des combustibles fossiles et des émissions de gaz à effet de serre. De nombreux projets tels que des parcs d'éoliennes proposent désormais une source d'énergie de rechange. Le parc d'éoliennes Erie Shores Wind Farm est l'un des projets ontariens de développement de l'**énergie éolienne** qui sont les plus avancés. Il s'étend sur plus de 53 km² dans les comtés de Norfolk et d'Elgin et sur 29 kilomètres au bord du lac Érié (figure 12.22). Il existe d'autres sources d'énergie de rechange, dont l'**énergie solaire** qui utilise les rayons du Soleil, l'**énergie géothermique** qui exploite la chaleur emmagasinée dans le sol et l'**énergie marémotrice** qui fonctionne grâce à la force des marées et des vagues de l'océan.

Un *combustible renouvelable* peut être remplacé en peu de temps. C'est le cas des **biocarburants**. Ces combustibles sont produits à partir d'organismes vivants tels que les plantes. Les biocarburants remplacent les combustibles non renouvelables comme le pétrole et le gaz naturel. L'éthanol et le biodiesel sont les deux principaux biocarburants les plus courants aujourd'hui. Au Canada, l'éthanol est fabriqué à partir de blé dans les provinces de l'Ouest et à partir de maïs en Ontario et au Québec. Une entreprise d'Ottawa est le chef de file mondial de l'utilisation de la paille pour produire de l'éthanol.

Figure 12.22 Parc d'éoliennes Erie Shores Wind Farm.

D49 *Point de départ*

Faire le tri

Ton enseignante ou ton enseignant te fournira une série d'étiquettes énergétiques. Chaque étiquette propose un conseil pour économiser de l'énergie chez toi. Individuellement ou en équipe de deux, suis les consignes de ton enseignante ou de ton enseignant pour classer ces étiquettes énergétiques. Donne un titre à chaque catégorie. Note ensuite l'information provenant des étiquettes sur ta page *Étiquettes énergétiques*. Amuse-toi à lire, rechercher et classer tes étiquettes énergétiques !

La consommation énergétique au Canada

Au Canada, l'énergie sert à produire :

- tous les produits que tu utilises (figure 12.23) et tous les récipients que tu jettes ;
- ta part d'essence et d'autres combustibles qui font fonctionner nos véhicules (figure 12.24) ;
- la part de l'électricité que tu utilises chez toi ;
- la part de chaleur nécessaire pour chauffer l'eau utilisée chez toi pour laver la vaisselle ainsi que tes vêtements et pour tes douches et tes bains.

Figure 12.23 L'énergie est utilisée pour produire des équipements de loisir.

La plus grande part des émissions proviennent de l'industrie énergétique et du transport. Pour chaque personne résidant au Canada, presque la moitié des émissions de gaz à effet de serre proviennent du transport, principalement des automobiles. L'énergie utilisée dans les maisons représente l'autre moitié. Nous pouvons nous poser les questions suivantes :

- Dans quelle mesure la population canadienne acceptera-t-elle de réduire son utilisation de l'automobile et sa consommation d'énergie à la maison ?
- La population canadienne est-elle prête à réduire sa consommation d'énergie en recyclant et en réduisant ses déchets au minimum ?
- La population canadienne est-elle prête à acheter et à jeter moins de produits à la maison, à l'école et au travail ?
- Les populations du Canada et des États-Unis doivent-elles prendre des mesures, même si les populations d'autres pays ne le font pas ?

Figure 12.24 L'essence et d'autres combustibles font fonctionner divers véhicules.

D50 *Pendant la rédaction*

Stratégies Littératie

Point de vue, preuve, commentaire

Les auteures et les auteurs utilisent diverses stratégies pour trouver et trier les liens existant entre les informations qu'ils rassemblent. Utilise un tableau *Point de vue, preuve, commentaire* pour consigner tes notes provenant de la page suivante, laquelle traite de l'impact des changements climatiques. Ton point de vue est que le réchauffement planétaire semble engendrer des changements climatiques.

Durant ta lecture, prends note des informations qui justifient ce point de vue ; ce sont tes preuves. Inscris tes propres idées et réflexions dans la colonne *Commentaires*. Utilise l'information inscrite dans ton tableau pour rédiger un paragraphe décrivant la relation de cause à effet. Sers-toi des mots clés liés à ce type d'écriture pour lier tes idées.

L'impact des changements climatiques

Le réchauffement planétaire semble engendrer des **changements climatiques**, que nous pouvons définir comme tout changement majeur du climat d'une région qui dure pendant une longue période. Les changements de direction des vents, des températures moyennes, des précipitations, y compris des chutes de neige, ainsi que le nombre et la force des phénomènes climatiques extrêmes, tels que les inondations et les ouragans, peuvent être des indicateurs de changements climatiques. La figure 12.25 présente certains des effets d'une élévation du niveau des mers, d'une hausse des températures et d'une modification des précipitations. Tous les aspects de la vie seront touchés.

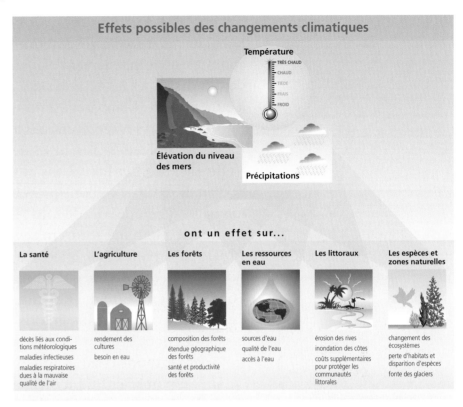

Figure 12.25 Les effets possibles des changements climatiques planétaires.

Les risques pour le Canada

Certaines conséquences des changements climatiques se font déjà sentir. L'Arctique canadien se réchauffe plus rapidement que toute autre région de la planète. Au cours des 50 dernières années, certaines régions ont déjà connu des hausses de température moyenne pouvant atteindre 3 °C. Presque un million de kilomètres carrés de glace ont déjà disparu dans l'océan, ce qui cause de graves problèmes aux phoques, aux ours polaires et aux populations arctiques.

Les forêts canadiennes sont également menacées. À cause des nombreux hivers doux, par exemple, de petits insectes appelés dendroctones du pin ponderosa se sont lentement déplacés des forêts de la Colombie-Britannique vers l'Alberta. Quelles en sont les conséquences? Depuis 1993, des millions de pins de Murray (*lodgepole*) sont morts ou sont en train de mourir. Les scientifiques n'ont trouvé aucune manière de combattre ce tueur minuscule (figure 12.26). D'ici 2013, on croit que cet insecte aura détruit 80 % des forêts de pins.

Figure 12.26 Les dendroctones du pin ponderosa ne sont pas plus gros qu'un grain de riz, mais ils peuvent avoir un grand impact s'ils sont nombreux. Les dendroctones et un champignon qu'ils transportent tuent les arbres. Les aiguilles des arbres atteints deviennent rouge vif. Des hivers rigoureux sont nécessaires pour arrêter la propagation de ces insectes.

Résoudre le problème de la chaleur excessive

Si l'ajout de dioxyde de carbone et d'autres gaz à effet de serre contribue au réchauffement planétaire, la solution semble alors évidente : diminuer les activités qui produisent et dégagent des gaz à effet de serre. Mais ce n'est pas si simple.

Tous les pays n'aggravent pas le problème de manière égale. Le Canada et les États-Unis sont les deux plus grands émetteurs de gaz à effet de serre. Les États-Unis produisent 25 % de toute la pollution au dioxyde de carbone provenant de combustibles fossiles, de loin la plus grande part de tous les pays. De plus, des millions de tonnes de méthane sont émises par leurs forages pétroliers et gaziers. Selon une étude effectuée par les Nations Unies, les émissions totales de dioxyde de carbone du Canada pour l'année 2002 l'ont placé en huitième position sur une liste de 200 pays. Le Canada est l'un des plus grands consommateurs d'énergie par personne ; nous brûlons l'équivalent d'environ 7700 litres de pétrole par personne chaque année.

Un rapport scientifique suggère que des réductions majeures des émissions de dioxyde de carbone sont nécessaires dans tous les pays. Les États-Unis, par exemple, devraient réduire d'au moins 80 % leurs niveaux d'émissions mesurés en 2000 d'ici 2050. Une telle réduction est-elle possible en si peu de temps ?

Le réchauffement planétaire : La bonne nouvelle

Selon les informations diffusées par les médias, la situation actuelle du réchauffement planétaire semble désespérée. Ce n'est pourtant pas le cas. Que pouvons-nous faire ?

- Premièrement, tu peux te renseigner davantage et aider les scientifiques qui étudient les changements climatiques. Chaque année, les percées technologiques permettent de prendre des mesures plus variées et plus précises des changements climatiques.
- Deuxièmement, tu peux aider les politiciennes et les politiciens, les entreprises et les populations du Canada qui cherchent à informer le public au sujet des changements climatiques et à trouver des façons de *réparer* l'environnement.
- Troisièmement, prends conscience des actions menées par des pays, des entreprises et des personnes qui obtiennent des résultats positifs pour réduire le réchauffement planétaire.

- Quatrièmement, continue d'étudier les problèmes canadiens liés au réchauffement planétaire. Lis des journaux, des magazines et des articles en ligne qui traitent des gaz à effet de serre.
- Cinquièmement, discute de tes inquiétudes avec tes camarades, ta famille, les gens de ton école et les personnes responsables des politiques locales. Écrire des lettres contenant des informations scientifiques exactes est souvent un moyen de communication efficace.

Les images de la figure 12.27 te montrent quelques-unes des mesures positives prises pour lutter contre le réchauffement planétaire.

Figure 12.27 a) L'Ontario a interdit la vente d'ampoules incandescentes I) après 2012. Un éclairage efficace, tel que celui qu'offrent les ampoules fluocompactes II), permet de réduire d'environ 75 % la consommation d'électricité par rapport aux ampoules incandescentes habituelles.

Figure 12.27 b) Au Canada, l'agriculture peut bénéficier du réchauffement planétaire. Des températures atmosphériques plus élevées peuvent prolonger les saisons de croissance. De plus, nous pourrons peut-être également développer de nouvelles cultures grâce aux températures plus élevées et à une saison de croissance plus longue.

Figure 12.27 c) Une étude effectuée en 2007 indique que des températures atmosphériques plus élevées diminuent les rhumes en hiver. Ce résultat a cependant été obtenu à partir d'une seule étude ; d'autres recherches sont nécessaires.

Figure 12.27 d) Les changements climatiques et l'augmentation de la température peuvent engendrer des sécheresses et la désertification de terres fertiles. La technologie canadienne aide les scientifiques d'Israël à rendre l'eau potable disponible. Cette technologie pourrait ensuite être utilisée dans d'autres régions où le manque d'eau limite l'agriculture.

Figure 12.27 e) Les technologies d'aujourd'hui ont mis au point des automobiles hybrides. Ces véhicules consomment moins d'essence que les autres en fonctionnant partiellement grâce à l'électricité emmagasinée dans les batteries rechargeables.

Figure 12.27 f) Une étude effectuée en Australie en 2003 a révélé que les niveaux de méthane gazeux dans l'atmosphère sont restés les mêmes pendant quatre ans. Le méthane est dégagé par la production de riz, les élevages de boeufs et de moutons, les sites d'enfouissement, les marécages, les exploitations minières et l'utilisation de combustibles fossiles, comme le charbon, le pétrole et le gaz naturel.

Que se passe-t-il en Ontario ?

Aujourd'hui, la majeure partie de l'électricité, en Ontario, est obtenue en brûlant du charbon et en utilisant de l'uranium dans de vieilles centrales nucléaires. Ces méthodes dégagent des gaz à effet de serre et de la chaleur dans l'environnement.

L'Ontario adopte graduellement des modes de production électrique qui ne brûlent pas de combustibles. Ces sources d'énergie électrique sont appelées ***électricité verte renouvelable***, car elles ne nuisent pas à l'environnement et ne dégagent ni gaz ni pollution thermique. Depuis 2003, l'Ontario a lancé plus de 60 projets d'énergie renouvelable (figure 12.31) utilisant l'énergie solaire, l'énergie éolienne, la bioénergie et la géothermie (figures 12.28, 12.29, 12.30).

Figure 12.28 Des panneaux d'énergie solaire tels que ceux-ci peuvent produire de l'électricité pour des milliers de foyers.

Figure 12.30 En hiver, les pompes de chaleur géothermique comme celles-ci, en Islande, utilisent des tuyaux souterrains où circule du liquide qui se charge de la chaleur des profondeurs de la Terre. En été, les pompes fonctionnent dans le sens inverse : elles extraient la chaleur de l'intérieur d'un immeuble et l'envoient dans le sol. En Ontario, environ 8500 foyers et 500 immeubles sont dotés de systèmes géothermiques qui remplacent les systèmes habituels de chauffage et de climatisation.

Figure 12.29 La puissance du vent est disponible partout.

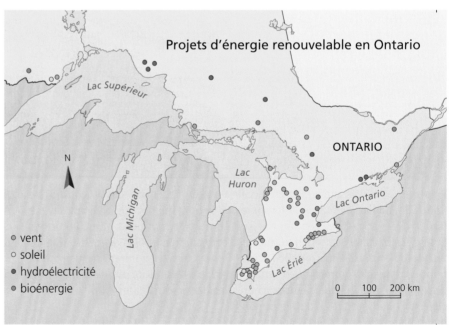

Figure 12.31 Des douzaines de projets d'énergie renouvelable existent en Ontario.

D51 *Analyse de la prise de décision* Boîte à outils 4

Réduire les coûts énergétiques

Problème

Comment notre communauté peut-elle réduire les coûts financiers et environnementaux de la consommation d'énergie domestique ?

Contexte

Un foyer est bien plus que des pièces, des meubles et un toit ! C'est un ensemble d'espaces qui inclut un système de chauffage et de refroidissement. Un domicile fournit des espaces pour vivre et dormir ainsi que des dispositifs pour contrôler la température de tous ces espaces, de l'eau et de la nourriture.

Les immeubles verts sont construits ou rénovés afin d'utiliser moins d'énergie et moins d'eau que les immeubles standards. La plupart des gens comprennent que vivre et travailler dans un immeuble vert est bon pour l'environnement. Ces immeubles peuvent fournir un espace de vie et de travail plus sain et permettre de faire des économies.

Nous passons environ 90 % de notre temps à l'intérieur. Chauffer et climatiser nos lieux de vie consomme de l'énergie toute l'année. Au Canada, le chauffage représente 60 % de la consommation d'énergie domestique. Les stratégies d'économie d'énergie permettent de réduire la quantité de combustible qui est nécessaire pour chauffer les immeubles. Cette réduction de la consommation diminue également les gaz à effet de serre. Il existe de nombreuses manières de réduire la consommation d'énergie d'un immeuble. Un toit vert est une solution. Utiliser de nouveaux types de fenêtres en est une autre. En moyenne, environ 20 % des pertes de chaleur d'un domicile se font par les fenêtres.

1. Choisis une méthode pour réduire la consommation d'énergie domestique ou diminuer son effet sur l'environnement pour une maison de la liste suivante. Tu peux enquêter sur une autre méthode après avoir consulté ton enseignante ou ton enseignant.

   - Une maison munie d'un chauffage géothermique ou d'une thermopompe

   - Une maison dotée d'une isolation de qualité au grenier et dans les murs, de fenêtres écoénergétiques et d'une chaudière efficace
   - Une maison équipée d'un chauffe-eau solaire
   - Une maison dotée d'un toit vert

2. Effectue des recherches sur ton sujet. Trouve en quoi ta méthode réduit la consommation d'énergie ou son effet sur l'environnement.

3. Dans tes propres mots, rédige un rapport présentant la méthode que tu as choisie et les raisons qui en font une solution efficace. Ajoute des images et un glossaire (les mots et leur définition) des mots que tu as appris au cours de tes recherches. Inclus également une bibliographie des références que tu as utilisées au cours de tes recherches.

Analyse et évalue

4. Forme un groupe avec des camarades qui ont choisi d'autres méthodes. Présente-leur ton rapport. Le groupe doit s'entendre sur une ou deux méthodes qui semblent être les meilleurs choix pour ta communauté. Préparez-vous à communiquer votre décision à la classe.

5. Comment les groupes ont-ils jugé les méthodes ? Conçois et remplis un tableau résumant les résultats.

6. Pendant que les groupes font leur présentation à la classe, prends note des raisons qui justifient leur choix de méthode.

7. Au Canada plus qu'ailleurs, davantage d'énergie est utilisée pour le chauffage. Suggère quelques raisons qui expliquent cela.

Révise les concepts clés

1. Nomme plusieurs effets prévus des changements climatiques.

2. Chaque individu produit des gaz à effet de serre. Nomme les deux activités qui en produisent le plus.

3. Décris deux aspects du réchauffement planétaire qui menacent l'environnement canadien.

4. Nomme quatre usages que les Canadiennes et les Canadiens font de l'énergie provenant du pétrole.

5. Décris brièvement la façon dont les pompes géothermiques chauffent et refroidissent les immeubles.

Fais des liens

6. L'Ontario développe des énergies vertes renouvelables. Conçois et crée un tableau présentant trois d'entre elles. Inclus un petit dessin pour chacun.

Utilise tes habiletés

7. La figure 12.27 de la page 363 présente six types de changements qui sont causés par le réchauffement planétaire. Choisis-en un puis écris une *lettre ouverte* à ton journal communautaire, dans laquelle tu discutes de ces changements dans tes propres mots.

D52 *Réflexion sur les sciences et l'environnement*

C'est ton choix

La docteure Jane Goodall, scientifique réputée, a fait la remarque suivante : «Chaque personne a son rôle à jouer. Les actions de chaque personne comptent. Chaque personne fait une différence.» Ceci est particulièrement vrai lorsqu'il est question des changements climatiques.

Ce que tu dois faire

Ton enseignante ou ton enseignant te fournira une liste de tâches formidables que tu peux effectuer. Utilise le formulaire de classement fourni ou crée le tien dans ton cahier. Classe chaque élément dans les catégories suivantes :

- Catégorie 1 Les tâches formidables que tu penses pouvoir effectuer.
- Catégorie 2 Les tâches formidables pour lesquelles il te faut plus de renseignements.

- Catégorie 3 Les tâches formidables que tu ne penses pas pouvoir accomplir ou que tu ne veux pas accomplir.

Réfléchis

Avec une ou un camarade ou en groupe, discute de la question suivante.

Combien de tâches formidables as-tu classées dans les catégories 1, 2 et 3 ?

Figure 12.32 Le logo Energy Star indique qu'un produit de consommation est écoénergétique, c'est-à-dire qu'il favorise l'économie d'énergie.

Fais des liens

Jay Ingram

Jay Ingram est un journaliste scientifique d'expérience qui anime l'émission *Daily Planet* sur la chaîne *Discovery Channel Canada*.

Le serpent et l'écureuil

La chaleur est un phénomène que nous ressentons. Nous l'apprécions en hiver et essayons d'éviter les chaleurs extrêmes en été. Nous sommes relativement sensibles à la chaleur, n'est-ce pas ? Pourtant, notre sensibilité est bien inférieure à celle des serpents à sonnettes.

Les serpents à sonnettes sont d'admirables chasseurs. Ils chassent principalement dans le noir, à la recherche de petits mammifères comme les spermophiles (type d'écureuil proche des chiens de prairie). Mais ils ne cherchent pas comme tu l'imagines. D'abord, ils n'utilisent pas leurs yeux mais des fossettes situées au bout de leur nez, juste derrière leurs narines. Puisqu'ils ne voient pas, ils *balaient* les environs à la recherche de rayons infrarouges, c'est-à-dire de sources de chaleur.

La lumière infrarouge est comme la lumière visible, sauf que ses longueurs d'ondes sont trop longues pour que nos yeux les perçoivent. Quand tu allumes un élément de plaque chauffante, il émet une lumière infrarouge bien avant que tu ne le voies devenir rouge.

La chaleur corporelle est un rayonnement infrarouge. Celle d'un petit mammifère comme un spermophile est un signal lumineux pour le serpent à sonnettes. Que l'obscurité soit complète ou non n'a pas d'importance, puisque le serpent peut se diriger et attaquer sans utiliser ses yeux.

Cette capacité fournit aux serpents une arme redoutable mais, comme c'est souvent le cas dans la nature, un moyen de défense existe. Les spermophiles de Californie le connaissent. Quand ils sont confrontés à un serpent à sonnettes, les écureuils remuent la queue rapidement devant lui. En même temps, ils envoient du sang dans leur queue pour la réchauffer.

Imagine ce que voit alors le serpent ! Au lieu d'une cible vulnérable et appétissante, il est soudain confronté à un feu d'artifice de lumière infrarouge se déplaçant rapidement en va-et-vient et suggérant une proie bien plus grosse qu'il ne le pensait. En laboratoire, le serpent hésite et même recule.

Ce moyen de défense est spécifiquement adapté contre les serpents à sonnettes. Les spermophiles ne réchauffent pas leur queue lorsqu'ils sont confrontés à des couleuvres qui n'ont pas de récepteurs infrarouges. L'ironie est pourtant que le spermophile ne détecte pas lui-même les infrarouges et ne fait que reproduire ce que ses milliers d'ancêtres ont fait avant lui, sans même savoir pourquoi.

Révise les concepts clés

1. Qu'est-ce que la pollution thermique ?

2. Décris ce qu'est un îlot de chaleur.

3. Nomme deux problèmes qui sont liés à l'exploitation de centrales nucléaires.

4. Qu'est-ce qu'un biocarburant ? Nommes-en deux types.

Fais des liens

5. Les saumons de l'Atlantique en pleine croissance (les salmonidés) de la figure ci-contre préfèrent une eau à 17 °C. Si la température de l'eau varie de 1 °C, leur croissance est réduite de 8 %. Explique de quelle façon le réchauffement planétaire peut influer sur la croissance des saumons et d'autres poissons.

6. Quelle est la différence entre le réchauffement planétaire et les changements climatiques ?

7. Ta famille et toi pouvez contribuer à réduire vos émissions de gaz à effet de serre. Comment ?

8. Pourquoi le Canada est-il particulièrement sensible aux changements climatiques ? Sers-toi de la carte ci-dessous pour suggérer plusieurs raisons.

Après la lecture

Stratégies Littératie

Réfléchis et évalue

Échange avec une ou un camarade le paragraphe de cause à effet que tu as écrit sur l'impact des changements climatiques. Compare les mots clés que vous avez utilisés dans vos paragraphes. Quels sont les points communs et les différences ?

Comment le fait de connaître le procédé littéraire de cause à effet t'aide-t-il à lire le paragraphe de ta ou de ton camarade ? Quels autres sujets scientifiques s'adapteraient bien à ce procédé ?

COMPÉTENCES DE LA GRILLE D'ÉVALUATION DU RENDEMENT
CC Connaissance et compréhension *h* Habiletés de la pensée *C* Communication *m* Mise en application

9. Selon toi, pourquoi la plupart des projets ontariens d'énergie renouvelable sont-ils développés dans le sud de l'Ontario ? Suggère plusieurs raisons (voir la figure 12.31, page 364). **h**

10. Bien que le réchauffement planétaire nous inquiète toutes et tous, il y a quand même de l'espoir. Parcours ce chapitre à nouveau. Examine les sections d'information et les illustrations. Suggère plusieurs indicateurs qui montrent que la population humaine peut réduire sa consommation d'énergie et son utilisation des ressources. **h**

11. Aujourd'hui, une grande partie de la population canadienne s'inquiète des gaz à effet de serre émis par les moyens de transport (voitures, camions, bateaux, avions). Suggère certaines façons de réduire ces émissions. Dans ta réponse, tiens compte des attitudes, des manières de collecter des données sur les émissions, de la publicité et de la conception des véhicules. **m**

Utilise tes habiletés

12. Examine le diagramme circulaire ci-contre, qui présente la production de gaz à effet de serre au Canada. Identifie les trois principales sources de gaz à effet de serre au pays. **cc**

13. Conçois et crée une affiche pour décrire un type d'énergie renouvelable qui est développée en Ontario. Inclus-y quelques références scientifiques. Ajoutes-y un titre créatif et pertinent. **m**

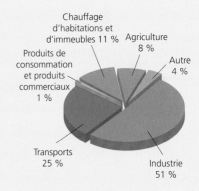

Chauffage d'habitations et d'immeubles 11 %
Agriculture 8 %
Produits de consommation et produits commerciaux 1 %
Autre 4 %
Transports 25 %
Industrie 51 %

D53 *Réflexion sur les sciences et l'environnement*

Passer à l'action

Dans ce module, tu as appris que la chaleur provoque des transformations environnementales. Bon nombre de ces changements peuvent être néfastes à l'environnement et aux êtres humains.

Ce que tu dois faire

Individuellement puis en petite équipe ou en groupe, établis un plan d'action pour réduire la quantité d'énergie que ta famille, ta communauté et toi consommez et dégagez. Dans ton plan d'action,

précise ce que tu souhaites faire et de quelle façon tu communiqueras cette information.

Réfléchis

1. Quel sera ton public ?

2. Fixe des échéances pour la réalisation de ton plan d'action.

3. Comment communiqueras-tu ton message au public choisi ?

MODULE D Résumé

10.0 La chaleur provoque des changements dans les solides, les liquides et les gaz.

CONCEPTS CLÉS

- L'énergie peut être transformée et transférée.
- La chaleur est le transfert de l'énergie thermique.
- La chaleur influe sur le volume des solides, des liquides et des gaz.
- La chaleur est transférée de trois manières : par conduction, par convection et par rayonnement.

RÉSUMÉ DU CHAPITRE

- Il existe diverses formes d'énergie. L'énergie peut passer de l'une de ces formes à une autre.
- L'énergie thermique est l'énergie totale de toutes les particules d'un échantillon de matière. La température est l'énergie moyenne de toutes les particules.
- L'augmentation de la température engendre l'expansion des solides, des liquides et des gaz. Leur refroidissement engendre la contraction des solides, des liquides et des gaz.
- La chaleur est obtenue en brûlant des combustibles fossiles, mais aussi à partir de l'uranium et de sources thermiques renouvelables. Toutes les transformations énergétiques dégagent de la chaleur.
- Cuire des aliments et chauffer des bâtiments sont des exemples d'activités humaines qui transfèrent de la chaleur par conduction, par convection et par rayonnement.

11.0 La chaleur joue un rôle important dans la nature.

CONCEPTS CLÉS

- L'atmosphère terrestre est divisée en cinq couches.
- La croûte terrestre est en constante évolution à cause de la conduction et de la convection.

RÉSUMÉ DU CHAPITRE

- Les couches de l'atmosphère terrestre sont : la troposphère, la stratosphère, la mésosphère, la thermosphère et l'exosphère.
- Le rayonnement énergétique du Soleil influe sur les systèmes naturels, y compris le cycle de l'eau et les conditions météorologiques.
- Les courants océaniques contribuent au mouvement de l'énergie thermique et à l'équilibre des températures extrêmes de la surface terrestre.
- Le cycle des roches nous aide à comprendre la façon dont la chaleur modifie la Terre.

12.0 Les technologies thermiques présentent des avantages et obligent à faire des choix.

CONCEPTS CLÉS

- Les activités humaines produisent de la chaleur et des gaz à effet de serre.
- Chaque personne peut jouer un rôle dans la protection de l'environnement.
- Les changements climatiques peuvent engendrer d'immenses bouleversements au sein des écosystèmes.

RÉSUMÉ DU CHAPITRE

- Toute chaleur ayant des effets négatifs sur un écosystème est considérée comme de la pollution thermique.
- Les gaz de l'atmosphère terrestre qui captent la chaleur et qui réchauffent la planète sont appelés *gaz à effet de serre*.
- Le réchauffement de la planète correspond à l'augmentation de la température mondiale moyenne et peut causer des changements climatiques.
- L'Ontario met en place diverses méthodes de production d'énergie de rechange.

Chauffer nos maisons sans réchauffer la Terre

Mise en contexte

Les matériaux d'isolation des murs extérieurs des bâtiments permettent d'éviter les pertes de chaleur vers l'extérieur. En ayant recours à l'isolation, la population canadienne peut économiser l'énergie et réduire ses émissions de gaz à effet de serre.

Ton objectif

Déterminer les relations existant entre les propriétés des matériaux d'isolation et les pertes de chaleur

Ce dont tu as besoin

- une bouteille transparente de 2 litres avec un bouchon qui se visse
- des échantillons de matériaux d'isolation
- de la glace pilée ou de la neige dans une grande glacière
- un thermomètre
- de l'eau chaude (de 50 à 60 °C)
- des élastiques
- du mastic ou de la pâte à modeler
- un chronomètre
- une règle

ATTENTION : Manipule l'eau chaude avec précaution.

Les étapes de la réussite

1. Crée un tableau pour noter tes observations de temps et de température. Mesure et note la température de la pièce.

2. Perce un trou dans le bouchon. Insère le thermomètre dans le trou afin que son extrémité atteigne la moitié de la bouteille. Le thermomètre doit dépasser du bouchon pour que tu puisses lire la température. Utilise du mastic ou de la pâte à modeler pour sceller le point de passage du thermomètre dans le bouchon.

3. Retire le bouchon équipé du thermomètre et place-le dans un endroit sûr.

4. Choisis l'un des matériaux dont tu souhaites tester les capacités d'isolation. Enveloppe bien la bouteille et fixe cette couche isolante à l'aide des élastiques. La couche isolante doit mesurer exactement 2 cm d'épaisseur sur toute la surface de la bouteille, y compris sa base.

5. Remplis la bouteille de 1,7 litre d'eau chaude. Ferme-la immédiatement à l'aide du bouchon équipé du thermomètre. Démarre le chronomètre. Note le temps ainsi que la température de l'eau. Place la bouteille dans la glacière remplie de neige ou de glace.

6. Prends note de la température toutes les 2 minutes pendant 20 minutes ou jusqu'à ce qu'elle approche de la température ambiante.

7. Vide la bouteille. Répète les étapes 4 à 6 avec les autres matériaux d'isolation.

8. Enfin, répète le processus avec une bouteille qui n'est enveloppée dans aucun matériau. Il s'agira de la bouteille témoin.

9. À l'aide des données de ton tableau, présente tes résultats graphiquement pour chaque matériau d'isolation testé et pour la bouteille témoin.

10. Classe ces isolants du plus efficace au moins efficace.

11. Examine les propriétés physiques des échantillons. Existe-t-il des points communs entre les isolants efficaces ? Les mauvais isolants ? Qu'est-ce qui fait qu'un matériau est un isolant efficace ?

12. Si possible, lorsque tu as terminé, place la bouteille et les autres matériaux au recyclage, selon les consignes données par ton enseignante ou ton enseignant.

Bilan

13. Les matériaux d'isolation testés seraient-ils aussi efficaces pour éviter que la chaleur n'entre dans un bâtiment ? Comment pourrais-tu tester cela ? Pourquoi les personnes qui construisent des bâtiments ou qui achètent des maisons aimeraient-elles savoir cela ?

14. Les résultats des autres groupes ont-ils été identiques aux tiens ? Sinon, pourquoi tes résultats ont-ils été différents de ceux des autres ?

Révise les mots clés

1. Conçois et dessine un schéma conceptuel qui inclut les mots suivants. Tu peux ajouter tout mot nouveau que tu as appris dans ce module.

- l'atmosphère
- la chaleur
- les changements climatiques
- la conduction
- la convection
- un convertisseur d'énergie
- un courant océanique
- le cycle de l'eau
- le cycle des roches
- l'énergie thermique

- un gaz à effet de serre
- la pollution thermique
- le rayonnement
- le réchauffement de la planète
- une température
- la théorie particulaire de la matière
- le vent
- un volcan

Donne à ton idée principale un titre original et sers-toi des titres des trois chapitres comme titres secondaires de ton schéma. Relie les idées semblables qui apparaissent sur ton schéma à l'aide de lignes pointillées. Sur chaque ligne, indique la raison pour laquelle tu relies ces idées. *CC*

Révise les concepts clés

10.0

2. Donne au moins trois exemples de transformations qui produisent de l'énergie. *h*

3. Donne des exemples de combustibles fossiles. *CC*

4. Explique les différences qu'il y a entre l'énergie thermique, la chaleur et la température. *h*

5. Explique de quelle façon la convection chauffe ta chambre en hiver. *h*

6. Identifie les formes d'énergie décrites dans chacune des situations suivantes. Dans certains cas, plusieurs formes d'énergie peuvent être présentes. *CC*

   a) étudier à la maison pour un examen de sciences
   b) manger une pomme en collation
   c) faire griller du pain
   d) utiliser un four à micro-ondes. (Conseil : Réfléchis bien, ici).

7. À l'aide d'un diagramme de Venn comportant deux cercles, montre les ressemblances et les différences qu'il y a entre les combustibles fossiles et les sources d'énergie renouvelable. *CC*

8. Décris et illustre trois situations dans lesquelles la chaleur est transférée par conduction, par convection et par rayonnement. *h*

11.0

9. Qu'est-ce que l'atmosphère ? *CC*

10. Décris les étapes de la formation des gouttes de pluie dans l'atmosphère. *h*

11. Nomme les changements d'état qui font partie du cycle de l'eau. Indique les changements qui dégagent de l'énergie thermique et ceux qui en nécessitent. *CC*

12. Pourquoi est-il important, pour les scientifiques, d'étudier les courants océaniques et leurs caractéristiques générales ? *h*

COMPÉTENCES DE LA GRILLE D'ÉVALUATION DU RENDEMENT
CC Connaissance et compréhension   *h* Habiletés de la pensée   *C* Communication   *m* Mise en application

13. Énumère les caractéristiques géographiques de la croûte terrestre. (cc)

14. Nomme deux événements qui sont issus du mouvement des plaques de la croûte terrestre. (h)

15. Quel rôle la chaleur joue-t-elle dans la formation des roches ignées et métamorphiques? (h)

16. Moins d'un milliardième de l'énergie solaire atteint la Terre. Que devient cette énergie? (Conseil: Consulte la figure 11.7.) (cc)

12.0

17. Nomme au moins trois convertisseurs d'énergie que tu utilises souvent. (h)

18. Que signifie l'expression *effet de serre*? (cc)

19. Identifie trois façons courantes dont les oxydes d'azote se dégagent dans l'atmosphère terrestre. (cc)

20. Décris deux manières de réduire les émissions de dioxyde de carbone dans l'atmosphère. (cc)

21. Nomme trois animaux ou plantes du Canada qui sont menacés par le réchauffement planétaire. Explique la raison pour laquelle chacun est en danger. (h)

Fais des liens

22. Le chapitre 12 présente un exemple de pollution thermique qui décrit l'effet de la chaleur sur la quantité d'oxygène présente dans une rivière ou dans un lac. Donne un autre exemple de pollution thermique et précise ses effets sur l'environnement. (h)

23. Quand tu tiens un pot de crème glacée, de la chaleur est transférée de ta main au pot, puis à la surface de la crème glacée qui est en contact avec le pot. De quel type de transfert de chaleur s'agit-il? (cc)

24. Nomme une activité humaine qui utilise une grande quantité d'énergie électrique. Décris ses effets sur l'environnement. (h)

25. Le rayonnement infrarouge peut traverser des solides transparents (comme le pare-brise d'une voiture) et des gaz incolores (comme l'air dans une voiture). Au cours d'une journée d'hiver ensoleillée, l'air dans une voiture fermée peut devenir relativement chaud. Suggère une raison qui explique ce phénomène. (Conseil: Pense aux deux autres types de transfert de chaleur.) (h)

26. La figure 10.31 de la page 303 compare le mouvement des particules à celui des pierres de curling. Choisis un autre phénomène réel qui peut être comparé au mouvement des particules. (h)

27. Dans quelle mesure le moteur d'une voiture agit-il comme convertisseur d'énergie? (h)

28. Compare les noyaux interne et externe de la Terre. (h)

29. Le mot *diamant* vient du grec *adamas* qui signifie «indestructible». Quel rôle la chaleur de la Terre joue-t-elle dans la création des diamants et des autres pierres précieuses? (h)

30. Crée un diagramme de Venn comportant trois cercles. Intitule les cercles *roches ignées*, *roches sédimentaires* et *roches métamorphiques*. Remplis ensuite les cercles à l'aide des renseignements que tu as trouvés dans ce module. (cc)

31. Installer des fenêtres à double ou à triple vitrage sur un bâtiment réduit considérablement les pertes énergétiques. Laquelle des trois formes de transfert d'énergie est réduite par ces fenêtres écoénergétiques? *h*

32. À l'aide d'images satellites, les scientifiques ont découvert que le climat des villes influe sur les périodes de croissance des plantes cultivées dans un rayon de 10 kilomètres autour  d'une ville. Les périodes de croissance à proximité de 70 villes de l'est de l'Amérique du Nord sont environ 15 jours plus longues dans les zones urbaines que dans les zones rurales. Comment ce phénomène influerait-il sur le type de culture que les agricultrices et les agriculteurs plantent à l'intérieur et près des villes? *m*

33. Selon toi, la température de l'air en été est-elle plus élevée au-dessus d'une ville ou au-dessus de sa banlieue? Explique ta réponse. *h*

34. Remplis un tableau similaire au tableau ci-dessous à l'aide des données de ce module.

Numéro	Chapitre	Nouveau renseignement et description
2	10	deux types de roches fondues: le magma (souterrain) et la lave (en surface)
2	11	
2	12	
3	10	
3	11	
3	12	
4	10	
4	11	
4	12	

Tu peux inclure plusieurs groupes d'informations dans chaque case. La première case a été complétée à titre d'exemple. *cc*

35. L'énergie éolienne serait-elle une méthode efficace de production d'électricité dans ta région? Explique ta réponse. *m*

36. Les scientifiques estiment qu'environ 23 milliards de tonnes de dioxyde de carbone (CO_2) sont ajoutées à l'atmosphère terrestre chaque année, c'est-à-dire plus de 700 tonnes par seconde.

a) Nomme plusieurs activités humaines qui produisent du CO_2. *h*

b) Quel est le lien entre la production de CO_2 et l'augmentation de l'effet de serre? *h*

37. En avril 2007, le gouvernement ontarien a annoncé plusieurs projets pour produire de l'énergie renouve-  lable, dont l'une des plus importantes fermes à énergie solaire du monde. Pourquoi l'énergie solaire est-elle considérée comme une forme d'énergie renouvelable? *h*

38. Réfléchis aux activités humaines qui sont importantes dans ta région. Il peut y avoir, par exemple, d'importantes activités agricoles (fermes), forestières, minières ou encore de la pêche. Énumère au moins cinq d'entre elles qui dépendent de facteurs météorologiques. *h*

39. Réfléchis aux nouvelles idées et activités qui sont liées à la chaleur et à l'environnement et que tu as étudiées dans ce module. Quelles modifications as-tu déjà

COMPÉTENCES DE LA GRILLE D'ÉVALUATION DU RENDEMENT
cc Connaissance et compréhension *h* Habiletés de la pensée *c* Communication *m* Mise en application

apportées à tes activités ? Quels changements comptes-tu faire ? Quelles autres idées devraient être davantage explorées, selon toi ? Tu peux répondre à ces questions par écrit ou sous une forme visuelle originale. CC

Utilise tes habiletés

40. Dessine un cercle contenant les mots *gaz à effet de serre*. Trace quatre lignes partant de ce cercle. Au bout de chaque ligne, ajoute un cercle. Inscris *vapeur d'eau* dans l'un d'eux. Indique le nom de trois autres gaz à effet de serre dans les cercles vides. Relie ces derniers à une source produisant chacun de ces gaz et un commentaire indiquant s'il faut réduire les émissions de gaz à effet de serre provenant de cette source. h

41. Conçois un tableau comparatif pour quatre activités humaines qui dégagent de grandes quantités de chaleur. Ton tableau doit comporter les caractéristiques suivantes : *chaleur dégagée dans l'atmosphère* et *réchauffement des plans d'eau naturels*. h

Révise les idées maîtresses

42. Quand le Soleil brille sur une poignée de porte métallique installée à l'extérieur d'une maison, que se passe-t-il sur la partie intérieure de la poignée ? Rédige un paragraphe pour expliquer ce phénomène. Utilise les mots *chaleur*, *théorie particulaire* et *conduction* dans ta réponse. h

43. Tu as étudié les besoins thermiques des êtres humains, la manière dont ils utilisent la chaleur et l'effet de l'ajout de chaleur dans l'environnement. Écris une lettre à la directrice ou au directeur de ton école ou à un journal local dans laquelle tu expliques de quelle façon ton opinion a changé depuis que tu as étudié ce module. c

44. Crée une affiche qui informe les gens de tes inquiétudes par rapport à l'environnement, telles que vues au chapitre 12. Ajoute des citations d'origine scientifique pour appuyer tes affirmations. c

| D54 | *Réflexion sur les sciences, la technologie, la société et l'environnement* | S T S E |

Une compréhension globale

Au début de ce module (pages 274 et 275), tu as abordé les concepts de réflexion mondiale et d'action locale. Tu as découvert des exemples d'efforts et de créativité que font certaines personnes qui vivent en Ontario et qui comprennent l'importance de l'énergie et de l'environnement. C'est maintenant à ton tour ! Réfléchis à une liste de projets favorisant une prise de conscience climatique que toi, tes camarades, ta famille ou ta communauté pourriez mettre en place dans ta région. Choisis l'un de ces projets et crée ton propre plan d'action environnementale. Conçois une miniaffiche originale qui illustre ton plan d'action. Consulte ton enseignante ou ton enseignant pour savoir comment mettre ce plan sur pied.

Boîtes à outils

Sommaire

Boîte à outils 1

Les symboles de sécurité

Les symboles de sécurité signalent des dangers possibles. Lorsque tu vois un des symboles ci-dessous, dans ce manuel ou sur un produit, tu dois redoubler de prudence.

Les symboles de sécurité dans ce manuel

Dans ce manuel, certaines activités sont accompagnées de symboles qui t'invitent à la prudence. Ces symboles apparaissent en début d'activité.

 Ce symbole t'indique de porter des lunettes de protection pour faire l'activité.

 Ce symbole signifie que tu utiliseras du verre au cours de l'activité. Manipule le verre avec grand soin.

 Ce symbole t'indique de porter un tablier pour faire l'activité.

 Ce symbole t'indique de porter des gants pour faire l'activité.

Les symboles des produits dangereux à usage domestique

Tu as probablement déjà vu ces symboles de danger sur des produits ménagers. Ils te préviennent que les produits peuvent être dangereux si tu les utilises d'une manière inappropriée. Ces symboles de danger ont deux formes: triangulaire et octogonale. Un triangle signifie que le contenant est dangereux. Un octogone signifie que le contenu est dangereux. Voici quatre des symboles les plus courants.

Parmi ces symboles, y en a-t-il qui ressemblent aux symboles du SIMDUT et du SGH de la page suivante?

 Inflammable: le produit peut s'enflammer (prendre feu) s'il est exposé à une flamme, à des étincelles, au frottement ou même à la chaleur.

 Toxique: le produit est très toxique et peut avoir des effets immédiats et graves, voire mortels, s'il est avalé. Le fait de sentir ou de goûter certains produits peut aussi entraîner des effets graves.

 Corrosif: le produit corrode (ronge) les tissus, la peau et d'autres matières, et brûle les yeux au contact.

 Explosif: le contenant peut exploser s'il est exposé à la chaleur ou perforé.

Les symboles du SIMDUT et du SGH

Le Système d'information sur les matières dangereuses utilisées au travail (SIMDUT) et le Système général harmonisé (SGH) visent à prévenir des dangers liés à l'utilisation de certains produits au moyen de symboles reconnus partout dans le monde. Le SIMDUT sera remplacé bientôt par le SGH, grâce à une entente internationale. Discute de la signification des symboles avec ton enseignante ou ton enseignant.

Tableau du SIMDUT et du SGH

Les symboles du SIMDUT et du SGH, et les précautions à prendre			
Symbole du SIMDUT	**Symbole du SGH**	**Cause du danger**	**Précautions à prendre en milieu scolaire**
		Gaz comprimés	• Manipuler la bonbonne de façon à éviter les chocs. • La tenir éloignée de toute source de chaleur. • Ouvrir doucement la valve de la bonbonne pour permettre au gaz de sortir lentement.
		Matières inflammables et combustibles	• Tenir loin des flammes, des étincelles et de la chaleur vive.
		Matières comburantes (provoquent et entretiennent la combustion)	• Tenir loin des matériaux combustibles, des flammes et des sources de chaleur.
		Matières toxiques ayant des effets immédiats et graves (poison)	• Ne jamais utiliser sans la supervision d'un adulte. • Ne pas consommer. • Se laver les mains après usage.
		Matières toxiques ayant des effets à long terme	• Ne jamais utiliser sans la supervision d'un adulte. • Ne pas consommer. • Se laver les mains après usage.
		Matières infectieuses	• Ne jamais manipuler.
		Matières corrosives	• Manipuler avec précaution. • Porter des lunettes de sécurité, des gants, un tablier. • Prévenir immédiatement l'enseignante ou l'enseignant en cas de déversement accidentel. • Rincer abondamment à l'eau en cas de contact avec la peau.
		Matières dangereusement réactives	• Éviter d'exposer à la lumière, à la chaleur, à des vibrations ou à des températures extrêmes. • N'en utiliser qu'une petite quantité à la fois.
Aucun symbole		Matières cancérogènes ou tératogènes (pouvant nuire à la fertilité ou au développement du fœtus)	• Ne jamais utiliser sans la supervision d'un adulte.
Aucun symbole		Matières représentant un danger pour l'environnement	• Ne pas rejeter dans les égouts, l'évier ou les poubelles. • Jeter dans des contenants appropriés.

Le processus de recherche scientifique

Les scientifiques se posent beaucoup de questions et cherchent des réponses, dans le but de comprendre pourquoi certains phénomènes se produisent. Les expériences sont pour elles et pour eux d'importants outils de recherche et, en général, elles sont planifiées et réalisées selon les étapes ci-dessous.

Conseils

- Les réponses peuvent entraîner d'autres questions. Les nouvelles questions donnent souvent lieu à d'autres hypothèses et expériences. N'aie pas peur de poser des questions ou de repenser celles que tu as déjà posées.

- Lorsque les scientifiques posent des questions, y répondent et mettent en doute leurs réponses, les sciences en profitent. Les connaissances scientifiques évoluent sans cesse.

Étape 1
Poser une question de cause à effet

Étape 2
Transformer la question en hypothèse

Étape 3
Élaborer une démarche pour vérifier l'hypothèse

Corriger la démarche si elle comporte une faille

Étape 4
Réaliser la démarche et noter les données

Corriger la démarche si les données le demandent

Étape 5
Analyser et interpréter les données

Étape 6
Formuler des conclusions et les comparer avec l'hypothèse

Étape 7
Communiquer sa démarche et ses résultats d'expérience

ÉTAPE 1 Poser une question de cause à effet

Il est facile de poser des questions. En poser qui mènent à des réponses sûres est plus difficile. Voilà pourquoi les scientifiques posent généralement des questions de cause à effet, par exemple :

- Quel est l'effet de la concentration de détergent dans l'eau de lessive sur la propreté des vêtements ?

- En quoi la température agit-elle sur la croissance des semis?

- En quoi le degré d'humidité agit-il sur la formation de moisissure sur le pain?

Remarque que les causes – le détergent, la température et l'humidité – sont des facteurs variables. Par exemple, on peut avoir diverses concentrations de détergent, diverses températures et divers degrés d'humidité. Les causes sont des variables manipulées ou indépendantes. Ce sont des facteurs que tu modifies pour étudier leurs effets sur un phénomène.

Les effets aussi sont variables. Par exemple, certains vêtements peuvent devenir plus propres que d'autres, ou alors rester sales. Certains semis peuvent pousser mieux que d'autres, ou ne pas pousser du tout. Certains échantillons de pain peuvent développer beaucoup de moisissure, tandis que d'autres en développeront moins ou aucune. Les effets sont des variables répondantes ou dépendantes. Ils varient en fonction de la variable manipulée.

Lorsque tu poses une question de cause à effet, tu dois utiliser une seule variable manipulée. Cela te permet de voir son effet sur la variable répondante.

ÉTAPE 2 Transformer la question en hypothèse

Poser une hypothèse consiste à reformuler une question de cause à effet de manière à ce qu'elle donne lieu à une réponse plausible. Elle propose une solution probable à un problème donné. En général, elle prend la forme d'un énoncé : «Si..., alors...», et établit la relation qui unit les variables manipulée et répondante.

Voici des hypothèses correspondant aux questions posées à l'étape 1.

- Si la concentration en détergent est élevée, alors les vêtements deviendront plus propres.

- Si la température diminue, alors les semis pousseront moins bien.

- Si le degré d'humidité augmente, alors le pain moisira davantage.

Conseil

La formulation d'une hypothèse est la première étape de la planification d'une expérience. Rappelle-toi : il se peut que ton hypothèse soit confirmée, mais cela n'arrive pas toujours. Les expériences servent justement à vérifier les hypothèses.

ÉTAPE 3 Élaborer une démarche pour vérifier l'hypothèse de manière valable

Lorsque tu élabores une démarche, tu dois te poser certaines questions. Tes réponses à celles-ci t'aideront à planifier une expérience objective et sécuritaire. Voici quelques questions que tu pourrais te poser. Les réponses données en exemple concernent l'expérience sur les semis.

- **Quelle variable manipulée veux-tu observer?** La variable manipulée est la température.

- **Comment mesureras-tu cette variable (si elle est mesurable)?** On peut mesurer la température au moyen d'un thermomètre.

- **Comment garderas-tu toutes les autres variables constantes (inchangées) afin qu'elles n'agissent pas sur tes résultats?** Autrement dit, comment contrôleras-tu ton expérience pour qu'elle soit valable? Pour contrôler l'expérience, il faut maintenir inchangées les variables suivantes : la quantité de lumière à laquelle les semis sont exposés ; la quantité et la température de l'eau donnée aux semis ; le type de sol dans lequel les semis sont plantés.

- **De quel matériel auras-tu besoin pour réaliser l'expérience?** Des semis, du terreau, des godets de culture ou des récipients de même taille, de l'eau, un arrosoir, une source de lumière, un thermomètre et une règle ou un autre instrument de mesure.

- **Comment feras-tu pour réaliser l'expérience en toute sécurité ?** Certaines mesures de sécurité doivent être appliquées : mettre les godets de culture dans un endroit où ils ne seront pas dérangés, se laver les mains après avoir touché le matériel et s'assurer de ne pas souffrir d'allergies au terreau ou aux semis utilisés.

- **Comment organiseras-tu le déroulement de l'expérience afin de recueillir les données nécessaires pour vérifier ton hypothèse ?** Tu pourrais, par exemple, former trois groupes de trois semis, et faire pousser chaque groupe à une température donnée pendant une période de temps déterminée (par exemple, quatre semaines). Tu pourrais ainsi suivre la croissance de chaque semis dans chacun des groupes, et calculer la croissance moyenne de chaque groupe.

ÉTAPE 4 Réaliser la démarche et noter les données

Selon le type d'expérience que tu as planifiée, tu peux choisir de noter les données sous forme de tableau, de croquis annoté, de notes écrites, ou combiner toutes ces méthodes. Dans l'expérience sur les semis, par exemple, tu pourrais noter les données dans des tableaux comme celui ci-dessous (un tableau pour chaque semaine d'observation).

Semaine 1 : Hauteur des semis cultivés à différentes températures				
Température de culture (°C)	Hauteur du semis 1 (cm)	Hauteur du semis 2 (cm)	Hauteur du semis 3 (cm)	Hauteur moyenne (cm)
20				
15				
10				

Conseil

Seule une analyse des données recueillies te permettra de valider ton hypothèse. Tes notes doivent donc être propres et bien ordonnées.

ÉTAPE 5 Analyser et interpréter les données

Les scientifiques cherchent des constantes dans leurs données et des liens entre elles. Il leur est souvent plus facile de dégager ces constantes et ces liens en représentant leurs données graphiquement. (Pour en savoir plus sur les représentations graphiques, consulte la *Boîte à outils 6*.)

S'il y a un lien entre la température et le taux de croissance des semis, un diagramme des données recueillies le fera apparaître.

Conseil

Si tu disposes d'un ordinateur, vérifie s'il est équipé d'un logiciel dont tu pourrais te servir pour créer des tableaux ou des représentations graphiques.

ÉTAPE 6 Formuler des conclusions et les comparer avec l'hypothèse

En général, il est assez simple de tirer des conclusions. Tes résultats confirmeront ou non ton hypothèse. Dans un cas comme dans l'autre, cependant, la réponse à ta question de cause à effet ne s'arrête pas là.

Par exemple, si les semis ont moins bien poussé à basse température qu'à température plus élevée, tu pourras conclure que tes données confirment ton hypothèse. Mais tu devras répéter ton expérience plusieurs fois pour voir si tu obtiens toujours les mêmes résultats. Tes données et tes conclusions seront fiables seulement si tu répètes la même expérience avec succès plusieurs fois.

Si, au contraire, tes données ne confirment pas ton hypothèse, ce peut être pour deux raisons.

- La planification de ton expérience comportait des failles. Il faudra revoir cette planification et, peut-être, la modifier.

- Ton hypothèse était incorrecte ; elle demande à être revue et modifiée.

Par exemple, si les semis ont mieux poussé à basse température qu'à température plus élevée, tu devras revoir ton hypothèse ou chercher les erreurs dans ton expérience. Pour ce faire, tu devras poser des questions, par exemple celles-ci : Certains semis poussent-ils mieux que d'autres à basse température ? Le terreau a-t-il plus d'importance que la température dans la croissance des semis ?

Chaque expérience est distincte et entraîne des questions et des conclusions qui lui sont propres.

Conseil

Tu peux demander l'aide de tes camarades de classe. En général, quand plusieurs personnes réalisent la même expérience et obtiennent les mêmes résultats, les conclusions sont fiables. Quand les résultats obtenus sont différents, on doit modifier l'hypothèse. Les scientifiques s'y prennent souvent de cette façon pour comparer leurs résultats.

ÉTAPE 7 Communiquer sa démarche et ses résultats d'expérience

Les scientifiques communiquent toujours à d'autres les résultats de leurs expériences. Pour ce faire, elles ou ils résument la façon dont les six premières étapes ont été réalisées. Leurs communications sont parfois écrites, parfois orales. Dans le premier cas, il s'agit de comptes rendus énonçant l'objectif, l'hypothèse, la démarche, les observations et les conclusions. Dans le deuxième cas, les scientifiques se servent de dessins, de tableaux ou de diagrammes. (Consulte les *Boîtes à outils 6* et *8* pour savoir comment présenter tes résultats.)

Une fois ton expérience terminée, demande à ton enseignante ou à ton enseignant comment tu dois présenter tes résultats à la classe.

La résolution de problèmes technologiques

Lorsque tu planifies une expérience afin de répondre à une question de cause à effet d'un phénomène, tu définis l'ordre dans lequel les diverses étapes seront exécutées. Il en va de même lorsque tu construis un modèle ou un prototype pour résoudre un problème pratique.

En général, les gens qui cherchent à résoudre des problèmes d'ordre pratique exécutent les étapes suivantes.

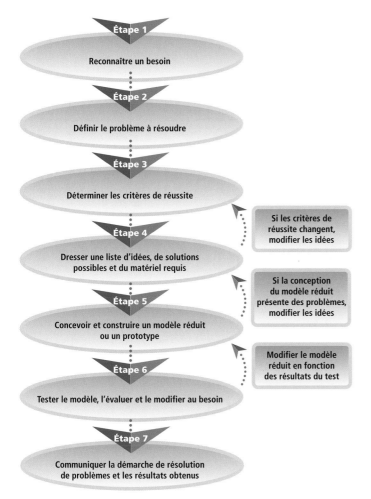

ÉTAPE 1 Reconnaître un besoin

Pour reconnaître un besoin, il faut constater un problème. Par exemple, tu remarques que le pont de corde qui enjambe un ravin du parc régional est très instable et qu'il ballotte lorsqu'on le traverse. Cela plaît peut-être aux personnes qui recherchent des sensations fortes, mais tu sais que la plupart des gens qui traversent le pont trouvent l'expérience désagréable, ce qui les empêche de profiter d'un des plus beaux endroits du parc. Tu aimerais trouver une façon de stabiliser le pont afin qu'un plus grand nombre de personnes l'empruntent. C'est le contexte.

ÉTAPE 2 Définir le problème à résoudre

Après avoir compris le contexte, tu peux définir le problème avec précision, donc déterminer la tâche à accomplir. Par exemple, la tâche pourrait consister à construire un nouveau pont ou à consolider celui qui est déjà là.

ÉTAPE 3 Déterminer les critères de réussite

Maintenant que tu as défini le problème, tu dois chercher la meilleure solution possible. Pour ce faire, il te faut établir les critères de réussite. Ensuite, tu pourras chercher des solutions correspondant à ces critères.

Un de tes critères de réussite sera la stabilité du pont. Quelle que soit la solution que tu choisiras, c'est la stabilité du pont qui importe.

Pour établir tes critères de réussite, tu dois prendre en considération les contraintes liées aux solutions que tu envisages.

Par exemple, il se pourrait que tu disposes d'un délai trop court pour reconstruire le pont. D'autres contraintes possibles sont la disponibilité des matériaux, le coût des travaux, la main-d'œuvre requise et la sécurité.

Si jamais tu conçois un produit ou un dispositif pour ton propre plaisir, tu devras établir toi-même les critères de réussite et les contraintes de ton projet. En classe, ce sera ton enseignante ou ton enseignant qui les déterminera.

Conseil

La sécurité doit toujours être un critère. Elle comprend l'utilisation sécuritaire des matériaux et du matériel, ainsi que la prévision des effets de tes idées sur l'environnement. Discute des impacts environnementaux possibles de ta solution avec ton enseignante ou ton enseignant et tes camarades de classe.

ÉTAPE 4 Dresser une liste d'idées, de solutions possibles et du matériel requis

Pour trouver des idées, deux méthodes peuvent t'aider : le remue-méninges et la recherche. Quand tu fais un remue-méninges, détends-toi et laisse aller ton imagination. Le but est de trouver le plus grand nombre d'idées possible, sans les juger. Note tes idées de la façon la plus utile pour toi : en mots, sous forme de schémas, de diagrammes, de croquis ou autre.

Pour faire une recherche, tu peux consulter des livres, des magazines et Internet, ou encore interroger des gens ou visiter des magasins. Tout dépend de ce que tu veux construire.

Par exemple, tu pourrais explorer l'idée d'ancrer le pont de corde à des rochers ou au flanc d'une colline au moyen de cordes solides ou de câbles métalliques partant des extrémités du pont. En faisant des croquis, tu pourrais peut-être trouver d'autres idées de construction possibles.

Conseil

Les êtres humains inventent des choses depuis des dizaines de milliers d'années. Sers-toi de ce qui a déjà été inventé ! Vois comment d'autres ont résolu le même problème, inspire-toi de leurs idées et apportes-y tes propres améliorations.

ÉTAPE 5 Concevoir et construire un modèle réduit ou un prototype

Élabore une solution. Commence par dresser la liste du matériel à utiliser. Ensuite, dessine un ou plusieurs schémas d'exécution. Cela te permettra de trouver des erreurs de conception et de les corriger avant d'entreprendre la construction de ton modèle réduit. Inscris des notes détaillées sur tes schémas, de sorte qu'une autre personne puisse comprendre comment construire l'objet. Montre tes schémas à ton enseignante ou à ton enseignant avant d'entreprendre la construction.

Tu pourrais construire un modèle simple du pont pour illustrer l'installation et l'emplacement des nouveaux câbles de stabilisation.

Conseil

Il se peut que les choses ne se déroulent pas comme tu l'avais prévu. Prépare-toi à modifier tes plans au cours de la construction du modèle ou du prototype.

ÉTAPE 6 Tester le modèle, l'évaluer et le modifier au besoin

Les tests te permettent d'évaluer ta solution et t'indiquent si tu dois y apporter des modifications. Ton modèle ou ton prototype satisfait-il à tous les critères de réussite que tu as établis? Résout-il le problème que tu as défini au départ?

Invite tes camarades à faire l'essai de ton modèle réduit ou ton prototype. Leurs commentaires pourraient t'aider à déterminer ce qui fonctionne et ce qui ne fonctionne pas, et à apporter les correctifs nécessaires. Les câbles de stabilisation, par exemple, devront peut-être être déplacés. Il faudra peut-être davantage de câbles.

Conseils

- Pour chaque invention réussie, il y a des milliers d'échecs. Il est parfois préférable de tout reprendre à zéro plutôt que de persister dans une conception qui ne satisfait pas aux critères de réussite.

- Tu as peut-être déjà entendu cette phrase célèbre : «Vingt fois sur le métier remettez votre ouvrage.» Rappelle-toi qu'il peut y avoir de nombreuses solutions à un problème d'ordre pratique.

ÉTAPE 7 Communiquer la démarche de résolution de problèmes et les résultats obtenus

Celles et ceux qui inventent et conçoivent de nouveaux dispositifs répondent aux besoins des gens. Quand ces personnes inventent quelque chose, elles aiment le montrer à d'autres et leur en expliquer le fonctionnement. Pour ce faire, elles peuvent avoir recours à des schémas tracés avec soin et détailler par écrit l'exécution des six premières étapes. Elles peuvent aussi montrer l'objet et en expliquer verbalement le fonctionnement et la construction. Ton enseignante ou ton enseignant te dira comment présenter ton processus de conception et ton modèle réduit.

Boîte à outils 4

Le processus de la prise de décision liée aux enjeux sociaux et environnementaux

Les gens peuvent avoir des points de vue différents sur les enjeux sociaux et environnementaux. En général, cela signifie qu'il existe plusieurs solutions pour un même problème. En plus de nous aider à mieux comprendre un problème, l'information scientifique et technologique peut nous aider à le résoudre.

Pour arriver à prendre une décision ou à obtenir un consensus sur un enjeu donné, on doit avoir recours à un processus de la prise de décision. Voici les étapes de ce processus.

ÉTAPE 1 Reconnaître le problème à résoudre

Cela suppose qu'on reconnaît l'existence d'un problème qu'il faut résoudre. Il peut y avoir plus d'une solution possible à ce problème, mais, en général, la solution choisie est celle qui convient au plus grand nombre de personnes. Par exemple, imagine que tes amis et toi voulez faire abattre quelques arbres d'un parc municipal afin de créer un terrain de jeu. Dans ta ville, certaines personnes croient qu'il faut préserver les arbres, car des oiseaux y nichent. La spécialiste de l'environnement de la région affirme que les arbres doivent rester parce que, lorsqu'il pleut, ils protègent un ruisseau avoisinant en réduisant le ruissellement. D'autres personnes disent que la construction d'un terrain de jeu coûterait trop cher.

ÉTAPE 2 Cerner les points de vue sur le problème

Les divers points de vue de l'exemple ci-haut concernent différents aspects de la société : les loisirs (tes amis et toi), l'écologie (les gens qui veulent protéger les arbres) et l'économie (les gens qui trouvent que le projet de terrain de jeu coûte trop cher).

Les problèmes sont souvent évalués sous plusieurs points de vue. En voici quelques-uns :

- culturel : intérêt pour les traditions et les coutumes d'un groupe de personnes en particulier ;
- écologique : intérêt pour la protection de la nature ;
- économique : intérêt pour les aspects financiers ;

Étape 1
Reconnaître le problème à résoudre

Étape 2
Cerner les points de vue sur le problème

Étape 3
Faire une recherche sur le problème et les différents points de vue

Étape 4
Dresser une liste de solutions

Étape 5
Analyser les conséquences de chaque solution

Étape 6
Réfléchir aux plans d'action et choisir le meilleur

Étape 7
Communiquer ses résultats de recherche

Modifier la liste des solutions de rechange si la recherche ou d'autres points de vue le suggèrent

Modifier les étapes précédentes si nécessaire

Modifier sa décision à la lumière de nouveaux renseignements

- éducatif : intérêt pour l'acquisition et la transmission des connaissances et des compétences ;

- esthétique : intérêt pour la beauté artistique et naturelle ;

- éthique : intérêt pour les valeurs morales (le bien et le mal) ;

- médical : intérêt pour la santé physique et mentale ;

- historique : intérêt pour la connaissance des événements passés ;

- politique : intérêt pour l'effet des enjeux sur les gouvernements, les politiciennes et les politiciens, et les partis politiques ;

- récréatif : intérêt pour les loisirs ;

- scientifique : intérêt pour la connaissance du processus de recherche scientifique (*Boîte à outils 2*) ;

- social : intérêt pour les relations humaines, le bien-être des gens ou la société ;

- technologique : intérêt pour la résolution de problèmes technologiques (*Boîte à outils 3*).

ÉTAPE 3 Faire une recherche sur le problème et les différents points de vue

On peut proposer une solution appropriée à un problème seulement si on comprend ce dernier, de même que les divers points de vue à son sujet. Il importe de trouver de l'information impartiale sur la question, puis de prendre en considération les divers points de vue des personnes concernées.

Formule des questions précises qui guideront ta recherche. Par exemple, pour te renseigner à propos du terrain de jeu, tu pourrais poser les questions suivantes :

- Combien de personnes utiliseront le terrain de jeu ?

- Existe-t-il un autre lieu qui conviendrait mieux à l'emplacement du terrain de jeu ?

- Quels oiseaux nichent dans ces arbres ? Pourraient-ils nicher ailleurs dans la région ?

- Qu'est-ce que le ruissellement et pourquoi est-ce un problème ?

- Combien coûterait la construction du terrain de jeu (incluant l'abattage des arbres) ?

Pour faire ce type de recherche, tu peux faire des entrevues, lire des livres et des magazines, consulter Internet ou aller sur les lieux pour prendre connaissance de la situation. Il faut que tu évalues tes sources d'information pour t'assurer qu'elles sont impartiales et pour distinguer les partis pris des faits. Durant cette étape, tu essaieras de mieux comprendre le contexte du problème, les points de vue des divers groupes, les solutions de rechange et leurs conséquences. Tu trouveras des conseils pour effectuer des recherches dans la section suivante.

ÉTAPE 4 Dresser une liste des solutions

Pour dresser une liste de solutions au problème que tu dois résoudre, il te faut examiner son contexte et les points de vue à son sujet. Le remue-méninges peut s'avérer utile au cours de cette étape. Sers-toi de ta recherche pour guider ta réflexion.

Voici quelques exemples de solutions possibles au problème énoncé dans l'étape 1 :

- abattre les arbres et construire le terrain de jeu ;

- laisser le parc tel quel ;

- trouver un emplacement plus convenable ;

- modifier le plan actuel du parc.

ÉTAPE 5 Analyser les conséquences de chaque solution

Choisis une méthode d'évaluation des diverses solutions. Pour déterminer quels sont leurs avantages et leurs inconvénients, il te faut évaluer leurs conséquences éventuelles. Trois aspects sont liés à ces conséquences : la gravité, la probabilité et la durée. Tu peux accorder des valeurs à la gravité et à la probabilité, par exemple : élevée = 3 ; moyenne = 2 ; faible = 1 ; nulle = 0. Tu peux évaluer la durée en termes d'années, par exemple : courte (C), si elle est de moins de 50 ans ; longue (L), si elle est de plus de 50 ans. Renseigne-toi sur le nombre de personnes qui seront avantagées ou désavantagées par chacune des solutions. Tiens compte des questions de santé et de sécurité.

Dans l'exemple du terrain de jeu, tu pourrais analyser les conséquences de chaque solution possible dans un tableau comme celui-ci.

Analyse des conséquences : Solution 1 – Abattre les arbres et construire le terrain de jeu

Conséquence	Gravité (3, 2, 1, 0)	Probabilité (3, 2, 1, 0)	Durée (C, L)
Arbres coupés	2	3	L
Eaux de ruissellement	3	3	C
Oiseaux déplacés	de 2 à 1	3	L
Bonne fréquentation du terrain de jeu	2	2	peut-être L
Frais d'aménagement et d'entretien	de 2 à 1	3	L

ÉTAPE 6 Réfléchir aux plans d'action et choisir le meilleur

Évalue ton processus de prise de décision et assure-toi que chaque étape a été faite de façon satisfaisante. Demande-toi comment les gens réagiront aux conséquences des diverses solutions. Ensuite, décide du meilleur plan d'action à adopter.

ÉTAPE 7 Communiquer ses résultats de recherche

Communique tes résultats d'une manière appropriée. Par exemple, tu peux écrire un compte rendu, faire une présentation orale ou te préparer pour un débat. Défends ta position en présentant des arguments clairs, appuyés sur des données de sources variées.

Évaluer des sujets de recherche

On fait une recherche pour se renseigner sur un sujet. On doit donc consulter des sources qui donnent de l'information juste. L'information se trouve un peu partout : dans des livres chez toi ou à la bibliothèque municipale, auprès de spécialistes, dans Internet et à bien d'autres endroits. Voici la marche à suivre pour faire une recherche.

Choisir un sujet

Dans certaines situations, les sujets de recherche seront imposés par l'enseignante ou l'enseignant. Dans d'autres, tu choisiras toi-même ton sujet. Si tu as du mal à trouver un sujet, fais un remue-méninges, seul ou en groupe. Rappelle-toi que le but d'un remue-méninges est de trouver le plus d'idées possible, sans les juger. Voici quelques suggestions utiles pour t'aider à commencer.

- Note deux ou trois sujets scientifiques généraux qui t'intéressent.

- Pense à chaque sujet pendant quelques minutes et écris tous les mots ou toutes les idées qui te viennent à l'esprit. Ces mots peuvent ne pas avoir de lien direct avec les sciences.

- Montre ta liste à d'autres personnes et demande-leur d'y ajouter leurs idées.

- Passe maintenant en revue les idées de ta liste pour conserver seulement celles qui t'intéressent le plus, c'est-à-dire seulement deux ou trois. Pour ce faire, tu peux regrouper les mots ou les idées similaires, modifier ce que tu as écrit ou

même formuler une nouvelle idée. Faire équipe avec des camarades t'aidera parfois à préciser tes idées.

- Reprends ensuite une à une les deux ou trois idées que tu as conservées. Note-les et essaie de les expliquer en quelques phrases.

- Soumets tes sujets à ton enseignante ou à ton enseignant. Tu peux maintenant te mettre au travail !

Quel sujet dois-je choisir ?

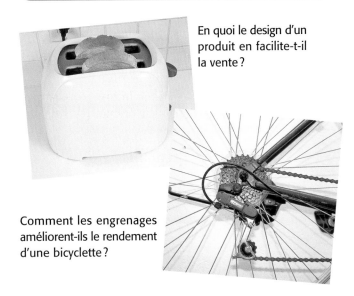

En quoi le design d'un produit en facilite-t-il la vente ?

Comment les engrenages améliorent-ils le rendement d'une bicyclette ?

Maintenant, tu dois choisir un seul sujet parmi les deux ou trois que tu as conservés. Pour ce faire, évalue avec quelle facilité tu pourras trouver de l'information sur l'un ou l'autre des sujets.

- Pour faire ta recherche préliminaire, utilise quelques-unes des ressources énumérées dans la section *Trouver de l'information*.

- Si tu as de la difficulté à trouver au moins quatre bonnes sources d'information sur un de tes sujets, il serait peut-être préférable que tu passes au sujet suivant.

> ### Conseil
>
> Certains sujets sont trop vastes ou généraux pour donner de bonnes recherches (par exemple, *le transport* plutôt que *la bicyclette*). Dans un tel cas, précise davantage ton sujet.

Si tu peux facilement trouver de l'information pour chacun de tes sujets, tu devras peut-être te poser d'autres questions pour arriver à faire un choix.

- Quel sujet t'intéresse le plus ?

- Quel sujet est le moins étudié par tes camarades de classe ?

- Quel sujet est d'actualité ?

Sera-t-il difficile de trouver de l'information ?

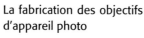

La fabrication des objectifs d'appareil photo

L'utilisation des miroirs dans les instruments d'optique

Lorsque tu as choisi ton sujet, tu peux travailler avec d'autres élèves et avec ton enseignante ou ton enseignant pour :

- finaliser sa formulation ;

- t'assurer qu'il correspond au projet ou au travail à réaliser.

Trouver de l'information

De nombreuses ressources sont à ta disposition pour faire ta recherche. Tu les trouveras :
- à l'école ;
- dans ta communauté (à la bibliothèque municipale, par exemple) ;
- dans Internet ;
- dans les encyclopédies et les bases de données sur cédéroms ou DVD.

Voici une liste de ressources suggérées.

Ressource	✓	Références détaillées
Livres		
Cédéroms		
Spécialistes		
Encyclopédies		
Documentaires		
Organismes gouvernementaux (municipaux, provinciaux, fédéraux)		
Sites Internet		
Revues scientifiques		
Catalogues de bibliothèque		
Journaux		
Organismes sans but lucratif		
Affiches		
DVD et documents vidéo		

Conseils de recherche

Trouver de l'information à la bibliothèque municipale

Les catalogues informatisés des bibliothèques sont des outils rapides pour trouver des livres sur tes sujets de recherche. La plupart de ces catalogues proposent quatre façons de faire une recherche : par sujet, par auteur, par titre et par mots clés. Si tu connais le nom de l'auteur ou le titre d'un livre, tu n'as qu'à le taper. Sinon, utilise les recherches par sujet et par mots clés.

- Si tu fais une recherche par sujet, tape le nom de ton sujet principal. Par exemple, si tu cherches de l'information sur l'énergie solaire, tape « énergie solaire ». S'il n'y a pas de livre sur ce sujet, tape le nom d'un domaine plus général, comme « énergie renouvelable » ou simplement « énergie ».

- Si tu fais une recherche par mots clés, tape une suite de mots qui se rapportent à ton sujet. Pour reprendre l'exemple de l'énergie solaire, tu pourrais taper

« énergie renouvelable soleil panneaux solaires ». L'emploi de plusieurs mots clés aura l'effet de préciser ta recherche. L'emploi d'un ou de deux mots clés, comme « soleil » et « énergie », donnera une recherche générale.

Conseils

- À la bibliothèque, tu peux aussi trouver des articles dans les revues, que l'on appelle aussi les *périodiques*. Les périodiques sont très utiles pour se renseigner sur des découvertes ou des événements récents. Demande aux bibliothécaires de t'expliquer comment faire une recherche de périodiques.

- Ta bibliothèque classe probablement toutes les encyclopédies dans une section réservée aux ouvrages de référence. Tu y trouveras des encyclopédies sur les sciences et la technologie, l'environnement et les animaux, ainsi que d'autres livres de référence. Vérifie la date de parution pour t'assurer que l'information est récente.

Trouver de l'information dans Internet

Dans Internet, tu peux utiliser ce qu'on appelle des *moteurs de recherche* pour trouver de l'information sur à peu près tous les sujets. Pour trouver un moteur de recherche, demande à ton enseignante ou à ton enseignant, ou clique sur l'icône *recherche*, en haut de ton navigateur Web. Voici quelques conseils de recherche dans Internet.

- Sur la page d'accueil d'un moteur de recherche, tape des mots clés décrivant ton sujet. Si tu faisais une recherche sur l'énergie solaire, tu pourrais taper « énergie solaire », « panneaux solaires »,

« énergie renouvelable », une combinaison de ces mots ou d'autres mots connexes.

- Le moteur de recherche affichera la liste des pages contenant les mots que tu as tapés. Clique sur une page qui te semble intéressante.

- Les recherches par mots clés donnent souvent de longues listes de pages Web. Pour raccourcir cette liste, précise ta recherche en ajoutant d'autres mots clés. Par exemple, si tu cherches des exemples d'utilisation de l'énergie solaire au Canada et que tu as tapé les mots clés « énergie solaire », fais une deuxième recherche en ajoutant le mot « Canada ».

- N'oublie pas de noter les adresses des pages Web que tu trouves intéressantes. Pourquoi ne pas travailler avec une amie ou un ami ? Une personne peut noter les adresses tandis que l'autre fait les recherches à l'ordinateur. Tu peux aussi enregistrer les pages intéressantes dans

tes favoris afin d'y accéder facilement les prochaines fois. Ton enseignante ou ton enseignant, ou encore les bibliothécaires, pourra t'expliquer comment sauvegarder et organiser des pages Web.

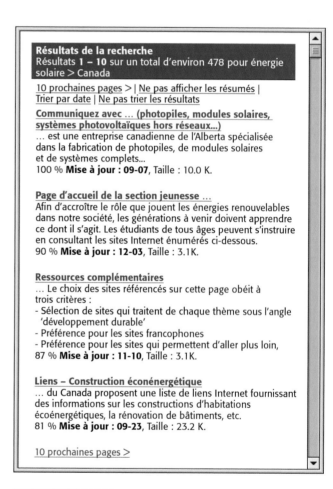

AVANT DE COMMENCER
Renseigne-toi au sujet de la politique de ton école sur l'utilisation acceptable d'Internet, et assure-toi de la respecter en tout temps. Quand tu consultes Internet, rappelle-toi que l'information que tu y trouves est souvent très tendancieuse et le reflet d'un parti pris. Lorsque tu cherches des renseignements de nature scientifique ou technique, les sites éducatifs et gouvernementaux sont généralement fiables.

Noter ses sources d'information

Une des étapes importantes de toute recherche est de noter les sources d'information que l'on a consultées. Celles-ci peuvent être de provenances diverses. Certaines sources d'information sont imprimées : les revues et les livres ; d'autres sont électroniques : les sites Web, les DVD et les cédéroms ; d'autres encore sont visuelles : les documents vidéo et les photographies. Quelles que soient les sources que tu consultes, tu dois les prendre en note.

Tes notes te permettront de retourner facilement à l'une ou à l'autre de tes sources pour vérifier des détails. Elles t'aideront aussi à répondre à des questions ou à justifier l'exactitude de ton information. Tes notes doivent comprendre au moins les éléments suivants :

- le titre ou le nom de la source (par exemple, si tu as lu le chapitre d'un livre, tu noteras le titre du livre ; s'il s'agit d'un site Web, tu en noteras l'adresse) ;

- le nom de l'auteure ou de l'auteur (si tu le connais) ;

- le nom de l'éditrice ou de l'éditeur (dans le cas d'un site Web, par exemple, ce serait le nom de la personne ou de l'entreprise qui a affiché le site) ;

- la date de publication (ou de dernière mise à jour, dans le cas des pages Web) ;

- les pages consultées.

Ton enseignante ou ton enseignant exigera peut-être que tu adoptes une certaine méthode de présentation des sources d'information. Assure-toi de la connaître avant de commencer ta recherche. Si tu as carte blanche, tu peux faire tes propres recherches à ce sujet afin d'adopter une méthode qui te convienne.

La lecture de textes scientifiques

On n'utilise pas les mêmes habiletés ou les mêmes stratégies pour lire un roman que pour lire un manuel scolaire. Les textes des romans sont des textes de fiction; ils racontent des histoires inventées. Les textes qu'on trouve dans un manuel scolaire, tels les manuels de science, sont informatifs : ils présentent des faits, des termes et des concepts qu'on doit comprendre.

Grâce aux diverses stratégies de lecture qu'il te propose, le manuel *Investigation 7 Sciences et technologie* t'aide à lire des textes informatifs. Tu trouveras ces stratégies dans les activités de littératie suivantes :

- *Préparation à la lecture*, au début de chaque module

- *Avant la lecture*, au début de chaque chapitre

- *Pendant la lecture*, dans chaque section

- *Après la lecture*, à la fin de chaque chapitre

Utiliser des stratégies de lecture

Tu peux utiliser les stratégies suivantes pour mieux comprendre l'information présentée dans le manuel.

Avant de lire

- Parcours des yeux la section à lire. Regarde les titres, les intertitres, les éléments visuels et les mots en caractères gras (aux traits plus épais) : ils t'aideront à déterminer le sujet de la section.

- Vois comment l'information est organisée. Pose-toi les questions suivantes : Est-ce qu'on établit une relation de cause à effet ? Est-ce qu'on fait une comparaison ? Demande-toi comment l'organisation du texte peut t'aider à saisir l'information.

- Rappelle-toi ce que tu sais déjà sur le sujet.

- Essaie de prédire ce que tu apprendras.

- Écris les questions que tu te poses sur le sujet. Cela te donnera un objectif de lecture.

Pendant ta lecture

- Réécris les titres et les intertitres des sections sous forme de questions. Cherche dans le texte les réponses à ces questions.

- Utilise les réponses que tu as trouvées pour déterminer l'idée principale de chaque section ou sous-section.

- Regarde attentivement les éléments visuels – photographies, illustrations, tableaux ou diagrammes. Lis les légendes et les annotations dans les illustrations et les photographies, ainsi que les titres des tableaux et des diagrammes. Réfléchis à l'information apportée par les éléments visuels et demande-toi comment elle t'aide à comprendre le texte.

- Remarque les termes en caractère gras. Il s'agit de mots clés qui t'aideront à comprendre l'information et, éventuellement, à faire une rédaction sur le sujet. Assure-toi de comprendre et d'employer ces termes. Pour vérifier leur signification, consulte le glossaire.

- Fais appel à diverses stratégies pour te rappeler la matière à l'étude. Tu peux, par exemple, visualiser ce qui est expliqué, établir des liens avec ce que tu sais déjà ou faire des dessins.

Après ta lecture

- Trouve l'information nécessaire pour répondre aux questions de révision. Pour ce faire, utilise les titres de sections et les termes en caractère gras. Même si tu crois connaître la réponse, relis l'information pour la confirmer.

- Résume ce que tu as appris en courtes notes ou organise l'information dans une représentation graphique. La section qui suit traite des représentations graphiques.

- Personnalise l'information. Quelles sont tes opinions sur ce que tu as lu ? Demande-toi si celles-ci ont changé après avoir découvert les nouveaux éléments d'information. Écris les questions que tu te poses encore sur le sujet.

Utiliser des représentations graphiques

Tu peux te servir de représentations graphiques pour organiser l'information que tu découvres dans les textes et illustrer des idées. Tu as probablement déjà utilisé plusieurs des techniques qui suivent. Familiarise-toi maintenant avec celles que tu connais moins. Certaines favoriseront peut-être chez toi une nouvelle façon de réfléchir.

Le diagramme de Venn

Le diagramme de Venn sert généralement à comparer des choses en dressant la liste de leurs caractéristiques, puis en établissant leurs ressemblances et leurs différences. Lorsque tu penses à utiliser un diagramme de Venn, pose-toi les questions suivantes :

- Quelles sont les choses que je veux comparer ?
- Qu'ont-elles en commun ?
- En quoi sont-elles différentes ?

Conseil

Le diagramme de Venn peut servir à comparer plus de deux choses. Fais-en l'essai !

La carte conceptuelle

Carte conceptuelle des plantes vertes

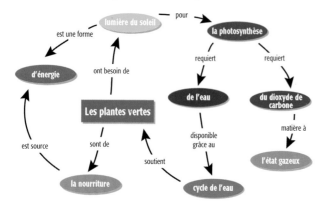

La carte conceptuelle ou le schéma est un diagramme qui peut t'être utile à plusieurs choses:

- revoir quelque chose que tu sais déjà;

- noter de l'information sur un sujet nouveau;

- explorer de nouvelles façons de réfléchir sur un sujet;

- élaborer un plan de dissertation, de chanson, d'expérience, de conception, de recherche en sciences, de présentation multimédia.

Lorsque tu veux utiliser une carte conceptuelle, pose-toi les questions suivantes:

- Autour de quel élément clé (idée, mot, question, problème) dois-je construire cette carte?

- Quels mots, quelles idées ou quelles questions me viennent à l'esprit quand je pense à l'élément central de ma carte?

- Quels sont les liens qui unissent les divers éléments de ma carte entre eux?

Conseil

Si tu disposes d'un ordinateur, vérifie s'il est équipé d'un logiciel pour créer des organisateurs graphiques.

Le diagramme en arbre

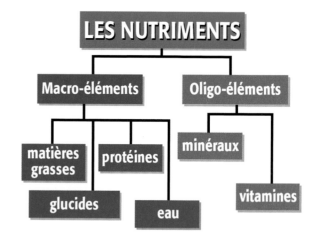

Un diagramme en arbre sert à représenter des sujets très vastes et à les décomposer en éléments de plus en plus détaillés. Il sert aussi à regrouper des éléments. En prenant connaissance des diverses parties d'un sujet, tu pourras mieux le comprendre.

Le tableau comparatif

	Caractéristiques			
	marche	se nourrit	parle	nage
chèvre	X	X		
arbre		X		
roche				
personne	X	X	X	X

Objets comparés

Le tableau comparatif est utile pour analyser les caractéristiques ou les propriétés d'un certain nombre d'objets. Lorsque tu veux utiliser un tableau comparatif, pose-toi les questions suivantes :

- Quels sont les objets que je veux comparer ?

- Quelles caractéristiques vais-je comparer ?

- En quoi les objets comparés sont-ils semblables et différents ?

Conseil

Le tableau comparatif peut être utile pour faire un remue-méninges.

Le tableau de notes

Pour comprendre comment l'information que tu lis est organisée, tu peux prendre des notes dans un tableau comme celui ci-contre. Tu peux également y noter ce que tu découvres dans le texte au fil de ta lecture.

Ton enseignante ou ton enseignant te donnera plusieurs pages à lire. Avant de commencer ta lecture, regarde les titres et les

intertitres, et transforme-les en questions. Rédige chaque question en commençant par les mots *comment*, *qu'est-ce que*, *pourquoi*, etc. Écris tes questions dans la colonne de gauche de ton tableau. Laisse assez d'espace entre les questions pour pouvoir noter les éléments de réponse que tu trouveras dans le texte.

Par exemple, on te donnera peut-être à lire quelques pages au sujet de la signification scientifique du travail. Ces pages contiennent les intertitres suivants :

- La définition du mot *travail*

- Calculer le travail

- L'énergie et le travail

Voici un exemple de tableau de notes.

Questions des intertitres	Réponses trouvées dans le texte
Qu'est-ce que le travail ?	– Du travail se fait lorsqu'une force appliquée à un objet fait bouger cet objet. – S'il n'y a pas de mouvement, il n'y a pas de travail. – Essayer de pousser sur un objet n'est pas du travail. Le travail se produit seulement si l'objet bouge.
Comment calcule-t-on le travail ?	
Quel lien y a-t-il entre l'énergie et le travail ?	

La communication scientifique

En sciences, on utilise ses habiletés en communication pour transmettre clairement ses connaissances. On peut communiquer au moyen de mots et d'éléments visuels, tels les schémas, les diagrammes et les tableaux. La communication peut être brève, telle une simple réponse à une question, ou longue, tel un compte rendu.

Les comptes rendus

Depuis le début de ce chapitre, tu as appris comment réaliser trois projets scientifiques. La *Boîte à outils 2* t'a montré comment effectuer une recherche scientifique. La *Boîte à outils 3* t'a expliqué comment réaliser les étapes de construction d'un modèle réduit. La *Boîte à outils 4* t'a présenté un processus de la prise de décision utile pour résoudre des problèmes sociaux et environnementaux. Tu vas maintenant apprendre à rédiger un compte rendu pour communiquer les résultats de l'un ou l'autre de ces trois projets.

Voici une liste de choses à faire lorsque tu rédiges des comptes rendus scientifiques.

- Donne un titre à ton compte rendu.

- Explique pourquoi tu as entrepris ton projet scientifique.

- Présente ton hypothèse, ton projet de modèle réduit ou le contexte de ton problème.

- Dresse la liste du matériel que tu as utilisé.

- Décris les étapes que tu as réalisées dans ton expérience, ta construction ou ta résolution de problème.

- Présente tes données, les résultats de tes tests ou les décisions que tu as prises.

- Interprète et analyse ton information.

- Tire des conclusions à partir des résultats que tu as obtenus à la suite de ton expérience, de tes tests ou de ta prise de décision.

Donne un titre à ton compte rendu

En haut de la première page de ton compte rendu, écris un titre court : quelques mots pour décrire ton expérience, ton modèle réduit ou ton problème.

Explique pourquoi tu as entrepris ton projet scientifique

Intitule cette section *Introduction* ou *Objectif*. Explique ce qui t'a motivé à entreprendre ton projet. Si ton compte rendu fait état d'une expérience, présente la question que tu t'es posée. Si tu as conçu un objet, explique son utilité, son usage et à qui il est destiné.

Si tu as tenté de résoudre un problème social ou environnemental, présente-le et explique pourquoi il t'est apparu important de le prendre en considération.

Présente ton hypothèse, ton projet de modèle réduit ou le contexte de ton problème

Si ton compte rendu concerne une expérience, intitule cette section *Hypothèse*. C'est ici que tu présenteras l'hypothèse que tu as formulée à propos d'un phénomène. Cette hypothèse doit exprimer la solution que tu suggères à un problème ou à une question. Elle consiste en une prédiction que tu fais, et que ton expérience mettra à l'épreuve. Ton hypothèse doit indiquer la relation qui existe entre la variable manipulée et la variable répondante.

Si ton compte rendu concerne un objet que tu as conçu, intitule cette section *Défi*. Ici, tu dois expliquer pourquoi tu as conçu l'objet comme tu l'as fait et pourquoi tu as choisi cette solution plutôt qu'une autre.

Si ton compte rendu résume un processus de prise de décision que tu as utilisé pour résoudre un problème social ou environnemental, intitule cette section *Enjeu*. Ici, tu dois expliquer le contexte entourant le problème, et les divers points de vue avec lesquels tu as dû composer.

Dresse la liste du matériel que tu as utilisé

Tu peux intituler cette section *Matériel*. Énumère tout ce que tu as utilisé pour réaliser ton expérience, concevoir ton objet ou résoudre ton problème. Tu peux le faire sous forme de liste de mots ou de tableau. Le cas échéant, rappelle-toi d'indiquer les quantités exactes de chaque élément, dans la mesure du possible (par exemple, le nombre de clous dont tu as eu besoin, les volumes et les masses des substances que tu as analysées). Tu dois donner des mesures exactes et employer les unités de mesure appropriées.

Inclus aussi des schémas illustrant le montage ou la préparation de ton matériel. N'oublie pas d'indiquer les éléments importants sur tes schémas. (Tu trouveras des conseils sur la création des schémas dans la section suivante.)

Décris les étapes que tu as réalisées dans ton expérience, ta construction ou ta résolution de problème

Sous l'intertitre *Démarche* ou *Méthode*, décris en détail les étapes que tu as réalisées en faisant ton expérience, en construisant ton objet ou en réfléchissant au problème. Si tu as fabriqué un objet, décris le déroulement de tes tests. Si tu as dû faire des modifications, explique en détail comment tu as procédé.

Boîte à outils 6

Présente tes données, les résultats de tes tests ou les points de vue que tu as recueillis

Dans cette section, que tu intituleras *Données*, *Résultats* ou *Points de vue*, tu dois présenter l'information que tu as recueillie en réalisant l'expérience, en testant ton modèle réduit ou en étudiant le problème. Sers-toi de tableaux, de schémas et d'autres aides visuelles pour présenter les données que tu auras obtenues à la suite de ton expérience. Si tu as répété ton expérience plusieurs fois, notes-en toutes les données. Si tu as testé différentes versions de ton modèle réduit, indique les résultats que tu as obtenus pour chacun. Si ton compte rendu fait état d'un enjeu social ou environnemental, résume ici seulement l'information essentielle dont les lectrices et les lecteurs auront besoin pour connaître les divers points de vue à son sujet.

Analyse et interprète ton information

C'est dans cette section, que tu peux intituler *Analyse*, que tu présenteras ton interprétation des données que tu auras recueillies à la suite de ton expérience, de tes tests ou de ta réflexion sur un problème. Tu devras peut-être ici présenter des calculs, des diagrammes, des schémas, des tableaux ou d'autres aides visuelles. (Consulte la *Boîte à outils 8* sur les représentations graphiques.) Commente tes calculs ou tes représentations graphiques.

Tire des conclusions à partir des résultats que tu as obtenus à la suite de ton expérience, de tes tests ou de ta prise de décision

Tu peux intituler cette dernière section *Conclusions*. En un ou deux paragraphes, explique ce que tes expériences ou tes tests ont démontré, ou la décision que tu as prise à propos de l'enjeu que tu as choisi d'explorer.

Si tu as réalisé une expérience, indique si tes résultats confirment ton hypothèse de départ. Explique ce que tu pourrais changer dans ton hypothèse à la lumière de ce que l'expérience t'a appris, et comment tu pourrais valider ta nouvelle hypothèse.

Si tu as fabriqué un modèle réduit, dis s'il a fonctionné comme prévu. Si tu dois y apporter des modifications, explique pourquoi une version de ton modèle donne de meilleurs résultats qu'une autre. Décris les utilisations possibles de ton expérience ou de ton objet en dehors de l'école.

Si tu as étudié un problème, explique la conclusion à laquelle tu arrives. Résume sur quelles données tu appuies ta décision. Si nécessaire, explique comment tu as réagi aux opinions différentes de la tienne.

Les schémas

Connais-tu le dicton : « Une image vaut mille mots » ? En sciences, une image vaut peut-être encore plus. Un schéma soigneusement dessiné peut t'aider à exprimer ta pensée, à consigner des données et à expérimenter diverses possibilités avant la construction d'un objet. Les schémas sont très utiles pour communiquer tes connaissances et tes idées.

Tu peux utiliser quatre types de schémas : le croquis, le dessin isométrique, le dessin orthographique et le dessin assisté par ordinateur. Tu trouveras des exemples de ces types de schémas aux deux pages suivantes.

La photographie ci-dessous montre le montage d'une expérience. Exerce-toi à représenter cette installation au moyen d'un ou de plusieurs de ces schémas. Quelles annotations y ajouterais-tu ? Celles-ci seraient-elles les mêmes d'un type de schéma à l'autre ?

Le nécessaire à dessin

Voici le matériel nécessaire pour chaque type de schéma.

Pour les dessins à la main
- un crayon bien taillé ou un portemine
- un taille-crayon ou des mines supplémentaires
- une gomme à effacer
- une règle

Pour les croquis et les dessins isométriques
- du papier blanc

Pour les dessins orthographiques
- du papier quadrillé
- du papier isométrique

Pour les dessins assistés par ordinateur
- l'accès à un ordinateur doté d'un logiciel de dessin

Rappelle-toi !

- Donne un titre à ton schéma.
- Utilise la page en entier.
- N'inclus que les éléments essentiels. Ceux-ci doivent être simples et bien identifiés.
- Si tu dois annoter ton schéma, dessine des lignes plutôt que des flèches. Sers-toi d'une règle pour tracer des lignes droites, et inscris chaque annotation près de l'élément qu'elle désigne.
- N'utilise ni couleur ni ombre, sauf si ton enseignante ou ton enseignant le demande.

Conseil

Si ton schéma doit t'aider à concevoir une structure, inclus des vues en plongée, latérales et de face.

Un croquis (vue de face)

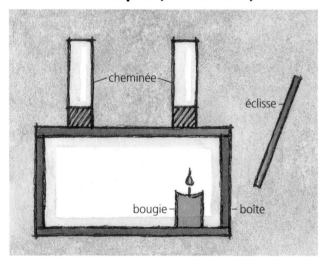

Un croquis (vue latérale)

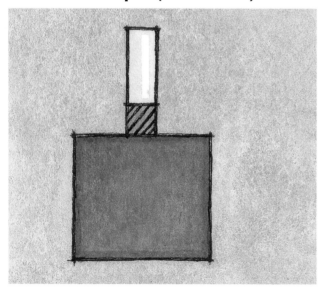

Un croquis (vue en plongée)

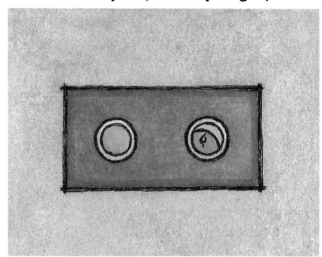

Un dessin isométrique

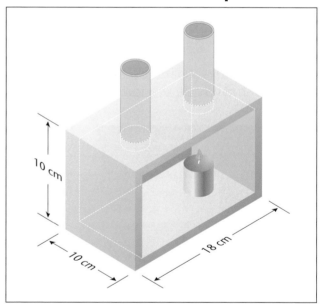

Conseil

Pour t'assurer que l'échelle de ton dessin orthographique est exacte, tu peux utiliser les carreaux du papier quadrillé. Par exemple, si chaque carreau représente 1 cm, tu utiliseras 14 carreaux pour représenter la longueur d'un objet mesurant 14 cm.

Un dessin orthographique (à vue multiples)

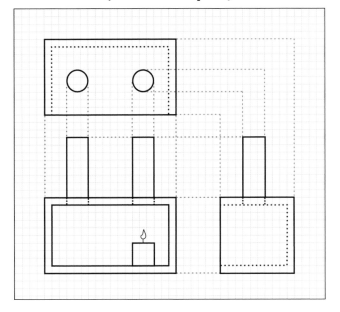

Un dessin assisté par ordinateur

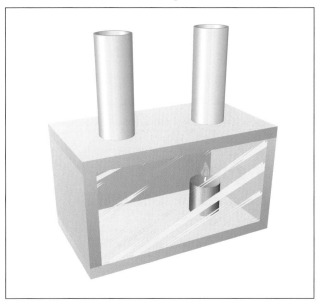

Conseil

Si tu n'as pas de règle sous la main, sers-toi de papier quadrillé pour bien représenter les détails de ton schéma.

Conseil

L'ordinateur te permet de modifier ton dessin facilement. Après avoir sauvegardé ton dessin initial, exerce-toi à y apporter des changements et à déplacer l'image.

Les mesures

Les observations que l'on fait durant une expérience sont qualitatives (descriptives) ou quantitatives (mesures physiques). Les observations quantitatives nous aident à exprimer, par exemple, la masse d'un objet, l'espace qu'il occupe et la distance qui nous sépare de lui. Voici quelques types de mesures courantes.

La longueur

La longueur indique si un objet est :

- long ou court ;
- éloigné ou proche ;
- haut ou bas ;
- grand ou petit.

Les unités courantes de mesure de la longueur sont le millimètre (mm), le centimètre (cm), le mètre (m) et le kilomètre (km). Toutes ces unités sont basées sur le même étalon : le mètre.

EXERCICE

Quelle unité de mesure choisirais-tu pour mesurer chacun des éléments ci-dessous ? Explique chacun de tes choix.

1. La hauteur d'une table de travail
2. La profondeur d'un océan
3. L'épaisseur d'une pièce de monnaie d'un cent
4. La longueur d'un terrain de soccer
5. La distance à parcourir en voiture entre Thunder Bay et Ottawa
6. La distance entre la Terre et la Lune

Conseil

Lorsque tu utilises une règle, un ruban à mesurer ou un mètre rigide, pars toujours de la marque de 0, et non du bord de l'instrument de mesure.

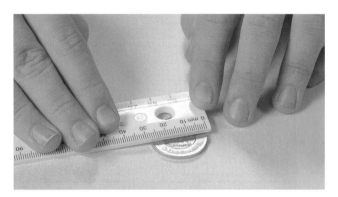

Lorsque tu utilises un instrument de mesure, place-toi bien en face de lui pour prendre la mesure.

Le volume

Le volume d'un objet, c'est l'espace que ce dernier occupe. Les unités courantes de volume sont le litre (l) et le millilitre (ml). Rappelle-toi que 1 ml équivaut à 1 cm^3.

Chez toi, tu utilises une tasse à mesurer pour déterminer le volume des substances. À l'école, tu utilises un cylindre gradué ou un bécher. Le terme *gradué* signifie que le récipient est divisé en degrés d'égale longueur servant à la mesure. Par exemple, une tasse à mesurer, un bécher et un thermomètre sont gradués.

La surface d'un liquide contenu dans un cylindre gradué décrit une courbe en touchant la paroi. Cette courbe porte le nom de *ménisque*.

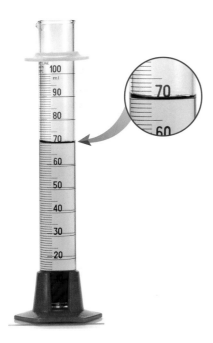

Pour mesurer correctement le volume du liquide, tes yeux doivent être à la même hauteur que la surface du liquide : cela te permettra de voir la partie plate de la courbe. Ignore la partie qui monte sur la paroi.

EXERCICES

1. Tous les objets ci-dessous occupent un espace. Évalue le volume de chacun d'eux à l'aide de l'unité de mesure appropriée.

   a) Un bol de céréales

   b) Une éprouvette

   c) Une baignoire

2. On se sert encore de certaines anciennes unités de volume, comme la cuillère à thé. Imagine, en un paragraphe, quelle serait l'origine du *koku*. Le *koku* est une ancienne unité de mesure de volume japonaise ; il équivaut à environ 278 litres.

La masse et le poids

En sciences, il faut savoir distinguer la masse et le poids. La masse est la mesure de la quantité de matière dont est fait un objet, alors que le poids est la force que la gravité exerce sur cet objet. En sciences, nous utilisons surtout la masse. Les unités de mesure courantes de la masse sont le gramme (g) et le kilogramme (kg).

En général, on mesure la masse au moyen d'une balance. Dans ta salle de classe, il y a probablement une balance à fléau simple ou une balance à fléau à trois règles, comme celles qui sont représentées ici et à la page suivante.

Ces deux types de balances fonctionnent essentiellement de la même façon. On mesure la masse d'un objet en la comparant à des étalons de masses connues (ou à leurs valeurs équivalentes sur la balance à fléau à trois règles).

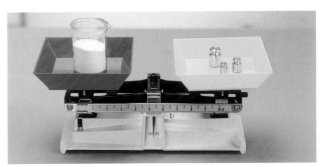

Une balance à fléau simple.

La balance à fléau simple possède deux plateaux. On place l'objet à mesurer sur un de ceux-ci. Sur l'autre, on place des étalons de masses jusqu'à ce que les deux plateaux soient en équilibre (au même niveau). Il suffit ensuite d'additionner les valeurs des étalons. La somme obtenue correspond à la masse de l'objet mesuré.

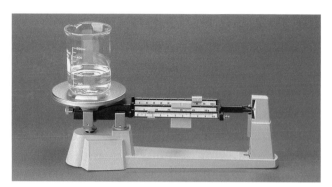

Une balance à fléau à trois règles.

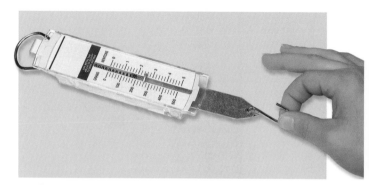

Un dynamomètre.

La balance à fléau à trois règles n'a qu'un plateau. On place l'objet à mesurer sur celui-ci. On déplace les masses sur les règles jusqu'à ce que l'ensemble soit de niveau. Ensuite, on additionne les valeurs équivalentes des masses coulissantes.

On peut utiliser un dynamomètre pour mesurer le poids, c'est-à-dire la pesanteur, ou la force de gravité, qui s'exerce sur un objet. Le dynamomètre mesure la force en newtons.

Il se compose de trois parties principales : un crochet, un ressort et une échelle de mesure. Le crochet sert à suspendre l'objet à mesurer. L'objet étire le ressort. Ce faisant, le pointeur se déplace le long de l'échelle.

Pour mesurer le poids d'un objet, tu dois d'abord fixer le dynamomètre à un support. Suspends ensuite l'objet au crochet de la balance. Une fois le pointeur immobilisé, note la mesure.

EXERCICES

1. Comment pourrais-tu déterminer la masse d'une quantité de sable que tu peux tenir dans tes mains ? Les seules choses que tu peux utiliser pour faire cet exercice sont un petit seau et une balance à fléau à trois règles. Et tu ne dois rien renverser !

2. Explique pourquoi l'énoncé suivant est faux : « Sur Mars, ma masse corporelle serait plus faible que sur Terre. » Réécris cet énoncé de manière à le rendre vrai.

L'estimation

Quand tu fais une estimation, tu te sers de ton raisonnement pour deviner la longueur, le volume ou la masse d'un objet. Parfois, tu peux comparer l'objet à un autre dont tu connais les mesures. Si on te demandait, par exemple, d'estimer le volume d'une boisson, tu pourrais y arriver en le comparant avec un pot de mayonnaise, dont le volume est indiqué l'étiquette.

Lorsque l'objet à mesurer est grand, tu peux le diviser mentalement en parties et deviner la longueur, le volume ou la masse d'une partie. Ensuite, pour estimer la mesure du tout, tu multiplies cette valeur approximative par le nombre supposé de parties.

Il est parfois utile d'estimer une mesure avant de la prendre. Cela peut servir à décider de l'unité et de l'instrument de mesure à utiliser. Il y a aussi des mesures qu'on ne peut pas prendre. Dans ces cas-là, le mieux à faire est d'estimer la longueur, le volume ou la masse.

Estime les mesures des objets énumérés ci-dessous. Indique les unités de mesure que tu juges appropriées pour y arriver. Ensuite, mesure les objets pour savoir si tes estimations sont proches des valeurs réelles. As-tu choisi les bonnes unités de mesure ? Si certains de ces objets ne se trouvent pas dans la salle de classe, fais la vérification chez toi.

Objet	Longueur	
	estimation (___)	valeur réelle (___)
un crayon		
la hauteur du pupitre de ton enseignante ou de ton enseignant		
la longueur de ta salle de classe		

Objet	Masse	
	estimation (___)	valeur réelle (___)
ton manuel de sciences		
une banane		
un morceau de craie		

Objet	Volume	
	estimation (___)	valeur réelle (___)
l'eau versée dans un pot vide		
un capuchon de marqueur		
un thermos		

Boîte à outils 8

Les représentations graphiques

En sciences et en technologie, on a souvent à recueillir beaucoup de données numériques. On peut noter ces données dans des tableaux. Mais, avec les tableaux, il peut être difficile de dégager les constantes que forment les données. Dans ces cas-là, il est utile de représenter les données graphiquement. Les représentations graphiques facilitent l'interprétation des données recueillies durant une expérience en faisant ressortir les liens qui existent entre elles. Au cours de tes études en mathématiques, en géographie et, bien sûr, en sciences et en technologie, tu as probablement créé de nombreuses représentations graphiques.

Créer un diagramme à ligne brisée

Les diagrammes à ligne brisée sont utiles pour étudier les données de plusieurs types d'expériences, surtout quand ces données varient continuellement. Voici, par exemple, les données recueillies par des élèves qui étudiaient les variations de température. Elles ont versé de l'eau chaude dans un grand contenant (conte-

nant A) et de l'eau froide dans un contenant plus petit (contenant B). Après avoir noté les températures initiales de l'eau de chaque contenant, elles ont mis le contenant B dans le contenant A et pris des mesures toutes les 30 secondes, jusqu'à ce qu'il n'y ait plus de variations de température.

Voici un tableau et un graphique linéaire des données que les élèves ont recueillies. Sur le diagramme, elles ont représenté la variable manipulée – le temps – sur l'axe des x, et la variable répondante – la température – sur l'axe des y.

Données

Température de l'eau du contenant A et du contenant B en fonction du temps		
Temps (s)	Température (°C) de l'eau du contenant A	Température (°C) de l'eau du contenant B
0	51	0
30	45	7
60	38	14
90	33	20
120	30	22
150	29	23
180	28	24
210	27	25
240	26	26
270	26	26
300	26	26

Analyse

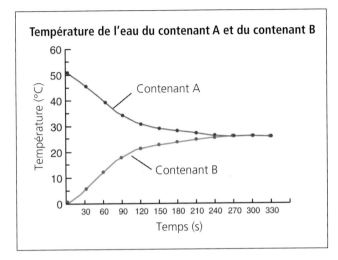

Température de l'eau du contenant A et du contenant B

(graphique : axe des y « Température (°C) » de 0 à 60 ; axe des x « Temps (s) » de 30 à 330 ; courbe « Contenant A » qui descend, courbe « Contenant B » qui monte)

EXERCICES

1. Quand tu dessines un diagramme, utilise toujours un crayon bien taillé et trace chaque ligne droite avec une règle. Pourquoi dois-tu observer ces deux consignes?

2. L'échelle d'un axe, c'est sa division en parties égales. Si tu disposais d'un morceau de papier quadrillé comptant 22 carrés, quelle échelle utiliserais-tu pour illustrer une durée de 5 minutes?

3. Que décrit le diagramme ci-dessus? Réponds à cette question en une seule phrase.

4. On a lu la température à des intervalles de 30 secondes. Que se produisait-il toutes les 30 secondes sur le diagramme? Est-ce important?

5. Quelle était la température au bout de 2 minutes et 15 secondes? Explique ta réponse.

Créer un diagramme à bandes

Les diagrammes à bandes servent à montrer les relations qui existent entre des ensembles de données distincts. Par exemple, le tableau ci-dessous répertorie les précipitations mensuelles moyennes (de neige et de pluie) d'une ville canadienne. Compare les données du tableau avec leur représentation dans un diagramme à bandes. Dans le diagramme, on a mis la variable manipulée – le mois – sur l'axe des x, et la variable répondante – les précipitations – sur l'axe des y.

Mois	Précipitations mensuelles moyennes (mm)
Janvier	50,4
Février	46,0
Mars	61,1
Avril	70,0
Mai	66,0
Juin	67,1
Juillet	71,4
Août	76,8
Septembre	63,5
Octobre	61,8
Novembre	62,7
Décembre	64,7

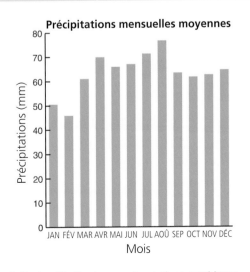

Précipitations mensuelles moyennes

(diagramme à bandes : axe des y « Précipitations (mm) » de 0 à 80 ; axe des x « Mois » : JAN FÉV MAR AVR MAI JUN JUL AOÛ SEP OCT NOV DÉC)

Conseil

Dans les diagrammes à bandes, il est plus simple d'arrondir les valeurs inscrites sur les échelles à l'entier naturel le plus proche.

EXERCICES

1. Pourquoi les rectangles d'un diagramme à bandes sont-ils tous de la même largeur ?

2. Sur quel axe représente-t-on la variable manipulée ? La variable répondante ? Est-ce toujours le cas sur les diagrammes à bandes ? Ton papier quadrillé mesure 22 carreaux sur 34 carreaux. C'est au mois de décembre qu'il y a le plus de précipitations (90 mm). Décris de quelle façon tu créerais les échelles d'un diagramme à bandes représentant 12 mois de précipitations.

3. Comment as-tu choisi l'échelle de chacun des axes ?

4. La moyenne annuelle et le total annuel de précipitations de cette ville s'élèvent respectivement à 761,5 mm et à 497,0 mm. De quelle façon modifierais-tu le diagramme à bandes pour y ajouter ces deux nouvelles valeurs ?

Créer un diagramme circulaire

Le diagramme circulaire est utile pour représenter les parties d'un tout. Dans le diagramme circulaire en haut à droite, par exemple, le *tout* est la superficie totale des terres émergées. Les *parties* sont les pourcentages approximatifs de terre que représentent les continents.

Pourcentage de la superficie des terres émergées du globe

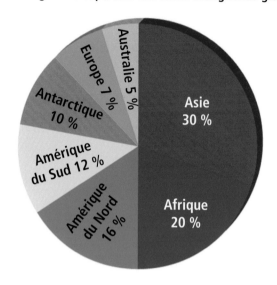

Conseil

Vérifie si l'ordinateur sur lequel tu travailles est muni d'un logiciel permettant de créer des diagrammes circulaires. Grâce à certains logiciels (tableurs), tu peux distinguer les diverses parties de ton diagramme au moyen de couleurs différentes, ce qui le rend plus facile à lire.

Compare les données du tableau ci-dessous avec leur représentation dans le diagramme circulaire ci-dessus. Laquelle des deux représentations peux-tu interpréter le plus facilement et le plus rapidement ?

Continent	Pourcentage de la superficie des terres émergées du globe
Asie	30 %
Afrique	20 %
Amérique du Nord	16 %
Amérique du Sud	12 %
Antarctique	10 %
Europe	7 %
Australie	5 %

EXERCICES

1. Pris ensemble, quels continents représentent environ la moitié des terres émergées du globe? Pourquoi est-il plus facile de répondre à cette question à l'aide d'un diagramme circulaire plutôt qu'à l'aide d'un tableau de données?

2. Tes camarades ont sondé 24 répondants pour mieux connaître leurs habitudes alimentaires au petit déjeuner. Voici les résultats.

   • Douze élèves mangent des céréales.

   • Six élèves mangent des rôties, des gaufres ou des tranches de pain.

   • Trois élèves mangent une barre-repas.

   • Deux élèves se contentent de boire un jus.

   • Seul un élève ne mange pas et ne boit rien.

   Représente ces données à l'aide d'un diagramme circulaire.

Glossaire

Note : Les numéros entre parenthèses indiquent la page où se trouve la définition du terme.

A

abiotique non vivant ; un élément abiotique d'un écosystème est une chose non vivante (p.ex., de l'eau, une roche, de la terre) (13)

aération processus consistant à mélanger les eaux usées à de grands volumes d'air (255)

aggravation de l'effet de serre consiste en l'accumulation, dans l'atmosphère, de quantités de gaz à effet de serre supérieures à la normale (354)

alliage solution solide ; mélange homogène de deux solides ou plus (215)

arche structure recourbée pouvant supporter un très grand poids parce que la force du poids appliqué sur une arche est transmise de chaque côté de l'arche jusqu'à ses supports. Ceci répartit l'impact de n'importe quelle charge (132)

atmosphère couche de gaz qui entoure la Terre (316)

B

bactéries êtres vivants microscopiques qui jouent un rôle important dans le recyclage des nutriments des écosystèmes (26)

bassins à résidus type de bassins dans lesquels des composés cyanurés, mélangés à de la pierre concassée, se décomposent sous l'action du Soleil (249)

biocarburant combustible produit à partir d'organismes vivants tels que les plantes (359)

biotique vivant ; un élément biotique d'un écosystème est une chose vivante (p.ex., une plante, un animal) (13)

boues de station d'épuration matières plus lourdes que l'eau se déposant dans un bassin de sédimentation (255)

brûlage à la torche opération qui consiste à brûler les gaz, comme le méthane et le gaz naturel, qui résultent du procédé de raffinage (249)

C

capteur dispositif pour détecter ou mesurer des conditions réelles (119)

carnivore animal se nourrissant uniquement d'aliments d'origine animale (25)

carton ondulé feuille de carton présentant une série de plis ou de triangles (132)

centre de gravité endroit ou le poids d'un corps est concentré ; à cet endroit, le corps est à l'équilibre dans toutes les directions ; point imaginaire sur une structure où les forces gravitationnelles agissent (133)

chaîne alimentaire représentation visuelle des interactions alimentaires entre producteurs et consommateurs (27)

chaleur énergie thermique transférée d'une matière solide, liquide ou gazeuse plus chaude à une matière solide, liquide ou gazeuse plus froide ; fait aussi référence à l'énergie thermique se transférant à l'intérieur d'un solide, d'un liquide ou d'un gaz (201) (291)

changement climatique tout changement majeur du climat d'une région qui dure pendant une longue période ; changements de direction des vents, des températures moyennes, des précipitations, y compris des chutes de neige, ainsi que le nombre et la force des phénomènes climatiques extrêmes, tels que les inondations et les ouragans, peuvent être des indicateurs de changements climatiques (361)

changement d'état transformation de la matière d'un des trois états à un autre (202)

charge force interne ou externe agissant sur la structure ; la charge totale est la somme des charges statique et dynamique (110)

charge dynamique comprend les forces qui se déplacent ou changent pendant qu'elles agissent sur une structure (110)

charge statique effet de la gravité sur une structure (110)

charognard consommateur ne chassant pas pour obtenir sa nourriture ; il se nourrit plutôt de la chair d'animaux déjà morts (26)

chlorophylle pigment vert visible dans la plupart des feuilles ; nécessaire à la photosynthèse (18)

chromatographie sur papier méthode de séparation d'une solution en ses différents composants par l'utilisation de papier (228)

cisaillement force interne qui pousse dans des directions opposées (112)

climat ensemble des conditions atmosphériques qui touchent de vastes régions terrestres durant une longue période (325)

colonne structure solide qui peut facilement se maintenir debout d'elle-même (132)

combinaison de structures structure combinant l'utilisation de structures à coque, de structures à ossature et de structures pleines (104)

combustible fossile source d'énergie non renouvelable provenant du sous-sol et formée il y a des millions d'années à partir des restes de plantes et d'animaux (p. ex., pétrole, gaz naturel, charbon) (288)

communauté association de diverses populations d'espèces vivant dans le même écosystème (20)

communauté à maturité communauté suffisamment stable ; on y trouve des plantes et des animaux de grande taille comme ceux des forêts (64)

composant structural partie d'une structure qui peut en augmenter la solidité (p. ex., arche, poutre, colonne) (132)

compression force interne pressant sur une structure (112)

concentration proportion de soluté dissous dans un solvant (217)

condensation passage de la matière de l'état gazeux à l'état liquide ou solide résultant d'une diminution de la température d'un gaz (203) (295)

conduction transfert de la chaleur à travers un solide ou entre un solide et un autre solide, liquide ou gaz qui est en contact avec lui (302)

congélation (solidification) passage de la matière de l'état liquide à l'état solide résultant d'une diminution de la chaleur (203) (295)

consommateur organisme consommant d'autres organismes vivants (24) ; personne consommant ou achetant des choses faites ou fabriquées par des fabricants (154)

consommateur primaire consommateur se nourrissant uniquement de producteurs ; premier niveau des consommateurs d'une chaîne alimentaire (herbivores ou omnivores) (39)

consommateur secondaire consommateur qui se nourrit exclusivement de consommateurs primaires ; deuxième niveau de consommateurs dans la chaîne alimentaire (carnivores ou omnivores) (39)

consommateur tertiaire consommateur se nourrissant exclusivement de consommateurs secondaires ; troisième niveau de consommateurs de la chaîne alimentaire (carnivores ou omnivores) (39)

convection transfert d'énergie thermique par des particules en mouvement dans les fluides (304)

convertisseur d'énergie tout dispositif qui transforme de l'énergie d'une forme à une autre (346)

coulis produit de récupération de la production de pâtes et papiers ou un mélange de cellulose, de produits chimiques, de métaux lourds et de solutions inconnues (261)

courant de convection mouvement circulaire des particules au sein des fluides (304)

courant océanique mouvement de l'eau sur une vaste partie d'un océan (325)

cristal minéral dont les formes particulières proviennent du lent refroidissement de la roche en fusion (magma) (333)

croute ou écorce terrestre couche externe de la Terre ; les montagnes, les vallées, les plaines, les collines et les plateaux font partie de l'écorce (331)

cycle séquence de transformation des éléments abiotiques en éléments biotiques qui les retransforment en éléments abiotiques (43) ; mouvement continu de la matière dans la nature (323)

cycle de l'eau mouvement naturel de l'eau entre la surface de la Terre et l'atmosphère (322)

cycle des roches représente les étapes durant lesquelles une famille de roches se transforme en une autre (335)

D

décapitation des montagnes technique d'exploitation d'une mine de charbon qui consiste à couper complètement la forêt située au sommet d'une montagne, à retirer la couche de sol, puis à dynamiter la zone à exploiter pour en extraire le charbon. De gros véhicules transportent ensuite le charbon aux usines de lavage et de traitement (248)

décomposeur défait les plantes mortes, les animaux morts et les déchets organiques en morceaux plus petits (26) (43)

défaillance structurale se produit lorsqu'une structure cède à cause des forces internes et externes qui agissent sur elle (108) (135)

dépôt constitue le passage direct de l'état gazeux à l'état solide ; est provoqué par l'élimination de la chaleur (203)

désagréger (user) usure d'une roche causée par l'eau, le vent, les produits chimiques et les êtres vivants (335)

détritivore consommateur se nourrissant de déchets (détritus) (26)

dilatation se produit lorsque la taille d'un solide, d'un liquide ou d'un gaz augmente (297)

dissolution action de mélanger une substance (soluté) avec une autre (solvant) pour créer une solution (p. ex., du sel et de l'eau) (196)

distillation procédé qui consiste à séparer les éléments d'une solution par une ébullition suivie d'une condensation de la vapeur ; très utile quand les éléments ont des points d'ébullition très différents (229)

distillation fractionnée procédé qui consiste à séparer les substances du pétrole brut en fonction de leur point d'ébullition (243)

durabilité capacité d'un écosystème de réussir, avec le temps, à maintenir un équilibre entre les besoins à combler et les ressources disponibles (51)

durée de vie durée de temps pendant laquelle on s'attend à ce qu'un produit ou une structure reste utilisable (163)

Glossaire

E

eaux usées se composent des eaux évacuées d'une toilette, d'une baignoire, d'une douche ou d'un évier ; elles comprennent aussi l'eau qui provient d'une toiture, les eaux de ruissellement des espaces verts urbains, celles qui coulent sur la chaussée et les déchets liquides industriels (255)

écosystème constitué d'organismes vivants et de leur environnement qui interagissent dans un milieu particulier (4)

effet de serre naturel explique les variations naturelles de température sur la Terre, parce que les gaz à effet de serre de l'atmosphère emprisonnent l'énergie du Soleil (354)

électricité verte renouvelable source d'énergie électrique ne nuisant pas à l'environnement et ne dégageant ni gaz ni pollution thermique (p. ex., énergie solaire, énergie éolienne, bioénergie, énergie géothermique) (364)

énergie capacité de faire bouger des objets (283)

énergie chimique énergie emmagasinée dans la matière et qui est libérée lors d'une réaction chimique (283)

énergie cinétique énergie associée à un corps en mouvement ou au mouvement de ses particules ; les particules de matière sont animées d'un mouvement incessant parce qu'elles renferment de l'énergie cinétique (200)

énergie élastique énergie emmagasinée dans un objet qui est étiré, comprimé, plié ou tordu (283)

énergie électrique (électricité) énergie des particules qui se déplacent dans un fil ou dans un appareil électrique (283)

énergie éolienne source d'énergie utilisant le vent (359)

énergie géothermique source d'énergie exploitant la chaleur emmagasinée dans le sol (359)

énergie gravitationnelle énergie emmagasinée dans tous les objets sur Terre (283)

énergie lumineuse énergie que l'on peut voir (283)

énergie magnétique (magnétisme) énergie qui cause l'attraction ou la répulsion entre certains types de métaux tels que le fer, le cobalt et le nickel (283)

énergie marémotrice source d'énergie qui fonctionne grâce à la force des marées et des vagues de l'océan (359)

énergie mécanique (cinétique) énergie des objets en mouvement (283)

énergie nucléaire énergie présente au centre des particules de matière (283)

énergie solaire source d'énergie utilisant les rayons du Soleil (359)

énergie sonore forme d'énergie que l'on peut entendre (283)

énergie thermique énergie totale des particules en mouvement dans un solide, un liquide ou un gaz (283)

ergonomie étude scientifique ayant comme objectif la conception d'équipements efficaces et sécuritaires (142)

érosion décomposition et déplacement des roches et du sol sous l'effet du vent, de l'eau ou de la glace (335)

espèce famille d'organismes capables de se reproduire entre eux (20)

espèce envahissante espèce introduite qui s'est si bien adaptée à son nouvel environnement que les espèces indigènes ne peuvent plus survivre (50)

espèce indigène espèce naturellement présente dans une région donnée (49)

espèce introduite espèce importée dans un environnement où elle n'était pas présente avant (49)

espèce pionnière plante ou espèce vivante qui ressemble aux plantes de la succession primaire (p. ex., lichens, herbes) ; plante ou animal qui vit dans un lieu où il n'a jamais été auparavant (63)

états de la matière états dans lesquels la matière peut exister (solide, liquide, gaz) (295)

étude de marché procédé utilisé par les fabricants pour recueillir l'opinion des consommatrices et des consommateurs afin de comprendre leurs goûts et leurs critères de choix (155)

évaporation (vaporisation) passage d'une substance de l'état liquide à l'état gazeux sous l'action de la chaleur (203) (229) (295)

exploitation à ciel ouvert type d'exploitation minière permettant d'extraire les substances naturelles du sol (p. ex., minerai d'or) en creusant les couches supérieures de terre et de roche sur de vastes étendues (248)

exploitation de mines à ciel ouvert méthode d'exploitation qui consiste à creuser profondément jusqu'aux dépôts de minéraux ; employée lorsque les dépôts des minéraux exploités sont distribués en couches dans le sol et présentent une forme relativement régulière. Les mines à ciel ouvert servent également pour extraire les métaux situés près de la surface (248)

exploitation de surface consiste à enlever les longues bandes de morts-terrains en suivant des veines de minéraux ; on utilise ce type d'exploitation lorsque les morts-terrains se trouvent à flanc de colline ou dans une vallée (248)

F

fabricant personne ou entreprise qui fabrique ou vend un produit à un consommateur (155)

facteurs limitants facteurs réduisant le développement ou le nombre d'éléments biotiques d'un écosystème (p. ex. approvisionnement alimentaire, présence de prédateurs, climat et qualité de l'habitat) (48)

fatigue structurale déformation d'une structure causée par des forces internes et externes qui agissent sur elle (135)

ferme de toit structure de poutres maintenues ensemble ayant généralement la forme de triangles emboîtés (132)

filtration procédé mécanique qui sépare les matières solides des liquides ou des gaz lorsqu'ils traversent un milieu poreux (p. ex., du papier) ou une masse (p. ex., du sable) (230)

fluide substance n'ayant pas une structure fixe ; liquides et gaz (304)

fonction raison d'être d'un objet ou d'une structure (98)

force poussée ou traction qui peut modifier la taille d'un objet, sa vitesse ou la trajectoire qu'il suit (93) (108)

force externe force appliquée sur une structure venant de l'extérieur de celle-ci (p. ex., le vent, la gravité) (109)

force interne résultat de l'action d'une partie d'une structure appliquée à d'autres parties de cette structure (p. ex., le cisaillement, la tension, la compression et la torsion) (109)

forme aspect d'une structure (92)

fusion passage d'un solide à l'état liquide sous l'action de la chaleur (203)

G

gaz matière n'ayant ni forme ni volume ; les particules d'un gaz sont très éloignées et peuvent se déplacer librement (194)

gaz à effet de serre gaz de l'atmosphère qui emprisonne la chaleur (p. ex., vapeur d'eau, dioxyde de carbone, méthane, oxydes d'azote) (354)

gravité force d'attraction naturelle qui attire les objets l'un vers l'autre (109)

H

habitat fournit l'oxygène, l'eau, la nourriture, l'abri et tout autre élément essentiel à la survie des organismes vivants (14)

herbicide pesticide qui détruit certains végétaux comme les mauvaises herbes (240)

herbivore animal se nourrissant exclusivement de végétaux (25)

hétérogène dont l'apparence et les propriétés sont différentes (196)

homogène substance dont l'apparence et les propriétés sont de même nature (195)

I

îlot de chaleur partie d'une ville où les températures de l'air et du sol sont supérieures à celles des régions environnantes (352)

insecticide produit chimique qui détruit les insectes nuisibles aux plantes cultivées (240)

insoluble terme utilisé pour décrire une substance ne pouvant se dissoudre dans un solvant (216)

L

lave magma chaud atteignant la surface de la croute terrestre lors d'éruptions volcaniques (333)

lessivage processus par lequel les constituants solubles d'un produit chimique se dissolvent (257)

liquide matière n'ayant pas de forme précise, mais dont le volume est défini ; la distance entre les particules d'un liquide est petite, celles-ci peuvent facilement se déplacer (194)

M

magma roche en fusion se trouvant sous la surface de la Terre (332)

magnétique propriété des particules de certains métaux qui sont attirées par les particules des aimants (231)

manteau couche chaude et partiellement fondue se trouvant entre la croute et le noyau terrestre (331)

marais salant (ou saline) vaste étendue située sous le niveau de la mer et entourée de digues par où l'eau de mer s'écoule ; utilisé pour évaporer l'eau de mer et ainsi obtenir du sel (243)

masse quantité de matière d'un objet ; elle est généralement exprimée en grammes ou en kilogrammes (194)

matière toute substance qui possède une masse et qui occupe un espace ; peut être classée selon son état physique (solide, liquide ou gazeux) ou sa composition (substances pures, mélanges) (194)

matière organique matière provenant des organismes vivants, par exemple, les déchets d'animaux et les insectes morts (26)

mélange combinaison de deux ou de plusieurs types de substances ; si les substances ne sont pas chimiquement combinées, elles peuvent être séparées de nouveau (195)

mélange hétérogène mélange constitué de diverses substances, chacune ayant une apparence et des propriétés différentes ; un mélange hétérogène n'a pas une composition uniforme ; porte aussi le nom de mélange mécanique (196)

mélange homogène mélange ayant une apparence uniforme même si elle est composée de substances différentes ; un mélange homogène peut être difficile à séparer mécaniquement (p. ex. filtration) (196)

mélange mécanique mélange hétérogène ; mélange constitué de diverses substances, chacune ayant une apparence et des propriétés différentes ; les mélanges hétérogènes n'ont pas une composition uniforme (196)

métal ondulé feuille de métal présentant une série de plis ou de triangles (132)

météorologie étude des conditions et tendances atmosphériques, c'est-à-dire du temps qu'il fait (318)

minéral substance solide pure à l'état naturel (333)

morts-terrains minerai, situé à la surface du sol, obtenu par une exploitation à ciel ouvert (248)

N

non renouvelable terme utilisé pour désigner ce que nous ne pouvons pas remplacer (288)

noyau externe couche de minerai en fusion située entre le manteau et le noyau interne de la Terre (331)

noyau interne centre de la Terre, solide et très chaud (331)

nutriments substances alimentaires que ton corps transforme en énergie ; ils permettent aussi la croissance (14)

O

obsolescence planifiée durée de vie prévue d'un produit ; on l'appelle aussi désuétude calculée (163)

omnivore animal se nourrissant d'aliments d'origine animale et végétale (25)

ondes infrarouges ondes invisibles transmettant de la chaleur (305)

ouragan système météorologique qui tournoie violemment au-dessus d'un océan. Il génère des vents continus soufflant à plus de 119 km/h (326)

oxygène gaz sans couleur et sans odeur de l'atmosphère terrestre essentiel à la vie de plusieurs organismes (13)

P

particule élément constitutif de la matière, qui est invisible à l'œil nu (199)

percolation infiltration de fluides dans le sol ; méthode par laquelle certains produits chimiques atteignent les sources d'approvisionnement en eau (257)

pesticide produit chimique (p. ex. insecticide, herbicide) qui détruit les organismes nuisibles (240)

phénomènes météorologiques il s'agit des conditions de l'atmosphère à un moment donné, en un endroit donné (318)

photosynthèse réaction chimique qui se produit dans les feuilles des plantes grâce à l'action du Soleil (18)

pierres précieuses (gemmes) minéraux qui sont précieux ou semi-précieux du fait de leur beauté exceptionnelle, de leur couleur et de leur rareté ; leurs principales propriétés physiques sont la couleur, la brillance (l'éclat), la transparence et la dureté (334)

plan d'application côté de la structure sur lequel la force agit (110)

plaques tectoniques vastes et épaisses sections de roches sur lesquelles repose l'écorce terrestre (332)

point d'application endroit exact où la force agit sur la structure (110)

point de saturation niveau auquel un volume déterminé de solvant ne peut plus dissoudre un soluté à une température donnée (217)

pollution thermique libération de chaleur provenant des activités humaines et ayant des effets négatifs sur un écosystème (349)

population groupe d'individus de la même espèce vivant dans le même milieu en même temps (20)

poutre structure plate qui doit être soutenue à chaque extrémité (132)

poutre à caissons longue poutre ayant la forme d'un prisme rectangulaire creux ; aussi appelée poutrelle (132)

poutre cantilever poutre plate soutenue à une seule extrémité (132)

poutre en I poutre dont la coupe transversale a la forme d'un I ; sa forme lui permet aussi d'être plus légère que des poutres pleines de même longueur (132)

précipitations vapeur d'eau qui se condense et tombe sur la Terre sous forme de pluie ou de neige (323)

prédateur animal qui capture une proie pour la manger (25)

producteur élément biotique (p. ex. une plante) fabriquant sa propre nourriture pour obtenir la matière organique et l'énergie nécessaires à sa survie (18)

produit toxique produit pouvant être dangereux pour les êtres vivants, pouvant même causer la mort (70)

proie animal qui est capturé puis mangé par un autre animal (25)

Protocole de Kyoto (1997), accord ayant été signé par plus de 160 pays, demandant aux pays comme le Canada de réduire toutes leurs sources d'émission de gaz à effet de serre (355)

prototype modèle utilisé pour tester et évaluer une structure (143)

pyramide d'énergie représente le transfert d'énergie qui se produit dans chaque interaction alimentaire (39)

R

radioactive terme utilisé pour décrire une substance qui libère de l'énergie sous forme de rayonnement ; ce rayonnement est dangereux et possiblement mortel pour tout être vivant y étant exposé (259)

raffinerie usine destinée à l'épuration de substances brutes comme le pétrole ou le sucre (247)

rappel de produit avis public informant les consommatrices et les consommateurs qu'un produit ayant des défauts graves a été vendu par un fabricant (136)

rayonnement (énergie rayonnante) transfert d'énergie par des ondes invisibles émises par une source d'énergie (304)

réchauffement planétaire augmentation moyenne des températures mondiales de l'atmosphère terrestre, des terres et des océans (355)

recyclage de la matière assure la réutilisation continuelle des éléments abiotiques en suivant une série d'étapes, c'est-à-dire un cycle (44)

renouvelable terme utilisé pour décrire une chose qui peut être réutilisée ou remplacée (288)

réseau alimentaire ensemble complexe de chaînes alimentaires reliées les unes aux autres dans un écosystème (40)

résidus produits chimiques provenant des pesticides (256)

résistance capacité d'un objet à supporter des forces tels le cisaillement, la tension, la compression et la torsion (104)

roche matériau fait de matière solide constituée d'un ou de plusieurs minéraux (333)

roches ignées catégorie de roches formées à partir de roches en fusion qui ont refroidi et durci (333)

roches métamorphiques roches formées à partir de roches ignées et sédimentaires dont la forme initiale a été transformée par la chaleur (de la Terre) ou par la pression des roches situées au-dessus d'elles (334)

roches sédimentaires catégorie de roches qui se forment à partir de petits morceaux de roches, de coquillages ou d'autres matériaux qui s'entassent en couches (333)

S

saturation état d'une solution où une quantité de solvant ne peut plus dissoudre davantage de soluté à une température donnée (217)

scories consistent en un mélange de stériles, un sous-produit de la fusion du nickel et du cuivre (258)

site d'enfouissement endroit où les déchets sont déposés entre des couches de terre (258)

smog forme de pollution atmosphérique visible pouvant causer des problèmes respiratoires (74)

solide matière ayant une forme et un volume définis ; la distance entre les particules d'un solide est faible et les particules vibrent sur place (194)

solidification (congélation) passage de la matière de l'état liquide à l'état solide résultant d'une diminution de la chaleur (203)

solubilité représente la quantité de soluté qui peut être dissoute dans une quantité donnée de solvant pour former une solution ; quantité maximale de soluté qui peut être ajoutée à une quantité déterminée de solvant à une température donnée (216)

soluté substance qui se dissout dans un solvant ; en général, le solvant est présent en plus grande quantité que le soluté (215)

solution mélange d'au moins deux substances qui paraissent homogènes (196) (215)

solution concentrée solution contenant une grande quantité de soluté dissous et une petite quantité de solvant (217)

solution diluée solution contenant très peu de soluté dissous dans un solvant (217)

solution non saturée solution dans laquelle il est possible de dissoudre encore plus de soluté à une température donnée (217)

solution saturée solution ne pouvant plus dissoudre de soluté à une température donnée (217)

solution sursaturée solution contenant plus de soluté que ce qu'elle pourrait normalement dissoudre à une température donnée (217)

solvant substance capable de dissoudre un soluté ; en général, le solvant est présent en plus grande quantité (215)

stabilité capacité d'une structure à garder ou à reprendre sa position une fois qu'une force externe lui est appliquée (134)

structure est composée de parties assemblées en vue d'un usage précis (92)

structure à coque structure creuse et assez légère malgré sa taille (103)

structure à ossature structure constituée de parties reliées. Ces parties sont souvent appelées des composants structuraux (102)

structure pleine structure solide et entièrement remplie (la plupart du temps) (102)

sublimation passage direct d'un corps de l'état solide à l'état gazeux sous l'effet de la chaleur (203) (295)

substance pure substance dont toutes les particules sont identiques (195)

succession processus naturel dans lequel les espèces d'un écosystème sont graduellement remplacées par d'autres. Les changements se produisent de façon prévisible après une longue période. Peut résulter de l'activité humaine ou de phénomènes naturels.

succession primaire formation d'une nouvelle communauté là où il n'en existait aucune (63)

succession secondaire se produit à la suite de la destruction partielle ou complète d'une communauté, à ce moment, une nouvelle communauté apparaît (64)

symétrie arrangement équilibré de deux côtés opposés d'une structure (moitiés identiques) (143)

système d'appoint élément de sécurité fonctionnant avec des capteurs ; sert à surveiller certaines structures comme des ponts (117)

T

tamisage consiste à séparer les solides, selon la grosseur des morceaux, à l'aide d'un tamis ou d'un crible (231)

température énergie cinétique moyenne des particules d'une substance ; sert à mesurer la chaleur d'une substance (201) (290)

tension type de force interne qui étire une structure (112)

tension structurale effet des forces internes et externes qui agissent sur une structure pendant une longue période de temps (135)

théorie particulaire de la matière théorie affirmant que toute matière est faite de particules ; toutes les particules d'une même substance pure sont identiques ; les particules sont toujours en mouvement ; la température agit sur le mouvement des particules ; les particules sont soumises à des forces d'attraction ; il y a des espaces entre les particules ; cette théorie permet de décrire la matière et d'expliquer le comportement des solides, des liquides et des gaz (200) (294)

thermomètre instrument qui sert à mesurer la température des solides, des liquides et des gaz (290)

tornade colonne d'air qui tournoie violemment au-dessus de la terre ferme (326)

torsion type de force interne qui tord une structure (212)

traitement primaire procédé mécanique d'épuration des eaux consistant à trier et à retirer d'importantes quantités de matière en suspension, comme des roches, du sable et du gravier (255)

traitement secondaire procédés biologiques d'épuration des eaux faisant appel à l'aération ; des organismes vivants, tels que des bactéries et des protozoaires, aident à dégrader les plus grosses particules. Ces particules sont ensuite déposées dans des bacs de rétention pour être retirées (255)

traitement tertiaire étape d'épuration des eaux réalisée au moyen de produits chimiques, tels que le chlore, pour tuer les germes, enlever les phosphates et désinfecter (255)

transformation énergétique passage d'une forme d'énergie à une autre (284)

tremblement de terre énorme vibration provoquée par le frottement des plaques tectoniques (332)

tri technique qui consiste à séparer les substances en fonction de leur apparence : couleur, taille, texture ou composition (230)

troposphère couche inférieure de l'atmosphère terrestre ; pratiquement toutes les activités humaines s'y déroulent (318)

V

vent mouvement de l'air dans la troposphère (324)

volcan fissure dans l'écorce terrestre à travers laquelle sont éjectés magma, cendres et gaz (332)

volume partie de l'espace qu'occupe un corps

Z

zone humide est un milieu où le sol est gorgé d'eau (p. ex. un marécage) (37)

Les numéros en gras indiquent la page où se trouve la définition du terme

Sources des photographies

L'Éditeur tient à remercier les sources suivantes pour leurs photographies, illustrations ou autre matériel publié dans ce manuel. Un grand soin a été apporté à l'identification de ces sources. Si une erreur s'est glissée, il nous fera plaisir de la corriger.

LÉGENDE : h (haut), b (bas), c (centre), g (gauche), d (droite), e (extrême), t (tout en haut).

MODULE A : pp. 2-3 Pete Cairns/naturepl.com ; p. 4 © JOHN BARKER/ Alamy ; p. 5 © Bill Brooks/Alamy ; p. 7 (h g) Paul J. Fusco/Photo Researchers, Inc., (c) David Cannings-Bushell/iStock, (b) The Canadian Press/Bayne Stanley ; pp. 8-9 Ron Hilton/Shutterstock ; p. 10 (1.1) (h) Christina Richards/Shutterstock, (1.2)(b) Bill Ivy/Ivy Images ; p. 11 (1.3)(g) Wendy Nero, (1.4)(d) Bill Ivy/Ivy Images ; p. 12 (1.5)(g) Arco Images/Alamy, (1.6)(c) Jupiter Images, (1.7)(d) BananaStock/Jupiter Images ; p. 13 (1.8) Ron Steiner/Alamy ; p. 14 (1.9)(h) Comstock, (1.10)(c) Yurlov Andrey Aleksandrovich, (1.11)(b) Paul J. Fusco/Photo Researchers, Inc. ; p. 16 Thomas Kitchin/FirstLight ; p. 17 (1.13)(h) Timofey Federov/Shutterstock, (1.14)(b) Explorer/Photo Researchers, Inc. ; p. 18 (1.15)David Grossman/Photo Researchers, Inc. ; p. 19 (1.17) Michelle Radin/Shutterstock ; p. 20 (1.18)(h) John Mitchell/Photo Researchers, Inc., (1.19)(b) Steve Skjold/Alamy ; p. 23 David Boag/ Alamy ; p. 24 (1.21)(h) Aleksander Bolbot/Shutterstock, (1.22)(b) Wendy Nero/Shutterstock ; p. 25 (1.23) Millard H. Sharp/Photo Researchers, Inc. ; p. 26 (1.24)(h) Luis César Tejo/Shutterstock, (1.25)(c) Clearviewstock/Shutterstock, (1.26)(b) ©PHOTOTAKE Inc./Alamy ; p. 27 (1.27)(hg) Androv Andriy/Shutterstock,(hc) photos.com/Jupiter Images, (hd) liquidlibrary/Jupiter Images,(bg) David Lee/Shutterstock, (bc) Thomas M Perkins/Shutterstock, (bd)Dmitry Kosterev/Shutterstock ; p. 28 (1.28) Burke, Triolo/Jupiter Images ; p. 29 (1.29) Steve McWilliam/ Shutterstock ; p. 31 (1.30) (g) Office de conservation de la nature de la péninsule du Niagara (OPNCN), (1.31)(d) Bill Ivy/Ivy Images ; p. 32 Bill Ivy/Ivy Images ; pp. 34-35 Philip Lange/Shutterstock ; p. 36 (2.1) Brian Elliott/Alamy ; p. 38 (2.5) Comstock Images ; p. 39 (2.4)(h) Eric Isselée/Shutterstock, (2e rangée de g à d) Frank Greenaway/Dorling Kindersley, Jane Burton/Dorling Kindersley, Shutterstock, Eric Isselée/ Shutterstock, Comstock Images Image, (3e rangée de g à d) James Pierce/Shutterstock, Roman Sika/Shutterstock, Fernando Blanco Calzada, Reddogs/Shutterstock, Barbara Tripp/Shutterstock, Dorling Kindersley/Media Library, (4e rangée g à d) Stephen Oliver/Dorling Kindersley, Olga Shelago/Shutterstock, Brans X Pictures/Jupiter Images ; p. 40 (2.5)(h) Jerry Young/Dorling Kindersley, (2e rangée de g à d) Dorling Kindersley/Media Library, Pete Cairns/Nature Place, (3e rangée de g à d) Reddogs/Shutterstock, James Pierce/Shutterstock, Frank Greenaway/Dorling Kindersley, Jane Burton/Dorling Kindersley, (b de g à d) Dorling Kindersley/Media Library, Robin Mackenzie/Shutterstock, Brans X Pictures, Stephen Oliver/Dorling Kindersley ; p. 41 (2.6)(h) Richard Kellaway/PC Services, (2.7)(b g) Stephen Oliver/Dorling Kindersley, (c) Emilia Stasiak/Shutterstock, (d) Eric Isselée/Shutterstock ; p. 42 Stock Image/FirstLight ; p. 43 (2.8) David Cannings-Bushell/ iStock ; p. 44 (2.9)(h) Scimat/Photo Researchers, Inc., (2.10)(b) Mike Dobel/Alamy ; p. 46 (2.12) Faune aquatique et terrestre ; p. 48 (2.13)

Jacana/Photo Researchers, Inc. ; p. 49 (2.14)(h) Hemera Technologies/ Jupiter Images, (2.15)(b) Andrew J. Martinez/Photo Researchers, Inc. ; p. 50 (2.16) Runk/Schoenberger-Grant Heilman Photography, Inc. ; p. 51 (2.17) Canards illimités Canada/Darin Langhorst ; p. 52 (2.18) Steve Knell/naturpl.com ; p. 55 (2.20)(h) © Walter Hodges/CORBIS, (b) Earth Satellite Corporation/Photo Researchers, Inc ; pp. 58-59 Bill Brooks/Alamy ; p. 60 (3.1) U.S Geological Society Survey, Denver ; p. 61 (3.2) CP Images/Ryan Remiorz ; p. 62 (3.3) Johnny Greig Garden Photography/Alamy ; p. 63 (3.4) Corel Stock Photo Library ; p. 64 (3.5) Breck P. Kent ; p. 65 (3.6) (c) Jan Baks/Alamy ; p. 66 (3.7) Ross Frid/ Alamy ; p. 67 Steven W Moore/Shutterstock ; p. 68 (3.8) N. McKee of IDRC International Development Research Centre ; p. 69 (3.9)(h) The British Columbia Collection/Alamy, (3.10)(c) The Medicine Hat News/ Presse canadienne/Deddeda Stemmler, (3.11)(b) Kari Niemelainen/ Alamy ; p. 70 (3.12) Michael Zysman/Shutterstock ; p. 71 (3.13) Stock Connection/Alamy ; p. 72 (3.14) Bettmann/Corbis ; p. 73 Paul Glendell/Alamy ; p. 74 (3.15) Bill Ivy/Ivy Images ; p. 75 (3.16 et 3.17) Bill Ivy/Ivy Images ; p. 76 (3.18)(h) NordicPhotos/FirstLight ; p. 77 (3.19)(h) Presse canadienne/Bayne Stanley, (3.20)(b) Bill Ivy/Ivy Images ; p. 78 (3.21a) Justin Sullivan/Getty Images, (3.21b) Justin Sullivan/ Shutterstock, (3.21c) Edwin Verin/Shutterstock ; p. 81 (h g) Discovery Channel Canada (c) CTVglobemedia, (h d) Jay Ingram, (3.22) Tony Heald/naturepl.com ; p. 82 (de g à d) R. Gino Santa Maria/ Shutterstock, Brand X Pictures/Jupiter Images, Feng Yu/Shutterstock, Rhonda O'Donnell/Shutterstock ; p. 83 Wendy Nero ; p. 85 suravid/ Shutterstock ; p. 87 Bill Ivy/Ivy Images ; p. 88 (h) © DAHMER DARRYL/ CORBIS SYGMA, (b) Paul Glendell.

MODULE B : pp. 90-91 Ashley Cooper/Alamy ; p. 92 (c centre) Imagesource/First Light, (h c) Irwin Barrett/First Light, (h g) Photographers Choice/First Light, (b) Radius Images/First Light, (c g) Jupiterimages Corporation, (c d) Martina I. Meyer/Shutterstock Inc., (h d) Brad Whitsitt/Shutterstock Inc. ; p. 93 Jupiterimages Corporation ; p. 95 (b) Bill Brooks/Alamy, (c d) Matt Rainey/Star Ledger/CORBIS, (h g) Mike Flippo/Shutterstock Inc. ; p. 96-97 Thinkstock/First Light ; p. 98 (4.1)(h) James Leynse/CORBIS, (4.2)(b) Jody Dingle/Shutterstock Inc. ; p. 99 (4.3)(g) Javarman/Shutterstock Inc., (c) Jo Ann Snover/ Shutterstock Inc., (d) Philip Date/Shutterstock Inc. ; p. 100 (4.4)(d) Photodisc/First Light , (4.5)(g) Lev Olkha/Shutterstock Inc. ; p. 101 (4.8)(b g) Alan Marsh/First Light, (4.7)(b d) Radius Images/First Light, (4.6)(h) David Hughes/Shutterstock Inc. ; p. 102 (4.9)(d) Mike Flippo/ Shutterstock Inc., g) Robyn Mackenzie/Shutterstock Inc. ; p. 103 (4.10) (h g) Alexsander Isachenko/Shutterstock Inc., (h d) Charles O'Rear/ CORBIS; (4.11)(b d) Jerry Kobalenko/First Light, (b g) Jiri Pavlik/ Shutterstock Inc. ; p. 104 (4.12) Jupiterimages Corporation ; p. 105 (4.15)(b d) Digitalvision/First Light, (4.13)(h) Jupiterimages Corporation, (4.14)(b g) Salamanderman/Shutterstock Inc. ; p. 108 (4.16) Bev Ramm/ Shutterstock Inc. ; p. 109 (4.17) Xinhua Press/CORBIS ; p. 111 (4.19) Richard Kellaway/PC Services ; p. 112 (4.21)(b) Duomo/CORBIS ; p. 113 (4.22) Jupiterimages Corporation ; p. 114 (4.23) Edwin Verin/ Shutterstock Inc. ; p. 116 (4.25) (b) CP-Ryan Remiorz, (4.24)(h) Jupiterimages Corporation ; p. 117 (4.26) Ricardo Garza/Shutterstock Inc. ; p. 118 (4.27) Photodisc/First Light ; p. 119 (4.28, 4.29, 4.30) JupiterImages Corporation ; p. 121 (4.31) Photothèque ERPI ; p. 123

Sources des photographies 425

Sources des photographies

(4.32) All Canada Photos/Alamy ; pp. 126-127 Robert Harding World Imagery/CORBIS ; p. 128-129 (5.1, 5.2,5.3,5.4) Dan Forer/Beateworks/CORBIS ; p. 130 (5.5) Digitalvision/First Light ; p. 131 (5.7)(b) Ray Boudreau, (5.6)(h) Jupiterimages Corporation, (c) David R. Frazier/Photo Researchers ; p. 133 (5.9) Frank Vetere/Alamy ; p. 134 (5.15) (b g) Kim Karpeles/Alamy, (5.11) (c) James Ingram/Alamy, (5.13) (b d) Matt Rainey/Star Ledger/CORBIS, (5.10) (h d) Dorling Kindersley, (h g) Jupiterimages Corporation ; p. 135 (5.14) (h) Watts/Hall Inc/First Light ; p. 136 (5.15) Shae Cardenas/Shutterstock Inc. ; p. 137 (5.16) Chiran Vlad/Shutterstock Inc. ; p. 139 (5.17) Clive Tully/Alamy ; p. 140 (5.18)(h) Jupiterimages Corporation, (5.19) (b d) Tony Watson/Alamy, (b g) Catherine Little ; p. 141 (5.20) Edward Bock/CORBIS ; p. 142 (5.21) Jupiterimages Corporation, (5.22) Baloncici/Shutterstock Inc. ; p. 143 (5.23) Photothèque ERPI ; p. 144 (5.24) Digital Vision/Alamy ; p. 147 (5.25) Urbanspace Property Group, Toronto, Ontario ; pp. 150-151 Vadim Kozlovsky/Shutterstock Inc., p. 152 (6.1) (h) I Love Images/Jupiter Images, (6.2)(b) Marc Dietrich/Shutterstock Inc., (c d) Stephen Leech/Shutterstock Inc., (c g) Jeff Thrower (WebThrower)/Shutterstock Inc. ; p. 153 (6.3) Jim West/Alamy ; p. 154 (6.4) Mirenska Olga/Shutterstock Inc. ; p. 155 (6.6)(c) Photofusion Picture Library/Alamy, (6.5)(h) Beata Becla/Shutterstock Inc. ; p. 156 (6.7) Chris Fredriksson/Alamy ; p.157 (6.8) (h g) D. Hurst/Alamy, (h d) D. Hurst/Alamy, (6.9) (b) Jupiterimages Corporation ; p. 158 (6.10) (h) Ronald Sumners/Shutterstock Inc. ; p. 162 (6.13) David Hoffman Photo Library/Alamy ; p. 163 (6.14) (b d) Rob Huntley/Shutterstock Inc., (6.15)(b g) SasPartout/Shutterstock Inc. ; p. 165 (6.17) (b) FogStock/Alamy, (6.16) (h) Jupiterimages Corporation ; p. 166 (6.18) (c) Stephen Oliver © Dorling Kindersley, (h) Jupiterimages Corporation, (b) Adisa/Shutterstock Inc. ; p. 167 (6.19) (b) Andrea Rugg Photography/Beateworks/CORBIS, (h) Stephen Kiers/Shutterstock Inc. ; p.169 (6.20) Jupiterimages Corporation ; p. 170 (6.21) (h) Jupiterimages Corporation, (b g) Marc Dietrich/Shutterstock Inc., (6.220 (b c) Jim Chernishenko/Redbud Editorial, (b d) Steve Weaver/Shutterstock Inc. ; p. 171 (6.23) David R. Frazier Photolibrary, Inc./Alamy ; p. 172 (6.24) Laurence Gough/Shutterstock Inc. ; p. 173 (6.25) Jupiterimages Corporation ; p. 175 (h g) Discovery Channel Canada (c) CTVglobemedia, (h d) Jay Ingram, (6.26) (b)AP Images ; p. 180 (b) Cosmo Condina/Alamy ; p. 183 (h) Bill Brooks/Alamy, (b d) Wim Wiskerke/Alamy.

MODULE C: pp. 184-185 Colin Cuthbert/SPL/Photo Researchers, Inc. ; p. 186 Viacheslav V. Fedorov/Shutterstock Inc. ; p. 187 (h) Bronwyn Photo/Shutterstock Inc., (b) Jeff Schultes/Shutterstock Inc. ; p. 189 (b) Andre Jenny/Alamy, (h) Cornel Achirei/Shutterstock Inc., (c) R/Shutterstock Inc. ; pages 190-191 Cornel Achirei/Shutterstock Inc. ; p. 192 CP - Sam Leung ; p. 193 Gary Braasch/CORBIS ; p. 194 Branislav Senic/Shutterstock Inc. ; p. 195 (b) Jupiterimages Corporation, (h) Stephen Morris/Stock Food Canada ; p. 196 (c) George Bailey/Shutterstock Inc., (b) Jeffrey M Horler/Shutterstock Inc. ; p. 197 Peter Kovacs/Shutterstock Inc. ; p. 198 (h) Alain Pol, ISM/Science Photo Library ; p. 199 Bloomimage/CORBIS ; p. 203 (c) Jupiterimages Corporation ; p. 205 Friedrich von Hörsten/Alamy ; p. 206 Andrew Lambert Photography/Science Photo Library ; p. 207 PHOTOTAKE Inc./Alamy ; p. 210-211 R/Shutterstock Inc. ; p. 212 CP - Kevin Frayer ; p. 213 Paul Raoson/Science Photo Library ; p. 214 Pablo Corral

V/CORBIS ; p. 215 Jupiterimages Corporation ; p. 217 OlgaLis/Shutterstock Inc. ; p. 219 Martyn F. Chillmaid/Science Photo Library ; p. 220 (h) Craig Barhorst/Shutterstock Inc., (b) Ross Aaron Everhard/Shutterstock Inc. ; p. 221 (b) Nick Emm/Alamy ; p. 222 (h) Steve Gorton and Gary Ombler © Dorling Kindersley ; p. 223 (h) Jim Chernishenko/Redbud Editorial ; p. 227 (h) Jupiterimages Corporation ; p. 228 (b) Ray Boudreau, (h) Martyn F. Chillmaid/Science Photo Library ; p. 230 (b) Vast Photography & Productions Studio/First Light ; p. 231 (b) Alex Bartel/Science Photo Library, (h) Mike Neale/Shutterstock Inc. ; p. 233 Richard Kellaway/PC Services ; p. 234 Richard Kellaway/PC Services ; p. 235 Michael Reynolds/epa/CORBIS ; pages 238-239 Andre Jenny/Alamy ; p. 240 Gail Mooney/CORBIS ; p. 241 Paulo Fridman/CORBIS ; p. 242 Szabolcs Borbely/Shutterstock Inc. ; p. 243 (b) Viacheslav V. Fedorov/Shutterstock Inc. ; p. 244 (h) Dorling Kindersley, (b) Michael S. Yamashita/CORBIS ; p. 250 (h) Aaron Flaum/Alamy, (c) Royalty-Free/Corbis, (b) Michael Coddington/Shutterstock Inc. ; p. 252 Richard Kellaway/PC Services ; p. 253 Ange/Alamy ; p. 254 Peter Gardner ; p. 256 David R. Frazier/Photoresearchers ; p. 258 (c) Steve Photo/Alamy, (b) John Henley/CORBIS ; (h) Alan Marsh/First Light ; p. 259 Peter Bowater/Photoresearchers ; p. 261 Jonathan Blair/CORBIS ; p. 262 Paul A. Souders/CORBIS ; p. 263 (h g) Discovery Channel Canada (c) CTVglobemedia, (h d) Jay Ingram, Simon Cross Food Images/Alamy ; p. 267 (b) David Forster/Alamy, (h) Coko/Shutterstock Inc.

MODULE D : pp. 272-273 Stockbyte/Alamy ; p. 274 Stuart Yates/Alamy ; p. 275 (trois photos h) gracieuseté de Earth Rangers/Matthew Manor photographe, (4e à partir du h) gracieuseté de Sara Kelly, permission du Fleming College, (b) gracieuseté de Halsall Associates Limited, Toronto et avec la permission du Fleming College ; p. 277 (h g) CP/The Record-Mathew McCarthy, (h d) Austin Post/USGS, (b) iStockphoto.com/Grafissimo ; pp. 278-279 Courtesy of Norm Lavy/www.NormsEyeView.com ; p. 280 (h) NASA, (b) CP-Jonathan Hayward ; p. 281 (h) David Young-Wolff/PhotoEdit, (centre et b) Ray Boudreau ©Pearson Education Canada ; p. 283 (rangée du h, g à d) Erich Schrempp/Photo Researchers, Inc., Tony Freeman/PhotoEdit, Richard Kellaway/PC Services, (rangée du centre, g à d) Bill Bachman/Alamy, Dennis MacDonald/Alamy, gracieuseté de Ontario Power Generation, Silver Burdett Ginn, (rangée du b, g à d) Chris Leschinsky/UpperCut Images/Getty Images, Jupiter Images Corporation, PureStock/Jupiter Images Corporation ; p. 284 (h) Sherri R. Camp/Shutterstock, (b) Jennifer B. Waters/maXximages.com ; p. 286 Tannis Toohey/First Light ; p. 287 (h g) Phil Degginger/Alamy, (h d) CP/The Record-Mathew McCarthy, (b g) iStockphoto.com/KMITU, (b d) Richard Kellaway/PC Services ; p. 288 (h) David Madison/Stone/Getty Images, (b) CP-Dave Chidley ; p. 289 John Fowler/VALAN PHOTOS ; p. 290 (h g) Jupiter Images Corporation, (centre) Johnny Lye/Shutterstock, (thermomètre de gauche) pixelman/Shutterstock, (thermomètre de droite) Polina Lobanova/Shutterstock, (b) Jules Selmes ©Dorling Kindersley ; p. 291 Gustavo Andrade/maXximages.com ; p. 293 Richard Megna/Fundamental Photographs, NYC ; p. 294 (h g) Ivan Hunter/Rubberball/Jupiter Images Corporation, (centre) Rick Lord/Shutterstock, (b g) Wally Bauman/Alamy, (b d) Jupiter Images Corporation ; p. 297 (b 2 photos) Richard Kellaway/PC Services ; p. 300 (h) Michael Dzaman/maXximages.com, (b) Richard Kellaway/PC Services ; p. 301